OTTO MERK

BIBLISCHE THEOLOGIE DES NEUEN TESTAMENTS

MARBURGER THEOLOGISCHE STUDIEN

9

herausgegeben von

Hans Grass und Werner Georg Kümmel

N. G. ELWERT VERLAG MARBURG

1972

OTTO MERK

Biblische Theologie des Neuen Testaments
in ihrer Anfangszeit

Ihre methodischen Probleme bei Johann Philipp Gabler und
Georg Lorenz Bauer und deren Nachwirkungen

N. G. ELWERT VERLAG MARBURG

1972

Als Habilitationsschrift auf Empfehlung der Theologischen Fakultät der Philipps-Universität Marburg gedruckt mit Unterstützung der Deutschen Forschungsgemeinschaft.

© N. G. Elwert Verlag Marburg

Printed in Germany

Druck: H. Laupp jr, Tübingen

ISBN 3 7708 0447 3

VORWORT

Vorliegende Untersuchung wurde im Sommer-Semester 1970 der Theologischen Fakultät der Philipps-Universität Marburg als Habilitationsschrift eingereicht. Sie erscheint hier in nahezu unveränderter Gestalt. Durchgängigen leichten Kürzungen stehen die Einfügung weiterer mir bekannt gewordener Quellen und Literatur bis etwa Sommer 1971 sowie der zugefügte Exkurs über die Neutestamentliche Theologie im angelsächsischen Sprachbereich zur Seite, so daß der ursprüngliche Umfang beibehalten werden konnte.

Diese Untersuchung verdankt ihre Entstehung mannigfacher Hilfe.

Mein besonderer und sehr herzlicher Dank gilt meinem verehrten Lehrer, Herrn Professor Dr. Werner Georg Kümmel D.D., der mich zur Habilitation aufforderte, mir die äußere Voraussetzung dazu durch eine Assistentenstelle gab, mich zu dieser forschungsgeschichtlichen Arbeit anregte und ihre Entstehung stets mit reger wissenschaftlicher und persönlicher Anteilnahme begleitete.

Er und mein verehrter Lehrer, Herr Professor D. Hans Graß, der mich während meines Studiums in die Theologiegeschichte einführte, haben nicht nur Referat und Korreferat dieser Arbeit erstellt, sondern auch, wie schon meine Dissertation, in die von ihnen betreute Reihe „Marburger Theologische Studien" aufgenommen. Dafür möchte ich meinen herzlichen Dank aussprechen.

Zugleich möchte ich Frau Professorin D. Hanna Jursch herzlich und vielmals für ihre Hilfe bei der Beschaffung des schwer erreichbaren Materials danken.

Weiter gilt mein besonderer Dank der Universität Jena wie der Universitäts-Bibliothek Jena und ihrer Direktion, die mir freundlichst drei Nachschriften von E.F.C.A.H.Netto von J.Ph.Gablers Vorlesungen zur vollen wissenschaftlichen Auswertung überließ und es mir auf diese Weise ermöglicht, bisher unveröffentlichtes Material zur Neutestamentlichen Theologie bekannt zu machen.

Zahlreiche Bibliotheken haben durch großes Entgegenkommen vielfach geholfen: Die Univ.-Bibliothek Erlangen und die Stadt-Bibliothek Nürnberg gestatteten mir die Durchsicht und Auswertung ihrer handschriftlichen Bestände aus der ehemaligen Universität Altdorf; die Univ.-Bibliothek Leipzig machte mir aus ihrem wertvollen Altbestand kaum erreichbare Literatur zugänglich, die Univ.-Bibliotheken Tübingen, Göttingen und Kiel, die Landesbibliotheken Darmstadt, Karlsruhe und Oldenburg und die Stadtbibliothek Reutlingen halfen durch langfristige Ausleihungen und rasche Auskünfte. Nicht zuletzt nenne ich die große Hilfsbereitschaft, die mir in der Marburger Univ.-Bibliothek und in der Staatsbibliothek Preußischer Kulturbesitz, Abt. Marburg, zuteil wurde: Ihnen allen gilt mein herzlicher Dank.

Die Drucklegung wurde durch einen großzügig gewährten Druckkostenzuschuß der Deutschen Forschungsgemeinschaft ermöglicht, wofür ich ihr aufrichtig danke.

Schließlich sage ich Herrn Verleger Dr. Wilhelm Braun-Elwert für seinen verlegerischen und persönlichen Einsatz, der Druckerei Laupp jr und ihren Mitarbeitern für die Mühe der Drucklegung und meinem Freunde, Herrn Assessor Dr. Rainer Lachmann, für die Mithilfe bei der Korrekturdurchsicht meinen herzlichen Dank.

Marburg/Lahn, im März 1972   OTTO MERK

INHALTSVERZEICHNIS

EINLEITUNG UND AUFGABENSTELLUNG

In der wechselvollen Geschichte der Erforschung des Neuen Testaments lassen sich nur wenige so fast allgemein anerkannte, die Forschung grundlegend weiterführende, methodische Erkenntnisse auf Jahr und Tag festlegen wie das ‚Urdatum' der „Biblischen Theologie" als eigenständiger Disziplin im Rahmen theologischer Wissenschaft und insbesondere im Zusammenhang der Bibelwissenschaft: Es ist die Antrittsrede von JOHANN PHILIPP GABLER an der Universität Altdorf, die er am 30. März 1787 über das Thema „De iusto discrimine biblicae et dogmaticae regundisque recte utriusque finibus" gehalten hat[1]. Es gibt in den letzten 150 Jahren kaum ein Lehrbuch der Biblischen Theologie, sowohl der Theologie des Alten wie der Theologie des Neuen Testaments, in dem nicht auf diese Rede und damit auf das ‚Urdatum' dieser Disziplin hingewiesen wird[2].

Mit derselben Einhelligkeit wird eine zweite Feststellung verbunden: GEORG LORENZ BAUER habe Gablers programmatische Rede erstmals sachgemäß ausgewertet in seiner „Theologie des alten Testament oder Abriß der religiösen Begriffe der alten Hebräer. Von den ältesten Zeiten bis auf den Anfang der christlichen Epoche. Zum Gebrauch akademischer Vorlesungen", Leipzig 1796, und in dem entsprechenden Gegenstück „Biblische Theologie des Neuen Testaments", Leipzig 1800–1802[3]. Gabler und Bauer gelten darum bis heute unan-

---

[1] TS II, 1831, S. 179–198; s. dazu u. S. 31ff. und Anhang I, S. 273ff.

[2] Vgl. z.B. für Lehrbücher zur Theol. d. AT: W. VATKE, Die Religion des Alten Testamentes nach den kanonischen Büchern entwickelt, Th. I, 1835, S. 5f.; R. SMEND, Lehrbuch der Alttestamentlichen Religionsgeschichte, ²1899, S. 2f.; G. v. RAD, Theol. d. AT, Bd. I, ⁴1962, S. 125. – Zur Theol. d. NT vgl. etwa folgende Lehrbücher: W. M. L. DE WETTE, Biblische Dogmatik Alten und Neuen Testaments, Erster Theil, 1813, S. 30; M. F. A. LOSSIUS, Biblische Theologie d. NT oder die Lehren des Christentums aus den einzelnen Schriften des N. T. entwickelt, 1825, S. 8; L. D. CRAMER, Vorlesungen über bibl. Theol. des neuen Testaments, hrsg. v. F. A. A. Näbe, 1830, S. 8f.; D. G. C. v. CÖLLN, Bibl. Theol. I, 1836, S. 23f.; J. L. S. LUTZ, Bibl. Dogmatik, 1847, S. 9f.; É. REUSS, Histoire de la Théologie Chrétienne au siècle apostolique, 1852, S. 22f.; F. C. BAUR, Vorl. ntl. Theol., 1864, S. 8; B. WEISS, Lehrbuch der Bibl. Theol. d. NT, ¹1868, S. 20f.; J. J. VAN OOSTERZEE, Die Theol. d. NT, 1869, S. 8; W. BEYSCHLAG, Ntl. Theol. I, 1891, S. 12f.; H. J. HOLTZMANN, Lehrbuch d. Ntl. Theol. (1897) ²1911, S. 6; P. FEINE, Theol. d. NT, 1910, S. 2f.; H. WEINEL, Bibl. Theol. d. NT (1911) ³1921, S. 3f.; F. BÜCHSEL, Theol. d. NT, 1935, S. 1; R. BULTMANN, Theol. d. NT, ⁵1965, S. 590. Siehe auch S. 37, Anm. 5.

[3] Vgl. DE WETTE, LOSSIUS, CRAMER, v. CÖLLN, REUSS, F. C. BAUR, B. WEISS, HOLTZMANN, WEINEL, BULTMANN (passim), jeweils am vor. Anm. angegebenen Ort; dazu etwa R. SMEND, Wilhelm Martin Leberecht de Wettes Arbeit am Alten und am Neuen Testament, 1958, S. 73f.; E. KUTSCH, Art. J. Ph. Gabler, NDB 6, 1964, S. 8.

gefochten als Begründer und Wegbereiter für die Disziplin „Biblische Theologie" Alten und Neuen Testaments[4]. Diese übereinstimmende Beurteilung
als eine in ihren Folgen schwere Fehleinschätzung erweisen zu wollen, wäre
ebenso töricht wie auch eine Absage an die historisch-kritische Arbeit der letzten
eineinhalb Jahrhunderte[5]. Es soll im folgenden vielmehr die Kehrseite dieser
vielleicht allzu selbstverständlichen Beurteilung in den Blick kommen:

Man gründete weithin diese Beurteilung auf das Faktum, ohne Gablers
und Bauers Ausführungen im einzelnen zur Kenntnis zu nehmen. 175 Jahre
nach der Antrittsrede erschien, abgesehen von kurzen Bemerkungen[6], ein erster
„Johann Philipp Gablers Begründung der Biblischen Theologie" gewidmeter
Aufsatz[7]. Über G. L. Bauers Werke zur Biblischen Theologie gibt es bisher
keine Einzeluntersuchung. Beider Beiträge zur Biblischen Theologie sind bis
heute im Zusammenhang ihres jeweiligen Gesamtwerkes weder dargestellt noch
erörtert worden, geschweige denn ihre sachliche Berührung wie die sie unter-
scheidenden Ansichten zur Geltung gebracht[8]. Man hat hier, weil offenbar allzu
selbstverständlich feststehend, auf die ‚Grundlagenforschung' verzichtet, damit
aber zugleich von Generation zu Generation eine nicht näher an den Quellen
überprüfte Beurteilung übernommen[9]. Es könnte sein, daß das bisherige, in
seiner Beurteilung überaus einheitliche Bild von Gabler und seinem ‚Schüler'
Bauer zwar kein falsches, wohl aber ein nicht gereinigtes war, so daß entscheidende Züge dem Betrachter verborgen blieben.

Es sollen darum im folgenden die methodischen Grundlagen, die Gabler[10]
und Bauer[11] für die Disziplin „Biblische Theologie" innerhalb der Bibelwissenschaft gelegt haben, herausgearbeitet werden. Die Einzelbegründung in den
entsprechenden Kapiteln wird zeigen, daß beider Beiträge zur Biblischen
Theologie stärker mit dem Gesamtwerk eines jeden verflochten sind, als aufgrund der oben skizzierten Quellenkenntnis und der daraus sich ergebenden
sehr allgemeinen Beurteilung angenommen wurde bzw. vermutet werden

---

[4] Vgl. den Überblick bei W. G. KÜMMEL, NT, S. 115ff.

[5] Gegen M. ALBERTZ, Die Botschaft des Neuen Testamentes, Bd. II, 1, 1954, S. 15; K.
HAACKER, Einheit und Vielfalt in der Theologie des NT. Ein methodenkritischer Beitrag,
in: Beiträge zur hermeneutischen Diskussion, hrsg. von W. Böld 1968, S. 78ff., bes. S. 86ff.

[6] Vgl. außer den in Anm. 2 genannten Werken z. B. B. STADE, Ueber die Aufgaben der
biblischen Theologie des AT, ZThK 3, 1893, S. 31ff.; (G.) A. DEISSMANN, Zur Methode der
biblischen Theologie des NT, ebdt., S. 126f.

[7] Vgl. R. SMENDS gleichbetitelten Aufsatz in: EvTh 22, 1962, S. 345–357.

[8] Dem entspricht, was jedoch in unserem Zusammenhang nicht zu untersuchen ist, daß
auch biographisch Gabler und Bauer kaum gewürdigt wurden; zu Gabler vgl. W. SCHRÖTER,
Erinnerungen an D. Johann Philipp Gabler..., 1827; G. E. STEITZ, Art. J. Ph. Gabler,
ADB 8, 1878, S. 294–296; E. KUTSCH, s. Anm. 3; zu Bauer vgl. ERDMANN, Art. G. L. Bauer,
ADB 2, 1875, S. 143–145; H. STRATHMANN, Art. G. L. B., NDB 1, 1953, S. 637f.; E. WOLF,
Art. Bauer, G. L., RGG³, Bd. I, 1957, Sp. 924.

[9] Als typisch dafür darf gelten, daß F. C. BAUR, Vorl. ntl. Theol., S. 8, seine Beurteilung
Gablers bis in die Formulierungen hinein von D. G. C. v. CÖLLN, Bibl. Theol. I, S. 23f.
übernommen hat, vgl. auch u. S. 37 Anm. 5; erst B. STADE (s. Anm. 6) u. R. SMEND
(s. Anm. 2) haben einige kritische Bemerkungen angeführt.

[10] = Kapitel 2, s. u. S. 29ff.

[11] = Kapitel 3, s. u. S. 141ff.

konnte. Auf einen – zumindest äußeren – Unterschied ist bereits hier hinzuweisen: Gabler hat seine Beiträge in kurzen Aufsätzen und in zahlreichen
Besprechungen und Anmerkungen zu Abhandlungen und Rezensionen anderer
Gelehrter, die in den von ihm herausgegebenen Zeitschriften zu Worte kommen,
ausgeführt[12]. Es war darum eine besondere Hilfe, daß bisher nicht ausgewer-
tetes handschriftliches Material gefunden werden konnte, das für die Beurteilung von Gablers Biblischer Theologie von großem Wert ist[13]. – Ganz anders
war Bauers Arbeitsweise: Er hat in mehreren umfänglichen Werken seine Sicht
der Biblischen Theologie dargelegt. Aufgrund dieses vorliegenden umfangreichen Materials lassen sich Übereinstimmungen wie Unterschiede in den Auf-
fassungen der beiden Theologen zur Frage der Biblischen Theologie aufzeigen.

Dieses umfangreiche Material rechtfertigt darum den Versuch, die Konzep-
tionen beider Theologen zu entfalten, ihre methodischen Einsichten zu erörtern
und damit die Anfänge der Biblischen Theologie als wissenschaftlicher Theologie zur Grundlage vorliegender Untersuchung zu machen.

Liegt hierin auch das Schwergewicht dieser Arbeit, so muß doch daran anschließend in einem kurzen Abriß gezeigt werden, inwieweit beider Gelehrter
methodische Erwägungen sich als tragend und weiterführend in der „Theologie des Neuen Testaments" ausgewirkt haben[14].

Daß man erst seit Gablers Antrittsrede von 1787 von der Biblischen Theologie als einer eigenen Disziplin sprechen kann, darf heute als sicher gelten[15].
Nicht dieses Faktum, sondern dessen Begründung ist darum das Wesentliche.
Das aber heißt: Es ist zu zeigen, warum alle zeitlich davor liegenden Bemühungen um eine Biblische Theologie in die Vorgeschichte dieser Disziplin gehören.
Sie sind darzulegen als die Voraussetzungen, aus denen Gablers Ausführungen
verständlich werden. Darum ist in einem ersten Kapitel ein kurzer Überblick
über diese Vorgeschichte zu geben.

---

[12] Vgl. u. S. 90 ff.

[13] Vgl. J. Ph. Gabler (-E. F. C. A. H. Netto), Einleitung in's Neue Testament, I. Bd.:
Allgemeiner Theil; II. Bd.: Specieller Theil oder Historische Einleitung, Jena 1815, zus. 626
gez. Seiten; *dies.*, Biblische Theologie, vorgetragen von D. Joh. Phil. Gabler nach Bauer,
Breviar. Theol. Bibl., Jena 1816, 423 gez. Seiten; *dies.*, Dogmatik, vorgetragen von D. Joh.
Phil. Gabler nach Ammon, Summa Th. Chr. Bd. I. II, Jena 1816, zus. 1042 gez. Seiten u.
6 Seiten Register (nicht numeriert).

[14] = Kapitel 4, S. 205 ff.

[15] Vgl. die Anm. 2 Genannten.

I. KAPITEL

ZUR VORGESCHICHTE DER „BIBLISCHEN THEOLOGIE" ALS DISZIPLIN

A. VORBESINNUNG

Das Anliegen der Biblischen Theologie verstehen zu lernen, heißt zunächst einmal, in einem Abriß ihre wechselvolle Geschichte bis zur Herausbildung ihrer Aufgaben und Methoden zur Kenntnis zu nehmen. Daß hier von Anfang an auch die Geschichte des Begriffs zu berücksichtigen ist, ergibt sich aus dem in sich nicht fest umrissenen Begriff „Biblische Theologie".

Als Voraussetzung ist – unabhängig von dem im folgenden zu gebenden Überblick über das Aufkommen des Begriffs – ein nach heutigem und auch weithin anerkanntem Sprachgebrauch doppeltes Verständnis festzustellen[1]: Entweder bezeichnet „Biblische Theologie" eine Theologie, die in der Bibel enthalten ist, oder sie charakterisiert eine Theologie, deren Schriftgemäßheit offenkundig ist, also eine Theologie, die in der Entfaltung ihrer einzelnen Lehren die Verbindung zur Schrift nicht abbrechen läßt. Im ersten Fall kennzeichnet sie ein in den Schriften Alten und Neuen Testaments Aufweisbares und damit fest Umgrenztes, so daß sie Fachausdruck für eine Disziplin im Rahmen der theologischen Wissenschaft werden konnte, im zweiten Fall stellt sie eine normative Größe dar, die für das Ganze christlicher Theologie gelten will.

Eine Theologie, die auf dem Boden der Schrift steht, wäre in diesem zweiten und weiteren Sinne somit als „Biblische Theologie" schlechthin ausgewiesen, und die Feststellung von FERDINAND CHRISTIAN BAUR, daß die Reformatoren auf die ‚Biblische Theologie' ihre theologischen Erörterungen aufbauten, weil „die Schrift... das Grundlegende, Massgebende, Bestimmende, die Dogmatik das aus ihr als der Erkenntnisquelle Abgeleitete und durch sie Begründete" ist, träfe demnach zu[2]. Biblische Theologie und das „Grundprinzip des Protestantismus"[3] wären also ohne weiteres gleichzusetzen. Das aber heißt, die Problematik der Bezeichnung bereits hier offenkundig werden zu lassen, wobei nicht der Begriff „Theologie", der seit dem 12. Jahrhundert ein Ausdruck für die Lehre und ihre Entfaltung ist[4], der Schwierigkeiten bereitende ist, sondern

[1] Vgl. dazu u. auch zum Folgenden G. EBELING, Was heißt „Biblische Theologie"?, in: Wort und Glaube, 1960, S. 69ff., K. STENDAHL, Method in the Study of Biblical Theology, in: The Bible in Modern Scholarship, 1965, S. 196ff., bes. S. 202ff. (dazu A. DULLES, Response to Krister Stendahl's „Method in the Study of Biblical Theology", ebdt., S.210ff.).

[2] Vorl. ntl. Theol., 1864, S. 2; ähnlich schon D. SCHENKEL, Die Aufgabe der Biblischen Theologie in dem gegenwärtigen Entwicklungsstadium der theologischen Wissenschaft, ThStKr 25,1, 1852, S. 42ff.

[3] F. C. BAUR, Vorl. ntl. Theol., S. 1.

[4] Vgl. G. EBELING, Art. Theologie I. Begriffsgeschichtlich, RGG³, Bd. VI, 1962, Sp. 757ff.

das Beiwort „biblisch". Denn dieses Beiwortes bedarf es im Sinne der Reformatoren nicht: Die von ihnen vertretenen Anschauungen und Lehren waren „Theologie", Theologie aber war für sie christliche Theologie und darum mit den Schriften Alten und Neuen Testaments in Einklang. Ihre Theologie war in diesem Sinne immer auch „biblische" Theologie. Sie bedurften deshalb des Begriffs „Biblische Theologie" in dem eben ausgeführten weiteren Sinne nicht.

Diese bewußt von einer modernen Fragestellung her an die Reformatoren herangetragene Unterscheidung zeigt implizit, daß man erst dort eine Untersuchung über Biblische Theologie einsetzen lassen kann, wo die Theologie selbst auf der Grundlage der Schrift beruht. Mit der Hinwendung der Reformatoren zur Heiligen Schrift ist deshalb der sachgemäße Einsatzpunkt für unsere Untersuchung gegeben.

B. ZUM SCHRIFTVERSTÄNDNIS DER REFORMATIONSZEIT

Nun kann es keine Frage sein, daß bereits im Humanismus erste Ansätze zu einer Neubesinnung auf die Bibel gegeben sind[5]. Die Berücksichtigung der Quellen in ihrer Ursprache[6], die Veröffentlichung eines griechischen Neuen Testaments durch ERASMUS (1516) mit den für die sich anbahnende Bibelkritik gewichtigen Vorreden[7], die wiederentdeckte Diskussion der Kirchenväter über die apostolische Herkunft verschiedener neutestamentlicher Schriften und besonders die Bemühung um die biblischen Schriften[8] im Zusammenhang der Theologie des Erasmus[9] zeigen die nicht zu unterschätzende Vorarbeit, die er auch für die Reformation geleistet hat.[10] Dennoch ist erst durch die Reformatoren, und vor allem durch MARTIN LUTHER selbst, ein entscheidender

---

[5] Vgl. im Überblick: G. W. MEYER, Geschichte der Schrifterklärung I, 1802, S. 157ff.; II, 1803, S. 263ff.; W.G.KÜMMEL, NT, S. 10f.; *ders.*, Art. Bibelwissenschaft II. Bibelwissenschaft des NT, RGG³, Bd. I, 1957, Sp. 1238; H. LIEBING, Art. Schriftauslegung IV B. Humanismus, Reformation und Neuzeit, RGG³, Bd. V, 1961, Sp. 1528.

[6] Vgl. dazu für Erasmus H. SCHLINGENSIEPEN, Erasmus als Exeget. Auf Grund seiner Schriften zu Matthäus, ZKG XLVIII (= N.F. XI. Bd.), 1929, S. 28ff.; E.-W. KOHLS, Die Theologie des Erasmus I, 1966, S. 126ff.

[7] Vgl. die kritische Ausgabe der Vorreden in: DESIDERIUS ERASMUS Roterdamus, Ausgewählte Werke, hrsg. von H. Holborn, 1933, S. 137ff.; zur Ausgabe des Neuen Testaments vgl. A. BLUDAU, Die beiden ersten Erasmus-Ausgaben des Neuen Testaments und ihre Gegner, 1902; B. REICKE, Erasmus und die neutestamentliche Textgeschichte, ThZ 22, 1966, S. 254ff.; E.-W. KOHLS, Die theologische Lebensaufgabe des Erasmus und die oberrheinischen Reformatoren. Zur Durchdringung von Humanismus und Reformation, 1969, S. 18ff.

[8] Zu Erasmus vgl. H. SCHLINGENSIEPEN, s. Anm. 6, S. 16–57.

[9] Vgl. E.-W.KOHLS, s. Anm. 6, S. 126ff., 193ff.; *ders.*, s.Anm. 7, S. 13ff., 18ff.; F. BEISSER, Claritas Scripturae bei Martin Luther, 1966, S. 75ff.

[10] Vgl. z.B. E.-W. KOHLS, s. Anm. 7, S. 25ff.; W. MAURER, Luthers Verständnis des Ntl. Kanons, in: Die Verbindlichkeit des Kanons, Fuldaer Hefte 12, 1960, S. 47–77.

Durchbruch zu neuen Erkenntnissen gelungen. Die teilweise durchaus kritischen Fragestellungen eines LAURENTIUS VALLA[11], Erasmus und auch CAJETAN[12] konnten deshalb nicht zu einer historisch weitreichenderen Kritik *an* und Bearbeitung *der* Bibel führen, weil die Humanisten in ihren freieren Ansichten zwar ein Nebeneinander und nicht mehr ein Ineinander von Schrift und Tradition konstatierten, sich aber stets der kirchlichen Autorität als höchster Instanz unterordneten[13].

Im Hinblick auf unser Thema ist darum zunächst das wirklich Weiterführende in der reformatorischen Hinwendung zur Schrift und insbesondere in Luthers wiederholter Berufung auf die Schrift als allein anzuerkennender Autorität zu sehen[14]. Nicht die Kirche legt die Bibel aus, sondern der Autorität der Schrift entspricht es, dies selbst zu tun, denn sie ist ihr eigener Ausleger (sui ipsius interpres)[15]. Das freilich setzt voraus, daß man die Bibel nicht mit den Augen eines Augustin, der übrigen Kirchenväter oder eines Thomas von Aquin liest, sondern so, wie es der Urkirche gestattet war. Dann nämlich wird erkannt, wie klar und eindeutig die Schrift in sich selbst ist[16]. Die Schrift aber kann diese Klarheit haben, weil ihr Sinn ein eindeutiger ist[17], und das wiederum setzt voraus, daß der vierfache Schriftsinn, den Luther zunächst übernahm[18], aber sachlich neu ausrichtete und schließlich völlig verwarf[19], nunmehr überwunden ist. Die entscheidende Tat Luthers besteht weniger in der damit verbundenen Destruktion der herkömmlichen Schriftauslegung, sondern in der hermeneutischen Überwindung dieser Auslegung, indem er in der ersten Psalmen-Vorlesung die Unterscheidung von Buchstabe und Geist

---

[11] Vgl. G. W. MEYER, s. Anm. 5, I, 1802, S. 157 ff. und jetzt E. MÜHLENBERG, Laurentius Valla als Renaissancetheologe, ZThK 66, 1969, S. 466 ff.

[12] Vgl. G. HENNIG, Cajetan und Luther, 1966.

[13] Vgl. dazu H. SCHLINGENSIEPEN, s. Anm. 6, S. 56 f.; W. MAURER, s. Anm. 10, S. 53 ff.; W. G. KÜMMEL, NT, ²1970, Anm. 7a. b.

[14] WA 7, S. 86 ff. (Assertio omnium articulorum M. Lutheri per Bullam Leonis X. novissimam damnatorum, 1520); WA 7, S. 838.876 (Luthers Erklärung auf dem Reichstag zu Worms, 18. 4. 1521); WA 7, S. 317 (Grund und ursach aller Artikel D. Marti. Luther., szo durch Romische Bulle unrechtlich verdampt seyn, 1521); WA 7, S. 650 ff. (Auf das ubirchristlich, ubirgeystlich und ubirkunstlich Buch Bocks Emszers zu Leypzigk Antwort D. M. L., 1521); WA 18, S. 609. 700 f. (De servo arbitrio, 1525); WA 50, S. 206 (Schmalkaldische Artikel, 1538). Zu Luthers Schriftauslegung vgl. bes. K. HOLL, Luthers Bedeutung für den Fortschritt der Auslegungskunst, in: Ges. Aufs. z. Kirchengeschichte I, Luther, ⁶1932, S. 544 ff.; P. SCHEMPP, Luthers Stellung zur Heiligen Schrift, 1929; G. EBELING, Evangelische Evangelien-Auslegung, ²1962, S. 273 ff.; C. H. RATSCHOW, Der angefochtene Glaube, ²1960, S. 186 ff., 202 ff.; O. WEBER, Grundlagen der Dogmatik I, ³1964, S. 354 ff.; F. BEISSER, s. Anm. 9; W. G. KÜMMEL, Luther und das NT, in: Reformation und Gegenwart, 1968, S. 1 ff.; *ders.*, Luthers Vorreden zum NT, ebdt., S. 12 ff.; *ders.*, NT, S. 12 ff.

[15] WA 7, S. 97, 23 ff.

[16] WA 7, S. 97.

[17] WA 7, S. 650; WA 18, S. 700 f. Zum Ganzen F. BEISSER, s. Anm. 9, S. 9 ff., 79 ff., 131 ff.

[18] Vgl. etwa WA 3, S. 11 ff. (Erste Psalmenvorlesung, 1513–15); vgl. zu dieser Methode der Schriftauslegung bes. E. v. DOBSCHÜTZ, Vom vierfachen Schriftsinn. Die Geschichte einer Theorie, Harnack-Ehrung, 1921, S. 1 ff.

[19] Vgl. etwa WA 57, S. 95 f. (Gal. Vorl.); WA 56, S. 175, 9 f., S. 439 (Röm. Vorl.); ferner WA 2, S. 249 ff.; WA 5, S. 644 ff.

(littera et spiritus) betont und hierin das entscheidende Verstehensproblem aufdeckt. Diese Unterscheidung nämlich ist nichts anderes als die sein weiteres Schrifttum bestimmende Unterscheidung von Gesetz und Evangelium, denn littera ist lex irae, lex Mosi, spiritus aber verbum gratiae, lex Christi, evangelium[20]. Die geistliche Schriftauslegung weist sich aus in dieser Unterscheidung, der sensus literalis ist im Vollzug dieser Unterscheidung der spiritualis, denn der hermeneutisch richtige und d. h. der christologisch verstandene Literalsinn ist der geistliche, wie umgekehrt gilt, daß der geistliche immer auch der buchstäbliche Sinn ist. „Der vierfache Schriftsinn wird entbehrlich, sobald erkannt ist, daß der christologisch verstandene Buchstabe, der historice vom opus Christi redet, dieses Werk stets zugleich als opus pro nobis, als Heilsgeschehen meint und darum den sensus tropologicus schon in sich enthält"[21]. Die eindeutige Klarheit der Schrift kommt nicht zustande durch eine bestimmte Methode der Schriftauslegung, sondern ist bewirkt durch den Heiligen Geist, der sich im Glauben manifestiert[22]. Die Klarheit der Schrift beruht darum auf der „Korrespondenz von Christus und Glaube"[23], und damit auf der sachgemäßen Unterscheidung von Buchstaben und Geist, von Gesetz und Evangelium und weist sich aus in der Eindeutigkeit ihres Skopus: Dieser ist das „solus Christus"[24]. Er ist die Grundlage und der Maßstab der Auslegung, und ihm entspricht das „sola scriptura"[25].

Ehe Folgerungen aus dem Ausgeführten für unser Thema gezogen werden, ist noch auf einen zweiten Sachverhalt hinzuweisen: Bei seiner Übersetzung des Neuen Testaments (1522), in dem „Septembertestament", stellt Luther nach dem äußeren Vorbild anderer, aber in einer sachlich völlig selbständigen Weise den einzelnen Schriften, vom Römerbrief angefangen bis zur Apokalypse, Vorreden voran und begründet in zwei dem ganzen Neuen Testament vorangestellten Vorreden dieses Vorgehen[26]. Aus historischen und theologischen Gründen werden der Hebräerbrief, Judasbrief, Jakobusbrief und die Offen-

---

[20] Vgl. etwa WA 3, S. 11ff. 254ff. 456f.; s. auch WA 1, S. 106; 2, S. 250ff.; 5, S. 644ff.; 7, S. 647ff.; 56, S. 67. 336ff.; 57, S. 95f. Zum Ganzen s. G. Ebeling, Evgl. Evgl. Ausl., S. 277ff.; *ders.*, Luther. Einführung in sein Denken, 1964, S. 100f. 120ff.; *ders.*, Art. Geist u. Buchstabe, RGG³, Bd. II, 1958, Sp. 1293f.; *ders.*, Art. Hermeneutik, RGG³, Bd. III, 1959, Sp. 251f.; O. Weber, aaO, S. 359ff. Das weitschichtige Problem von Gesetz und Evangelium ist in unserem Zusammenhang nicht im einzelnen zu erörtern, doch vgl. die genannten Arbeiten von G. Ebeling; P. Schempp, s. Anm. 14, S. 70ff.; zusammenfassend s. E. Wolf, Art. Gesetz V. Gesetz und Evangelium, Dogmengeschichtlich, RGG³, Bd. II, 1958, Sp. 519ff. Insbes. ist im Hinblick auf unser Thema auch nicht auf den für Luthers Schriftverständnis grundlegenden Zusammenhang mit der Predigt einzugehen, vgl. dazu etwa C. H. Ratschow, s. Anm. 14, S. 202f.

[21] So H. Liebing, s. Anm. 5, Sp. 1528. Über die erst allmählich sich vollziehende Überwindung der Allegorese vgl. G. Ebeling, Evgl. Evgl. Ausl., S. 298ff. u.ö.

[22] Vgl. Nachweise bei G. Ebeling, Evgl. Evgl. Ausl., S. 311.

[23] Vgl. G. Ebeling, Art. Luther II. Theologie, RGG³, Bd. IV, 1960, Sp. 500.

[24] WA 7, S. 599f.

[25] Wie ihm auch das „sola fides" der Rechtfertigungslehre entspricht (G. Ebeling, Evgl. Evgl. Ausl., S. 293).

[26] Vgl. WA, DB 6 u. 7.

barung des Johannes entgegen jeder sonst bekannten Anordnung unnumeriert
an das Ende des Neuen Testaments gestellt, da deren apostolische Verfasserschaft in der alten Kirche umstritten war und nicht sicher erwiesen werden
kann und da sie in ihrem Inhalt gegen die wahren Hauptbücher des Neuen
Testaments stehen[27]. Es ist in unserem Zusammenhang nicht zu untersuchen,
ob Luthers historische und theologische Gründe, insbesondere auch ihre Verbindung miteinander, wirklich schlüssig sind[28], sondern es ist nur der Sachverhalt hervorzuheben, daß Luther durch die Unterscheidung von drei Gruppen
neutestamentlicher Schriften[29] die Verschiedenartigkeit und auch Gegensätzlichkeit der einzelnen neutestamentlichen Schriften und Schriftengruppen
und ihrer Aussagen erkannt hat, bis zu einem gewissen Grade eine Entwicklung
des Glaubensverständnisses in ihnen feststellt[30] und vor allem sie nach der
theologischen Mitte der Schriften, nämlich nach der Übereinstimmung mit der
Christusbotschaft, nach dem Grundgesetz „was Christum treibet" beurteilt[31].
Luther hat damit in historischer[32] wie in theologischer Hinsicht eine Fragestellung inauguriert, die für die Methodik der Biblischen Theologie noch von
größter Bedeutung werden sollte. Daß diese historische Kritik wie auch bedeutende Sachkritik, ja daß die gesamte Fragestellung, die mit den „Vorreden"
verbunden ist, nicht zugunsten einer Biblischen Theologie zum Tragen kommen
konnte, vielmehr bald nach Luther in Vergessenheit geriet, liegt nicht nur an
seinem Verständnis des Apostolischen[33], das die an den biblischen Schriften
selbst gewonnenen Kriterien in ihrer Bedeutsamkeit abschwächt, sondern vor
allem an seinem Verständnis des „sola scriptura" schlechthin:

Das „sola scriptura" als alleinige Autorität hat für Luther Relevanz nur in
einem Doppelten: 1. Indem er Christus und die Schrift unterscheidet und
2. indem er darin die sachgemäße Unterscheidung von Gesetz und Evangelium
vollzieht[34]. Beides hat ihn zu wesentlichen Einsichten des Verstehens der
Schrift geführt, hat zum Vorrang der exegetischen Arbeit in seinen Vorlesungen
und Kommentaren beigetragen und hat bestimmenden Einfluß auf die grundsätzliche Bestreitung der Tradition und der kirchlichen Autorität. Aber weil
das dem „sola scriptura" zugrundeliegende hermeneutische Anliegen nicht in
seinen Konsequenzen auf den Gesamtbereich der Theologie bedacht wurde,
konnte auch dem Grundsatz des „sola scriptura" selbst keine durchschlagende

[27] WA, DB 7, S. 344. 384. 404; 6, S. 10; vgl. zum Jakobusbrief auch WA, Tischreden 3,
Nr. 3292b; WA 2, S. 425, 10.
[28] Vgl. W. G. KÜMMEL, Luthers Vorreden (s. Anm. 14), S. 19ff.
[29] WA, DB 6, S. 10, 9ff.
[30] WA, DB 6, S. 8. 10; 7, S. 10. 384; vgl. auch W. G. KÜMMEL, Luthers Vorreden (s.
Anm. 14), S. 16ff.
[31] WA, DB 7, S. 384.
[32] Für Luther in seinen Vorreden jedes Interesse an historischer Kritik zu bestreiten, so
W. MAURER, s. Anm. 10, S. 61, ist kaum möglich.
[33] Dazu W. MAURER, s. Anm. 10, S. 62f. u. ö.
[34] Vgl. WA 39 I, S. 47: These 41. 49. 51 (Disputationsthesen De fide vom 11. 9. 1535);
vgl. dazu und zum Folgenden auch G. EBELING, Was heißt „Bibl. Theol."?, S. 72f.; C. H.
RATSCHOW, s. Anm. 14, S. 202ff.

Wirkung beschieden sein. Sein hermeneutischer Ansatz ermöglichte es ihm, das „sola scriptura" zum Maßstab zu machen, aber es gab weder dem Ausdruck noch der Sache nach die Möglichkeit, von einer „Biblischen Theologie" zu sprechen. Ja gerade die Geltung, die die Schrift als alleinige Grundlage erhalten hatte, hinderte daran, durchgreifende historische und theologische Kritik an ihr zu üben. Und schließlich: Auch Luther hat trotz gewisser Kritik an einzelnen Schriften an der Inspiriertheit der Heiligen Schrift keine grundsätzlichen Zweifel geäußert [35].

Und doch muß man zugleich sagen: Luthers Einsicht in das „sola scriptura" ist die Grundlage dafür, daß es auf dem Boden des Protestantismus – wenn auch auf dem Weg durch Jahrhunderte – zu einer „Biblischen Theologie" kommen konnte.

Diese Ausführungen zu Luther gelten im Hinblick auf unser Thema sinngemäß für die übrigen Reformatoren. Die Hinwendung zur Schrift ist in ihren großen Entwürfen unverkennbar. Sowohl PH. MELANCHTHONS „Loci" (1521 und nachfolgende Auflagen) wie CALVINS „Institutio" (1536; 1559) sind auf der Grundlage der Schrift zu sehen und beider Reformatoren zahlreiche exegetischen Veröffentlichungen bzw. Kommentare sind ein klarer Beleg für ihre auf der Schrift beruhenden Theologie [36].

Besonders eine Rede Melanchthons vom 25. 1. 1520 steht neuerdings in dem Rufe, ein Beitrag zur „biblischen Theologie" zu sein: „Declamatiuncula in Divi Pauli doctrinam" [37]. Diese Rede, die einerseits Melanchthons Interesse an der paulinischen Theologie zeigt, zu deren Studium er anregen will, ist andererseits ein Preis des Apostels, dessen Lehre als hocherhabene Philosophie (S. 38, 19ff.; 39, 17ff.; 42, 14ff.) gegenüber der scholastischen Theologie bzw. Philosophie (S. 34, 16ff.) hingestellt wird. Zwar werden zentrale Punkte der Paulinischen Theologie gestreift (Betonung der Christologie, S. 30, 16ff. und des Kreuzes Christi, S. 30, 11; 40, 28ff.), aber z.B. die Rechtfertigungslehre kommt bei weitem zu kurz, und Melanchthon selbst ist, wie er seinem Freunde JOHANNES HESS schreibt, mit seinen Ausführungen unzufrieden (S. 52, 37ff.).

Diese Ausführungen über paulinische Gedanken heben die Bedeutung der

---

[35] Vgl. J. LEIPOLDT, Geschichte des ntl. Kanons II, 1908, S. 87; s. auch G. EBELING, Evgl. Evgl. Ausl., S. 365ff.

[36] Vgl. für MELANCHTHON jetzt die gute Zusammenstellung in der Teilsammlung: Melanchthons Werke, IV. Band. Frühe exegetische Schriften, hrsg. v. P. F. Barton, 1963; zu Luthers Hochschätzung von Mel. exegetischer Arbeit s. WA 10 II, S. 306ff.; s. auch A. SCHIRMER, Das Paulusverständnis Melanchthons 1518–1522, 1967. Zu dem Versuch Mel., „in den Loci communes von 1521 die dogmat. Theologie auf eine biblische (des Röm) zu reduzieren", vgl. H. SCHLIER, Art. Biblische Theologie II, B. Th. des Neuen Testamentes, LThK², Bd. 2, 1958, Sp. 444. – Zu CALVIN vgl. z.B. O. WEBER, aaO, S. 361ff.; D. SCHELLONG, Calvins Auslegung der synoptischen Evangelien, 1969; *ders.*, Das evangelische Gesetz in der Auslegung Calvins, ThExh 152, 1968.

[37] Vgl. Melanchthons Werke, I. Bd., hrsg. v. R. Stupperich, 1951, S. 26–53. Zur Rede selbst vgl. TH. KOLDE, Die Loci Communes Philipp Melanchthons in ihrer Urgestalt nach G. L. Plitt, ⁴1925, S. 29ff.; W. MAURER, Der junge Melanchthon zwischen Humanismus und Reformation, Bd. 2: Der Theologe, 1969, S. 119ff.

Bibelwissenschaft im Humanismus (S. 27, 27 ff.) und ihres Hauptvertreters Erasmus (S. 39, 30 f.) hervor, doch ist Melanchthons Verständnis des Apostels Paulus von Luther her geprägt.[38] Alles in allem ist diese Rede „nicht etwa eine wissenschaftliche Darstellung der wichtigsten Gedanken des Paulus"[39]. Man sollte in ihr darum nicht einen Beitrag zur „wissenschaftlichen Arbeit der biblischen Theologie" sehen[40], zumal die angeführte Gegenüberstellung von paulinischer und scholastischer Theologie „wie begreiflich, den Redner daran" „hindert", „irgendwie der Eigenart des Paulinismus gerecht zu werden. Aber darauf kommt es ihm gar nicht an"[41].

Man wird darum diese wie auch andere Arbeiten Melanchthons zu den paulinischen Briefen im Rahmen der Hinwendung der Reformatoren zur Exegese zu sehen haben, wobei für Melanchthon speziell die Beeinflussung durch Erasmus nicht zu verkennen ist[42].

C. ZUM SCHRIFTVERSTÄNDNIS
DER PROTESTANTISCHEN ORTHODOXIE UND
ZUM AUFKOMMEN DES BEGRIFFS „BIBLISCHE THEOLOGIE"
IN DER ORTHODOXIE UND IM PIETISMUS

Hat sich aus der bisherigen Erörterung ergeben, daß der Ausgangspunkt für die Frage nach einer „Biblischen Theologie" in der gemeinreformatorischen Anschauung von der alleinigen Gültigkeit der Schrift gegeben ist, so ist genau an dieser Stelle hinsichtlich unseres Themas ein Blick auf die altprotestantische Orthodoxie zu werfen, und zwar in doppelter Weise:

1. Diese Epoche ist zu ihrem Beginn geprägt von dem bedeutenden, humanistisches und reformatorisches Erbe in sich vereinigenden hermeneutischen Einsichten des MATTHIAS FLACIUS ILLYRICUS, der besonders in seinem Hauptwerk „Clavis Scripturae seu de sermone sacrarum literarum, plurimas generales regulas continentis", altera pars[43], aufzeigt, daß das reformatorische Schriftverständnis deshalb nicht bahnbrechend sein konnte, weil dafür die hermeneutischen Grundregeln noch zu wenig ausgebildet waren. Flacius, der als erster

---

[38] So W. MAURER, Mel., Bd. 2, S. 121.
[39] So TH. KOLDE, aaO, S. 30.
[40] So W. MAURER, Mel., Bd. 2, S. 119.
[41] So TH. KOLDE, aaO, S. 31.
[42] Zum Ganzen vgl. jetzt W. MAURER, Mel., Bd. 2, S. 27 ff. bes. 119–131 („Studien zu den paulinischen Briefen"). 349 ff.; A. SCHIRMER, aaO.
[43] In mehreren Ausgaben, z. B. 1580; 1628/29; 1685. Ich halte mich vornehmlich an die in Anm. 45 angegebenen Fundorte der Zitate.

Hermeneutiker des Protestantismus zu gelten hat[44], fordert, daß man die Schriften der Bibel so lesen müsse, wie sie die ersten Leser verstanden haben. Er zeigt dazu die notwendigen methodischen Schritte auf und bereitet somit „einer wirklich geschichtlichen Betrachtung gerade der biblischen Texte den Weg"[45]. Dazu gehört auch, daß er methodische Kriterien erarbeitet, die eine sachgemäße Trennung von Altem und Neuem Testament erlauben[46]. In diesem Sinne hat Flacius auch einer Biblischen Theologie unmittelbar vorgearbeitet. Aber so bahnbrechend auch seine Erkenntnisse für ein historisches Verstehen der Schrift sind, sie konnten deshalb nicht tragend werden, weil das reformatorische Verständnis des „sola scriptura" für ihn zur Folge hatte, daß die Bibel in ihren Einzelschriften eine einheitliche Größe ist, die keine Widersprüche enthält. Sind auch dem Exegeten Widersprüche nicht verborgen, so beruhen diese doch nur auf unzureichender, methodisch unvollkommener Schriftauslegung.

2. In der altprotestantischen Orthodoxie machte sich grundlegend bemerkbar, daß Luther und überhaupt die Reformatoren – wie oben gezeigt – die Bedeutung des „sola scriptura" für den Gesamtbereich der Theologie nicht hinreichend durchdacht hatten. War Luther selbst zwar sehr an der Exegese gelegen, so hat er doch ihre Vorrangstellung vor der Systematik nicht im einzelnen begründet, sondern die systematisch-theologische Fragestellung einfach in die Exegese mit einbezogen. Damit aber war das „sola scriptura" in seiner Selbständigkeit nicht voll gewertet. Der altprotestantischen Orthodoxie konnte es deshalb keinen Abfall von dem reformatorischen Schriftverständnis bedeuten, als sie ihrerseits der Systematik *vor* der Exegese den entscheidenden Platz einräumte[47] und in Luthers Abwendung von der Scholastik, die ohnehin nicht ganz konsequent war[48], bestenfalls dem Reformator eine Sonderanschauung zubilligte, sich aber ihrerseits in der Art ihrer Betonung der Systematik vor der Exegese im Prinzip mit dem scholastischen System der vorreformatorischen Zeit in Einklang befand[49].

Es ist nun im Hinblick auf unsere Fragestellung bedeutsam, daß zwar „Ursprünge und Probleme der Bibelkritik im 17. Jahrhundert" durchaus

[44] Vgl. grundlegend W. DILTHEY, Leben Schleiermachers II, 2, hrsg. v. M. Redeker, 1966, S. 597 ff.; weiterführend zu Diltheys Ausführungen s. K. HOLL, s. Anm. 14, S. 578 ff.; G. MOLDAENKE, Schriftverständnis und Schriftdeutung im Zeitalter der Reformation I: Matthias Flacius Illyricus, 1936, S. 11 ff. Der äußere Anlaß der Ausführungen des Flacius ist der Kampf gegen das Tridentinische Konzil, auf dem am 8. April 1546 die Gleichwertigkeit von Schrift und Tradition dogmatisch festgelegt war (vgl. W. Dilthey, aaO).

[45] So W. G. KÜMMEL, NT, S. 23, ebdt., S. 21 ff. Vgl. auch die Anführung der wichtigsten methodischen Abschnitte und ihre Auswertung für die Theologiegeschichte u. die jetzt vom Herausgeber reich mit Zitaten und Quellen aus verschiedenen Auflagen der Werke des Flacius versehene Ausgabe von W. DILTHEY, aaO.; G. MOLDAENKE, aaO, S. 119 ff., 153 ff., 190 ff., 259 ff., 366 ff., 536 ff.; H. KIMMERLE, Typologie der Grundformen des Verstehens von der Reformation bis zu Schleiermacher, ZThK 67, 1970, S. 163 ff.

[46] Vgl. G. MOLDAENKE, aaO, S. 605 ff.

[47] Vgl. zum Ganzen G. EBELING, Was heißt „Bibl. Theol."?, S. 73 f.

[48] Vgl. die Nachweise bei G. EBELING, vor. Anm., S. 73.

[49] „Darin glichen sich die mittelalterliche und die altprotestantische Scholastik völlig", G. EBELING, ebdt., S. 73.

feststellbar sind[50] und damit historische und kritische Fragestellungen in den verschiedensten Bereichen aufbrechen, daß diese Kritik aber nicht in sich selbst so viel gestaltende Kraft hat, um zu einer „Biblischen Theologie" zu führen. Dennoch sind die geführten Nachweise[51] auch für unser Thema wichtig, weil sie den allgemeinen Horizont für jenes kritische Denken aufzeigen, deren Spezialfall mit unserer Thematik gegeben ist.

Denn mit einem Spezialfall dieser Kritik ist – zunächst dem Worte nach – das Aufkommen der „Biblischen Theologie" verbunden. Die in ihren Lehren auf der Schrift beruhen wollende protestantische Orthodoxie hatte nämlich durch ihre Lehre vom Wort Gottes, das mit der „Heiligen" Schrift durch die Inspiration identisch ist, gerade das grundsätzlich anerkannte Prinzip des „sola scriptura" der Reformatoren uneinsichtig gemacht[52]. Das aber hatte zur Folge, daß der Schrift eine völlig untergeordnete Rolle zukam, weil ja alle dogmatischen Aussagen zugleich die nicht irren könnende Schrift wiedergaben[53]. Darum war es im Grunde überflüssig, obwohl es teilweise geschah, für die einzelnen dogmatischen Loci Stellen der Schrift anzuführen, und wo diese sog. „dicta probantia" als ‚theologia exegetica' beachtet wurden[54], geschah es in einer so von der Dogmatik beherrschten Systematik, „daß am Ende der unmittelbare Umgang mit der Schrift so gut wie ganz verdrängt ist"[55].

In der Kritik an dieser Überwucherung der Exegese durch die Dogmatik ist der Ursprung des Begriffs „Biblische Theologie" zu suchen, und zwar in zweifacher Hinsicht:

a) Unter den Vertretern der protestantischen Orthodoxie gab es verschiedene, die, ohne unmittelbar Kritik an ihrem System zu üben, eine stärkere Betonung der Aussagen der Schrift für notwendig hielten. In diesem Zusammenhang ist das erste Aufkommen des Begriffs „Biblische Theologie" nachweisbar. Ein erstes Vorkommen ist für den Begriff selbst in dem Werk von WOLFGANG

[50] Vgl. das gleichnamige Buch von K. SCHOLDER, Ursprünge und Probleme der Bibelkritik im 17. Jahrhundert. Ein Beitrag zur Entstehung der historisch-kritischen Theologie, 1966, z. B. S. 1 ff., 12, 15, 26 ff. u. ö. (dazu die weiterführende Besprechung von TH. MAHLMANN, ThLZ 94, 1969, Sp. 193 ff.); in die gleiche Richtung weisend vgl. H. KARPP, Der Beitrag Keplers und Galileis zum neuzeitlichen Schriftverständnis, ZThK 67, 1970, S. 40 ff.; vgl. auch W. DILTHEY, aaO, S. 612 ff. und H. KIMMERLE, aaO, S. 170 ff. passim.

[51] Vgl. vor. Anm.

[52] Vgl. die Nachweise bei C. H. RATSCHOW, Lutherische Dogmatik zwischen Reformation und Aufklärung I, 1964, S. 77 ff., der auch zeigt, inwieweit man in der Luth. Orthodoxie dafür bei den Reformatoren anknüpfen konnte, S. 81 ff.

[53] Vgl. zum Ganzen G. HORNIG, Die Anfänge der historisch-kritischen Theologie. Johann Salomo Semlers Schriftverständnis und seine Stellung zu Luther, 1961, S. 40 ff. („Grundzüge der hoch- und spätorthodoxen Schriftlehre"); F. LAU, Art. Orthodoxie, altprotestantische, RGG³, Bd. IV, 1960, Sp. 1719 ff.; C. H. RATSCHOW, Luth. Dogm., S. 77–132. Zum Gesamtverständnis der Zeit vgl. W. ZELLER (Hrsg.), Der Protestantismus des 17. Jahrhunderts, 1962, S. XIII–LXVI.

[54] Vgl. die Nachweise bei L. D. CRAMER, Vorlesungen über Bibl. Theol. d. n. T., hrsg. v. F. A. A. Näbe, 1830, S. 6; hierzu und zum folgenden s. auch D. G. C. v. CÖLLN, Bibl. Theol. I, 1836, S. 18 ff.; F. C. BAUR, Vorl. ntl. Theol., S. 2 ff.

[55] So F. LAU, aaO, Sp. 1724.

Jacob Christmann, Teutsche Biblische Theologie, Kempten 1629, gegeben. Doch kann, so lange nicht ein Exemplar dieses Werkes beigebracht werden kann[56], keine nähere Einordnung gegeben werden. Anders steht es dagegen mit Henricus a Diest, Theologia biblica, Praeter succinctam Locorum communium delineationem exhibens Testimonia Scripturae, Ad singulos locos, locorumque singula capita, capitumque singula membra, pertinentia, Daventri MDCXLIII. In diesem Werk wird erstmals – nach dem bisherigen Stand unserer Kenntnisse – eine Definition von „Biblischer Theologie" geboten. So heißt es dort auf S. (+) 3 von ihr:

Hoc est, prima Theologiae elementa, totius fidei Christianae fundamenta, novâ ac facili methodo constructa, atque definitionibus succinctis, rei tamen praecipuam materiam exhaurientibus, pertexta, sic ordinavi, ut omnis eorum sinus aura Spiritus Sancti, ex sacris literis spirans, perflaret; atque adeò singula definitionum membra, ac propemodùm verba, suis è sacra Scriptura testimoniis stipata prodirent: undè tandem orta est haec, quae & inde nomen suum accepit, Theologia Biblica.

Entsprechend dieser Bestimmung wird dann in 23 Loci der Gesamtbereich der systematischen Theologie der Zeit durchschritten, deren Aufriß auf S. 1 wie folgt gegeben wird: „Theologia est doctrina rerum divinarum, ad Dei gloriam, & (sic!) hominis salutem, a Deo traditerum". Daraus folgen die einzelnen Hauptteile, deren wichtigste sind: Locus I: De Theologia; Locus II: De S. Scriptura; Locus III: De Deo; Locus XV: De Redemptione; Locus XVI: De persona Christi; Locus XVII: De officio Christi; Locus XXXIII: De vita aeterna. Diese kurzen Hinweise genügen, um das Werk im ganzen zu charakterisieren: Es will eine Dogmatik sein, in der die Notwendigkeit eines Schriftfundaments für die dogmatische Arbeit anerkannt wird (S. *3b, 4a). Dementsprechend werden eine Fülle von Bibelstellen aus Altem und Neuem Testament, je nach Brauchbarkeit vermischt, zu jedem Locus beigebracht.

Es ist bezeichnend, daß wenige Jahre später einer der bedeutenden Vertreter der Orthodoxie, Abraham Calov, den Begriff „Biblische Theologie" für die oben genannte „theologia exegetica" verwenden konnte[57]. Er hat damit der protestantischen Orthodoxie den Weg gewiesen, wieder stärker auf die „dicta probantia" im Rahmen der orthodoxen Lehren zu achten[58]. Er hat zugleich – und das dürfte das Wichtigste sein – der Orthodoxie gezeigt, daß es ihrem System durchaus dienstbar ist, diese „dicta probantia" oder – wie sie in der Folgezeit auch genannt werden – „collegia biblica" gesondert zu sammeln, sie

---

[56] Das Werk, auf das – soweit ich sehe – G. Ebeling, Was heißt „Bibl. Theol." ?, S. 75 Anm. 8, zuerst aufmerksam gemacht hat und das mir in sämtlichen Zentralkatalogen Europas nicht nachgewiesen werden konnte, ist sicher belegt bei: Martin Lipenius, Bibliotheca realis theologica omnium materiarum, rerum et titulorum in universo sacro-sanctae theologiae studio concurrentium, Frankfurt 1685, tom. I, Sp. 170a.

[57] Vgl. A. Calov, Systema locorum theologicorum I, Wittenbergae 1655, S. 9; Vgl. auch L. D. Cramer, s. Anm. 54, S. 6; D. G. C. v. Cölln, Bibl. Theol., S. 19; L. Diestel, S. 710; G. Ebeling, Was heißt „Bibl. Theol." ?, S. 77.

[58] Vgl. dazu schon das Werk von Georg König, Vindiciae sacrae, Norimbergae 1651.

den einzelnen dogmatischen Loci voranzustellen und als Hilfe für die Dogmatik zu verwenden. Calov hat den Begriff „Biblische Theologie" von Anfang an unter dogmatischem Gesichtspunkt gesehen und damit die Sache dieser „Biblischen Theologie" in eine Richtung gelenkt, die für sie in den nächsten eineinhalb Jahrhunderten schwerste Folgen haben sollte: Es wurde ihr der Platz im Bereich der Dogmatik zugewiesen. Wenn auch Calov weder den Begriff „Biblische Theologie" aufgebracht hat noch den dargelegten Sachverhalt als erster erörterte, so war er doch der einflußreichste und darum auch wegweisende für ihre Bestimmung als Hilfsdisziplin der Dogmatik.

Im Sinne Calovs ist denn auch das bekannteste Werk, in dem man bis in unsere Tage die Vorform der sich herausbildenden Biblischen Theologie gesehen hat[59], abgefaßt: Es ist: SEBASTIAN SCHMIDT, Collegium Biblicum in quo dicta et Novi Testamenti iuxta seriem locorum comunium theologicorum explicantur, Argentorati (Straßburg) 1671[60]. Die Bedeutsamkeit dieses Werkes ist, worauf man bisher nicht geachtet hat, hinsichtlich unserer Fragestellung darin zu sehen, daß hier erstmals Altes und Neues Testament bewußt getrennt werden, indem in einem ersten Teil „in quo dicta scripturae Veteris Testamenti explicantur" und in einem zweiten Teil „in quo dicta scripturae Novi Testamenti … explicantur" nun auch für die dogmatische Arbeit auf die sinnvolle Unterscheidung beider Testamente hingewiesen wird. Aber diese Einsicht wird sofort dadurch an einer weiterwirkenden Bedeutung gehindert, daß die Schriften Alten wie Neuen Testaments in ihrem Aussagegehalt auf einer Ebene liegend gezeichnet werden, daß Mose nicht anders als Jesus Christus, und Paulus in gleicher Weise wie einer der Propheten des alten Bundes spricht.

Dasselbe Anliegen, der Dogmatik als Hilfsdisziplin zu dienen, wird mit mehr oder weniger Gründlichkeit in der Exegese in den folgenden Jahren in einer Reihe von Werken durchgeführt[61]. Es sind hier zu nennen: JOHANN HÜLSEMANN, Vindiciae Sanctae Scripturae per loca classica systematis theologici, hrsg. posthum in dessen „Opera posthuma", ed. Johann Adolf Scherzer, Lipsiae 1679; JOHANN HEINRICH MAIUS, Synopsis theologiae judicae veteris et novae, Gießen 1698[62]; JOHANN WILHELM BAIER, Analysis et vindicatio illustrium scripturae dictorum sinceram fidei doctrinam asserentium secundum seriem locorum theologicorum, ad mentem ac methodum b. [eati] Joh. Musaei instituta a Joh. Guil. Baiero, Pars I.II, Altorfii 1716–1719, ein Werk, das für die kritische Bearbeitung der Biblischen Theologie achtzig Jahre später noch von Wichtigkeit war, weil es eine dogmatische Fragestellung behandelt, die

---

[59] Vgl. etwa D. G. C. v. CÖLLN, Bibl. Theol. I, S. 19; F. C. BAUR, Vorl. ntl. Theol., S. 3; M. KÄHLER, Art. Biblische Theologie, RE³, Bd. 3, 1897, S. 193; R. BULTMANN, Theol. d. NT, ⁵1965, S. 589.

[60] Mir lag die 2. Aufl. von 1676 vor (= verb. Nachdruck der 1. Aufl.). Eine 3. Aufl. erschien 1689. Vgl. auch H.-J. KRAUS, S. 20.

[61] Vgl. auch die Anm. 54 Genannten.

[62] Auch hier ein schüchterner Versuch, auf die Trennung der beiden Testamente hinzuwirken.

bei GEORG LORENZ BAUER weiterwirkte: „Was lehrt rein die Bibel über Gott und sein Verhältniß zu den Menschen, und das Verhältniß des Menschen zu Gott"[63]? Doch kommt auch hier Baiers Engagement für die exegetische Arbeit zur Geltung, der er sich als Begründer des exegetischen Seminars im modernen Sinne verpflichtet fühlte[64]. Schließlich ist auf CHRISTIAN EBERHARD WEISMANN, Institutiones theologiae exegetico-dogmaticae, Tubingae 1739, zu verweisen[65].

Diese letztgenannten Werke entstanden, zeitlich gesehen, parallel zur Epoche des Pietismus. Obwohl dem orthodoxen System verpflichtet, sind sie doch auch aus dem Nebeneinander von Orthodoxie und Pietismus zu verstehen.

b) Wir kommen damit zu dem zweiten Gesichtspunkt, der für das Aufkommen einer „Biblischen Theologie" zu berücksichtigen ist. Es ist der Beitrag des Pietismus[66] zu unserer Fragestellung. War der erste Gesichtspunkt geprägt durch eine zwar nicht völlig unkritische Haltung gegenüber der Ausgestaltung des orthodoxen Systems, die aber an dem System selbst keinerlei Zweifel aufkommen ließ, so ist der zweite Gesichtspunkt durch einen polemischen Zug gegen das System als solches mitgekennzeichnet. PHILIPP JACOB SPENERS Abneigung gegen die scholastische Theologie, der er in späteren Lebensjahren unmittelbar die „Biblische Theologie" entgegensetzt[67], zeigt sich bereits in seinen „Pia Desideria" (1675), worin folgendes berichtet wird[68]:

„Also lernen wir vieles / so wir offters wünschen solten / nicht gelernet zu haben: Indessen wird dasjenige versäumet / daran uns mehr / ja alles gelegen ist / wie wir oben auß Lutheri worten gehöret. Ach wie erfahren solches so manche Christliche Theologi / wo sie durch GOttes gnade erstlich in ein ampt kommen / daß ihnen etwa ihr lebetag ein grosses theil der dinge / worauff sie ihre saure arbeit und schwere kosten gewandt / nichts nutzen: Hingegen wie sie fast erst auffs neue anfangen müssen / das mehr nohtwendige zu studiren / so sie wünscheten vorhin erkandt zu haben / und darzu mit fleiß und weißlich geführet seyn worden? Es mangelt auch selbs zu unsern zeiten nicht an solchen männern / die es mit der kirchen Gottes wol meynen / und diesen fehler beobachten: und habe ich nicht ohne sondere bewegung (so zur freude / als folgends / weil die frucht unterblieben / traurigkeit) gelesen / was der Christliche Wirtenbergische Theologus Herr D. Balth. Raith / mein in der that erkandter und in dem Herrn geehrter gönner /

---

[63] Vgl. G. L. BAUER, Bibl. Theol. NT I, 1800, S. 4.

[64] Vgl. zu Baier auch K. LEDER, S. 105 ff.

[65] Zu Weismann vgl. auch F. C. BAUR, Die Epochen der kirchlichen Geschichtsschreibung, 1852, S. 108 ff.; P. MEINHOLD, Geschichte der kirchlichen Historiographie I, 1967, S. 458 ff.

[66] Vgl. zu diesem den Überblick von M. SCHMIDT, Art. Pietismus, RGG³, Bd. V, 1961, Sp. 370 ff. und den Sammelband „Pietismus und Bibel", hrsg. von K. Aland, Arbeiten zur Geschichte des Pietismus Bd. 9, 1970.

[67] Vgl. PH. J. SPENER, Theologische Bedencken IV, Halle 1715, S. 458 u. ö.; s. auch G. EBELING, Was heißt „Bibl. Theol." ?, S. 74 ff.; M. SCHMIDT, Philipp Jakob Spener und die Bibel (s. vor. Anm.), S. 9 ff., 17, 19, 58 u. ö.

[68] Ausgabe „Pia Desideria", hrsg. v. K. Aland, Kl. Texte, hrsg. v. H. Lietzmann, Nr. 170, 1940, S. 25 f. In dem folgenden Zitat sind ů, å etc. in ü, ä usw. aufgelöst.

in der laudatione funebri deß berühmten seligen Herrn D. Zelleri, 1669. zu Tübingen gehalten / gedencket: Wie noch erst vor wenig jahren solcher und mit ihm der umb die Sächsische kirche wolverdiente Theologus D. Weller Sel. als sie bey dem Reichstag zu Regenspurg zusammen gekommen / unter einander handlung gepflogen / wie doch die Scholastische Theologia, so LUTHERUS zur fordern thür hinauß getrieben / aber von andern zu der hindern wieder eingelassen werden wolte / auffs neue von der Evangelischen kirchen außgeschafft / und die rechte Biblische Theologi wiederumb herfür gebracht würde (D.D. Weller Comes Electoris sui ad comitia novissima Ratisponae habita, flagrantissimo desiderio Zellerum nostrum, cui amicissimus erat, expetiit, ut de Theologia Scholastica, quae eliminata per anticam a Luthero, per posticam Zelosis Theologis reduci videbatur, ac revocanda Theologia Biblica serio cum eo ageret) Ach solte Gott solcher tapfferer Theologorum damahlige Consilia gesegnet haben / oder noch künfftig / welche eben dergleichen verlangen / segenen / so würde es wol eine der grössesten gutthaten seyn / wovor wir seiner himmlischen güte zu dancken hätten". (S. 25f.)

Diese Polemik gegen die scholastische Theologie der eigenen Zeit aber will vordergründig auch nicht mehr, als unter orthodoxen Theologen auch schon ausgesprochen war: Sie will bestimmte Auswüchse hinsichtlich der Vernachlässigung der Schrift beseitigen. Wenn Spener einerseits auf die Notwendigkeit der apostolischen Einfachheit, die er in der reformatorischen Schriftauffassung gegeben sieht, hinweist[69], so muß er doch andererseits zugeben, daß auch die orthodoxen Theologen seiner Zeit „zwar das fundament deß glaubens auß der schrifft behalten", doch er fügt hinzu, daß man „so viel holtz, heu und stoppeln menschlichen fürwitzes darauff gebauet hat, daß man jenes gold kaum mehr sehen kan", so daß „die rechte einfalt Christi und seiner Lehr" verschüttet ist[70]. Zu dieser Einfalt zurückzukehren, ist seine Absicht. Aber weil er und die im folgenden zu nennenden Theologen des Pietismus gar nicht das orthodoxe System in Frage stellen wollen, gelingt es ihnen auch nicht, die in ihrer Kritik liegende, weiterführende Fragestellung zu einem Frontalangriff auf die scholastische Grundlage der Orthodoxie auszugestalten. Spener hat das Kernproblem erkannt: Luthers Theologie war frei von der Scholastik, aber die Orthodoxie hat das reformatorische Schriftverständnis mit der vorreformatorischen Scholastik verbunden. Es ist im Hinblick auf unser Thema die große verpaßte Gelegenheit des Pietismus, daß er nicht in der Erkenntnis des notwendigen Durchbruchs zum reformatorischen Schriftverständnis nunmehr die Folgerungen für eine „Biblische Theologie" gezogen hat. Das zeigt schon das Büchlein von WOLFGANG SEBER mit seinem sowohl für den Pietismus klassisch zu nennenden wie die Problematik typisch aufzeigenden Titel: „Hortulus biblicus oder biblisches Lustgärtlein, anzeigend die Hauptartikel der göttlichen Lehre mit den führnehmsten Grundsprüchen und Zeugnissen der heiligen Schrift", vermehrt von Adam Fusius, Leipzig 1698[71]. Das zeigt weiter das dem Pietismus verpflichtete Werk, das auch den Titel der späteren Diszi-

---

[69] Pia Desideria, S. 74, 26f.; s. auch S. 22, 71.   [70] Pia Desidera, S. 26f.
[71] Eine 1. Aufl. soll 1667 erschienen sein (so D. L. CRAMER, Vorl. ntl. Theol., S. 7), was

plin trägt: CARL HAYMANN, Biblische Theologie, Leipzig 1708 (⁴1768) und wird
unmittelbar deutlich bei JOHANN CHRISTIAN WEIDNER, Deutsche theologia
biblica oder einfältige Grundlegung zur erbaulichen theologia thetica, Leipzig
1722. In diesen Werken versicherte man sich des biblischen Grundes des orthodoxen Systems und läßt es damit bewenden. So kann es denn Haymann als
eine gnädige Fügung Gottes deuten, daß sich der dogmatische Stoff fast gleich-
mäßig auf die ganze Bibel verteilt[72]. Die dem Pietismus verbundene „Biblische
Theologie" stellte sich ebenso wie die im orthodoxen System allein verwurzelten
Collegia biblica ganz in den Dienst der Dogmatik als ihrer Hilfsdisziplin, ermittelte und erörterte die dicta probantia bzw. dicta classica und gab die
biblischen Belegstellen für die einzelnen dogmatischen Loci an. Zugleich aber
muß auch gesagt werden: Weil die Vertreter des Pietismus die Frage nach dem
biblischen Grund der Lehre stellten und – mehr noch – in ihrem gesamtkirch-
lichen Wirken von großem Einfluß waren, ergab sich für die Vertreter der
protestantischen Orthodoxie zugleich die Notwendigkeit, immer erneut auf
die Schriftgemäßheit ihrer Lehre hinzuweisen. Es entstand in gewissem Sinne
eine Konkurrenzsituation, die der Herausarbeitung der Hilfsdisziplin der Dogmatik Gewicht verlieh.

Es will beachtet sein, daß in dem von J. H. ZEDLER hrsg. Lexikon, „Großes
vollständiges Universallexikon", Bd. 43, Leipzig und Halle 1745[73], nicht nur
eine Theologia biblica von der theologia dogmatica getrennt wird (Sp. 849),
sondern bereits eine lexikalische Bestimmung dieser theologia biblica gegeben
wird (Sp. 920 f.): „... hernach wird die Exegetische Theologie auch betrachtet
als eine Art Theologie, da man gewisse Biblische Bücher oder Texte zum
Grunde legt, und die darinnen enthaltenen Lehren, wie es die Ordnung und die
Umstände solcher Texte mit sich bringen, erkläret... Dieser Theil der Theologie wird als der Grund aller übrigen Theile angesehen, weil sie alle aus der
Heiligen Schrift ihr Licht empfangen müssen. Er gehet um mit dem Texte der
Heiligen Schrifft, und suchet entweder durch kurze Umschreibung (Para-
phrasin) oder durch weitere Auslegung den wahren Verstand derselben aus-
findig zu machen und aus demselben nützliche Lehre... herauszuleiten. Er
wird auch genennet Theologia Biblica". – Wird hier auf jeden Fall im Rahmen
der „Theologie" der Theologia biblica durchaus ein Eigenrecht zugestanden
und ihre Grundlage für alle Teilbereiche der Theologie betont, so ist damit
gezeigt, welchen nicht mehr zu beseitigenden Einfluß diese Hilfsdisziplin der
Dogmatik in einem knappen Jahrhundert gewonnen hatte.

aber bibliographisch bisher nicht ermittelt werden konnte. Sollte diese Angabe zutreffen,
so wäre hier bereits *vor* Spener das pietistische Verständnis einer Biblischen Theologie
nachweisbar. Ich darf dies unter dem Vorbehalt weiterer Nachforschungen und besserer
Erkenntnisse mitteilen und möchte auch an dieser Stelle der Stiftung Preuß. Kulturbesitz,
Staatsbibliothek, Abt. Marburg, für ihre intensive Bemühung um dieses Werk danken.
    [72] Vgl. auch M. KÄHLER, Art. Bibl. Theol., S. 193, der treffend zeigt, daß bei solcher Ein-
schätzung der Bibel eine historische Fragestellung gar nicht in den Blick kommen kann. –
Zur pietistischen Sicht in Haymanns Bibl. Theol. s. auch H. SCHLIER, s. Anm. 36, Sp. 444.
    [73] Nachdruck Graz 1962; vgl. auch ebdt., Sp. 866f.

D. „BIBLISCHE THEOLOGIE"
IM ZEITALTER DER AUFKLÄRUNG

Hier ist aber auch der Einstiegspunkt für die Theologie der Aufklärung[74], soweit sie unsere Fragestellung berührt. Drei Werke von ANTON FRIEDRICH BÜSCHING zeigen dies unmittelbar: Dissertatio inauguralis exhibens epitomen theologiae e solis literis sacris concinnatae, Gottingae 1756; Epitome Theologiae e solis literis sacris concinnatae, una cum specimine Theologiae problematicae, Lemgoviae 1757; und: Gedanken von der Beschaffenheit und dem Vorzug der biblisch-dogmatischen Theologie vor der scholastischen, Lemgo 1758. Die theologia problematica ist die Biblische Theologie, die im wahrsten Sinn des Wortes ‚problematisch' ist, nicht in dem, was sie der Sache nach sein sollte, sondern im Zusammenhang der Dogmatik und damit der kirchlichen Lehre überhaupt. Büsching erkennt, daß der Biblischen Theologie volle Eigenständigkeit zukommen muß, daß sie darum allein aus den biblischen Schriften geschöpft sein sollte und auch die biblischen Aussagen nicht auf einer Ebene aufgetragen werden dürfen. Es sind bei ihm erste Ansätze dafür vorhanden, die Biblische Theologie in den Zusammenhang der einzelnen im Alten und Neuen Testament sichtbar werdenden Zeitperioden einzuordnen. Schließlich ist sein gesamtes Unternehmen gegen die scholastische und damit gegen die herrschende Methode des kirchlichen Lehrsystems gerichtet, so daß es kein Wunder war, daß er schwersten Anfeindungen, insbesondere der Göttinger Theologischen Fakultät, ausgesetzt war[75]. Das Recht, Büschings Werke zur Biblischen Theologie der Aufklärungstheologie zuzurechnen[76], ergibt sich einmal daraus, daß er die vom Pietismus gesehen aber nicht durchgeführte Kritik erneut und verschärft gegenüber dem scholastischen System zur Geltung bringt, damit aber zugleich zu verstehen gibt, daß eine richtig verstandene und gehandhabte Biblische Theologie einen Frontalangriff auf das kirchliche Lehrsystem bedeutet. Zu diesem Angriff war es temporum ratione habita auch jetzt noch verfrüht, wie Büsching offenbar selbst erkannte, obwohl er weit-

---

[74] Die Bezeichnung „Aufklärung" ist hier speziell bezogen auf die Frage, inwieweit Gedankengut der Aufklärung auf die „Biblische Theologie" eingewirkt hat, auf Beginn und Abgrenzung der Aufklärungszeit sowie auf das Ineinander und den Übergang der einzelnen Epochen ist hier nicht einzugehen. Zum theologischen Verständnis der Aufklärung vgl. etwa E. HIRSCH, Geschichte der neuern evgl. Theol., IV, ²1960; W. MAURER, Aufklärung III, Theologisch-kirchlich, RGG³, Bd. I, 1957, Sp. 723 ff.; zum Gesamtverständnis der Aufklärung vgl. W. ANZ, Aufklärung I. Geistesgeschichtlich, ebdt., Sp. 703 ff.; W. PHILIPP, Das Werden der Aufklärung in theologiegeschichtlicher Sicht, 1957; ders., (Hrsg.), Das Zeitalter der Aufklärung, 1963, S. XIII–CIV; s. auch L. PERLITT, Vatke und Wellhausen, 1965, S. 6 ff.; K. SCHOLDER, Grundzüge der theologischen Aufklärung in Deutschland, in: Geist und Geschichte der Reformation, Festgabe H. Rückert, 1966, S. 460 ff.

[75] Vgl. E. HIRSCH, Geschichte der neuern evgl. Theol., IV, S. 102 f.

[76] Anders M. KÄHLER, Art. Bibl. Theol., S. 193, der in ihm noch den Vertreter des Pietismus sieht; ähnlich H.-J. KRAUS, S. 25 f., der aber S. 25 Anm. 36 zutreffend Vorbehalte geltend macht.

aus forscher als der zwar bedeutendere, aber im ganzen sehr vorsichtige JOHANN SALOMO SEMLER zu Werke ging [77]. Büsching ist zum anderen deshalb ein Vertreter der theologischen Aufklärung, weil seine Erkenntnisse ohne den entscheidenden Beitrag der Aufklärungstheologen nicht denkbar sind. [78]

In diesem Zusammenhang ist vor allem auf JOHANN SALOMO SEMLER hinzuweisen. Denn in seinem Lebenswerk sind die entscheidenden Fragestellungen vereinigt, die es zwar nicht mehr ihm selbst, sondern erst der nachfolgenden Generation ermöglichten, an die Bearbeitung der Biblischen Theologie heranzugehen. Semler griff sowohl das humanistische wie das reformatorische Erbe der Schriftforschung auf [79], verband es mit dem Gedankengut vornehmlich der englischen Aufklärung, das sein Lehrer SIEGMUND JACOB BAUMGARTEN ihm vermittelte, und war darum in umfassender Weise gerüstet, mit einer bewußt historischen Fragestellung an der Bibel Kritik zu üben und damit zugleich dem scholastischen System den empfindlichsten Schlag zu versetzen. Er erklärte nämlich, daß Wort Gottes und Heilige Schrift zu unterscheiden [80], nicht aber zu identifizieren sind wie in der Orthodoxie [81]. Das mußte deshalb für das orthodoxe System so vernichtend sein, weil damit der Inspirationslehre der Boden entzogen wurde [82]. Denn Semlers Anschauung gründete darauf, daß die Schrift durchaus menschliche, und d.h. für ihn, nur für die Zeit ihrer Entstehung wichtige, nicht aber für alle Zeiten und alle Menschen gültige Abschnitte enthält. Damit aber war entschieden, daß die Schrift nicht inspiriert sein konnte und somit als ein historisches Dokument rein historisch zu betrachten ist, wie Semler in seiner „Abhandlung von freier Untersuchung des Canon" I–IV, Halle 1771–1775 und in einer Fülle weiterer Arbeiten zeigt [83]. Semlers Sicht wirkte sich auf seine Beurteilung einer Biblischen Theologie aus: Mit seiner Hinwendung zur Schrift verbindet sich ihm die Einsicht in die Notwendigkeit der Biblischen Theologie [84], aber er lehnt jene bisher gebotene „theologia biblica" in der nur Materialien für die Dogmatik gesammelt werden, ab [85].

[77] Vgl. auch E. HIRSCH, aaO, S. 102 ff.; vgl. ebdt. S. 78 f.; D. G. C. v. CÖLLN, Bibl. Theol. I, S. 20 Anm. 10 mit Verweis auf Büschings im Druck erschienene Lebensgeschichte, Halle 1789, S. 286 ff.

[78] Vgl. etwa die Einflüsse der englischen Deisten und der hermeneutischen Einsichten eines S. BAUMGARTEN und J. A. ERNESTI (vgl. W. DILTHEY, Leben Schleiermachers II, 2, S. 622 ff.; und die Beurteilung und Mitteilung wichtigster Auszüge bei W. G. KÜMMEL, NT, S. 55–70).

[79] Vgl. E. HIRSCH, aaO, IV, S. 85; G. HORNIG, aaO, S. 116 ff., 149 ff., 176 ff.

[80] Vgl. dazu E. HIRSCH, aaO, IV, S. 58 ff.; G. HORNIG, aaO, S. 84 ff.

[81] Vgl. G. HORNIG, aaO, S. 40 ff.   [82] Vgl. G. HORNIG, aaO, S. 56 ff.

[83] Eine vorzügliche Darstellung und Auswahl der Texte für die entscheidende Fragestellung bietet W. G. KÜMMEL, NT, S. 73 ff.; s. zu Einzelfragen L. ZSCHARNACK, Lessing und Semler. Ein Beitrag zur Entstehungsgeschichte des Rationalismus und der kritischen Theologie, 1905, S. 95 ff. K. ANER, Die Theologie der Lessingzeit, 1929, S. 324 ff.; G. HORNIG, aaO, S. 60 ff.; W. DILTHEY, Leben Schleiermachers II, 2, S. 630 ff., 634 ff.; E. HIRSCH, aaO, IV, S. 56 ff. u. ö.; P. MEINHOLD, s. Anm. 65, II, 1967, S. 39–65.

[84] Vgl. etwa Historischtheologische Abhandlungen. Zweite Samlung, Halle 1762, S. 259, 271 f., 363 ff.

[85] Historische Einleitung in die Dogmatische Gottesgelersamkeit von ihrem Ursprung und ihrer Beschaffenheit bis auf unsere Zeiten (innerhalb des Werkes S. J. Baumgartens

Eine Biblische Theologie muß also eine völlig eigenständige, ihren Quellen gegenüber historisch arbeitende sein. Ist damit einerseits offenkundig, daß die Biblische Theologie gegen das herrschende Lehrsystem stehen muß[86], so will doch Semler auf eine „Dogmatische Theologie" nicht verzichten[87]. So liefert er in zwei umfangreichen Werken biblische Beweisstellen für die Dogmatik. Und zeigen diese auch weitaus stärker ein historisches Verstehen der biblischen Schriften als es bisher in den „collegia biblica" der Fall war, es zeigt sich darin doch auch der in seiner Vorsicht schwankende Gelehrte[88]. Dennoch hat er der Biblischen Theologie eine zukunftsträchtige Fragestellung mit auf den Weg gegeben, indem er darauf hinweist, daß die sachgemäße Trennung von Altem und Neuem Testament, die unter konsequent historischer Beurteilung der Bibel unumgänglich ist, nicht dazu führen darf, historisch die Einzelinhalte der biblischen Aussagen nur als in ihrer Zeit gültig anzusehen. Er verbindet darum mit der historischen Beurteilung der biblischen Schriften zugleich die Forderung, nach den allgemeinen, immer gültigen Wahrheiten zu forschen[89]. Damit ist eine der zukünftigen Kernfragen, eine methodische Grundsatzfrage der Biblischen Theologie berührt: Wie verhält sich in der Biblischen Theologie das Temporelle zu dem allgemein Gültigen? Semler kommt zu dieser Fragestellung im Zusammenhang seines Schriftverständnisses, letztlich in Verbindung mit seinen Untersuchungen zum Kanon, und zeigt damit, daß die Voraussetzung für die Bearbeitung einer Biblischen Theologie zunächst die Klärung des Schriftverständnisses ist. In der noch nicht methodisch hinlänglich durchreflektierten Zuordnung von Temporellem und Allgemeingültigem liegt unter Umständen begründet, daß Semler zwischen Dogmatischer und Biblischer Theologie schwankte und schließlich keine von beiden bearbeitete. Es blieb dem jüngeren Zeitgenossen, JOHANN PHILIPP GABLER, vorbehalten, in seiner Antrittsrede zu Altdorf diese Fragestellung methodologisch zu durchdenken und für die Biblische Theologie auszuwerten[90].

Nachdem einmal die nicht zuletzt von Semler geschürte Kritik am kirchlichen Lehrsystem sich verbreitete, stand auch für die Entwürfe der Biblischen Theologie, die sich als Opposition gegen die herrschende Lehrmeinung verstanden, ein weites Feld zur Verfügung. Zu nennen sind hier vor allem zwei Werke von WILHELM ABRAHAM TELLER, einem Schüler von J. A. Ernesti: Topice sacrae Scripturae, Lipsiae 1761, in dem nach kritischen Maßstäben gesucht

Evangelische Glaubenslehre. Erster Band. Mit einigen Anmerkungen, Vorrede und historischer Einleitung hrsg. von J. S. Semler), Halle 1759, S. 88f. und Anm. 31 ebdt., S. 115.

[86] Vgl. auch F. C. BAUR, Vorl. ntl. Theol., S. 4.

[87] Vgl. G. HORNIG, aaO, S. 57f.

[88] Vgl. Historische und kritische Sammlungen über die sogenannten Beweisstellen in der Dogmatik. Erstes Stück. über I Joh. 5,7., Halle und Helmstädt 1764; Historische Sammlungen über die Beweisstellen der Dogmatik. Zweites Stück. Nebst einem Anhange wider Herrn Senior Göze, Halle und Helmstädt 1768.

[89] Vgl. E. HIRSCH, aaO, IV, S. 86, 61; vgl. auch W. DILTHEY, Leben Schleiermachers II, 2, S. 635ff. (passim), 639; G. HORNIG, aaO, S. 79ff. (passim).

[90] Vgl. u. S. 31ff.

wird, um sowohl der biblischen wie der dogmatischen Theologie gerecht zu
werden, und: Lehrbuch des christlichen Glaubens, Helmstedt 1764, eine flache
Kritik am kirchlichen System, das zugleich dessen herkömmliche Bahnen
verließ und darum starken Angriffen ausgesetzt war[91]. – Das vom Titel her
unsere Fragestellung berührende Werk von CARL FRIEDRICH BAHRDT, Versuch
eines biblischen Systems der Dogmatik, 2 Theile, Gotha und Leipzig 1769/70
hat dagegen mit der biblischen Theologie praktisch nichts zu tun, sondern ist
ein sehr oberflächliches, das kirchliche System angreifendes Machwerk[92].

Anders dagegen steht es mit dem bedeutendsten hier heranzuziehenden Werk.
Es ist die von GOTTHILF TRAUGOTT ZACHARIÄ verfaßte „Biblische Theologie,
oder Untersuchung des biblischen Grundes der vornehmsten theologischen
Lehren", Bd. I–IV, Göttingen und Kiel, 1771–1775[93].

Zachariäs Arbeit ist darauf ausgerichtet, Kritik am kirchlichen Lehrsystem
jedoch nicht in der Weise, daß die einzelnen Lehren selbst als unhaltbar hingestellt werden sollen, sondern so, daß diese durch eine Neuordnung des Stoffes,
die der biblischen Darstellung Alten und Neuen Testaments zu entsprechen hat,
erst wirklich dem kirchlichen Lehrgebäude dienstbar werden. Dafür reicht
das bisher geübte Verfahren, die biblischen Beweisstellen der Dogmatik den
einzelnen Lehrstücken voranzustellen, nicht aus. Schon auf der ersten Seite
der Vorrede wird darum ausdrücklich festgestellt, daß die Bezeichnung des
Werkes als „Biblische Theologie" keine polemische Abgrenzung gegenüber
dem Lehrsystem der Kirche sein soll[94]. Seine eigene Definition bestätigt dies:

„Durch eine *biblische Theologie* verstehe ich hier überhaupt eine genaue Bestimmung der gesamten theologischen Lehren mit allen dazu gehörigen Lehrsätzen,
und das nach biblischen Begriffen richtigen Verstandes solcher Lehrsätze nach
ihren Beweisgründen aus der heiligen Schrift. Es komt folglich hierbey an theils
auf die sorgfältige Untersuchung der biblischen Beweisstellen für theologische
Lehrsätze, und ihres Inhalts nach richtigen exegetischen Gründen, theils auf die
genaue Bestimmung der Lehrsätze und ganzen Lehren nach denselben selbst,
woraus die Richtigkeit oder Unwichtigkeit, der Grund oder Ungrund, der in den
gewöhnlichen Lehrbüchern unserer Gottesgelehrten behaupteten Lehrsätze und
ihrer Erwähnung erhellen mus. Es geht also die Absicht dieser Arbeit nicht dahin,
ein eigentliches dogmatisches System zu schreiben, aber auch nicht auf die Erklärung classischer Schriftstellen in der Theologie ... In Absicht der theologischen
Beweise und dabey brauchbaren biblischen Stellen mus ich notwendig weiter gehen,
und in Absicht der dogmatischen Lehren bedarf ich der systematischen Ausführ-

---

[91] Vgl. K. ANER, aaO, S. 86 ff.; E. HIRSCH, aaO, IV, S. 96 ff.

[92] Vgl. auch D. G. C. v. CÖLLN, Bibl. Theol. I, S. 21. Bahrdt als Pietisten zu bezeichnen,
so H. SCHLIER, s. Anm. 36, Sp. 445, ist verfehlt; vgl. M. SCHMIDT, Art. Bahrdt, Karl
Friedrich, RGG³, Bd. I, 1957, Sp. 845. Fast zu viel Ehre erweist ihm H.-J. KRAUS, S. 26 ff.

[93] Mir standen Bd. I. II in der 1. Aufl., Bd. III. IV in der 3. Aufl. (1786) zur Verfügung.
Einen das Werk abschließenden V. Bd. brachte J. C. VOLBORTH, Göttingen, 1786, heraus.
S. auch H.-J. KRAUS, S. 31–39.

[94] Vgl. Vorrede zu Bd. I insgesamt und S. 1f. ebdt. Die im folgenden gegebenen Seitenangaben beziehen sich, sofern nicht anders angegeben, auf Bd. I dieses Werkes.

lichkeit nicht, sondern blos der genauen Bestimmung der durch jene Beweise wirklich dargethanen Sätze. Denn bei der Richtigkeit theologischer Lehren beruht alles auf der Richtigkeit ihrer Beweise aus der heiligen Schrift". (S. I f.)

Um eine diesem Grundsatz entsprechende Biblische Theologie zu bieten, muß ihr Verfasser sich vom kirchlichen Lehrsystem „eine Zeitlang" freihalten (S. II f.), was aber in Zachariäs Ansatz in keiner Weise verwirklicht wird. Weil nämlich die Bibel „Glaubensgrund" für die Menschen sein will (S. XI f.), ist es notwendig, zuerst die allgemein nützlichen Wahrheiten, die den Menschen zum Heile dienen, in der Sprache der Gegenwart zum Ausdruck zu bringen (S. XXXI f.). Hat man diese Wahrheiten „in die leichteste und natürlichste Verbindung" gesetzt, dann ist es in einem zweiten Arbeitsgang erforderlich, sie mit den „biblischen Gründen" in Einklang zu bringen und „die Beweise... so vorzustellen und einzukleiden [zu] wissen, daß sie... einleuchtend und überzeugend werden können, und eben dieses zu erleichtern und zu befördern, ist die Absicht dieser Abhandlung der biblischen Theologie" (S. XXXII)[95]. Biblische Theologie ist also nicht einmal mehr dem kirchlichen, sondern dem jeweils eigenen System untergeordnet, wenngleich Zachariä ausdrücklich betont, daß für ihn Differenzen zum kirchlichen Lehrsystem damit nicht verbunden sind. Er kann das mit umso größerer Überzeugung aussprechen, weil er zwar zugesteht – und hierin liegt wenigstens der Versuch, die biblischen Schriften historisch verstehen zu wollen, vor –, daß jedes biblische Buch für eine bestimmte Zeit geschrieben sei und mit der Entstehung jeweils eine „besondere Absicht" verbunden gewesen sei (S. VI; vgl. XVII.XIX f.)[96], aber er folgert hieraus – ganz in Übereinstimmung mit dem kirchlichen Lehrsystem – „die göttliche Eingebung aller biblischen Bücher" (S. VI). Damit ist eine historische Beurteilung der biblischen Schriften praktisch unmöglich geworden, und Zachariäs Feststellung „das Historische ist an sich eine Nebensache in der Theologie" (S. LXVI), was er ausdrücklich auf die Biblische Theologie bezieht (ebdt.), die einzig mögliche und darum *für ihn* auch sachgemäße Folgerung. So werden denn die biblischen, genannt auch „exegetischen" Grundlagen für sein Lehrsystem aus der Bibel geschöpft in einem ‚biblizistisch' zu nennenden Verfahren ohne Rücksicht auf die Epochen und Unterschiede bei einer völlig gleichen Einstufung von Altem und Neuem Testament[97]. Die Fragwürdigkeit und metho-

[95] Vgl. auch S. LXXXVII: „Man entwickelt sich bey einzelnen Abschnitten der heiligen Schrift erst selbst eine Reihe von Gedanken, aus gewissen Umständen, welche ohngefähr der Verfasser haben müsse, und suchet nach dieser die Worte zu erklären."

[96] Auch sonst zeigen sich gelegentlich Hinweise darauf, daß Zachariä um historische Fragestellungen weiß. Sein in der Vorrede einmal hingeworfener Gedanke von der „succeßiven Kundmachung der göttlichen Anstalten" (S. +4 Rückseite) wird dagegen überhaupt nicht ausgewertet, sehr zum Schaden seiner Biblischen Theologie. (Und die diesbezüglichen Hinweise im IV. Bd., S. 1–82, wirken nachgetragen und haben keine das Werk bestimmende Bedeutung). Denn die Bedeutung gerade dieser Fragestellung sollte noch für die Methodenfrage der Bibl. Theol. grundlegend werden; vgl. S. 143 ff.

[97] Vorrede hinter Kennzeichen „XXX" 5 u. 6. Seite (unnumeriert) wird die Einheit von AT und NT aus sprachlichen Gründen gerechtfertigt.

dische Unzulänglichkeit bedürfen keiner näheren Widerlegung, interessant aber ist, wie Zachariä seine Biblische Theologie rechtfertigt: „Die Muster einer biblischen oder aus der heiligen Schrift gründlich und überzeugend hergeleiteten Theologie darf man in den Schriften der Apostel nicht suchen, welche theils in keiner ihrer Schriften die Absicht haben, die ganze Glaubenslehre oder einzelne Stücke derselben volständig abzuhandeln, theils selbst aus göttlicher Offenbarung lehreten, ohne allenthalben biblische Beweise führen zu dürfen, da ihre Schriften erst zur volständigen Herleitung der christlichen Lehre aus der heiligen Schrift zu derselben hinzukommen musten" (S.CXXI f.). Sind die einzelnen biblischen Schriften jeweils in sich unzureichend, weil sie je für sich nicht auf „Theologie", auf den Gesamtbereich der Glaubenslehre ausgerichtet sind, dann geben die biblischen Schriften selbst den für Zachariä hochwillkommenen Nachweis, daß man nicht die einzelnen biblischen Bücher auf ihren biblisch-theologischen Gehalt hin zu untersuchen habe, sondern nur die Gesamtheit der biblischen Aussagen ohne historische Fragestellung für das kirchliche Lehrsystem als Grundlage verwenden kann. Es wird also eine historische Einsicht – kein biblischer Autor bietet das Ganze der Glaubensaussagen – dogmatisch ausgewertet und als leitendes Prinzip der gesamten Darstellung zugrundegelegt. Zachariä hat in bisher nicht gekanntem Umfang die biblischen Grundlagen für die Dogmatik dargestellt und bei aller methodischen Unzulänglichkeit deutlicher als es bis zu seiner Zeit geschehen war, gezeigt, daß die Dogmatik auf der Biblischen Theologie aufzubauen habe. Daß Biblische Theologie und Dogmatik in einem engeren Verhältnis zueinander stehen, als die Herausarbeitung der dicta probantia oder dicta classica im herkömmlichen Sinne es deutlich zu machen vermochte, und daß vor allem durch die Biblische Theologie „der Dogmatik... nach und nach eine größere Festigkeit und gründlichere Beweise und Verbindung in allen ihren Theilen zu verschaffen" ist (S. CXXXVI), ist Zachariäs Beitrag zur Biblischen Theologie. Dieser Gesichtspunkt sollte schon wenige Jahre später in JOHANN PHILIPP GABLERS methodischen Erwägungen zur Biblischen Theologie von großer Wichtigkeit werden. Zachariäs Endergebnis bleibt eine gegenüber dem in Compendien vorgetragenen kirchlichen Lehrsystem verbesserte Dogmatik. Diesen Sachverhalt bestätigt JOHANN CARL VOLBORTH, der Schüler von C.G. Heyne und J.D. Michaelis[98], indem er die Schwierigkeit, dieses bisher unvollendete Werk zu Ende zu führen, u.a. damit begründet, daß er „die Dogmatischen Vorlesungen des sel. Zachariä nicht besuchet" habe[99]. Er vollendet dieses Werk nur auf dringenden Wunsch des Verlegers und betont ausdrücklich, daß er sich theologisch nicht in Übereinstimmung mit Zachariä befinde. Der V. Band bringt vor allem die von Zachariä unter systematischem Gesichtspunkt[100] geforderte Zusammenschau von Dogmatik und Moral.

[98] Vgl. ZACHARIÄ, Bibl. Theol. V, 1786, Vorrede (unnumeriert S. 4).
[99] Ebdt., Vorrede (unnumeriert, S. 1f.).
[100] Bd. I, S. CXXXVI u.ö.

Dieses zu seiner Zeit hochangesehene und noch um die Mitte des 19. Jahrhunderts geschätzte Werk[101] sollte sich trotz mehrerer Auflagen schon bald als wissenschaftlich wenig brauchbar erweisen und hat in dieser Form auch keine Nachfolger gefunden. In gewisser Weise kann GOTTLOB CHRISTIAN STORR mit seinem Werk: Doctrinae christianae pars theoretica e sacris literis repetita, Stuttgart 1793; 2. Aufl. (Deutsch, erweitert v. K.Chr. Flatt), Stuttgart 1803 (3. Aufl. 1813) verglichen werden. Er verzichtet ebenfalls darauf, die Biblische Theologie historisch zu entfalten. Leitend ist auch bei ihm das dogmatische Interesse, das sich dahin auswirkte, daß dieses Werk „[in Württemberg] fast die Geltung einer Lehrvorschrift" erhielt[102].

Schließlich ist um des Titels willen auf WILHELM FRIEDRICH HUFNAGELS Handbuch der biblischen Theologie, Erster Theil, Erlangen 1785, Zweyter Band, erster Theil, ebdt. 1789, zu verweisen. Dieses unvollendet gebliebene Handbuch trägt zu Unrecht die Bezeichnung „Biblische Theologie", es hätte besser den Titel Beweisstellen zur Dogmatik (oder ähnlich) erhalten, denn es werden hier entsprechend dem gängigen Lehrsystem lediglich dicta probantia diskutiert, freilich ohne sich auf eine historische Erörterung biblisch-theologischer Fragen einzulassen. Es gehört zu den oberflächlichsten Werken, die unter dem Titel einer Biblischen Theologie bisher nachweisbar waren, so daß es sich eine vernichtende, aber gerechte Kritik in der Allgemeinen-Literatur-Zeitung Jena zuzog[103].

E. ZUSAMMENFASSUNG

Das reformatorische „sola scriptura" ist die Voraussetzung dafür, daß auf dem Boden des Protestantismus die Frage nach einer „Biblischen Theologie" aufkommen konnte. Verbanden die Reformatoren, und unter ihnen besonders Luther, mit dem Verständnis dieses „sola scriptura" die Ablehnung der scholastischen Theologie, so führen in der protestantischen Orthodoxie unter Anerkennung des reformatorischen Schriftprinzips die gleichzeitige Wiederauf-

---

[101] Vgl. D. SCHENKEL, s. Anm. 2, S. 46f.: „Den Fleiß, die Umsicht, den redlichen Wahrheitsernst dieses gründlichen Bibeltheologen sind wir verpflichtet aufs entschiedenste anzuerkennen". Hat er doch „über einzelne dogmatische Puncte wesentliches Licht verbreitet... Die biblische Theologie aber zu einer wissenschaftlichen, selbständigen Bedeutung zu erheben, ist ihm allerdings nicht gelungen". S. auch H. HOFFMANN, Die Frage nach dem Wesen des Christentums in der Aufklärungstheologie, Harnack-Ehrung, 1921, S. 359f., 362f.

[102] Vgl. das Zitat bei GOTTH. MÜLLER, Identität und Immanenz. Zur Genese der Theologie von D. F. Strauß, 1968, S. 164 u. die dort gegebenen Hinweise auf Storrs Werk; vgl. auch F. C. BAUR, Vorl. ntl. Theol., S. 7. Auf weitere Arbeiten zur Bibl. Theol. nach 1787 (Gablers Antrittsrede) ist im Zusammenhang mit Gablers Beitrag zur Bibl. Theol. einzugehen; vgl. unten S. 82ff.

[103] 1786, Nr. 3, Sp. 17–23; vgl. auch die völlig negative Einschätzung bei D. G. C. v. CÖLLN, Bibl. Theol. I, S. 22; F. C. BAUR, Vorl. ntl. Theol., S. 6.

nahme und Weiterführung vorreformatorischer scholastischer Fragestellungen und damit der Vorrang der Dogmatik vor der Exegese dazu, daß in der ersten Hälfte des 17. Jahrhunderts der Begriff „Biblische Theologie" aufkam. Er diente dazu, im Rahmen des orthodoxen Lehrsystems eine stärkere Berücksichtigung der „dicta probantia" zu betonen. Im Pietismus verband sich zugleich mit der „Biblischen Theologie" ein gewisser polemischer Zug gegen das orthodoxe Lehrsystem, doch grundsätzlich haben weder die Vertreter der Orthodoxie, noch des Pietismus an der „Biblischen Theologie" als Hilfsdisziplin der Dogmatik, in welche Richtung sie besonders durch Calov geführt wurde, irgendwelche *prinzipiellen* Zweifel aufkommen lassen.

Erste Bedenken grundsätzlicher Art im Zeitalter der Aufklärung, verbunden mit der stärkeren Herausbildung historischer und hermeneutischer Fragestellungen, aber noch nicht der Durchbruch zur „Biblischen Theologie" als einer von der Dogmatik abgesonderten Disziplin selbst kennzeichnen die Situation, in die hinein JOHANN PHILIPP GABLER seine methodischen Erörterungen zur „Biblischen Theologie" in seiner Altdorfer Antrittsrede (1787) stellte. Wir haben uns darum jetzt Gablers Beitrag zur Biblischen Theologie zuzuwenden.

II. KAPITEL

JOHANN PHILIPP GABLERS BEITRAG ZUR BIBLISCHEN THEOLOGIE

Dieses – außer zwei Scherenschnitten – einzig nachweisbare Bildnis von J. Ph. Gabler befand sich im Besitz der Theologischen Fakultät Jena. Das Original, dessen Künstler nicht ermittelt werden konnte, ging in den Wirren des letzten Krieges unter. Als Vorlage diente eine Photographie aus dem Privatbesitz von Frau Professorin D. Hanna Jursch. Ihr und der Leitung der Universität Jena danke ich vielmals für die freundlichst gestattete Veröffentlichung.

JOHANN PHILIPP GABLER
* 4. 6. 1753 in Frankfurt am Main
† 17. 2. 1826 in Jena

A. DIE ANTRITTSREDE IN ALTDORF VOM 30. 3. 1787

Für seine Antrittsrede wählte J. Ph. Gabler ein gleichsam Altdorfer Thema. Denn schon Johann Georg Hofmann hatte 1769 in seiner Antrittsrede zu Beginn seiner Professur in der dortigen Theologischen Fakultät, in der „Oratio de Theologiae praestantia" (Altdorfii 1770), das Studium der Biblischen Theologie zu fördern und sie vor allem der von ihm vertretenen vernünftigen Orthodoxie dienstbar zu machen gesucht. Doch haben seine Ausführungen, auch durch seinen frühen Tod bedingt, nicht weitergewirkt[1].

Anders sollte dies mit Gablers Antrittsrede werden, die wegen ihrer Bedeutsamkeit zunächst in ihrem wesentlichen, für unsere Fragestellung in Betracht kommenden Ablauf wiedergegeben und dann beurteilt werden soll.

„Von der richtigen Unterscheidung der biblischen und der dogmatischen Theologie und der rechten Bestimmung ihrer beider Ziele"[2].

Die Rede beginnt mit der Feststellung, daß die Heilige Schrift, besonders aber das Neue Testament die eine „äußerst klare Quelle" für „jede wahre und sichere Kenntnis der christlichen Religion" ist, aus der man schöpfen muß (S. 179f.). Sie ist „jenes heilige Palladium, zu welchem wir in einer so großen Unsicherheit und Wechsel des menschlichen Wissens allein Zuflucht nehmen müssen, wenn wir zur wahren Einsicht der heiligen Dinge gelangen wollen und wenn wir eine sichere und starke Hoffnung des Heils erlangen wollen" (S. 180). Sind die Theologen auch von der Richtigkeit dieses Grundsatzes überzeugt, so steht dem ihre Uneinigkeit in theologischen Fragen entgegen.

Diese Uneinigkeit hat nach Gabler vier Ursachen:

1. Die Heilige Schrift weist „an etlichen Stellen" „obscuritas", Dunkelheit, Undurchsichtigkeit auf (S. 180), was nicht nur an uns unbekannten Worten, fremden Vorstellungen und Sitten einer vergangenen Zeit liegt, sondern auch daran, daß die Exegeten die Art und Weise des Redens, die dem einzelnen biblischen Schriftsteller eigen ist, unzureichend berücksichtigen.

2. Damit hängt das Zweite zusammen: Viele Exegeten tragen ihre eigenen

---

[1] Vgl. D. G. C. v. Cölln, Theol. I, 1836, S. 23; L. Diestel, S. 711; K. Leder, S. 142–145.

[2] De iusto discrimine theologiae biblicae et dogmaticae regundisque recte utriusque finibus, TS II, 1831, S. 179–198. Die Seitenzahlen innerhalb des fortlaufenden Textes beziehen sich auf diese Ausgabe. – Zu den folgenden Übersetzungen, einzelnen Begriffen und Abschnitten der Rede vgl. auch W. G. Kümmel, NT, S. 115ff.; R. Smend, Gabler, S. 346ff.; K. Leder, S. 284ff. – Zum Wortlaut der Rede s. Anhang I, S. 273ff.

Biblische Theologie,

Veredlung der Religion, u. wenn auch die Form untergeht, so bleiben die Grundideen der Schriften Schema, nach welchem immer neuere combinirt werden können.

§. 6.
Resultate
über den Gebrauch der Bibel,
nach den verschiedenen Arten einer
Biblischen Theologie.

Man muß also unterscheiden, hebräische Interpretation, und unmittelbaren Gebrauch der Bibel nach unserem religiösen Fürsichten. Bei jeder biblischen Stelle religiösen Gehalts lassen sich zwey Hauptgegenstände des Theologen, nicht des Interpreten unterscheiden: 1) hebräische Darstellung des Sinnes nach der Regeln der hebräisch-grammatischen Interpretation: 2) geschichtsphilosophische Kritik über den religiösen Gehalt einer Stelle, der sich auf entschiedene Grundsätze der praktischen Vernunft gründet.

Man könnte noch eine dritte hinzufügen, nemlich die moralische Anwendung einer Stelle, wenn sie auch lokal ist, aber diese Anwendung ist sehr willkührlich, und taugt nur für den Asceten und Homileten, der bey einer nicht sehr gebildeten Gemeinde auch Erbauung zu

stiften

erster Teil.

Aus den beyden Hauptoperationen gehen die beyden Arten der Biblischen Theologie hervor, u. zwar aus der ersten, der historischen Darstellung des Inhalts, Biblische Theologie im weiteren Sinn, und aus der zweiten, der philosophischen Kritik, Biblische Theologie im engeren Sinn.

Keine Operation ist ohne die andere hinreichend, sondern beyde Arten der Biblischen Theologie sind nicht nur für den Theologen und Schriftgelehrten, sondern auch für den unmoralischen Religionslehrer wichtig.

Beyde Operationen müssen mit einander den Anderen ersetzen, u. deswegen haben wenig Theologen die Fähigkeit, eine gute Biblische Theologie aufzustellen, weil man einen fragenden u. theologischen Gelehrten beisammen findet! —

E. F. C. A. H. Netto, Biblische Theologie, vorgetragen von
D. Joh. Phil. Gabler nach Bauer Breviar. Theol. Bibl., Jena
1816, 423 gez. S.

Ansichten in die Bibel hinein und finden dann diese durch die Auslegung der
Heiligen Schrift bestätigt – nämlich indem sie die Gesetze einer richtigen
Exegese vergessen, wie Gabler scharf betont (S. 181). Daraus lassen sich sowohl
im exegetischen wie im dogmatischen Bereich zahlreiche Differenzen der
Theologen erklären (S. 181).

3. Ist der allgemeine Dissensus darauf zurückzuführen, daß man die Unterscheidung von Religion und Theologie vernachlässigt hat, wogegen sich schon
Ernesti, Semler, Teller, Spalding, Töllner und besonders Tittmann gewendet
haben (S. 182).

4. Entscheidend aber ist, daß die Einfachheit und Leichtigkeit (simplicitas et
facilitas) der Biblischen Theologie mit dem Scharfsinn und der Strenge (subtilitas et veritas) der Dogmatischen Theologie schlecht vermischt wurde (male
mixta; S. 180, 183).

Wie sachgemäß eine solche Scheidung möglich ist, davon handelt der weitere
Teil (der Hauptteil) der Rede.

Der methodisch entscheidende Satz steht voran: „Die Biblische Theologie
besitzt historischen Charakter, überliefernd, was die heiligen Schriftsteller über
die göttlichen Dinge gedacht haben; die Dogmatische Theologie dagegen besitzt
didaktischen Charakter, lehrend, was jeder Theologe kraft seiner Fähigkeit
gemäß dem Zeitumstand oder dem Zeitalter, dem Ort, der Sekte, der Schule
und anderen, ähnlichen Dingen dieser Art mit der Vernunft über die göttlichen
Dinge philosophiert. *Jene*, da sie historisch argumentiert, ist für sich betrachtet,
sich immer gleichbleibend („konstant') (obgleich sie selbst, je nach dem Lehrsystem, nach dem sie ausgearbeitet wurde, von dem einen so, von den anderen
anders dargestellt wird): *Diese* jedoch ist mit den übrigen menschlichen Disziplinen vielfältiger Veränderung unterworfen: was ständige und fortlaufende
Beobachtung so vieler Jahrhunderte übergenug beweist" (S. 183f.). Die dogmatische Theologie ist darum ständigem Wandel unterworfen, wie Gabler an
der Geschichte der Theologie von den Tagen der Kirchenväter bis zu seiner Zeit
in Kürze zeigt (S. 184). Wie aber konnte es dazu kommen, da doch „die heiligen
Schriftsteller wirklich nicht so wandlungsfähig sind, daß dieselben sogar diese
verschiedene Gestalt und Form der theologischen Disziplin anziehen könnten"?
Damit will jedoch Gabler nicht gesagt haben, „daß alles in der Theologie für
unsicher und zweifelhaft gehalten werden soll oder daß alles bloß dem menschlichen Willen erlaubt sein soll; sondern nur soviel möchten diese Worte ausrichten, daß wir das Göttliche vom Menschlichen sorgfältig unterscheiden, daß
wir eine gewiße Unterscheidung der Biblischen und Dogmatischen Theologie
festsetzen und nach Ausscheidung von dem, was in den heiligen Schriften allernächst (proxime) an jene Zeiten und jene Menschen gerichtet ist, nur diese
reinen Vorstellungen unserer philosophischen Betrachtung über die Religion
zugrunde legen, welche die göttliche Vorsehung an allen Orten und zu allen
Zeiten gelten lassen wollte, und so die Bereiche der göttlichen und menschlichen

Weisheit sorgfältiger bezeichnen", nämlich abgrenzen. Geschieht dies, dann wird „unsere Theologie sicherer und fester", und man braucht den Angriff der Feinde nicht zu befürchten (S. 184 f.).

Nachdem Tr. Zachariä wegen seiner Biblischen Theologie gelobt worden ist, aber auch die Grenzen seines Werks aufgewiesen wurden (S. 185, vgl. S. 192 f.), zeigt Gabler den methodisch notwendigen Weg zu einer Biblischen Theologie auf:

Zunächst sind die „heiligen Vorstellungen", die notiones sacrae, zu sammeln, und „wenn sie in den heiligen Schriften nicht ausdrücklich genannt sind", dann muß man „sie selbst aus miteinander verglichenen Stellen entsprechend zusammenfügen" (S. 185). Damit dies nicht nach Belieben und eigenem Gutdünken geschieht, muß man methodisch beachten, daß die heiligen Schriften nicht die Meinung eines Einzelnen wiedergeben, ja nicht einmal die Meinung von Männern derselben Zeit und derselben Religion. „Die heiligen Schriftsteller sind freilich alle göttliche Männer und durch göttliche Autorität gefestigt" (S. 186), aber man muß die Lehrer der „alten Lehrform", womit das Alte Testament gemeint ist, von den Lehrern der neuen und jüngeren Lehrform, des Neuen Testaments, unterscheiden, da nur letztere für die Dogmatik verwendet werden kann. Das kann darum behauptet werden, weil die Theopneustie eine ganz untergeordnete Rolle spielt und diese beim einzelnen biblischen Schriftsteller nicht „die eigene Kraft des Verstandes und das Maß der natürlichen Einsicht in die Dinge zerstört hat" (S. 186). Nur beim dogmatischen Gebrauch biblischer Vorstellungen sollte man auf die Theopneustie nicht verzichten (S. 186, vgl. S. 191 f.). Mit der Sammlung der notiones sacrae muß, wenn die Arbeit nicht vergeblich sein soll, eine genaue historische Festlegung der einzelnen Perioden einhergehen, die deutlich voneinander abzuheben sind, ebenso wie die einzelnen biblischen Autoren in je ihrer Zeitepoche zu sehen und darum voneinander eindeutig zu trennen sind. Schließlich sind auch die einzelnen Redeformen zu unterscheiden, „die jeder je nach Zeit und Ort gebraucht hat, ob es das historische, das didaktische oder das poetische Genus ist" (S. 187). Dieser zwar beschwerliche Weg vermag dafür vor Irrwegen zu bewahren. Das abschließend genannte Ergebnis ist die beispielhafte Aufzählung der verschiedenen Epochen des Alten Testaments (einschließlich der Apokryphen) und des Neuen Testaments, die je für sich in einer Biblischen Theologie bearbeitet werden müssen: „Man muß folglich sorgfältig die Vorstellungen der einzelnen sammeln und jeweils an ihrem Platz einordnen: die der Patriarchen, die des Mose, David und Salomo, die der Propheten, und zwar jedes einzelnen, Jesaja, Jeremia, Hesekiel, Daniel, Hosea, Zacharia, Haggai, Maleachi und der übrigen; und aus vielen Gründen dürfen die apokryphischen Bücher zur Benutzung nicht verachtet werden: Darauf aus der Epoche der neuen Lehrform die Vorstellungen Jesu, des Paulus, des Petrus, des Johannes und des Jakobus" (S. 187).

Das bisher Ausgeführte ist eigentlich nur die methodische Vorerwägung. Die Aufgabe selbst wird „am besten in zwei Teilen durchgeführt" (S. 187). Die Untersuchung der einzelnen Epochen erfordert nunmehr 1. die „legitime Interpretation" der einzelnen Stellen und 2. den Vergleich der einzelnen Vorstellungen der biblischen Schriftsteller untereinander (S. 187: altera est in legitima locorum huc pertinentium interpretatione; altera in diligenti notionum auctorum sacrorum omnium inter se comparatione). Was Gabler hier im einzelnen ausführt, sind die Ergebnisse, zu denen die freiere Behandlungsart biblischer Texte durch Ernesti und Morus geführt haben, Erkenntnisse, die für den kritischen Exegeten zu Ende der 80er Jahre des 18. Jahrhunderts bereits zum Selbstverständlichen gehören[3]: Die biblischen Schriftsteller sind unabhängig von der Dogmatik zu interpretieren, die einzelnen Schriften sind je für sich bis hin zu dem ihnen eigenen Sprachgebrauch zu analysieren; doch muß der Textanalyse die Synthese folgen, damit die jeweils einzelne Schrift wie die ihr zugrunde liegenden Vorstellungen sowohl im ganzen wie im Vergleich mit anderen Schriften, Schriftgruppen, und Vorstellungen zur Geltung kommen. Dabei erweist sich: die hier anzuwendende historische Interpretation exegesiert biblische Autoren nicht anders als profane Schriftsteller. In diesem Sinn kann eine Untersuchung und Darstellung der stoischen Philosophie geradezu ein Musterbeispiel für die Ausarbeitung der Biblischen Theologie sein (S. 187–190).

Erst nachdem diese exegetische Arbeit geleistet ist, nämlich die „Meinungen der göttlichen Männer aus den heiligen Schriften sorgfältig gesammelt, passend geordnet, vorsichtig auf allgemeine Vorstellungen zurückgeführt und genau miteinander verglichen sind", kann „mit Nutzen eine Untersuchung über ihren dogmatischen Gebrauch" angestellt werden und damit „die richtige Bestimmung der Grenzen der Biblischen und der Dogmatischen Theologie" aufgezeigt werden (S. 190f.). Dabei ist hauptsächlich zu untersuchen, „welche Meinungen sich auf die bleibende Form der christlichen Lehre beziehen und so uns selbst angehen und welche nur für die Menschen eines bestimmten Zeitalters oder einer bestimmten Lehrform gesagt sind. Es steht nämlich bei allen fest, daß nicht der gesamte Inhalt der heiligen Schriften für Menschen jeder Art bestimmt ist; sondern daß ein großer Teil von ihnen eher für ein bestimmtes Zeitalter, einen bestimmten Ort und eine bestimmte Art von Menschen nach dem Ratschluß Gottes verbindlich gemacht worden ist" (S. 191). So sind die „mosaischen Riten" bereits von Jesus und den Aposteln abgetan, und die Anweisungen des Paulus über das Schleiertragen der Frauen gelten nicht mehr für die Gegenwart (S. 191). Darum kann es heißen: „Die Vorstellungen der mosaischen Lehrform, die weder von Jesus und seinen Aposteln, noch von der Vernunft selbst bestätigt werden, können von keinem dogmatischen Nutzen sein" (S. 191), und entsprechend ist zu untersuchen, „was in den Büchern des Neuen Testaments „accommodate" und damit nur für die „necessitas der ersten christlichen Welt" gesagt ist und was „zur bleibenden Heilslehre des Neuen Testaments" gehört, also: „was in den Worten der Apostel wahrhaft göttlich und was zufällig und rein menschlich ist" (S. 191).

[3] Vgl. die Bespr. der Rede in Allg. Lit. Ztg. vom Jahre 1787, 3. Bd., Sp. 535.

Wenn dies mit aller Sorgfalt durchgeführt ist, dann „werden endlich jene Stellen der heiligen Schrift ausgesondert und durchsichtig sein, die, ohne daß ihr Text zweifelhaft wäre, sich auf die Religion aller Zeiten beziehen und mit deutlichen Worten die göttliche Form des Glaubens ausdrücken", nämlich die „dicta classica", „die als Fundament einer gründlicheren dogmatischen Untersuchung zugrunde gelegt werden können" (S. 192). Aus ihnen allein können die „allgemeinen Vorstellungen" (notiones universae) eruiert werden, „quae unice usum habent in theologia dogmatica" (S. 192). „Diese allgemeinen Vorstellungen" aber, „wenn sie durch richtige Interpretation aus jenen dicta classica herausgearbeitet werden, herausgearbeitet aber sorgfältig miteinander verglichen werden, verglichen aber an ihrem Ort treffend so eingeordnet werden, daß eine brauchbare (zweckmäßige) und taugliche (annehmbare) Verknüpfung und Ordnung der wahrhaft göttlichen Lehren zustande kommt, dann ist wahrhaftig das Resultat: theologia biblica, ex significatione quidem vocis pressiori", nämlich eine Biblische Theologie im „bestimmteren, d.h. engeren Gebrauch des Wortes" (S. 192f.). Zwar in dieser Intention, aber ohne Berücksichtigung einer „Biblischen Theologie im engeren Gebrauch des Wortes" verfaßte Tr. Zachariä seine Biblische Theologie. „Und nachdem diese sicheren Grundlagen der theologia biblica, in diesem engeren Sinn verstanden, auf diese Art und Weise, wie wir sie bis jetzt beschrieben haben, gelegt sind, muß endlich, wenn wir nicht unsicheren Methoden folgen wollen (incertas rationes sequi), die theologia dogmatica aufgebaut werden, und zwar eine unseren Zeiten angemessene (nostris temporibus accommodata)" (S. 193). Durch die jeweils neue Anpassung an die Zeit wandelt sich die Form der theologia dogmatica stets, und die Theologie wird dadurch eine wahre „philosophia christiana" („Itaque varia esse debet theologiae dogmaticae, cum proprie sit philosophia Christiana") (S. 193), aber ihr Inhalt ist gleichbleibend (‚konstant', vgl. S. 183f.), weil er nach den Grundsätzen historischer Kritik in der theologia biblica ermittelt ist (S. 193).

Der theologische Teil schließt mit dem ausdrücklichen Hinweis, daß es Gabler in dieser Rede allein um die Methode der biblischen Theologie und der richtigeren Bezeichnung ihres Zweckes geht. In Einzelheiten wolle er nicht gehen, zumal die Ausarbeitung einer Biblischen Theologie nichts für Jüngere, sondern nur für „Alte" (= in dieser Wissenschaft Bewährte und Erprobte) ist (S. 194).

Beurteilung und Auswertung der Rede

Die Antrittsrede ist eine methodische Untersuchung[4], zu der sich Gabler angesichts der Situation theologischer Forschung seiner Zeit veranlaßt sah[5].

---

[4] K. HEUSSI, Geschichte der Theologischen Fakultät zu Jena, 1954, S. 216 spricht von einer „scharfsinnigen methodologischen Abhandlung".

[5] Vgl. K. LEDER, S. 279–303, bes. S. 288f. Zur Beurteilung der Rede vgl. bes. die in Anm. 3 und 6 genannten Besprechungen; weiter D. G. C. v. CÖLLN, Theol. I, 1836, S. 23f. [von ihm hat bis in Wortlaut und Satzkonstruktion hinein ohne Hinweis auf v. Cölln F. C. BAUR, Ntl. Theol., 1864, S. 8 seine Beurteilung Gablers entnommen]; L. DIESTEL,

Die an und für sich bekannten Gesetze richtigerer und freierer Auslegung biblischer Texte wurden nicht sachgemäß angewandt, weil es an methodisch erarbeiteten Kriterien fehlte, die der Vermischung Biblischer und Dogmatischer Theologie in der Exegese Einhalt geboten.

Voraussetzung aller weiteren Überlegungen ist darum die sachgemäße Unterscheidung dieser beiden Theologien. In diesem Sinne auch wurden Gablers Ausführungen als wirklich neu und hilfreich angesehen [6].

Die Biblische Theologie, die bisher eine Hilfswissenschaft der Dogmatik gewesen ist, muß in ihrer Eigenständigkeit erkannt werden. Sie hat historischen Charakter, und ihre Ergebnisse werden auf rein historischem Wege ermittelt. Das zeigt die ihr zufallende Aufgabe: Sie hat die verschiedenen biblischen Vorstellungen zu sammeln und zugleich durch die Trennung der einzelnen biblischen Autoren voneinander die Eigenart eines jeden einzelnen in seiner Zeitepoche herauszuarbeiten. Diese Sammlung verlangt folglich die historisch-kritische Unterscheidung innerhalb der *einen* Bibel (S. 187) [7]. Darf für die Theologen aller Richtungen wie bisher die Heilige Schrift auch weiterhin als die „äußerst klare Quelle" für die Kenntnis christlicher Religion gelten (S. 179f.), von der einen Biblischen Theologie, die beide Testamente umgreift, kann seit Gablers Antrittsrede nicht mehr sachgemäß gesprochen werden. Das Alte Testament ist vom Neuen Testament zu unterscheiden und damit abzutrennen (S. 186f.). Beide Testamente sind also je für sich zu behandeln, und die Vorstellungen der einzelnen biblischen Zeugen sind innerhalb der Zeitperioden einzuordnen, der sie zugehören, entweder der Zeit des alten *oder* des neuen Bundes (S. 187). Wenn Gabler auch noch nicht ausdrücklich die Bezeichnungen „Biblische Theologie des Alten Testaments" und „Biblische Theologie des Neuen Testaments" gebraucht, seine Erkenntnis, daß eine „Biblische Theologie" nur durch historisch-kritische Sondierung der einzelnen biblischen Schriftsteller erarbeitet werden kann, hat die Einheit der Testamente, die für die systematisch-theologische Auswertung der Bibel in der theologia dogmatica seiner Zeit unentbehrlich war, zerbrechen lassen und damit den wirklich historischen Charakter der von ihm inaugurierten Disziplin aufgezeigt.

Aber gerade die Einsicht in das geschichtliche Gewordensein des Alten und des Neuen Testaments verlangt zu erkennen, daß beide Testamente nicht einfach

---

S. 711f.; C. T. Craig, Biblical Theology and the Rise of Historicism, JBL 62, 1943, S. 281; A. N. Wilder, New Testament Theology in Transition, in: The Study of the Bible Today and Tomorrow, ed. H. R. Willoughby, 1947, S. 419ff.; Hartlich-Sachs, S. 23f.; W. G. Kümmel, NT, S. 115–118; G. v. Rad, Theol. d. AT, I, ⁴1962, S. 124f.; G. Ebeling, Bibl. Theol., S. 79ff. passim; *ders.*, Art. Hermeneutik ,RGG³, Bd. III, 1959, Sp. 254; R. Smend, Universalismus, S. 169f.; *ders.*, Gabler, S. 345ff.; *ders.*, Mitte, S. 11; D. H. Wallace, Historicism and Biblical Theology, Studia Evangelica, Vol. III, (= TU 88), 1964, S. 223, 225; K. Leder, S. 187ff.; K. Haacker, Einheit und Vielfalt in der Theologie des Neuen Testaments. Ein methodenkritischer Beitrag, in: Beiträge zur hermeneutischen Diskussion, hrsg. von W. Böld, 1968, S. 78ff., bes. 80ff.; H.-J. Kraus, S. 52ff.

[6] Vgl. die Besprechungen in: Erlangische gelehrte Nachrichten 42, 1787, S. 396f.; Nürnbergische gelehrte Zeitung 1787, S. 288.

[7] Vgl. dazu grundsätzlich G. Ebeling, Bibl. Theol., S. 82ff.

nebeneinander stehen. Die Biblische Theologie hat darum die Zeit, ‚zwischen den Testamenten' in ihre Erörterung einzubeziehen. Dies gehört zu den „vielen Gründen", warum Gabler die Auswertung der „apokryphischen Bücher" im Zusammenhang der Biblischen Theologie empfiehlt (S. 187). Die historisch-kritische Betrachtungsweise sieht die verschiedenen biblischen Autoren und ihre Vorstellungen eingebettet in die *Geschichte* des Alten und Neuen Testaments, und darum gehört die Zeit ‚zwischen den Testamenten' als der historische Boden für die einzelnen Zeugen des Neuen Testament zur Erstellung einer Biblischen Theologie hinzu, auch wenn dadurch die Kanonsgrenze gesprengt wird[8]. Damit hat Gabler in seiner Rede einen Punkt berührt, den er hier nicht näher ausführt, der aber für die Bearbeitung dieser Disziplin noch von Bedeutung werden sollte[9].

Der „historische Charakter" der Biblischen Theologie zeigt sich schließlich in der konsequenten Anwendung der historisch-kritischen Exegese (S. 187–190), die nach Gabler der jungen Disziplin den gleichen Rang zuweist, der der Bearbeitung profaner Schriftsteller der Antike zukommt (S. 190). Damit ist die Forderung nach einer *einheitlichen,* für biblische und außerbiblische Texte in gleicher Weise gültigen Methodik der Interpretation erhoben. Die Methode, die der Gewinnung einer Biblischen Theologie dient, ist also eine durchaus ‚profane', und es ist darum nicht verwunderlich, daß man gelegentlich meinte, Gabler selbst habe die Biblische Theologie als eine rein „profane Wissenschaft" angesehen[10].

Aber Gablers Anliegen ist damit nur teilweise zur Geltung gebracht, denn für ihn ist der profane Charakter der Biblischen Theologie nicht gleichbedeutend mit der Preisgabe oder Vernachlässigung ihrer theologischen Aufgabe. Durch die angewandte Methodik soll vielmehr ihre eigentliche Aufgabe deutlich werden, soll gezeigt werden, „was die heil. Schriftsteller selbst von göttlichen Dingen gedacht haben"[11]. Diese theologische Aufgabe zeigt sich jedoch vor allem darin, daß die Biblische Theologie in ihrem Gegenüber zur Dogmatischen Theologie gesehen wird. Durch die Methodik ihrer Behandlung wird die Biblische Theologie nicht profan, sondern die ‚profane' Behandlungsart ist für sie die unerläßliche Voraussetzung und Hilfe, um selbständig und d.h. theologisch eigenständig zu werden. Sie argumentiert ‚historisch' (S. 183f.), und ihre Ergebnisse sind als historisch aufweisbar bei aller Vielheit und Verschiedenartigkeit der biblischen Zeugnisse „konstant", weil sie mit Hilfe profaner historischer Kritik ermittelt sind. Auf dieser so herausgearbeiteten „Konstanz" aber beruht die Eigenständigkeit der Biblischen Theologie, denn die bei ihr angewandte ‚profane' Methodik ist frei von dogmatischer und damit kirchlicher Bevormundung. Die „Konstanz" Biblischer Theologie kann darum der ständigem

---

[8] Vgl. unter allgemeinen Gesichtspunkten auch G. EBELING, Bibl. Theol., S. 84.
[9] Vgl. unten S. 178ff. zu G. L. BAUER.
[10] Vgl. R. SMEND, Gabler, S. 347.
[11] So die Bespr. in: Nürnbergische gelehrte Zeitung 1787, S. 288.

Wandel unterworfenen Dogmatischen Theologie gegenübergestellt werden (S. 183f.). Durch ihre „Konstanz" unterscheidet sie sich nicht nur von der Dogmatik, sondern sie ist auch die wesentliche Grundlage für die sachgemäße Abgrenzung beider Disziplinen (S. 184f.).

Diese Abgrenzung erfolgt nicht durch eine Bearbeitung der herkömmlichen Dogmatischen Theologie, sondern durch die Erarbeitung der Biblischen Theologie selbst. Mit Hilfe der genannten historisch-kritischen Methode sind die „notiones sacrae" zu sammeln, zu vergleichen und aus den einzelnen Schriften unter genauer Berücksichtigung ihrer Entstehungszeit zu erheben, wobei zugleich jeder einzelne biblische Schriftsteller vom anderen streng zu trennen ist und in je seiner Eigenart zur Geltung kommen muß (S. 185–190). Erst wenn diese exegetische Arbeit getan ist, kann der notwendige nächste Schritt erfolgen, können die nur orts- und zeitgebundenen Vorstellungen abgesondert und als Ergebnis der ganzen exegetischen Bemühung die „notiones universae" (S. 190) bzw. „notiones purae" (S. 185) hervorgehoben werden, jene Allgemeinbegriffe (S. 190) bzw. „dicta classica" (S. 192), die zur „bleibenden Heilslehre des Neuen Testaments" gehören, die „sich auf die Religion aller Zeiten beziehen" und die „göttliche Form des Glaubens" darstellen (S. 191f.).

Dieser Schritt erst ermöglicht es, Göttliches und Menschliches innerhalb der biblischen Schriften zu scheiden (S. 191) und somit innerhalb der Biblischen Theologie Kriterien aufzuzeigen, die sowohl der sachgemäßen Abgrenzung zwischen Biblischer und Dogmatischer Theologie wie auch ihrer notwendigen und methodisch vertretbaren Berührung dienen (S. 184f. 190–192). Denn diese „dicta classica" sind das unentbehrliche Fundament jeder dogmatischen Untersuchung (S. 192), aber sie sind kein Teil der Dogmatik, sie gehören zur Biblischen Theologie und bleiben bewußt von jener getrennt. Zwischen ihnen und der Dogmatik muß sich vielmehr ein weiterer Schritt vollziehen. Es müssen aus den „dicta classica" jene „allgemeinen Vorstellungen" eruiert werden, die allein in der Dogmatik zu verwenden sind (S. 192). Methodisch bedarf es dazu ihrer Herausarbeitung aus den „dicta classica" durch richtige Interpretation, ihrer Vergleichung untereinander und einer sachgemäßen Einordnung des Verglichenen, so daß dadurch eine ebenso zweckmäßige wie wahrscheinliche Verknüpfung und Ordnung der wirklich göttlichen Lehre entsteht. Das Ergebnis dieser Bemühung ist die Biblische Theologie im engeren Sinne des Wortgebrauchs (S. 192f.), und erst diese, durch einen „doppelten Filtrierungsprozeß"[12] gewonnene „reine biblische Theologie", wie sie ein unbekannter Rezensent der Antrittsrede zutreffend bezeichnet[13], ist das „feste Fundament", auf dem eine „theologia dogmatica" gebaut werden kann (S. 193). Dieses Fundament enthält die „aus der Bibel selbst geschöpften allgemeinen Wahrheiten" und ist darum ein „dauerhaftes Gebäude" für die steter Wandlung unterworfene Dogmatische

---

[12] So K. Leder, S. 289.
[13] Erlangische gelehrte Nachrichten 42, 1787, S. 397.

Theologie[14]. Ihre Aufgabe nämlich ist es, „mit der Vernunft über die göttlichen Dinge" zu „philosophieren" und diese im Wechsel der Zeiten und Anschauungen zu lehren und die so aus der „theologia dogmatica" sich bildende wahre „philosophia christiana" jeweils neu für die Gegenwart auszurichten (S. 193).

Die „Konstanz" Biblischer Theologie trennt von der theologia dogmatica, und zugleich liegt in ihr der eigentliche Berührungspunkt beider Disziplinen. Denn bei allem notwendigen Wandel der Dogmatik sind ihr als gleichbleibender, als „konstanter" Inhalt die mit Hilfe historisch-kritischer Methodik ermittelten „allgemeinen Vorstellungen" gegeben (S. 193. 183f.). In dieser Abgrenzung wie Zuordnung kommt die Intention dieser Rede zur Geltung:

Der methodische Weg für die Festlegung der Grenzen zwischen Biblischer und Dogmatischer Theologie (S. 190f.) und die „richtige Bestimmung ihrer beider Ziele" (vgl. Titel der Rede und S. 183f.) verlangen die Trennung beider Disziplinen. Der „historische Charakter" der Biblischen Theologie, der mit Hilfe historisch-kritischer Methodik ausgewiesen wird, kennzeichnet die Eigenart und Eigenständigkeit dieser Disziplin, aber er ist mit einer bestimmten Zielsetzung verbunden. Die Biblische Theologie bedarf nach Gabler des „historischen Charakters", weil es ihre Aufgabe ist, innerhalb der biblischen Botschaft das Göttliche vom Menschlichen zu scheiden. Und diese Scheidung kann nur, wie wir gesehen haben, auf historischem Weg und mit den Mitteln historisch-kritischer Exegese erfolgen. Aber es geschieht hier lediglich die unentbehrliche Vorarbeit, um „mit Nutzen eine Untersuchung über den dogmatischen Gebrauch" der heiligen Schriften und damit über „die richtige Bestimmung der Grenzen der Biblischen und der Dogmatischen Theologie" anzustellen (S. 190f.).

Die Abgrenzung der Biblischen Theologie von der Dogmatik dient der letzteren, und die Methodik historischer Kritik der ersteren schafft die Voraussetzung dafür, alles das auszuscheiden, was von keinem dogmatischen Nutzen ist. Deshalb sind, wie wir gesehen haben, nicht nur das Lokale und Temporelle des biblischen Stoffes auszuscheiden, sondern es sind vor allem die Vorstellungen, die sich auf das Bleibende der christlichen Lehre beziehen, herauszuarbeiten. Die „Konstanz" der Biblischen Theologie ist das gewonnene und im Hinblick auf die Dogmatik erstrebte Ziel, weil sie der gleichbleibende Inhalt der notwendigerweise stets im Wandel begriffenen theologia dogmatica ist. Die Abgrenzung wie die Zuordnung Biblischer und Dogmatischer Theologie sind hinsichtlich ihrer Auswertbarkeit für die Dogmatik gesehen mit dem für beide Disziplinen grundsätzlichen Ergebnis, daß nur eine wirklich von der Dogmatik unabhängige und selbständige, historisch-kritisch arbeitende Biblische Theologie dazu beiträgt, die theologia dogmatica zu schaffen, „die unseren Zeiten angemessen ist" (S. 193).

Ist die dieser Rede zugrunde liegende Intention richtig erfaßt, dann lassen sich in diesem Zusammenhang mehrere Punkte in Gablers Ausführungen verständlich machen:

[14] So Nürnbergische gelehrte Zeitung 1787, S. 288.

1. Ungewöhnlich auffallend sind Gablers lobende Bemerkungen über T. G. Zachariäs „Biblische Theologie" (S. 185, 192 f.), die zweifellos nicht nach seinen eigenen Grundsätzen für die Behandlung einer Biblischen Theologie gearbeitet ist. Man kann dies nicht damit erklären, daß Gabler sich persönlich der theologischen Arbeit von Zachariä verbunden wußte. Der Grund liegt vielmehr offenbar darin, daß auch Zachariä, wenngleich mit unzureichender Methodik, die biblischen Autoren unabhängig von der Dogmatik interpretieren wollte, um so seiner Zeit zu einer gebesserten Dogmatik zu verhelfen. Auch hier ist unter systematischem Gesichtspunkt die Notwendigkeit einer Biblischen Theologie gesehen worden[15]. Insofern – und nur unter diesem Gesichtspunkt – bestand für Gabler Veranlassung, auf Zachariä einzugehen[16].

2. Zeigt sich der „historische Charakter" der Biblischen Theologie vor allem in der Trennung von Altem und Neuem Testament und der sachgemäßen Herausarbeitung der einzelnen Autoren und Perioden innerhalb der Schriften *beider* Testamente, so ist bemerkenswert, wie stark in den weiteren Überlegungen Gablers das Alte Testament zurücktritt. Das liegt nicht nur daran, weil sich dort besonders zahlreich lokale und temporelle Vorstellungen finden, sondern weil allein das Neue Testament für den dogmatischen Gebrauch in Frage kommt (S. 186).

3. Die einfache Biblische Theologie reicht nicht hin, um die „Konstanz" Biblischer Theologie in Abgrenzung und Berührung zur Dogmatischen Theologie zur Geltung zu bringen. Es muß eine Biblische Theologie im engeren Sinn des Wortgebrauchs hinzutreten (S. 192 f.). Zwar hat auch diese „historischen Charakter" und gehört zum Bereich der Biblischen Theologie, aber es kommt dieser gleichsam zweiten Biblischen Theologie eine Mittelstellung zwischen Biblischer und Dogmatischer Theologie zu. Sie ist erforderlich als Grundlage einer für Gablers Gegenwart zeit- und sachgemäßen Dogmatik. Nicht für die Biblische Theologie, sondern für die Dogmatik ist es wichtig, die „allgemeinen Wahrheiten"[17], die mit der Vernunft im Wandel der Zeiten und Anschauungen in Einklang stehen, zu kennen.

4. Daraus erklärt sich ein Viertes: Aus der für die Dogmatische Theologie unentbehrlichen „Konstanz", wie sie nur die „theologia biblica, ex significatione quidem vocis pressiori" ermitteln kann (S. 192 f.), ergibt sich Gablers Verständnis des Historischen: Die Dogmatische Theologie beruht auf nicht mehr mit Mitteln historischer Kritik zu hinterfragenden „allgemeinen Wahrheiten". Das aber unterwirft diese einer von Gabler nicht bedachten Subjektivität. Mit Hilfe der genannten Methodik für die Erstellung einer Biblischen Theologie

---

[15] Vgl. auch D. G. C. v, CÖLLN, Theol. I, S. 21 f.; D. SCHENKEL, Die Aufgabe der biblischen Theologie in dem gegenwärtigen Entwicklungsstadium der theologischen Wissenschaft, ThStKr 25, 1, 1852, S. 45 ff.; L. DIESTEL, S. 711; J. D. SCHMIDT, Die theologischen Wandlungen des Christoph Friedrich von Ammon, Diss. theol. Erlangen 1953, S. 17; s. oben S. 24 ff.

[16] Anders R. SMEND, Gabler, S. 353 Anm. 36.

[17] Vgl. Anm. 14.

wird eine für die dogmatische Arbeit normgebende Anfangszeit konstruiert, die in sich unveränderlich feststehend nicht mehr historischer Fragestellung gegenüber offen ist[18]. Dies ergibt sich von Gablers systematischem Ansatz her. Unter dem seine Systematik leitenden Gesichtspunkt der Vernunft, die dem Denken seiner Zeit verpflichtet ist[19] und der wie im Rationalismus und in der Spätneologie die historische Dimension abgeht[20], ist die historisch-kritische Aufgabe der Biblischen Theologie im Grunde zweitrangig. Sie dient zwar dazu, innerhalb der Bibel Kritik zu üben und so den Normcharakter der ganzen Heiligen Schrift – als Einheit verstanden – zerbrechen zu lassen (S. 191f.)[21], aber sie richtet gleichzeitig diese neue, nach Gablers Verständnis objektiv gültige und darum konstante Norm auf, die es zuläßt, unter Hintansetzung des historischen Abstandes zur Bibel, ihre unwandelbare Allgemeingültigkeit für die dogmatische Arbeit der Gegenwart festzusetzen[22]. Die von Gabler geforderte historische Behandlungsart einer Biblischen Theologie führt ihn, weil unter systematischer Zielsetzung gesehen, nicht zu der Erkenntnis, daß auf historischem Wege gewonnene Ergebnisse selbst dem Wandel unterliegen, den neue Einsichten und tieferes Eindringen in die Texte bedingen. Daraus erklärt sich schließlich, daß Gabler zwar völlig sachgemäß die Methode mit allen ihren erforderlichen Schritten für die Gewinnung einer Biblischen Theologie nennt und doch unter systematischem Gesichtspunkt auf eine wirklich geschichtliche Betrachtungsweise der Bibel verzichten kann[23]. Denn für die Dogmatik genügt es, ein objektiv feststehendes Fundament zu haben, auf dem die „philosophia christiana" errichtet werden kann. Aber sind die „allgemeinen Wahrheiten", wie wir gesehen haben, im Hinblick auf die Dogmatik herausgearbeitet, ja bedarf es gerade deswegen einer doppelten Biblischen Theologie, so ist damit nicht so eindeutig zwischen dem objektiv Feststehenden, der „Konstanz" Biblischer Theologie, und der Dogmatik geschieden, weil Trennung wie Zusammengehörigkeit beider Disziplinen in Gablers Ausführungen seinem eigenen theologischen Standort in seiner Zeit verhaftet bleiben[24]. Gabler selbst gibt damit zu erkennen – ob bewußt oder unbewußt sei dahingestellt –, daß es eine voraussetzungslose Biblische Theologie nicht geben kann[25]. Der in der Rede grundsätzlich herausgearbeitete Nachweis, daß nur durch die ‚profane' Methode historisch-kritischer Exegese eine Biblische Theologie erstellt werden kann, ist also, sobald das für die Dogmatik erstrebte Ergebnis gewonnen ist, preisgegeben. Blickt man von dem Ergebnis her auf den Weg, der zu ihm führte, so

[18] Vgl. K. LEDER, S. 288f.
[19] Vgl. die wichtigen Nachweise bei W. SCHRÖTER, S. 24ff.
[20] Vgl. E. HIRSCH, Geschichte der neuern evangelischen Theologie, V, 1954, S. 5, 9.
[21] Vgl. R. SMEND, Gabler, S. 355; ders., Universalismus, S. 170.
[22] Vgl. unter allgemeinen Gesichtspunkten auch G. EBELING, Bibl. Theol., S. 82.
[23] Vgl. auch R. SMEND, Gabler, S. 355f. Verkürzt ist die Darstellung von K. HAACKER (s. Anm. 5), S. 81ff., dessen Ausführungen auf einer zu schmalen Quellengrundlage beruhen (vgl. ebdt., S. 99, Anm. 6); das gilt auch für H.-J. KRAUS, S. 52ff. (vgl. S. 52 Anm. 1).
[24] Vgl. auch K. LEDER, S. 288f.
[25] Vgl. auch R. SMEND, Gabler, S. 356 passim.

wird deutlich, daß alle Bemühungen historisch-kritischer Bearbeitung des
Neuen Testaments in erster Linie diesem Zweck dienten, und erst in zweiter
Linie der Erforschung einer Biblischen Theologie selbst.

5. Nach dem Ausgeführten nicht mehr auffallend in dieser Rede ist schließlich der mehrfache Hinweis auf die erforderliche Sicherheit (S. 179f. 194), was
im Sinne Gablers der Forderung nach einer sicher zu handhabenden und darum
notwendig auf methodisch klaren Voraussetzungen aufgebauten Dogmatik
gilt, die im Kampf gegen die Zeitströmungen angewendet werden kann
(S. 180–182. 185)[26]. Doch schließt sich hier der Kreis. Gerichtet sind diese
Äußerungen gerade auch gegen Theologen, die aus jeder exegetischen Erkenntnis Kapital für die Dogmatik schlagen wollen (S. 185) und umgekehrt ihre
eigenen dogmatischen Ansichten in der Schrift bestätigt finden (S. 181). Nach
den von Gabler herausgearbeiteten Grundsätzen aber ist es methodisch nicht
mehr möglich, in dieser Weise – wie bisher geschehen – Bibellehre und Dogmatik gleichzusetzen, denn nicht mehr das Partikulare (das Temporelle und
Lokale), sondern allein das Allgemeingültige und damit Universale ist für die
Dogmatik verwendbar[27]. Damit ist gerade im Zusammenhang der dogmatischen
Ausrichtung der Rede zurückgelenkt zur eingangs besprochenen, ,,historischen
Charakter" tragenden Biblischen Theologie und betont, daß die Dogmatik von
der Exegese abhängig ist. Der entscheidende Grundgedanke Gablers, der für
seine Erarbeitung einer Biblischen Theologie in seinen späteren Veröffentli-
chungen maßgeblich ist, klingt hier bereits an.

Läßt sich zusammenfassend feststellen, daß Gablers Antrittsrede ihrer Intention nach der Gewinnung einer brauchbaren Gegenwartsdogmatik dient, und
muß zugleich betont werden, daß diese nur über den Weg einer in ihrer Methode und in ihren Ergebnissen von der Dogmatik unabhängigen Biblischen
Theologie erreicht werden kann, so ist damit für Gabler die Notwendigkeit
dieser Disziplin im Rahmen der Theologie als Wissenschaft erwiesen. Sie bildet
das unaufgebbare Gegenüber zur Dogmatischen Theologie und ist doch zugleich deren unwandelbares Fundament.

Eine diesen Anforderungen genügende Biblische Theologie auszuarbeiten,
aber kann nach Gabler nicht Sache eines Anfängers sein (S. 194) und es ist für
die Schwierigkeit dieser Aufgabe bezeichnend, daß Gabler zwar nur von seinem
Verständnis Biblischer Theologie her wirklich verstanden werden kann[28],
daß er aber selbst in den weiteren 39 Jahren seines Lebens allein methodische
Anregungen zum Thema in Form von Randbemerkungen und Buchbesprechungen gab und trotz mehrfacher Ankündigung niemals selbst eine Biblische
Theologie veröffentlichte.

Erst die Sammlung und Auswertung der zahlreichen diesbezüglichen Bemerkungen Gablers, besonders in den von ihm redigierten Zeitschriften geben ein

---

[26] Vgl. auch K. LEDER, S. 279–303, bes. S. 288f.
[27] Vgl. L. DIESTEL, S. 711f.; R. SMEND, Universalismus, S. 169f.
[28] So W. SCHRÖTER, S. 52.

vollständigeres Bild, als die Antrittsrede es vermochte, wie er sich selbst methodisch diese Ausarbeitung einer Biblischen Theologie dachte[29]. Hinzuzunehmen
sind seine grundsätzlichen Ausführungen über „Auslegen" und „Erklären"
und schließlich seine unveröffentlichte Vorlesung über „Biblische Theologie
des Neuen Testaments" von 1816, die sein Schüler E.F.C.A.H. NETTO, wie
sich nachweisen läßt, in einer Nachschrift sachgemäß wiedergegeben hat[30].
Mitverwertet werden, soweit sie zur Biblischen Theologie etwas austragen,
die Nachschriften desselben Schülers von ebenfalls unveröffentlichten, von
Gabler gehaltenen Vorlesungen über die „Einleitung in's Neue Testament"
(1815/16) und „Dogmatik" (1816). Erst so erhalten wir die Fülle der Anregungen, die Früchte lebenslanger Beschäftigung mit der Biblischen Theologie, die –
mit Gablers Namen verbunden – zukunftsträchtig werden sollte, während seine
auf die jeweilige Gegenwart ausgerichtete Dogmatik, die ihm den Anlaß für die
Herausarbeitung der neuen Disziplin gab, der Vergessenheit anheimgefallen ist.

B. GABLERS WISSENSCHAFTLICHER WEG BIS ZUR
ANTRITTSREDE IM HINBLICK AUF DIE BIBLISCHE THEOLOGIE

Wer die Forderung nach einer Biblischen Theologie als selbständige Disziplin erhebt und die Abhängigkeit der Dogmatik von der Exegese postuliert,
muß sich nach Gabler in der exegetischen Arbeit ausgewiesen haben. Er selbst
tut dies unmittelbar, indem er zu seiner Antrittsrede mit einer exegetischen
Abhandlung einlädt: „Prolusio exegetica in locum difficilem Gal III. 20 qua
ad orationem aditialem invitat Johannes Philippus Gabler" (1787)[31]. Noch
wichtiger aber ist, daß diese Antrittsrede Gablers bisherigen wissenschaftlichen
Werdegang folgerichtig krönt. Seit seiner akademischen Tätigkeit in Göttingen (1780) war es sein sehnlichster Wunsch, „da", wie er selbst schreibt, „ich
bisher in allen Feldern der philosophischen, theologischen, biblischen und
morgenländischen Literatur umher irren mußte, daß ich einmal Gelegenheit
bekäme, ein Fach vorzüglich das Exegetische ex professo zu bearbeiten, um
dadurch der Welt desto nuzbarer zu werden". Denn „seit meinem dritten
Universitäts-Jahr 1778, als ich in die Schule Griesbachs tratt, war Exegese und
Kritik des N. T. immer meine Lieblingsbeschäftigung, wovon ich schon im
Jahre 1778... in einer Dissertation über Hebr. 3,3–6 eine Probe lieferte, die
mir den Weg zu meiner hiesigen Theologischen Repetentenstelle bahnte [in

---

[29] Erstmalig hat, soweit ich sehe, D. G. C. v. CÖLLN, Theol. I, 1836, S. 24 Anm. 22, darauf
aufmerksam gemacht; vgl. auch L. DIESTEL, S. 711 Anm. 11; R. SMEND, Gabler, S. 348ff.
[30] S. S. 65ff. 113 u. W. SCHRÖTER, S. 52ff. (s. Anhang II, S. 285ff.).
[31] Wiederabgedruckt in: TS II, S. 159–178; vgl. dazu: Nürnbergische gelehrte Zeitung
1787, S. 287f.; Erlangische gelehrte Nachrichten 42, 1787, S. 396.

Göttingen][32]. Die wenigen Stunden, die mir von meinen Akademischen Beschäftigungen übrig bleiben, um auch außer meinem Auditorio Rechenschaft von meinem Studieren abzulegen, suche ich daher zu Bearbeitung meiner Kritischen und Exegetischen Materialien anzuwenden"[33].

Gablers exegetische Veröffentlichungen ermöglichten es seinem Gönner und Freund, dem Altphilologen Chr. Gottl. Heyne, ihm die Direktorstelle am Dortmunder Archigymnasium zu erwirken (1783)[34], und sie waren es auch, die ausschlaggebend für seine Berufung nach Altdorf waren (1785)[35]. Schon 1782 hatte Gabler an G. A. Will seine Abhandlung „Dissertatio critica de capitibus ultimis IX–XIII posterioris epistolae Pauli ad Corinthios ab eadem haud separandis" [Göttingen 1782] gesandt[36], und diese auch vorzüglich besprochene Schrift ließ in Altdorf auf den jungen Dortmunder Gelehrten aufmerken[37]. Schließlich ist auf die Inauguraldissertation Gablers über den Verfasser des Jakobusbriefes zu verweisen, die 1787 in Altdorf verfaßt wurde[38].

Was diese Arbeiten gemeinsam kennzeichnet, ist zunächst die für den Exegeten Gabler selbstverständliche Gründlichkeit, mit der er, von textkritischen Fragen angefangen bis hin zur Erörterung der Argumentationen in der Sekundärliteratur, alle anstehenden Fragen behandelt. Noch wichtiger ist, mit welcher Akribie den Einleitungsfragen nachgegangen wird: So nehmen bei seinen Erörterungen über Hebr. 3,3–6 die Fragen nach dem Verfasser dieses Schreibens wie die Zeit seiner Abfassung einen breiten Raum ein, Fragestel-

---

[32] Dissertatio exegetica ad illustrem locum Hebr. III, 3–6, 1778; wiederabgedruckt in: TS II, S. 1–60; vgl. dazu: Nürnbergische gelehrte Zeitung 1779, S. 126f.

[33] Die Zitate aus dem Brief Gablers an Prof. G. A. Will vom 30. 6. 1782 in: NStBibl.: Will VIII 85 Autogr. (3).

[34] Vgl. Brief Gablers an G. A. Will vom 25. 5. 1785 in: NStBibl.: Will VIII 85 Autogr. (3); W. Schröter, S. 80. Die Angabe von K. Leder, S. 275 Anm. 15, dieser Brief sei am 25. 6. 1785 verfaßt, stimmt nicht mit dem Original überein.

[35] Vgl. G. A. Will, Pro Memoria vom 25. 5. 1785 in: AUA 96, 8 u. 96,9a; ders., Anderweiter Pro Memoria, den Herrn Prof. Gabler zu Dortmund betreffend, vom 7. 6. 1785 in: AUA 96, 19; Schreiben des Kuratoriums der Univ. Altdorf an die Theolog. Fakultät Altdorf vom 25. 8. 1785 in: AUA 96, 24. Über Gablers Wirken bis zum Antritt der Professur in Altdorf vgl. bes. die diesbezügl. Briefe von Joh. Christ. Döderlein an G. A. Will vom 7. 10. 1785 in: NStBibl.: Will VIII 80 Autogr. (7) Nr. 18 u. vom 21. 6. 1785 in: AUA 96, 18 und Gablers eigene Berichte in Briefen an G. A. Will (vgl. oben Anm. 34) und sein Bewerbungsschreiben nach Altdorf vom 25. 6. 1785 in: AUA 96, 10; zusammenfassend jetzt K. Leder, S. 273ff. Die von K. Leder, S. 277 Anm. 23 genannten Kirchen- und dogmengeschichtlichen Arbeiten Gablers sind sämtlichst erst in den Altdorfer Jahren und danach erschienen und haben darum auf Gablers Berufung nach Altdorf keinen Einfluß gehabt; vgl. auch das Verzeichnis bei W. Schröter, S. 96–101.

[36] S. den Anm. 33 genannten Brief. Daß diese dort nicht namentlich genannteAbhandlung gemeint sein muß, ergibt sich aus deren Erscheinungsjahr und mittelbar auch daraus, daß G. A. Will gerade aufgrund dieser Schrift für die Berufung Gablers nach Altdorf eingetreten ist; vgl. a. Anm. 35 a.O. AUA 96,8 u. 96,9a. Gablers Abhandlung ist wiederabgedruckt in: TS II, S. 61–158.

[37] Vgl. außer der vor. Anm. bes. Nürnbergische gelehrte Zeitung 1783, S. 33–36; Erlangische glehrte Anmerkungen und Nachrichten 38, 1783, S. 77–79.

[38] Dissertatio theologia inauguralis de Jacobo epistulae eidem adscriptae auctore, Nürnberg 1787, wiederabgedruckt in: TS II, S. 199–258; vgl. auch Gablers Selbstanzeige in: Nürnbergische gelehrte Zeitung 1787, S. 577ff.

lungen, die bei den anderen genannten Abhandlungen schon vom Titel her
sich nahelegen – abgesehen von der Abhandlung über Gal. III. 20. Zu besonderer Beachtung führten seine kritischen Untersuchungen über die Kapitel
9–13 des II. Kor., weil es Gabler wagte, sich eingehend mit J.S. Semlers
Abtrennung der letzten 5 Kap. des II. Kor. kritisch auseinanderzusetzen.
Gegenüber Semler macht er äußere und innere Gründe für die Einheitlichkeit
des II. Kor. geltend und zeigt, daß manche Unstimmigkeit in diesen Kapiteln
sich aus der Sprunghaftigkeit paulinischen Denkens erklären lasse. Man sah in
Gablers Argumentation einen bedeutenden Fortschritt in der Erklärung des
anstehenden Problems, so daß ein unbekannter Rezensent bemerken konnte:
„Wenn diese Auflösung gleich nicht alle Schwierigkeiten aus dem Weg räumt,
so hat sie doch vor den gewaltsamen Trennungen, welche andre versucht
haben, unstreitige Vorzüge"[39].

Entscheidend aber ist, daß Gabler seine exegetischen Untersuchungen als
Vorstudium für die Bearbeitung einer Biblischen Theologie angesehen hat[40].
Das gilt sowohl für seine Arbeiten, die thematisch der Einleitungswissenschaft
zuzuordnen sind wie für diejenigen, die die Methodik der Auslegung unmittelbar berühren, die vornehmlich zwischen 1790 und 1804 erschienenen exegetischen Abhandlungen seiner Altdorfer Zeit.

C. EINLEITUNG UND BIBLISCHE THEOLOGIE

Wir beginnen mit den Aufsätzen zur Einleitung in das NT, da diese bereits
wesentlich z.Zt. der Antrittsrede 1787 vorliegen. An markanten Beispielen
wird hier gezeigt, daß der einzelne Autor einer Schrift aus seiner Zeit und für
sich erklärt werden muß, es ist also beispielhaft verdeutlicht, was in der Antrittsrede grundsätzlich für die Gewinnung einer Biblischen Theologie gefordert wird. Eine erste Gesamtdarstellung in diesem Sinne gibt Gabler in seiner
„Einleitung in's Neue Testament" 1789. Es handelt sich bei dieser leider
nicht mehr auffindbaren Schrift um einen Abriß für Studenten, den er seinen
Vorlesungen über „Einleitung in das Neue Testament" zugrundelegte und
beim mündlichen Vortrag näher ausführte[41]. Vollständig besitzen wir Gablers
„Einleitung in das Neue Testament" nur in einer 1815/16 gehaltenen Vorlesung durch die ungedruckte Nachschrift seines Schülers Netto[42]. Ist diese

---

[39] Nürnbergische gelehrte Zeitung 1783, S. 36.
[40] Vgl. auch K. Leder, S. 290.
[41] Gabler überließ diesen Abriß H. C. A. Hänlein, der ihn in seinem „Handbuch der
Einleitung in die Schriften des Neuen Testaments", Erlangen 1794–96 verwertete; so
E. F. C. A. H. Netto in seiner Nachschrift von Gablers „Einleitung in's Neue Testament"
Jena 1815/16, S. 32f. Vgl. auch Gablers eigene Bemerkungen zu seiner Einleitungsschrift in:
Nürnbergische gelehrte Zeitung 1794, S. 458f. Die nachfolgenden Seitenangaben innerhalb
des fortlaufenden Textes beziehen sich auf die Numerierung des MS von Netto.
[42] Vgl. vorige Anm.

Vorlesung selbstverständlich durch die Erforschung der Einleitung eines Vierteljahrhunderts bereichert[43], so zeigt sich doch eine erstaunliche Übereinstimmung in der Argumentation wie in den Ergebnissen mit den genannten Aufsätzen. Vor allem aber ergibt sich aus dieser Vorlesung, daß die Einleitungswissenschaft methodisch zur Biblischen Theologie hinzuführen hat. Diese Fragestellung aber ist eine der wesentlichen aus Gablers Altdorfer Zeit (1787–1804). Und in dieser Hinsicht deckt sich Nettos Nachschrift mit Gablers eigenen, allerdings nur kurzen Ausführungen: „Wann ist eine vollendete Einleitung in das Neue Testament zu erwarten?"[44]. In dieser Hinsicht allein sind die Ausführungen Gablers zur Einleitung in das NT in unserem Zusammenhang zu berücksichtigen.

Mag es ein äußerer Zufall sein, daß diese Einleitungsvorlesung (1815/16) jener gleichzeitig für den Druck vorbereiteten Vorlesung über die „Biblische Theologie des Neuen Testaments" (1816) vorausgeht, der innere Sachzusammenhang ergibt sich bereits aus den Prolegomena zur Einleitung. Es werden zwar „Begriff u. Umfang einer historisch-kritischen Einleitung in's N. T."(S. 24) in dem damals üblichen Sinn als Beschäftigung „mit Untersuchungen der Schicksale der Schriften des N. T. in einzelnen und ganzen Sammlungen; ferner mit der innern u. äußern Beschaffenheit derselben, und mit der Kritik ihres Textes" gekennzeichnet und eine geschichtliche Behandlung des Stoffes gefordert (S. 24). Auch wird nach gängiger Manier aufgegliedert in einen allgemeinen Teil, der die allgemeine „Geschichte der Bücher des N. T. u. Darstellung ihrer Beschaffenheit" behandelt (S. 24, vgl. S. 51–313), und in einen besonderen Teil, der neben der Textkritik die „spezielle Geschichte der einzelnen Bücher" zum Inhalt hat (S. 24, vgl. S. 315–626). Entscheidend aber ist, daß die Einleitungswissenschaft eine doppelte Aufgabe hat. Denn neben der bereits genannten muß sie „eine gründliche Anweisung... zur Auslegung des Neuen Testaments" (S. 1) geben. Nur „eine gesunde spezielle Hermeneutik" (S. 2) ermöglicht das Verstehen des NT. Es ist „hier nicht von einer magern Grammatik" zu sprechen (S. 6), sondern von einer Hermeneutik, „die für denkende Menschen ist, und die man stets in Verbindung mit Kritik und Geschmack studieren muß" (S. 6). Auch bei einer Einleitung in das NT ist „die Hauptkunst des Theologen, richtig zu interpretieren" (S. 4). Dies geschieht zunächst in der Weise, daß das NT nicht anders gelesen und behandelt wird als andere antike Schriften (S. 5). Kann man nach Gablers Entwurf einer Biblischen Theologie von dieser bis zu einem gewissen Grade von einer ‚profanen Wissenschaft' sprechen[45], so gilt das in weit höherem Maße von der Einleitung (S. 2–23 passim).

Damit ist zwar der äußere Rahmen abgesteckt, der von der Kenntnis antiker

---

[43] Von bes. Bedeutung waren: J. L. Hug, Einleitung in die Schriften des Neuen Testaments, 1797; J. G. Eichhorn, Einleitung in das Neue Testament, Bd. 1 ff., 1804 ff.; F. Schleiermacher, Ueber den sogenannten ersten Brief des Paulos an den Timotheos. Ein kritisches Sendschreiben an J. C. Gass, 1807 (= F. S., Sämtliche Werke I, 2, 1836, S. 221 ff.).
[44] JthL 1803 (= 23. Bd.), S. 292–294; wiederabgedruckt in: TS I, S. 315f. (danach zitiert).
[45] S. o. S. 39.

Sprachen, Geographie, Naturgeschichte bis zur Zeit- und Umweltgeschichte im umfassenden Sinn reicht (S. 3–23), aber um das geschichtliche Werden der einzelnen Schriften und ihrer Sammlung im Kanon sowie die Geschichte der Textkritik zu verstehen, bedarf es der Hermeneutik. Dafür sind „eine genaue philosophische Anweisung" (S. 6), ja eine „gründliche Einleitung in das Studium der Philosophie" (S. 7), und die Kenntnis der Gesetze der „Logik" unentbehrlich (S. 7), denn nur mit ihrer Hilfe können die eigentlichen Aufgaben gelöst werden, nämlich Sachverhalte „zu unterscheiden, ... Begriffe zu entwickeln oder einzuschränken" (S. 7). Das Verstehen geschichtlicher Zusammenhänge ist eine hermeneutische Aufgabe, der es im Rahmen einer „Einleitung in das Neue Testament" zufällt, historische Sachverhalte in ihrer Bedeutsamkeit für die Biblische Theologie aufzudecken und auszuwerten. Es ist darum nicht verwunderlich, daß nach Gabler in eine solche „Einleitung" all das gehört, was er methodisch in seiner Antrittsrede für die Gewinnung einer Biblischen Theologie herausgestellt hat[46]: Die Absonderung und Unterscheidung der einzelnen biblischen Autoren und die Einordnung in ihre jeweilige Epoche wird verbunden mit einer Vergleichung der einzelnen Zeugen untereinander, um so – insbesondere bei den Evangelisten – das historisch Primäre vom Sekundären zu trennen, was jedoch nur heißt, das Wesentliche vom Unwesentlichen und damit das nur Lokale und Temporelle vom Allgemeingültigen zu scheiden[47]. Die Verschmelzung von historischer und philosophischer Kritik, die sachlich schon in seiner Abhandlung über Hebr. 3,3–6 (1778) begegnet[48], das Ineinander von historischen Ergebnissen und solchen der Auslegung biblischer Texte, kurz: die Hermeneutik der „Einleitung" bezeichnet Gabler auch als „höhere Kritik" (vgl. auch S. 616ff.)[49]. Zwangsläufig entsteht der Eindruck, daß die historisch-kritische Eruierung der für die „Einleitung" maßgeblichen Sachverhalte nicht ausreicht. Ist diese auch unaufgebbarer Bestandteil dieser Disziplin, so kann sie sich nach Gabler darin nicht erschöpfen, weil die Einleitung mehr als nur ‚profane Wissenschaft' ist. Sie hat die theologische Aufgabe, das Fundament für die Biblische Theologie zu legen[50]. Der „Einleitung" fällt darum über die historisch-kritische Ermittlung der in ihren Bereich gehörenden Fakten hinaus zu, methodisch gesicherte Kriterien für die Grundlage einer Biblischen Theologie zu entwickeln.

So kann Gabler in dem erwähnten Aufsatz, in dem er Erwägungen darüber

---

[46] Vgl. o. S. 34ff.; Antrittsrede, TS II, S. 185–190.

[47] S. etwa GABLER (-NETTO), Einleitung, z. B. S. 267; vgl. auch TS I, S. 315f.

[48] Vgl. W. SCHRÖTER, S. 74 über die hier sich zeigende „grammatisch-historisch-philosophische Methode".

[49] Zur sonstigen Verwendung des Begriffs durch Gabler vgl. HARTLICH-SACHS, S. 89. Zur Vorgeschichte und Verwendung des Ausdrucks bei J. S. SEMLER und J. G. EICHHORN vgl. G. W. MEYER, Geschichte der Schriftauslegung V, 1809, S. 690, 635.

[50] Zur theologischen Aufgabe der historisch-kritischen Einleitungswissenschaft in der Zeit ihrer Anfänge (und damit in der theologischen Umwelt Gablers) vgl. W. G. KÜMMEL, „Einleitung in das Neue Testament" als theologische Aufgabe, in: Heilsgeschehen und Geschichte, 1965, S. 340ff.

anstellt, wann es entsprechend der „Einleitung in das Alte Testament" von
J.G. EICHHORN eine entsprechende in das Neue Testament geben werde,
schreiben:

„Eine vollendete Einleitung in das N.T. haben wir noch nicht". Denn
„nur auf dem Wege der höhern Kritik kann eine solche Einleitung gewonnen
werden ... So muß ... durch Hilfe dieser Kritik erst in den Evangelien alles
das abgesondert werden, was bloß späteres, obgleich uraltes Einschiebsel ist ...;
und so getrauen wir uns evident darzuthun, daß Jesus Manches gar nicht
gesagt haben könne was ihm doch in den Evangelien entweder aus dem *Erfolge*
oder aus dem *spätern Glauben* in den Mund gelegt worden ist. So lange nun nicht
dieß alles durch die höhere Kritik in's Reine gebracht ist, so lange können wir
noch keine ... Einleitung über das N.T. bekommen; und so lange ist auch eine
reine biblische Theologie, besonders *Jesu selbst* unmöglich"[51].

Hier zeigt sich Gablers eigentliche Intention. Diese „reine biblische Theologie" ist nämlich – zumindest in seiner Terminologie von 1802 ab[52] – für Gabler
jene in der Antrittsrede skizzierte Biblische Theologie im engeren Sinn des
Wortgebrauchs[53]. Dieser obliegt es, „durch *philosophische Kritik* die *wahren
Grundideen* von den Modifikationen des Zeitalters" abzusondern und „durch
diese *philosophische* Operation eine *Grundlage* zur *reinen christlichen Religionslehre*" zu liefern, während die „*wahre biblische Theologie*" die historisch-kritische,
weil historisch wahre Grundlegung für die reine biblische Theologie darstellt
und dieser in der Bearbeitung immer voraus geht[54]. Ist auf diesen, für die Ausarbeitung einer Biblischen Theologie gewichtigen Sachverhalt auch erst an
anderer Stelle näher einzugehen[55], so muß doch schon hier auf die deutliche
Verschiebung der Akzente gegenüber der Antrittsrede verwiesen werden. Dort
gehörte alles, was jetzt den Aufgaben der „reinen biblischen Theologie" zugewiesen wird, zu jener historisch-kritisch ermittelten Biblischen Theologie,
und nach der 1787 methodisch festgelegten Scheidung zwischen Biblischer und
Dogmatischer Theologie müßte die nunmehr 1802 definierte „reine Biblische
Theologie" der Dogmatischen Theologie zugerechnet werden. Doch ist, wie
noch auszuführen sein wird, diese „reine Biblische Theologie" nicht der Dogmatik zugehörig, sie hat vielmehr eine Zwischenstellung zwischen „wahrer
Biblischer Theologie" und Dogmatik[56]. Das aber besagt für die „Einleitung
in das Neue Testament": Eine ‚nur' historisch-kritisch erarbeitete Einleitung
führt nicht weiter als bis zur „wahren biblischen Theologie", ja ohne die Einleitung kann diese gar nicht bearbeitet werden. Erst, indem zur historisch-
kritischen Arbeit die philosophische Kritik hinzutritt, erst „auf dem Wege der
höhern Kritik"[57] wird auch durch die Einleitung „eine *Grundlage* zur *reinen*

---

[51] TS I, S. 315f.   [52] Vgl. JthL 1802 (= 21. Bd.), S. 402 Anm.
[53] Vgl. Antrittsrede, TS II, S. 192.
[54] Vgl. JthL 1802 (= 21. Bd.), S. 402 Anm.; dort auch die angeführten Zitate.
[55] Vgl. u. S. 97ff.
[56] Vgl. auch R. SMEND, Gabler, S. 348.
[57] TS I, S. 315.

*christlichen*Religionslehre" gegeben[58], wie z.B. Gabler in einer Besprechung von C.F. AMMONS, De prologi Johannis Evangelistae fontibus et sensu, Gottingae 1800, bemerkt: Ammon hat „die *ersten* Quellen des Johannischen vollständiger ... geliefert ..., als es zuvor geschehen war. Und auf diese *ersten* Quellen müssen doch in einer *reinen* biblischen Theologie die Ideen des Johannes wieder zurück geführt werden, wenn in einer unserm philosophischen Zeitalter angemessenen christlichen Religionslehre davon Gebrauch gemacht werden soll"[59].

Daraus ergibt sich: 1. Die Einleitungswissenschaft hat für Gabler eminent theologische Bedeutung. In ihrer Methodik und in ihren Ergebnissen dient sie der Gewinnung einer reinen Biblischen Theologie. Sie selbst ist damit Grundwissenschaft der Biblischen Theologie überhaupt. Wenn Gabler auch nicht, wie es für ihn folgerichtig wäre, Einleitung und Biblische Theologie gemeinsam in einer Vorlesung behandelt, so mag dies daran liegen, daß er selbst an den herkömmlichen Vorlesungen keine Veränderungen vornehmen wollte[60].

2. Indem die „Einleitung" ihren Beitrag zur Erstellung einer reinen Biblischen Theologie leistet, wird auch durch sie das unwandelbare Fundament gelegt, auf der die stets dem Wandel unterliegende Dogmatik aufbauen kann, so wie es einst der auf historischem Wege gewonnenen „Biblischen Theologie im engeren Sinn des Wortgebrauchs" in der Antrittsrede bescheinigt wurde. Damit unterliegt sie zwar auch jenen Bedenken, die gegenüber der Biblischen Theologie als unwandelbarer Grundlage für die dogmatische Arbeit geltend gemacht werden mußten[61], aber doch in gemilderter Form: Das Ineinander von historischer und philosophischer Kritik, das hermeneutische Durchdringen geschichtlicher Zusammenhänge in der Einleitung, macht zwar das Fundamentum Biblischer Theologie nicht wandelbar im ganzen, aber es führt zu immer begründeteren Einsichten im einzelnen und damit zu einer stets gefestigteren „reinen Biblischen Theologie"[62].

3. Die nach Gablers methodischen Grundsätzen bearbeitete „Einleitung" ist ebenso wie die „Biblische Theologie" ein Bollwerk gegen den Zugriff der Dogmatik[63]: „Aber freilich wird es bei den Evangelien einen härteren Kampf mit dem dogmatischen Interesse kosten, als bei den Propheten, die durch EICHHORN für die Dogmatik auf immer verloren sind"[64].

Durch diese Aufgabe der Einleitung ist erwiesen, daß sie einerseits auf der Seite der Disziplinen steht, die zum genus historicum gehören, und damit an allen diesen Disziplinen ausweisenden Merkmalen teilhat. Das aber besagt

[58] Vgl. Anm. 54.
[59] JthL 1802 (= 21. Bd.), S. 406.
[60] Vgl. etwa J. G. Eichhorns Urgeschichte, hrsg. mit Einleitung und Anmerkungen von J. PH. GABLER, Theil I, 1790, S. XVI; GABLER (-NETTO), Einleitung, S. 520.
[61] Vgl. o. S. 41 ff.
[62] Vgl. auch JthL 1802 (= 21. Bd.), S. 406.
[63] GABLER (-NETTO), Einleitung, S. 27; vgl. auch die Erwägungen ebdt., S. 476 ff.
[64] TS I, S. 316. Zu Eichhorns Prophetenverständnis vgl. jetzt E. SEHMSDORF, Die Prophetenauslegung bei J. G. Eichhorn [Diss. theol. Marburg 1967], 1971.

4., daß „Einleitung" und exegetische Arbeit untrennbar zusammengehören. Dieser methodischen Forderung ist bereits in jenen vor der Antrittsrede von 1787 liegenden Abhandlungen Rechnung getragen[65]. Andererseits aber gilt, daß die „Einleitung" auch der „reinen Biblischen Theologie" zugehört. Wie diese die „wahre Biblische Theologie" zur Voraussetzung hat[66], so ist die „höhere Kritik" der „Einleitung" ohne das Geschäft der Exegese nicht durchführbar[67]. Damit aber wird die „Einleitung in das Neue Testament" in den zweiten gewichtigen Bereich eingereiht, den Gabler als Vorarbeit für eine „Biblische Theologie" angesehen hat: Seine Ausführungen über die Methodik des Auslegens. Dieser wenden wir uns nunmehr zu[68].

D. DIE METHODIK DES AUSLEGENS

„Dogmatik muß von Exegese, und nicht umgekehrt Exegese von der Dogmatik abhängen"[69]. In diesem Satz ist Gablers Bemühen um die Methodik des Auslegens zusammengefaßt: Nur diese strenge Scheidung ermöglicht es, sowohl der Exegese wie der Dogmatik gerecht zu werden, nur sie schafft die Grundlage für eine „Biblische Theologie"[70]. Gablers bisherige Abhandlungen und insbesondere die Neuherausgabe von J. G. Eichhorns „Urgeschichte" sind durch die in ihr sich zeigende „liberalere Behandlung" in der Exegese „selbst wieder Prodromus zu einer neuen nach Personen und Zeitaltern geordneten, raisonnirenden, und auf die Geschichte der jüdischen, theologischen und philosophischen, Dogmen zurückgeführten biblischen Theologie"[71].

Zeichnen sich schon Gablers frühe Veröffentlichungen durch die mit Bestimmtheit angewandte „grammatisch-historisch-philosophische Methode" aus[72], so läßt er selbst – wie oftmals betont – keinen Zweifel daran, daß er diese freiere Behandlungsart der Bibel seit J. S. Semler und J. A. Ernesti – Gablers besonderem „Leitbild"[73] – seinen beiden Lehrern Christian Gottlob Heyne und Johann Gottfried Eichhorn verdankt[74]. Eichhorns selbst war in Göttin-

---

[65] Vgl. o. S. 45 ff.

[66] Vgl. JthL 1802 (= 21. Bd.), S. 402 Anm.

[67] TS I, S. 316.

[68] Es mag in diesem Zusammenhang aufschlußreich sein, daß fast gleichzeitig mit der „Einleitung" von 1789 der „Entwurf einer Hermeneutik des Neuen Testaments", Altdorf 1788 erschien (vgl. dazu W. Schröter, S. 97). Doch ist auch diese Abhandlung nicht mehr greifbar.

[69] J. Ph. Gabler in: J. G. Eichhorns Urgeschichte I, 1790, S. XV. (Dieses Werk wird weiterhin mit „Gabler, Urgeschichte" u. Bandangabe zitiert).

[70] Gabler, Urgeschichte II, 2, 1793, S. XIII–XXI.

[71] Gabler, Urgeschichte II, 2, 1793, S. XIIIf.

[72] W. Schröter, S. 74.

[73] Vgl. R. Smend, Gabler, S. 351.

[74] Vgl. etwa Gablers Äußerungen über Heyne in: J. G. H. Müller, Schattenrisse der jetztlebenden Altdorfischen Professoren…, 1790, S. 24f.; Urgeschichte I, 1790, S. XVIf.;

gen 1770–1773 ein Schüler Heynes[75]. Er vermittelte wesentliche Erkenntnisse
Heynes seinem Schüler Gabler in Jena 1775–1778. Gabler wurde erst in seiner
Göttinger Zeit 1780–1783 unmittelbarer Schüler Heynes.

Für die *Methodik* war ihm Heyne der wichtigere von beiden. Ihm verdankt
er die Einsicht in den methodisch unaufgebbaren Zusammenhang von exegetischer Arbeit des Theologen und klassischer Philologie dergestalt, „daß
gerade die Philologie in der Heynschen Weise das Fundament sey für das
Studium der Theologie"[76].

Gabler setzte nicht nur voraus, daß der Theologe „mit dem Geist des Alterthums und mit Heynischer Behandlung der Gedichte und Mythen der alten
Welt bekannt ist"[77], sondern auch, daß er die Übertragung der Behandlungsart
profaner Texte auf die Bearbeitung biblischer Schriften, daß er die Anwendung
der historisch-kritischen Methode auf die biblische Exegese in ihren Auswir-
kungen für den Gesamtbereich theologischer Arbeit bedenkt[78]. Historisch-
kritische Exegese heißt zwar weiterhin sachgemäße Trennung zwischen Exegese und Dogmatik, so wie sie in der Altdorfer Antrittsrede bereits gefordert
war. Aber sie erschöpft sich darin nicht, weil durch die historisch-kritische
Methode mehr, nämlich nach Gabler die Grundsatzfrage protestantischer
Theologie entschieden wird: Ihre Aufgabe ist es, den *einen* einheitlichen Sinn
der Schrift herauszustellen und damit zum reformatorischen Schriftverständnis
zurückzufinden[79]. Diesem neu zum Durchbruch zu verhelfen, war Gablers
erklärtes Ziel. Diesem Zweck dient die Neuherausgabe von Eichhorns Urgeschichte, die als „*Handbuch* über die Urgeschichte" zugleich ein Handbuch der
„bessern Interpretation der Genesis" und damit der Interpretation überhaupt
werden sollte[80]. Diesen einen reformatorischen Schriftsinn zur exegetischen
Grundlage zu machen aber heißt: historisch-kritische Exegese nach „den neuern berichtigten hermeneutischen Grundsätzen, nach welchen kein sensus
duplex, sondern nur *unicus*, isque literalis s. grammaticus, angenommen wird"[81],
heißt methodisch, auf die allegorische Schriftauslegung zu verzichten[82] bzw.
nur dort gelten zu lassen, wo sie eindeutig dem sensus literalis untergeordnet

---

Urgeschichte II, 1, 1792, S. XIX. 481–495; Urgeschichte II, 2, 1793, S. XLII u.ö., und
über Eichhorn in: Urgeschichte I, S. V. XIII. 239 Anm. 32; S. 255 Anm. 39.

[75] Vgl. dazu E. Sehmsdorf, aaO, S. 117ff. (bes. 119), 189.

[76] W. Schröter, S. 76, 82, vgl. 73f.

[77] Gabler, Urgeschichte I, S. XVIf.

[78] Gabler, Urgeschichte I, S. XVff. 4f., 12. Zur Sachfrage vgl. auch G. Ebeling, Die
Bedeutung der historisch-kritischen Methode für die protestantische Theologie und Kirche,
in: Wort und Glaube, 1960, S. 1–49 (passim).

[79] Gabler, Urgeschichte II, 1, S. 388ff., besonders S. 395 Anm. 167; ders., in der
Selbstanzeige der „Urgeschichte" II, 2 in: Neue nürnbergische gelehrte Zeitung 1794, S. 121–
136; vgl. auch R. Smend, Gabler, S. 353.

[80] So Gabler in: Neue nürnberg. gel. Ztg. 1794, S. 123 (vgl. S. 121–136); ders., Urgeschichte I, S. XXX und II, 1, S. IXff.; vgl. auch Hartlich-Sachs, S. 21.

[81] Gabler, Urgeschichte II, 1, S. 395 Anm. 167 (unter S. 399f.).

[82] Gabler, Urgeschichte II, 1, S. 395 Anm. 167 (vgl. auch S. 373. 380); ders., Neue
nürnberg. gel. Ztg. 1794, S. 132 u.ö.

ist und – nach C.G. HEYNE – „eine allegorisierende *Absicht* seitens des Autors nachweisbar ist"[83]. Wieder ist der Altphilologe C.G. HEYNE der methodische Anreger, der aufgrund seiner Methodik der Mythenauslegung dem Theologen J. Ph. Gabler den entscheidenden Impuls für die Herausarbeitung des einen, dem reformatorischen Schriftverständnis entsprechenden Schriftsinns gab[84].

HEYNES methodischer Beitrag zur historisch-kritischen Exegese wirkte sich bei Gabler in dreifacher Weise aus:

1. Unmittelbar in der Übernahme der Heynischen Mythendeutung als methodischer Beitrag zur Schrifterklärung.

2. Mittelbar infolge der Ablehnung des allegorischen Schriftsinns in der Ablehnung der Hermeneutik Kants.

3. Mittelbar schließlich in der Auswirkung der historisch-kritischen Methode auf die Unterscheidung von „Auslegen" und „Erklären".

Alle drei Punkte aber sind ihm eine Hinführung zur Biblischen Theologie.

1. ZUR MYTHENERFORSCHUNG

Historisch-kritische Exegese ist das Bemühen, geschichtliche Zusammenhänge der Vergangenheit verstehen zu lernen. Zu dieser Erkenntnis kam C.G. HEYNE[85] aufgrund seiner Mythenerforschung, zu der er durch die Interpretation der klassischen antiken Dichtung und durch die Fragestellung nach dem Verhältnis von Poesie und Mythos geführt wurde. Er wies „psychologisch-genetisch" nach[86], daß die Mythen und alle mit ihnen zusammenhängenden Vorstellungen der notwendige Ausdruck der Kindheit der Menschheit (infantia generis humani) seien[87]. Diese Mythen sind deshalb historisch-kritisch zu eruieren, weil den Menschen in dieser Kindheitsstufe die Fähigkeit des Unterscheidens zwischen z.B. historischen und nicht erklärlichen Ereignissen, weil ihnen die Fähigkeit sich auszudrücken fehlt. Sind die Mythen – und darauf beruht Heynes Voraussetzung für die historisch-kritische Methode – die älteste, jedem dichterischen Schaffen vorausgehende und darum vorliterarische Ausdrucksform der Kindheit bzw. der Frühstufe der Menschheit schlechthin, dann ist die Allegorie als späteres literarisches Produkt für die Auslegung der Mythen abzulehnen. Die von ihm daraus methodisch gefolgerte Abweisung der alle-

---

[83] HARTLICH-SACHS, S. 13, 23; vgl. GABLER, Urgeschichte II, 1, S. 395 Anm. 167 (unter S. 401 f.).

[84] Vgl. die Anm. 74 gegebenen Belege zu Heyne; dazu GABLER, Urgeschichte II, 1, S. 22 f.; HARTLICH-SACHS, S. 11–19, 24 ff.

[85] Vgl. HARTLICH-SACHS, S. 17 f. (mit Belegen); F. MEINECKE, Die Entstehung des Historismus, in: F. M., Werke Bd. III, 1959, S. 286.

[86] Vgl. dazu HARTLICH-SACHS, S. 14 u. Anm. 3 ebdt., S. 25 f.

[87] Der entscheidende und häufig zitierte Satz lautet: „A mythis omnis priscorum hominum cum historia tum philosophia procedit", so C. G. HEYNE, Commentatio de Apollodori bibl. – simulque universe de litteratura mythica, ([1]1783) [2]1803, S. XVI. Weitere Belege bei HARTLICH-SACHS, S. 11 ff.

gorischen Auslegung und damit zugleich methodisch geforderte philologisch-kritische und das heißt für Heyne grammatisch-historische bzw. historisch-kritische Auslegung der Mythen aber verlangt a) das vorliterarisch Mythische von seinem weitergebildeten literarischen Stadium, wie es sich vornehmlich in der Aufnahme von Allegorien zeigt, zu trennen. Dies jedoch ist b) nur möglich durch sorgfältigste Bestimmung dessen, was dem vorliterarischen Mythos als Charakteristikum zugehört. Dieses dem Mythos Eigene aber ergibt sich allein durch die Einsicht in das geschichtliche Verständnis des Mythos „als der eigentümlichen Denk- und Ausdrucksform auf der Frühstufe der Völkergeschichte"[88]. Diesem geschichtlichen Verständnis ist die dichterische Umformung und Weitergestaltung der einzelnen Mythen unterzuordnen. Das heißt: Sie sind historisch-kritisch zu klassifizieren und zu eruieren, wobei sich zeigt, daß die Mythen in zwei Klassen bzw. Gruppen eingeteilt werden können: 1. als historische Mythen (etwa Städtegründungen und Einzelleistungen bedeutender Leute) und 2. als philosophische Mythen, „Philosopheme" genannt, welche wesentlich Spekulationen über Gott, Welt und Mensch enthalten. Eine dritte Gruppe, auf die Heyne verweisen kann, der „poetische Mythos", wird von ihm sachlich entweder dem historischen oder dem philosophischen Mythos zugeordnet, je nach dem, wie sich die Fiktion des jeweiligen Dichters beurteilen läßt[89]. Durch diese Klassifizierung soll einmal deutlich werden, daß Mythen keine Fabeln, sondern Sagen sind[90]; zum anderen aber dient sie der Scheidung von *vor*literarischem und *liter*arischem Mythos, dient sie der Herausarbeitung des Faktums aus der dichterischen Einkleidung. Heyne weist so der historisch-kritischen Interpretation die Aufgabe zu, die Mythen auf ihren Sachgehalt zu untersuchen und zu befragen. Durch die Mythenerforschung – und hier schließt sich der Kreis – ist die historisch-kritische Methode für Heyne die einzig sachgemäße für die Auslegung antiker Texte.

Es ist das Verdienst von J. G. Eichhorn, sowohl die von Heyne angewandte Methodik wie dessen Mythendeutung auf die Auslegung biblischer Texte übertragen zu haben, und zwar zunächst auf das Alte Testament. In seiner 1775 verfaßten, aber erst 1779 im Druck erschienenen „Urgeschichte"[91] wies er die Exegeten anhand eines gewichtigen, jedoch im Umfang wie der Sache nach begrenzten biblischen Stoffes auf die fruchtbare und weiterführende exegetische Behandlung biblischer Texte nach Heynes Vorbild hin. Er hat damit der biblischen Exegese einen neuen Weg des Verstehens gezeigt[92]. Aber erst wirklich

---

[88] Hartlich-Sachs, S. 17 (im Orig. gesperrt), vgl. S. 12–19.
[89] Zu Einzelheiten und Belegen vgl. Hartlich-Sachs, S. 18f.
[90] Vgl. Hartlich-Sachs, S. 12–14. 17 u. ö. H.-S. weisen darüber hinaus nach, daß der Ausdruck; Sage von J. G. Eichhorn bis D. F. Strauss einheitlich gebraucht wird und „durch ihn das formale Moment der *mündlichen* Tradiertheit bezeichnet wird" (S. 30 Anm. 3).
[91] Repertorium für Biblische und Morgenländische Litteratur IV, 1779, S. 129–256; vgl. dazu O. Kaiser, Eichhorn und Kant. Ein Beitrag zur Geschichte der Hermeneutik, in: Das ferne und das nahe Wort, Festschr. L. Rost, BZAW 105, 1967, S. 121; E. Sehmsdorf, aaO, S. 86ff.
[92] Vgl. Gabler, Urgeschichte I, S. V (vgl. auch die Belege in Anm. 74); Hartlich-

durchgreifend wurden Eichhorns Ausführungen durch Gablers Neuherausgabe
der „Urgeschichte", in der Gabler durch umfangreiche Einleitungen und ausführliche Anmerkungen Heynes historisch-kritische Methode und Mythenerklärung allseitig gegenüber anderen Interpretationsversuchen verteidigt und
absichert und so als biblischer Theologe den einen Sinn der Schrift als Norm
für jede Schriftauslegung herausstellt[93].

In der Mythenerklärung entscheidet sich für Gabler wesentlich die Richtigkeit seiner in der Altdorfer Antrittsrede geltend gemachten Gesichtspunkte
für die historisch-kritische Bearbeitung biblischer Texte. An dem mythischen
Text der Urgeschichte ist darum auch das Methodenproblem der Interpretation
zu erörtern, nämlich die Auseinandersetzung mit den drei maßgeblichen Aus-
legungsarten für Gen. 1–3 seiner Zeit[94], erstens der eigentlichen, zweitens der
gemischten und drittens der allegorischen Auslegungsart. Wie weit gerade darin
für Gabler Vorbereitung und Beitrag zur „Biblischen Theologie" selbst liegen[95],
soll in den beiden nächsten Abschnitten ausgeführt werden.

Doch ein anderer unmittelbarer Beitrag zur Biblischen Theologie muß zuvor
genannt werden: Heynes Prinzipien der Mythenerforschung zielen – wie gezeigt – darauf, die dahinterstehende Sache von der mythischen Einkleidung zu
trennen[96]. Damit bot sich für Gabler ein sachgemäßes Kriterium an, „jene
Stellen der heiligen Schrift" auszusondern, die „sich auf die Religion aller Zeiten beziehen"[97], Wesentliches und Unwesentliches innerhalb der Bibel zu
scheiden und nur das Wesentliche als göttliche Offenbarung auszugeben.
Heynes Methodik der Mythenerforschung ermöglicht, das unwandelbare Fundament zu erstellen, auf dem das Gebäude der stets im Wandel begriffenen
Dogmatik errichtet werden kann.

Wirklich durchgreifend und einen breiten Raum für die speziell Biblische
Theologie einnehmend aber konnten Heynes Prinzipein nur werden, wenn man
Mythen über das Alte Testament hinaus auch im Neuen Testament annahm.
Wieder war hier J. G. Eichhorn der Bahnbrecher durch eine Abhandlung aus
dem Jahre 1791[98]. Erst fast ein Jahrzehnt später, von 1798 an, hat dann Gabler
selbst grundlegende, auch diese Frage behandelnde exegetische Untersuchungen veröffentlicht, auf die unter anderer Fragestellung zurückzukommen ist[99].

SACHS, S. 20f.; W. G. KÜMMEL, NT, S. 119; O. KAISER, Eichhorn und Kant, S. 114–123;
E. SEHMSDORF, aaO.

[93] Vgl. den eingehenden und quellenmäßig gut fundierten Nachweis von HARTLICH-
SACHS, S. 20–38, 87ff., die auch im einzelnen zeigen, daß Gablers unmittelbarer Rückgriff
auf Heyne ohne die für den Bibeltheologen bahnbrechende Arbeit J. G. Eichhorns nicht
denkbar ist; vgl. auch H.-J. KRAUS, Geschichte der historisch-kritischen Erforschung des
Alten Testaments, ²1969, S. 147ff.

[94] Vgl. dazu auch HARTLICH-SACHS, S. 38ff.

[95] Vgl. etwa GABLER, Urgeschichte II, 2, S. XIVff.; ders., Neue nürnbergische gelehrte
Zeitung 1794, S. 121–136.

[96] Vgl. auch HARTLICH-SACHS, S. 46f.

[97] So in der Antrittsrede: TS II, S. 192.

[98] Vgl. dazu unten S. 69.

[99] S. u. S. 70ff.

Zwei der Methodik der Mythenerforschung dienende Aufsätze sind bereits hier zu behandeln:

In einer Untersuchung über die Mythen im Neuen Testament – einem Aufsatz im Rahmen einer Besprechung – [100] verweist Gabler auf die in Bd. II,1 der ‚Urgeschichte‘ von C.G. Heyne übernommene Mytheneinteilung, die er im Hinblick auf das Neue Testament dahin auswertet, daß er selbst einen „Mittelweg", nämlich die jeweils neue Entscheidung zwischen historischem oder philosophischem Mythos für allein vertretbar hält [101], um exegetisch jede Willkür zu vermeiden. Ist die Ableitung aus einem „Räsonnement" leicht durchführbar, so ist die Annahme eines philosophischen Mythos wahrscheinlicher, ist das „reine Factum" leicht eruierbar, so wird vermutlich ein historischer Mythos vorliegen (S. 398f. 408ff.).

Diese methodischen Fragen sind dann in einem, schon durch den Titel die Fragestellung unmittelbar angehenden Aufsatz weiter ausgeführt: „Ist es erlaubt, in der Bibel, und sogar im N.T. Mythen anzunehmen?" [102].

In einem ersten Teil dieses Aufsatzes wird die Anwendung von Heynes Mythenerklärung auf die Bibel gerechtfertigt und vor allem gezeigt, daß in Analogie zur Mythenvergleichung innerhalb der Literatur der klassischen Antike diese methodisch auch für die Bibel gefordert werden muß, um erstens „das *Mythische* einer Erzählung" klar zu erkennen und zweitens „das wahrscheinliche *reine Factum*" einer solchen Erzählung zu gewinnen (S. 698–701).

Schwieriger und anstößiger ist die Frage, ob es auch im Neuen Testament Mythen gibt (S. 701). Gabler weist darauf hin, daß man sich zu seiner Zeit besonders an dem Begriff „Mythos" stößt, und er weist nach – ganz im Sinne Heynes –, daß ein Mythos eine Sage ist, das Neue Testament aber in wichtigen Teilen der Evangelienüberlieferung aus „*nur mündlich fortgepflanzten Sagen*" besteht, die „ins Wunderbare" weitergeformt und mit Zeitvorstellungen überladen wurden. Für manche gab es historische Anhaltspunkte, für manche aber auch „gar keine Tradition", und man machte „desto mehr Schlüsse, je weniger man Geschichten hatte". „Diese historischen Conjecturen und Räsonnements in jüdisch-christlichem Geschmacke nahmen ... Gestalt und ... Charakter einer *Geschichte* an", was das Kennzeichen aller „philosophirenden Mythen" ist (S. 703). So entstand eine neue, „*philosophirende* Art von Mythen über die christliche Urgeschichte, indeß jene mündlich fortgepflanzten und durch den Zeitgeist vergrößerten und ins Wunderbare übergehenden Sagen *historische* Mythen wurden" (S. 704). „Beide Arten von Mythen" sind „nicht bloß durch

---

[100] JthL 1801 (= 18. Bd.), S. 363–413, bes. 396–413. Zu Gablers Verfasserschaft vgl. die Angabe seiner Siglen in: NthJ 1799 (= 13. Bd.), S. 438 u. JathL 4, 1808, S. 225.

[101] In einer Anm. zu der Bespr. eines anderen Rezensenten bemerkt GABLER ausdrücklich: „Ueberhaupt ist kein Grund vorhanden, die HEYNISCHEN Begriffe von Mythos zu verlassen und neue zu bilden" (JthL 1801 [= 19. Bd.], S. 96 Anm.).

[102] Zuerst erschienen im Zusammenhang einer Bespr. von G. L. BAUER, Hebräische Mythologie des alten und neuen Testaments, Leipzig 1802, in: JathL 2, 1805/06, S. 39–59 (S. 43ff.). Die Einzelerörterung ist ohne die Bespr. wiederabgedruckt in: TS I, S. 698–706 (danach zitiert).

die Wundererzählungen" ausgewiesen (aber nicht alle Wunder im Neuen
Testament sind Mythen!), sondern vor allem „durch unverkennbare Spuren
jüdischer Ideen und Vorurtheile, folglich durch absolute *factische Unrichtigkeit*"
(S. 704). Methodisch ist es darum zunächst notwendig, den mythischen Charakter zu erkennen und dann zwischen historischem und philosophischem Mythos
zu scheiden. Gabler wiederholt hier – ohne daß unmittelbar auf ihn verwiesen
wird – Heynes Forderungen. Läßt sich der Begriff Mythos sachgemäß auf verschiedene Erzählungen anwenden und gilt: „Wo der Begriff ist, da muß auch
die Sache seyn" (S. 704), dann läßt sich mit Hilfe Heynischer Mythenerklärung
– und hier schließt sich der Kreis zu dem oben Ausgeführten – das *Verstehen* des
Neuen Testaments entscheidend fördern (S. 704–706). Dann ist nämlich das
Neue Testament kein zu verspottendes Fabelbuch, sondern man kann in ihm
Wesentliches und Außerwesentliches, die göttliche Offenbarung selbst von der
„Offenbarungsurkunde" unterscheiden, „das reine Factum von spätern Zu-
sätzen und von bloßem Räsonnement" absondern, so daß „die wahre Offen-
barung erscheint … in höherer Klarheit" (S. 705f.). Das heißt aber: Durch die
Mythenbehandlung nach Heynes Grundsätzen werden Grundlagen Biblischer
Theologie eruiert.

Rückblickend läßt sich darum feststellen: Gablers eingehende Bemühungen
um die Mythenerklärung sind eine sachgemäße Weiterführung und Verdeutlichung seines Programms einer Biblischen Theologie[103]. Daß Eichhorns ,Ur-
geschichte' zu einer grundlegenden Abhandlung über das Methodenproblem
der Interpretation biblischer Texte ausgeweitet wurde, hat darin ebenso seinen
Grund wie das Insistieren auf dem einen Sinn der Schrift, und der im Vorwort
zu Bd. I dieses Werkes stehende entscheidende Satz: „Dogmatik muß von
Exegese, und nicht umgekehrt Exegese von Dogmatik abhängen" (S. XV),
zeigt, daß der Grundgedanke der Altdorfer Antrittsrede über und hinter der
Behandlung der Mythenerforschung steht.

2. GABLERS AUSEINANDERSETZUNG MIT KANT

Daß die Klärung der Methodenfrage die Voraussetzung für eine zu erstellende
Biblische Theologie ist, zeigt Gablers Auseinandersetzung mit IMMANUEL
KANT.

Gablers kritisch-distanziertes Verhältnis zu Kant[104] beruht auf einer Kritik
an Kants philosophischem System an sich. Die wohl früheste uns erhaltene
Äußerung Gablers über Kant in einem Brief an G. A. WILL zeigt – was er auch
später immer wieder betont –, wie sehr er dessen klare Begrifflichkeit schätzt.
In diesem Brief an G. A. Will heißt es [105]: „Auch überschicke ich die beiden

---

[103] Vgl. GABLER, Urgeschichte II, 2, S. XVIIIf.
[104] Vgl. K. LEDER, S. 303f.
[105] Brief Gablers an G. A. Will in: NStBibl.: Will VIII 85 Autogr. (3). – Dieser undatierte
Brief muß in die Anfangswochen des Jahres 1786 gehören, denn in einem großen Teil dieses

Stücke der Berlin. Monatsschr. mit unterthänigem Dank; bitte nur um Ver-
zeihung, daß ich sie so lange behalten habe; ich wollte gern die Kantische Abh.
eigentlich durchstudiren, und dazu hatte ich nicht im̄er Muße. Die Abh.
welche zugleich e. sehr gute Apologie der Kantischen Philosophie ist, hat mir
sehr wohlgefallen. Ich muß alles unterschreiben. Doch habe ich im Grunde
nichts neues gefunden; nur neue Ausdrücke u. neue Wendungen. Kants Ver-
nunftglaube heißt sonst *Vernünftige Überzeugung, Ordentliche Gewißheit* im
Gegensatz der außerordentlichen od. mathematischen. Aber so viel erscheint
mir gewiß zu seyn, daß die Kantische Sprache bestim̄ter, und unterscheiden-
der ist, als die gewöhnliche".

Zeigen diese Zeilen Gablers Beschäftigung mit Kants Arbeiten überhaupt,
so häufen sich in den kommenden Jahren die kritischen Äußerungen, je mehr
er seine Veröffentlichungen als Vorarbeiten für eine Biblische Theologie ansieht
und er feststellen muß, daß sein eigener Entwurf einer „Biblischen Theologie"
mit Kants Methode der Schriftauslegung vermischt als „reine biblische Theologie" ausgegeben wird[106]. Seine Kritik richtet sich gegen die seiner Meinung
nach unangemessene Übertragung des Kantischen Systems auf die Theologie.
In unserem Zusammenhang sind die im Rahmen der „Urgeschichte" und der
Selbstanzeige von Bd. II,2 in der „Neuen nürnbergischen gelehrten Zeitung"
1794, S. 121–136 geführte Diskussion über Kants Hermeneutik sowie Nettos
Nachschriften von Gablers Vorlesungen besonders zu berücksichtigen[107].

In seiner „Einleitung zum zweyten Theil der Urgeschichte" kommt Gabler
erstmals ausführlich auf Kant, nämlich auf dessen „Muthmaßlicher Anfang
der Menschengeschichte"[108], im Rahmen der allegorischen Erklärungsart der

Schreibens geht Gabler auf geschäftliche Dinge ein, die im Zusammenhang mit seinem
Umzug nach Altdorf im November 1785 und mit seiner Tätigkeit in den ersten Wochen
dort stehen. Im Schlußteil des Briefes bedankt er sich für zwei Stücke der Berlinischen
Monatsschrift, die ihm Will zur Kenntnisnahme einer Abhandlung Kants übersandt hat.
Damit ist mit größter Wahrscheinlichkeit Kants Aufsatz über „Mutmaßlicher Anfang der
Menschengeschichte" (Berlinische Monatsschrift Bd. 7, 1786, S. 1 ff.) gemeint, denn die
beiden von Kant im Jahre 1785 in dieser Zeitschrift veröffentlichten Aufsätze behandeln
andere, den Theologen weniger angehende Themen (Bd. 5, 1785, S. 199–213: „Über die
Vulkane im Monde"; Bd. 6, 1785, S. 390–417: „Bestimmung des Begrifs einer Menschen-
race"). Auch bestand Kants Aufsatz aus „2 Stücken"; vgl. dazu den Brief J. G. Hamanns
an F. H. Jacobi vom 15. Juni 1786, der diesen Sachverhalt ausdrücklich anführt (zitiert von
K. Vorländer, PhB 47, I (1913), Nachdruck 1959, S. XXIII).
[106] Vgl. C. F. Ammon, Entwurf einer reinen biblischen Theologie 1792; dazu Gabler,
Neue nürnbergische gelehrte Zeitung 1794, S. 128; s. auch u. S. 82 ff.
[107] Zu Kants Hermeneutik vgl. O. Kaiser, Kants Anweisung zur Auslegung der Bibel.
Ein Beitrag zur Geschichte der Hermeneutik, NZSTh 11, 1969, S. 125 ff.; R. Smend, Gab-
ler, S. 350 ff.; K. Reich, in: I. Kant, Der Streit der Fakultäten, PhB 252, 1959, S. X–XV;
H. Noack, in: I. Kant, Die Religion innerhalb der Grenzen der bloßen Vernunft, PhB 45,
[7]1966, S. XLVI ff., LIX ff. (passim); J. Bohatec, Die Religionsphilosophie Kants in der
„Religion innerhalb der Grenzen der bloßen Vernunft", 1938, S. 429 ff.; E. Klostermann,
Kant als Bibelerklärer, Festschrift R. Seeberg II, 1929, S. 13 ff.; E. Troeltsch, Das
Historische in Kants Religionsphilosophie, 1904 (passim). – Zu Kants Bibelbenutzung vgl.
lehrreich H. Borkowski, Die Bibel Immanuel Kants, 1937; O. Kaiser, aaO, S. 128 Anm.
17 a.
[108] S. o. Anm. 105: Berlinische Monatsschrift 7, 1786, S. 1 ff. (= PhB 47, I, 1913, 49–64).

Mythen zu sprechen[109]. In dieser Einordnung Kants ist bereits Gablers Urteil gefällt: Kants philosophische Auslegung der Urgeschichte, der Nachweis „der successiven Entwicklung der Menschennatur, des Uebergangs von Unwissenheit, Unschuld und Instinkt zur Vernunft und Freiheit, von Empfinden zum Denken"[110], fordert nicht nur die Frage heraus, „wie diese philosophischen Vermuthungen mit der Erzählung zusammenhängen, und wo sie nach *Kants* Meinung mit der Geschichte, wenigstens durch allegorische Deutung, zusammentreffen"[111], sondern erweist sie selbst als eine scharfsinnige allegorische Deutung derselben[112]. Nachdem Gabler wenige Seiten zuvor den einen Sinn der Schrift unter Verwerfung der allegorischen Schriftauslegung gemäß dem Vorbild Heynes herausgearbeitet[113] und an der Kirchenväterexegese zu Gen. 1–3 die Unhaltbarkeit der allegorischen Deutung aufgezeigt hat[114], kann er Kants Auslegung der Urgeschichte nur als allegorisch verwerfen und feststellen, daß durch diese Auslegung für die Urgeschichte nichts gewonnen ist, wenngleich er ihr als philosophischer Leistung hohe Anerkennung zollt und in dieser Hinsicht auch ihre Bedeutung für die Mythenerforschung anerkennt[115].

Wird trotz aller Differenzen in der Sache in Bd. II,1 der „Urgeschichte" Kants Auslegung der Urgeschichte zwar bestimmt, aber mit freundlicher Zuvorkommenheit erörtert, so ändert sich das in Bd. II,2 (1793) und besonders in der Selbstanzeige dieses Bandes im Jahre 1794. Im gleichen Jahr wie Bd. II,2 der „Urgeschichte" erschien nämlich Kants „Religion innerhalb der Grenzen der bloßen Vernunft" (1793), und von da an mußten dem historisch-kritisch arbeitenden Theologen die Konsequenzen der Hermeneutik Kants für die Biblische Theologie klar sein.

Bereits in der Vorrede zu Bd. II,2, in der Gabler zugleich seinen Zorn über C.F. Ammons im Geiste Kants verfaßte „Biblische Theologie" laut werden läßt, heißt es über die Schriftauslegung Kants: „die neue Kantische Hermeneutik (welche aber im Grunde keine andere ist, als die längst verlachte allegorische Erklärungsart der alten Kirchenväter, auch von gleichen Grundsätzen über den Geist der Bibel mit ihr ausgeht …)[116], wenn sie herrschend werden sollte, (wofür uns Gott in Gnaden bewahren wolle!) dem gelehrten Studium der Bibel weit mehr Unheil drohet, als alle alten nach Kirchendogmatik zugeschnittenen Hermeneutiken"[117]. Die Schärfe ist um der Sache willen geboten, denn die Auseinandersetzung mit der Hermeneutik Kants ist für Gabler sachgemäß die

---

[109] Urgeschichte II, 1, S. 361–481; über Kant S. 423–445.
[110] Urgeschichte II, 1, S. 436.
[111] Urgeschichte II, 1, S. 426.
[112] Urgeschichte II, 1, S. 426. 438f. u.ö.
[113] Urgeschichte II, 1, S. 389ff., 395 Anm. 167.
[114] Urgeschichte II, 1, S. 394–402.
[115] Urgeschichte II, 1, S. 444f.; vgl. ebdt., S. 577. 595 (Anm. 220). 618f.; O. KAISER, Kant, S. 132f.
[116] In höflicher Form konnte diese Feststellung bereits aus Anordnung und Darstellung in Urgeschichte II, 1, S. 389–402, 425ff. ersehen werden; vgl. Urgeschichte II, 2, S. XIV.
[117] Urgeschichte II, 2, S. XIVf.

Verteidigung seiner Altdorfer Antrittsrede. Darum kann er als Folgerung aus dieser Diskussion nur den Schluß ziehen, daß nunmehr eine „Biblische Theologie" nach seinen Plänen erstellt werden müsse [118].

Die angeführten Bemerkungen über Kant bringt Gabler wörtlich in der genannten Selbstanzeige mit weiteren deutlichen Absagen an Kants Auslegungsmethode. Sie waren es offenbar, die C. F. AMMON veranlaßten, Kant darüber in Kenntnis zu setzen [119] und ihm zu berichten, daß außer Gabler J. G. EICHHORN [120] und „E. ROSENMÜLLER" [121] „gegen diese moralische Schriftauslegung mit großem Eifer" auftreten. „Sie behaupten, daß dieser moral. Sinn kein anderer sei, als der längst verlachte allegorische der Kirchenväter, besonders des Origenes [122]; daß bei dieser Art Exegese alle dogmatische Sicherheit verloren gehe (woran sie nicht ganz Unrecht haben mogten); und daß eine neue Barbarei den Beschluß dieser Interpretation machen werde". C. F. Ammon erkannte, daß Gablers Kritik an Kants Schriftauslegung vor allem auch ihn selbst, d.h. sein Werk „Entwurf einer reinen biblischen Theologie" (1792) treffen sollte [123]. Gablers Selbstanzeige ist zugespitzt auf die Frage der sachgerechten hermeneutischen Voraussetzung einer Biblischen Theologie.

Gabler, der „von der neuen Kantischen Sonne am exegetischen und dogmatischen Horizonte ... bisher ... weder erleuchtet noch erwärmt worden ist" [124], führt in der Selbstanzeige den Nachweis, warum er Kants moralische Schriftauslegung als Allegorie im Sinne der Kirchenväter ablehnen muß [125]. Dies ergibt sich, wenn man Kants Hermeneutik mit der des Origenes ver-

---

[118] Urgeschichte II, 2, S. XVf.

[119] Die Selbstanzeige Gablers erschien in der Neuen nürnbergischen gelehrten Zeitung am 28. 2. 1794; am 8. März 1794 schrieb Ammon an Kant unter wörtlicher Aufnahme von Gablers Bemerkungen [ohne diese als Zitat zu kennzeichnen]. Der Brief Ammons ist abgedruckt in: Kant's gesammelte Schriften, Hrsg. von der Königlich-Preußischen Akademie der Wissenschaften, Bd. XI, Zweite Abteilung. Briefwechsel 2. Bd., Berlin 1900, S. 474f. (= Nr. 584; siehe dazu ebdt., Bd. XIII, 1922, S. 361–363 ((= Nr. 619)) [584]); vgl. auch O. KAISER, Kant, S. 132; K. REICH, (s. Anm. 107), S. XI.

[120] Vgl. dazu O. KAISER, Eichhorn und Kant (s. Anm. 91), S. 114ff.

[121] Der Vorname Rosenmüllers ist bei Ammon falsch angegeben. Gemeint ist J. G. ROSENMÜLLER, Einige Bemerkungen das Studium der Theologie betreffend. Eine Abschiedsvorlesung in Erlangen im Jahre 1783. Zwote vermehrte Ausgabe. Nebst einer Abhandlung über einige Aeusserungen des Herrn Prof. Kant's die Auslegung der Bibel betreffend, Erlangen 1794 (vgl. auch [C. W. FLÜGGE], Versuch einer historisch-kritischen Darstellung des bisherigen Einflusses der kantischen Philosophie auf alle Zweige der wissenschaftlichen und praktischen Theologie, 1796, S. 107). C. F. AMMON besprach dieses Werk in: NthJ, Bd. 3, 1794, S. 244–263 mit deutlicher Kritik an R.'s Ablehnung der Hermeneutik Kants, so daß er abschließend bemerken zu müssen meint: „Wir glauben diese Anzeige mit einer Mässigung niedergeschrieben zu haben, die aus einer reinen Achtung für die Verdienste des würdigen Verf. fließt" (S. 263). Zur Verfasserschaft Ammons bei dieser Rezension vgl. ebdt., S. 492. Zu Ammons, Kants Hermeneutik verteidigenden Aufsätzen vgl. auch (Flügge), aaO, S. 168.

[122] So Gablers These in: Neue nürnberg. gel. Ztg. 1794, S. 131f. Gabler weist ebenfalls auf diese beiden Mitstreiter hin, ebdt., S. 132.

[123] So ist jedenfalls GABLERS Meinung in: Neue nürnberg. gel. Ztg. 1794, S. 128ff., 134, 136; vgl. dazu u. S. 85f.

[124] Ebdt., S. 130.

[125] Ebdt., S. 131ff.

gleicht[126]. Unter allegorischer Schriftauslegung bei den Kirchenvätern ist „jede dem historischen Sinne entgegengesetzte Bibelerklärung" zu verstehen, eine Schriftauslegung, die „sich nicht an die *enge* Bedeutung von Allegorie bindet, wonach freilich der allegorische Sinn nur eine Gattung des mystischen Sinnes ist, da hingegen die allegorische Erklärungsart im weiteren Verstande auch noch den moralischen, tropologischen und anagogischen Sinn in sich begreift"[127]. Gablers Bemerkungen zur Kirchenväterexegese decken sich mit den in der „Urgeschichte" über den *einen* Schriftsinn Gesagten[128], und d.h., sie treffen sich mit dem, was C.G. HEYNE methodisch über die einheitliche historisch-kritische Auslegung antiker Texte überhaupt ausgeführt hat[129]. Mit Heynes Auslegungsprinzipien wird Kants Schriftauslegung gemessen und an ihnen wird sie beurteilt. Das sachliche Kriterium dafür ergibt sich Gabler aus Kants Ausführungen in: „Die Religion innerhalb der Grenzen der bloßen Vernunft". Auch Kant strebt ja eine „durchgängige", nämlich einheitliche Schriftauslegung an, freilich derart – so Gabler –, daß sie „mit den allgemein praktischen Regeln einer reinen Vernunftreligion zusammenstimmt"[130]. Und ist diese Auslegungsart auch öfter „gezwungen", so ist sie doch einer „buchstäblichen" vorzuziehen, da jene nichts für die „Moralität" austrägt. Gabler zitiert hier ausdrücklich die für Kants Hermeneutik entscheidende Stelle der „Religion innerhalb …" (S. 154 [1. Aufl.])[131] und weist an Kants Bemerkung, man müsse es mit der Auslegung der Bibel ebenso halten wie die Griechen und Römer „mit ihrer fabelhaften Götterlehre" (S. 152 [1. Auf..])[132], nach, daß also auch Kant, wie jene durch „*Allegorisiren* Vernunft in ihre Mythologie" brachten, durch entsprechende allegorisch-moralische Auslegung Vernunft in die Bibel bringen wolle[133]. Führte Kant die Mythendeutung zur Stütze seiner Argumentation für die einheitliche moralische Schriftauslegung an[134], so war es für Gabler naheliegend und selbstverständlich, dieses Prinzip der Schriftauslegung aufgrund der einheitlich historisch-kritischen Schriftauslegung, deren Prinzipien HEYNE bei seiner Mythenerforschung erarbeitet hatte, zu widerlegen. Heynes Argumente für die historisch-kritische Auslegung sind es dann auch, die Gabler weiterführend in der Auseinandersetzung mit Kant nennt: Kant greift – wie schon gezeigt – die „allegorische Erklärungsart der Kirchenväter" wieder auf, und es ist darum einleuchtend, daß er wie diese „von gleichen Grundsätzen über den Geist der Bibel (im Gegensatz des verächtlichen Buchstabens) ausgeht", ebenso einleuchtend freilich, „wie nachtheilig eine solche

---

[126] Ebdt., S. 131f. Zur Allegorese bei Origenes vgl. GABLER, Urgeschichte II, 2, S. 395 ff.
[127] Ebdt., S. 131; vgl. GABLER, Urgeschichte II, 1, S. 394–402.
[128] Urgeschichte II, 1, S. 395 Anm. 167.
[129] S. o. S. 52 ff.; vgl. HARTLICH-SACHS, S. 12f., 25 ff.
[130] Neue nürnberg. gel. Ztg. 1794, S. 131f.
[131] = 2. Aufl. S. 158f.; vgl. PhB 45, [7]1966, S. 120f.; zu Abweichungen gegenüber der 1. Aufl. vgl. ebdt.
[132] = 2. Aufl. S. 159; vgl. PhB 45, [7]1966, S. 121.
[133] Neue nürnberg. gel. Ztg. 1794, S. 132.
[134] Belege s. zu Anm. 132.

Behandlung der Bibel der gelehrten Exegese und der gelehrten Theologie selbst werden müsse"[135]. Will man „seine Religion von der Bibel abhängig machen", dann kommt man an der historisch-kritischen Forschung gar nicht vorbei, d. h. man muß den „historischen Sinn der Bibel" erforschen und in Erfahrung bringen, was die biblischen Autoren gedacht haben. M. a. W.: Man muß Gablers Kriterien für die Gewinnung einer Biblischen Theologie beachten, wenn man methodisch den „historischen Sinn der Bibel" erfassen will[136]. Kommt zu diesem „*historischen Sinn*" ein anderer hinzu, dann wird das Anliegen der „Biblischen Theologie" verfälscht. Dann bekommt „die Bibel, wie man zu sagen pflegt, eine wächserne Nase, die man drehen kann, wie man will: jeder trägt nun sein philosophisches System hinein, an das der alte Schriftsteller nicht gedacht hat. Auf diese Art könnten wir zwar aus der Bibel eine ganz treffliche KANTISCHE Theologie bekommen, die aber doch nichts weniger als *biblische* Theologie wäre... Man kann nach Kants Hermeneutik mit der Bibel in der Hand den biblischen Inhalt wegläugnen, und mit allem Schein hoher Bibelverehrung bloßen Theismus lehren"[137].

Kants Hermeneutik ist darum für jeden, der sich um die Bibelauslegung bemüht, geradezu gefährlich: Einen sicheren Halt bietet allein die historisch-kritische Erforschung der Bibel, womit Gabler sachlich sein in der Altdorfer Antrittsrede entfaltetes Programm meint[138]. Sah sich Gabler um der Sache willen zu dem „über Kants Hermeneutik gefällten, wenn gleich etwas hart klingenden, Urtheil" genötigt, so anerkennt er doch „die beßte, edelste Absicht" des Königsberger Philosophen, nämlich eine „gereinigte Philosophie mit dem Inhalt der Bibel ... in nähere Harmonie zu bringen"[139]. Damit ist das entscheidende Wort gefallen. „Verirrte" sich Kant bei seinen Bemühungen auf ein „ihm ganz fremdes Feld", so ist ihm dieser methodisch falsche Weg von seiten der Theologie zu verzeihen, nicht dagegen aber jenen Theologen, die

---

[135] Neue nürnberg. gel. Ztg. 1794, S. 132.

[136] Neue nürnberg. gel. Ztg. 1794, S. 132f. Gabler führt im folgenden keine Einzelbelege und Zitate aus Kants Religionsschrift an. Aber unverkennbar sind seine weiteren Ausführungen (aaO, S. 133f.) eine Widerlegung des dem Schriftverständnis dienenden Abschnitts Kants (2. Aufl., S. 160–166 = PhB 45, ⁷1966, S. 121 ff.), wo Kant starke Kritik an dem Nutzen historischer Auslegung äußert, so bes. S. 161: „Das Historische ... ist etwas an sich ganz Gleichgültiges, mit dem man es halten kann, wie man will – (Der Geschichtsglaube ist ‚tot an ihm selber', d. i. für sich, als Bekenntnis betrachtet, enthält er nichts, was einen moralischen Wert für uns hätte.)"; vgl. dazu später im „Streit der Fakultäten" (1798), S. 63ff., bes. S. 65 (Ausgabe PhB 252, 1959). Daß der Ausleger sowohl Sprachkenntnisse wie historische Kenntnisse haben muß, will Kant freilich nicht bestreiten (S. 163, 2. Aufl.). [Die genannten Abschnitte finden sich bis auf kleine Wortumstellungen bereits in der 1. Aufl.; vgl. die Anmerkungen z. St. in PhB 45, ⁷1966]. Der wohl bekannteste Satz in diesem Streit: „ob die Moral nach der Bibel oder die Bibel vielmehr nach der Moral ausgelegt werden müsse?", befindet sich in der ersten, von Gabler diskutierten Ausgabe der „Religion innerhalb..." noch nicht (vgl. PhB 45, ⁷1966, S. 120 Anm.). Es ist darum nur der Sache, nicht aber dem zitierten Wortlaut nach berechtigt, wenn R. SMEND, Gabler, S. 350 in der Diskussion über die 1. Ausgabe der Religionsschrift dieses Wort anführt.

[137] Neue nürnberg. gel. Ztg. 1794, S. 133.

[138] Ebdt., S. 133–135.

[139] Ebdt., S. 134.

„in den unhaltbaren hermeneutischen Grundsätzen sich an den kritischen Weltweisen anschließen, und gleichsam unter seiner Autorität Epoche in der Exegese machen wollen", ja sogar Kants eigene Gedanken „gewaltsam ... verdrehen, um sich nur das Ansehen zu geben, Kanten gegen Mißverstand vertheidigt zu haben"[140]. Solche Theologen betreiben „Kantiolatrie" und erkennen nicht, daß „Kants Absicht gar nicht so neuartig ist, vielmehr im Bereich der Theologie von ERNESTI, MORUS, SEMLER, TELLER, u.a., die mehr Autorität im *theologischen* Sprachgebrauche als 100. Kante" haben[141], gleiche und ähnliche Anliegen in methodisch zutreffenderer Form geäußert wurden. Strebt Kant eine im Hinblick auf die Bibel „gereinigte Philosophie" an, so die kritischen Theologen die Ermittlung der „biblischen Grundideen" („notiones universae"!). Darum kann „die Absicht KANTS ... sehr gut erreicht werden, wenn man nur das Permanente des Christenthums vom Temporellen sorgfältig absondert"[142], d.h. wenn man nach Gablers eigenem Programm eine Biblische Theologie entwirft[143].

Kaum deutlicher konnte Gabler zeigen, welchen Zweck er mit der Selbstanzeige der „Urgeschichte" II,2 – die als solche nur einen bescheidenen Raum in dieser Anzeige einnimmt – verfolgte: In der Kritik an Kant [und Ammon][144] sein eigenes Programm für die Erstellung einer Biblischen Theologie zu verteidigen und in der Weise zu erläutern, daß er auf der Grundlage der von Heyne erarbeiteten Prinzipien der Schriftauslegung die besonders von MORUS geforderte Gewinnung der notiones universae, der Biblischen Grundideen, mit Kants Forderung einer „gereinigten Philosophie" verbindet bzw. gleichsetzt. Er will mit seiner Biblischen Theologie – und darin weiß sich Gabler sowohl mit Kant als auch mit seinen theologischen Gegnern einig – „zu *einem* großen Ziele – zur Vereinigung der Vernunft mit dem Christenthume – hinwirken", und um dieses Zieles willen soll man sich nur dann „einander bekriegen", wenn es wegen des methodisch einzuschlagenden Weges unumgänglich ist, damit im Hinblick auf das Erstrebte nichts „zum Nachtheil der fortschreitenden Aufklärung" geschieht[145]. Was Gabler in seiner Antrittsrede als Biblische Theologie „im engeren Sinn des Wortgebrauchs" bezeichnet hat und was er einige Jahre später hinsichtlich der „Einleitung in das Neue Testament" und vor allem im Zusammenhang mit der „reinen Biblischen Theologie" äußert[146], nämlich „durch philosophische Kritik" die wahren Grundideen herauszuarbeiten und dadurch „eine Grundlage zur *reinen* christlichen Religionslehre" zu gewinnen[147], ist in der vorliegenden Selbstanzeige genannt, wenn er auch von einer ‚reinen Biblischen Theologie' noch nicht spricht.

[140] Ebdt., S. 134f.
[141] Ebdt., S. 135.
[142] Ebdt., S. 135, 134.
[143] Ebdt., S. 135; vgl. S. 127f.
[144] S. dazu u. S. 82ff.
[145] Neue nürnberg. gel. Ztg. 1794, S. 136.
[146] Vgl. S. 37, 42, 97ff.
[147] JthL 1802 (= 21. Bd.), S. 402 Anm.

Gabler hat seine Kritik an Kants moralischer Schriftauslegung auch in späteren Jahren aufrecht erhalten. In Anmerkungen zu einer nicht von ihm verfaßten Besprechung von C.F. Stäudlin (Hrsg.), Beiträge zur Philosophie und Geschichte der Religion und Sittenlehre überhaupt und der verschiedenen Glaubensarten und Kirchen insbesondere, Lübeck 1798 (= 4. u. 5. Bd.), setzt sich Gabler erneut mit Kants moralischer Schriftauslegung auseinander, indem er gegenüber Stäudlin geltend macht, daß er diese nicht grundsätzlich verwirft, sondern deren Wert für die Biblische Theologie überprüft. Jetzt heißt es – wesentlich kritischer als 1794 – „und dann waren auch die selbst von Kant gelieferten Proben von moralischer Auslegung bisher von ganz anderer Art, als daß dabei nur die *biblischen Grundideen* ausgehoben worden wären"[148]. Es werden zwar weiterhin Kants ‚gereinigte Philosophie' und Gablers ‚biblische Grundideen' in Beziehung gesetzt, wie sich auch daraus ergibt, daß er sein Programm einer Biblischen Theologie im gleichen Zusammenhang erneut erörtert[149], aber es wird in Zweifel gezogen, ob die moralische Schriftauslegung hier weiterhilft.

Für die nächsten $1^1/_2$ Jahrzehnte sind – abgesehen von gelegentlichen, mehr pauschalen Urteilen – literarische Einzelauseinandersetzungen mit Kant durch Gabler nicht nachzuweisen. Erst an einer gewichtigen Stelle, nämlich in den für den Druck vorbereiteten Prolegomena seiner geplanten „Biblischen Theologie" im Jahre 1816 kommt Gabler noch einmal mit fast den gleichen Worten wie 1794 auf die Kritik an Kant zu sprechen. Im dritten Abschnitt: „von der richtigen Behandlung der Bibelstellen zum dogmatischen Gebrauche: theologische Hermeneutik" behandelt ein zentraler Abschnitt „Die moralische Bibelauslegung Kants"[150]. Wieder werden die methodisch entscheidenden Sätze aus „Die Religion innerhalb der bloßen Vernunft" angeführt[151]. Darauf erörtert Gabler drei für ihn jedoch nicht gültige, weil mit den Aussagen der Bibel nicht übereinstimmende Fälle, für die die „Kantische Hermeneutik Statt finden" „könnte"[152]: 1. „Wenn die Urkunden einer positiven Religion, dem Wortsinne

---

[148] NthJ 1800 (= 15. Bd.), S. 477 ff. Anm., bes. S. 479 Anm.   [149] Vgl. dazu u. S. 91 f.
[150] Vgl. W. Schröter, S. 53 f., 55 ff. Vgl. dazu die Nachschrift von E. F. C. A. H. Netto: Biblische Theologie, vorgetragen von D. Joh. Phil. Gabler nach Bauer, Breviar. Theol. Bibl., Jena 1816, 423 gez. Bl. – Gerade der Abschnitt über Kant, den Schröter aus Gablers Manuskript wörtlich zitiert, zeigt im Vergleich mit Nettos Nachschrift (S. 70–74), daß dieser Vorlesungsnachschrift Gablers für den Druck geplante Vorlesung zugrunde lag und daß Netto Gablers Ausführungen sorgfältig und teilweise wörtlich wiedergegeben hat.
[151] „Religion innerhalb…", S. 158 ff. (= 2. Aufl.; vgl. PhB 45, ⁷1966, S. 120 ff.). – Daß Gabler die seit 1793 erschienenen Arbeiten Kants verfolgt hat und hinsichtlich seiner Fragestellung mitbedenkt (etwa „Streit der Fakultäten", 1798 [in: PhB 252, 1959, S. 63–67], ist anzunehmen (vgl. etwa NthJ 1800 (= 15. Bd.), S. 477 ff. Anm., 480 f. Anm.), wenn er sie auch nicht ausdrücklich anführt. Ein mittelbarer Beweis dafür ist, wie stark er Kant in seiner Dogmatikvorlesung von 1816 berücksichtigt und zu fast allen Loci diskutiert; vgl. die Nachschrift von E. F. C. A. H. Netto: Dogmatik, vorgetragen von D. Joh. Phil. Gabler nach Ammon Summa Th. Chr., Bd. I. II, Jena 1816 (1042 gez. Bl. + 6 S. Register [nicht numeriert], etwa S. 163, 173 f., 191 f., 212, 216 ff., 220, 222, 225, 228 f., 234 f., 299, 342, 345 f., 357, 365, 372, 517 f., 539, 583 f., 601, 613, 633–638, 775, 810, 878 f., 881 f., 887, 1016, 1018.
[152] W. Schröter, S. 56; Gabler(-Netto), Bibl. Theol., S. 71 f.

nach, durchaus unvernünftig wären, und doch noch bei besseren Religions-
einsichten zum Unterrichte beibehalten werden sollten, wie dieß bei den
Griechen und Römern der Fall war"[153]. Bezug genommen ist hier offensichtlich
auf Kants eigenen Vergleich zwischen seiner moralischen Schriftauslegung und
der antiken Mythendeutung, was ihm Gablers Vorwurf der allegorischen
Schrifterklärung einbrachte[154]. Doch ist dazu, wie Gabler hinreichend nachgewiesen zu haben meint, für die Auslegung der Bibel keinerlei Grund gegeben.
2. „Wenn solche Urkunden [die Bibel] durchaus eine wahre göttliche Offenbarung, die doch als solche mit der moralischen Religion nicht im Widerspruche
stehen könnte, enthielten, und gleichwohl ihr historischer Sinn erweislich der
moralischen Religion widerspräche"[155]. NETTO bringt diesen Punkt in einer
etwas erweiterten und verständlicheren Form, indem er die bei W. SCHRÖTER
zu Punkt 3 stehende Erklärung Gablers bereits bei Punkt 2 anführt: Nach
Gabler ist es Kants Ansicht, daß die Bibel mit den moralischen Prinzipien
Unvereinbares enthält und dennoch „in allen ihren Theilen einer beßern
Religion zur Basis dienen" sollte. Doch ist diese Meinung Kants deshalb
falsch, weil es methodisch erarbeitete Kriterien gibt, mit deren Hilfe man
„den wesentlichen Inhalt der Bibel von dem außerwesentlichen unterscheiden"
kann[156], nämlich Gablers Programm einer Biblischen Theologie, wie es in der
Altdorfer Antrittsrede und jetzt in den „Prolegomena" dargelegt ist. Doch es
fehlen Kant diese Kriterien, weil er – wie Gabler zusätzlich in seiner Dogmatikvorlesung von 1816 erläutert – seine moralische Schriftauslegung in der
Weise zum „regulativen Prinzip" erhebt, daß ihr der Blick für die „Berücksichtigung des grammatischen Sinnes" abgeht. D. h. für Gabler, daß die Bibel
gleichsam als eine weder durch Höhen noch Tiefen ausgezeichnete Fläche gesehen wird und jede Unterscheidung von Wesentlichem und Unwesentlichem
entfällt. M. a. W.: Der moralischen Schriftauslegung fehlt die historische
Tiefendimension[157]. Das Recht wäre darum nur dann auf Kants Seite, wenn
man in der Bibel durchgängig Theopneustie annehmen müßte, aber diese hat
Gabler ebenfalls als für die Schriftauslegung unhaltbar schon in seiner Antrittsrede und auch sonst öfter zurückgewiesen[158]. Der 3. Punkt berührt sich eng
mit dem zweiten: „Wenn zwar die Urkunden dem Wortsinne nach nicht unvernünftig wären, aber doch Manches enthielten, was mit moralischen Reli-
gionsprinzipien nicht vereinbar wäre"[159], wenn die göttliche Offenbarung und
moralische Religion im Widerspruch stünden, dann „müßte die Bibel moralisch

---

[153] W. SCHRÖTER, S. 56; fast gleichlautend GABLER(-NETTO), Bibl. Theol., S. 71.
[154] Vgl. o. S. 62f.
[155] W. SCHRÖTER, S. 56.
[156] GABLER(-NETTO), Bibl. Theol., S. 71.
[157] GABLER(-NETTO), Dogmatik, S. 173. Zu diesem nicht unbestrittenen Verständnis der
moralischen Schriftauslegung Kants vgl. etwa E. TROELTSCH, (s. Anm. 107), S. 55, 59ff.,
131ff. u. ö.; F. MEINECKE, (s. Anm. 85), S. 287f.; O. KAISER, Kant, S. 137 (u. die dort
Genannten).
[158] S. Anm. 156; TS II, S. 186.
[159] W. SCHRÖTER, S. 56.

gedeutet werden"[160]. Aber da Kant selbst dies nicht annimmt und sich nach Gabler in seiner Religionsschrift „mit so musterhafter Behutsamkeit über Offenbarung ausdrückt"[161], entfällt auch dieser Punkt zugunsten der moralischen Schriftauslegung.

Es bleibt als Fazit: Wenn man nur den wesentlichen Inhalt der Bibel als „göttliche Offenbarung" ansieht, „fällt die Kantische Erklärung der Bibel von selbst weg"[162]. Auch darin liegt wieder ein mittelbarer Hinweis auf Gablers Programm einer Biblischen Theologie, denn der wesentliche Inhalt der Bibel sind ja die mit Hilfe historisch-kritischer Methode ermittelten Grundideen, die in Beziehung gesetzt werden können mit der von Kant erstrebten „gereinigten Philosophie"[163]. Es zeigt sich: Die Diskussion von 1794 ist mit der von 1816 sachlich gleich. Gablers Ablehnung von Kants moralischer Schriftauslegung ist zugleich ein Plädoyer für seine zu verfassende „Biblische Theologie" und damit der sachliche Nachweis, daß Auslegung der Bibel und Biblische Theologie als Methodenproblem notwendigerweise zusammengehören.

Dies verdeutlicht der abschließende Teil des behandelten Abschnitts, wie Gabler in wiederum drei Punkten herausstellt: 1. nämlich ist Kants moralische Exegese „unmoralisch", weil bei ihr der Zweck die Mittel heiligt. Der Schriftausleger im Sinne Kants legt der Bibel einen anderen, eben den moralischen Sinn unter und täuscht so seine Gemeinde[164]. 2. ist diese Schriftauslegung „untauglich", weil sie, um „das Ansehen der Bibel zu erhalten", zu vielen künstlichen und darum unverständlichen Erklärungen führt[165]. 3. aber ist Kants Anliegen bei der moralischen Exegese – und damit berührt Gabler erneut einen schon mehrfach genannten Sachverhalt – leichter zu verwirklichen, wenn man Gablers Programm einer Biblischen Theologie sachgemäß anwendet[166].

Gabler liegt an diesem wiederholt genannten Hinweis, um mit Hilfe seines eigenen Programms zu zeigen, daß Auslegung und theologischer Gebrauch der Bibel nicht das Gleiche sind, der Bezugspunkt für beides aber darin gegeben ist, über die Absonderung des Lokalen und Temporellen, die Scheidung des Unwesentlichen vom Wesentlichen, kurz: über die Herausarbeitung der Grundideen zur klaren Absonderung kirchlicher Dogmen von der „rein-biblischen Lehre" zu gelangen. Kant kommt nach Gabler das unbestreitbare Verdienst zu, durch seine Hermeneutik „die Benutzung der Bibel zum bleibenden Christenthum" gefördert zu haben. Seine Forderung, „daß man nichts dahin aufnehme, was nicht religiös-moralische Tendenz hat, und mit der practischen Vernunft

---

[160] Gabler(-Netto), Bibl. Theol., S. 71f.

[161] Neue nürnberg. gel. Ztg. 1794, S. 134; vgl. auch Gabler(-Netto), Dogmatik, S. 173.

[162] Gabler(-Netto), Bibl. Theol., S. 72 mit Verweis auf F. J. Niethammer, Über Religion als Wissenschaft, 1795; gemeint ist offenbar S. 58ff.: „II. Untersuchung des einzig richtigen Princips der Inhaltsbestimmung einer gegebenen Religion".

[163] Vgl. dazu aus der Sicht Kants auch F. J. Niethammer, aaO, S. 19ff., 25, 91ff., 58ff. passim.

[164] W. Schröter, S. 56; vgl. Gabler(-Netto), Bibl. Theol., S. 72.

[165] W. Schröter, S. 56f.; Gabler(-Netto), S. 72f.

[166] W. Schröter, S. 57; Gabler(-Netto), Bibl. Theol., S. 73f.

übereinstimmt", entspricht in seiner Intention „eine(r) Biblische(n) Theologie im engern Sinn"[167]. Kants berechtigtes Anliegen wird jedoch mit falschen Mitteln zur Geltung gebracht. Zur „historisch-biblischen Theologie" „taugt" darum diese Hermeneutik „nicht", sie „paßt bloß auf die Kritik der Ideen, die zu einer bleibenden Religions = Theorie zu brauchen sind"[168]. Gablers Kritik an Kants Hermeneutik gipfelt darin, daß in ihr der zweite Schritt vor dem ersten geschieht, daß die Lehren für das bleibende Christentum ohne die Grundsätze historisch-kritischer Auslegung, wie sie C. G. HEYNE aufgestellt hat, gewonnen und diskutiert werden. Mögen historisch-kritische und moralische Schriftauslegung auch gelegentlich zu gleichen Ergebnissen kommen[169], grundsätzlich gilt: Diese Lehren für das bleibende Christentum sind ohne ihre historisch-kritische Ermittlung völlig subjektiv. Mit Kants Hermeneutik kommt man nicht weiter als bis zu einer philosophischen Kritik eben dieser subjektiven „Ideen … einer bleibenden Religionstheorie", Nur weil Gabler sein Gesamtprogramm einer Biblischen Theologie im Blick hat, kann er Kants „gereinigte Philosophie" mit den „Grundideen" bzw. „notiones universae" der Biblischen Theologie in Beziehung setzen und somit einen Teilaspekt vergleichen, der ohne das Ganze in sich selbst zusammenfällt. Aus diesem Sachverhalt ergibt sich ein Letztes: Gabler ist der Meinung, daß die moralische Schriftauslegung überhaupt nichts für einen Philosophen sei, weil dieser „alles aus der Vernunft deduciert und um die Bibel sich nicht kümmert"[170], eben weil er im Grunde auf die Schriftauslegung überhaupt verzichtet. Zusammenfassend läßt sich sagen:

1. Gablers Auseinandersetzung mit Kants Hermeneutik dient allein der Methodenfrage einer Biblischen Theologie. Alle sonst geltend zu machenden Aspekte und Argumente bleiben unberücksichtigt[171].

2. Die historisch-kritische Exegese im Sinne C. G. HEYNES ist die für Gabler unabdingbare Voraussetzung jeder Schriftauslegung. Sie allein ermöglicht es, den einen Sinn der Schrift herauszuarbeiten und auf dieser Grundlage

3. eine Biblische Theologie zu erstellen, auf deren Resultate „durch philo-

---

[167] GABLER(-NETTO), Bibl. Theol., S. 73f.; vgl. dazu auch I. KANT, Vorrede zur 1. Aufl. der „Rel. innerhalb…", 1793, S. XIV–XX (= PhB 45, ⁷1966, S. 9–12); ders., Vorrede zur 2. Aufl., 1794, S. XXII–XXV, ebdt., S. 13–15. Zum Ganzen siehe E. TROELTSCH, (s. Anm. 107), S. 43ff., 77 u.ö.

[168] GABLER(-NETTO), Bibl. Theol., S. 74. Vor diesen letzten Bemerkungen bricht SCHRÖTERS Zitierung der Prolegomena Gablers in Sachen Kant ab, so daß man hier auf Nettos Nachschrift allein angewiesen ist.

[169] GABLER(-NETTO), Bibl. Theol., S. 73.

[170] GABLER(-NETTO), Bibl. Theol., S. 73. Ohne einen einzigen Beleg beizubringen, behauptet K. HAACKER, (s. Anm. 5), S. 82, Gablers „Verhältnis zur Bibel" entspreche dem Kants.

[171] Vgl. dazu etwa G. J. PLANCK, Einleitung in die theologischen Wissenschaften II, 1795, S. 141–146; (C. W. FLÜGGE), Versuch, (s. Anm. 121), S. 129–142, 143–167; ders., Bd. II: Zweiter Theil oder Erste Fortsetzung, 1798, S. 7–78; F. J. NIETHAMMER, (s. Anm. 162), passim.

sophische Kritik" die Lehren des bleibenden Christentums erarbeitet werden können[172].

4. Die sachgemäße Erfüllung dieser Aufgabe erfordert eine methodisch klare Verhältnisbestimmung von Auslegung und theologischem Gebrauch der Bibel, bzw. eine Methode, nach der Zusammengehörigkeit wie Trennung von historischer und theologischer Exegese sichtbar wird[173].

Wurde Gablers Blick für diese zuletzt genannte Fragestellung auch besonders durch die Auseinandersetzung mit Kants Schriftauslegung geschärft, so zeigen doch verschiedene seiner exegetischen Aufsätze einmal, daß hier C. G. HEYNES methodischer Ansatz mittelbar zugrundeliegt, zum anderen daß mit der Klärung dieses Problems eine unmittelbare Vorarbeit für die zu schreibende Biblische Theologie geschieht.

3. DIE UNTERSCHEIDUNG VON „AUSLEGEN" UND „ERKLÄREN"

C. G. HEYNE hatte durch seine Mythenerforschung den methodischen Weg freigelegt, um zu dem einen jedem Mythos zugrundeliegenden Faktum und damit zur Sache selbst vorzustoßen[174]. J. G. EICHHORN aber wandte diese Methode zuerst auf biblische Texte, zunächst auf alttestamentliche und dann auch auf neutestamentliche Mythen an[175], und GABLER zog die Konsequenzen daraus für die Gewinnung einer Biblischen Theologie[176]: Nur durch die methodische Scheidung der Sache selbst und mythischer Einkleidung können die Fakten Biblischer Theologie, die Grundideen, auf denen die Biblische Theologie „im engeren Sinn des Wortes" beruht, ermittelt werden. Auf seiner Mythendeutung und damit auf seinen Auslegungsprinzipien beruht Gablers entscheidende Vorarbeit für die zu erstellende Biblische Theologie.

Neben den bereits genannten Ausführungen über die Mythen der Urgeschichte sollte zunächst ein Aufsatz von J. G. EICHHORN „Ueber die Engels-Erscheinungen in der Apostelgeschichte (Apostelgesch. XII,3–11)" wichtig werden[177]. In dieser Abhandlung über die Befreiung des Petrus aus dem Gefängnis gelingt es Eichhorn zu zeigen, „daß wir keinen *historischen* Bericht von der *wirklichen Art* seiner Rettung, sondern *eine nach jüdischen Begriffen gefaßte Erklärung* derselben" haben (S. 398). Man muß darum bei der geschilderten Befreiung durch einen „Engel *des Herrn*" „Sache und jüdische Einkleidung ... sorgfältig von einander absondern" (S. 398). Dann wird deutlich, daß wir es nicht mit einem Wunder, sondern mit einer durchaus natürlichen Begebenheit zu tun

---

[172] Vgl. dazu auch JthL 1802 (= 21. Bd.), S. 402 Anm.

[173] Vgl. dazu auch J. G. EICHHORN, AB V, 1793, S. 203f.; O. KAISER, Eichhorn und Kant (s. Anm. 91), passim.

[174] Vgl. o. S. 52ff.

[175] Vgl. E. SEHMSDORF, aaO, S. 86ff., 121ff., 125ff.; doch vgl. ebdt., S. 196 Anm. 17.

[176] Vgl. K. LEDER, S. 294.

[177] AB III, 1791, S. 381–408. Dieser Untersuchung zollt Gabler noch fast zwei Jahrzehnte später höchstes Lob (TS I, S. 332 Anm.).

haben, mit einer Geschichte, die aus der primitiven Darstellungs- und Vor-
stellungsweise ihrer Zeit begriffen werden muß (S. 406f.)[178].

Nach Gabler aber reicht es nocht nicht hin, einen Sachverhalt so weit aufzudecken, wie es etwa Eichhorn in dem genannten Aufsatz getan hat. Man muß
nämlich weiterfragen, wie es überhaupt zu einem solchen Wunderbericht gekommen ist, d.h. man muß die Entstehung eines Mythos aufdecken und zu der
von ihm intendierten Sache selbst vorstoßen. Verschiedene Aufsätze Gablers
zeigen das für ihn Grundlegende[179].

Es ist hier zunächst auf den Aufsatz „Ueber den Engel nach Luc. XXII,43
Jesum gestärkt haben soll" einzugehen[180]. Für diese umstrittene Stelle hatte
bereits J. G. EICHHORN das exegetisch zutreffende Ergebnis herausgearbeitet[181],
aber man muß außer dieser richtigen Erklärung auch deren Prämissen aufzei-
zeigen (S. 7), d.h. man muß über die Wortkritik hinaus nach der historischen
und philosophischen Kritik fragen (S. 1–8), man muß aufzeigen, warum man
den buchstäblichen Sinn der Erzählung verläßt, und kann nicht einfach nur
eine neue Möglichkeit der Erklärung neben schon bekannte setzen. Denn „bei
der Interpretation muß man einen festern und sichern Gang nehmen" (S. 8).
Darum ist es auch nicht allein mit der Erklärung aus der „Vorstellungsart des
Zeitalters" getan, denn „nicht alle haben diesen feinen exegetischen und
philosophischen Tact", der sowohl „freiere philosophische Grundsätze" als
auch „vertrautere Bekanntschaft mit dem Geiste des Altertums … mit richtiger Interpretation der klassischen Schriften desselben" voraussetzt (S. 8 Anm.).
Mit dieser letzten Bemerkung ist mittelbar auf C.G. HEYNE verwiesen, und
was Gabler im folgenden methodisch bei der Behandlung des Textes zur
Geltung bringt, ist eine folgerichtige Entfaltung Heynischer Grundsätze.

Weder nach Wort noch Textkritik sind die Verse Lk 22,43.44 anfechtbar
(S. 9–21). Nach historischer Kritik (S. 21–33) aber ist „die Wahrheit dieser
Engelserscheinung unerweislich" und von daher gesehen „die Erzählung des
Lucas sehr unsicher" (S. 34). Selbst wenn man die „*natürlichen* Quellen dieser
Nachricht des Lucas" erforscht (S. 23f.) und Vermutungen darüber anstellt,
ob Jesus diese Worte gesagt haben könnte (S. 27–32) – ganz abgesehen von der
Frage, wer Zeuge dieser Worte gewesen sein sollte (S. 27) –, es bleibt, daß man
Jesu „bildliche Sprache" falsch verstanden haben könnte (S. 33). Ist aber

---

[178] Vgl. auch W. G. KÜMMEL, NT, S. 119f.; O. KAISER, Eichhorn und Kant (s. Anm. 91),
S. 117. Kaiser weist darauf hin, daß Eichhorn relativ selten mit „Accomodationen" rechnet,
vielmehr annimmt, daß die ntl. Schriftsteller wirklich so dachten, wie sie schrieben (ebdt.,
S. 117 Anm. 23 mit Verweis auf AB IV, 1792, S. 341); vgl. auch E. SEHMSDORF, aaO,
S. 140ff.

[179] Vgl. auch W. G. KÜMMEL, NT, S. 120ff.

[180] Zuerst erschienen in: NthJ 1798 (= 12. Bd.), S. 109–135, 217–260; wiederabgedruckt
in: TS I, S. 1–53, danach die Zitate und Seitenangaben. – Zur chronologischen Reihenfolge
der im folgenden behandelten Aufsätze vgl. W. SCHRÖTER, S. 98ff.

[181] Der Sinn der Stelle ist „nichts weiter, als Ruhe und gestärkter Muth des mit dem Vor-
gefühl des Leidens kämpfenden Jesus, als Folge seines Gebets nach jüdischer Vorstellungsart ausgedrückt" (so GABLER, S. 7 mit Verweis auf J. G. EICHHORN, AB I, 1787, S. 628).

dieses Wort von anderen berichtet, so ist es eine „christliche Sage", welcher aber bei der „Sorgfalt des Lucas" „etwas Wahres" zugrundeliegen muß (S. 33). Damit stellt sich die Frage: „Welches ist die wahre Geschichte? Welches ist jüdische Einkleidung und späterer Zusatz" (S. 33). Wurde nämlich „eine wahre Geschichte Jesu *jüdisch gedacht*, und *vorgetragen* ...., so hörte sie auf, wahre Geschichte zu seyn", ist sie nicht mehr ein historischer Bericht einer Begebenheit, sondern eine „christliche Sage" und damit ein Mythos, der nach den Prinzipien Heynischer Mythendeutung zu erklären ist. Handelt es sich bei Lukas um eine „Mythe historischer Art", wie oben gezeigt, so liegt ihr „eine wahre Geschichte zum Grunde", und es ist methodisch gefordert, daß „wir ... erst sorgfältig Einkleidung und spätere Erweiterung absondern müssen, um die *reine Thatsache* zu entdecken" (S. 33).

Zunächst jedoch müssen die Prämissen für diesen methodischen Schritt aus der Erzählung selbst geklärt werden: Lukas ist nämlich trotz der angeführten historischen Kritik als Geschichtsschreiber nicht unglaubwürdig, weil er als Mann *seiner* Zeit an Engel glaubt und mit den ihm zur Verfügung stehenden Ausdrucksmitteln „*im Grunde etwas Wahres,* nur jüdisch eingekleidet" erzählt: Jesus empfängt von Gott die innere Ruhe zurück, und um dies darzustellen, bedarf es des Bildes vom Engel (S. 34–37, Zitat S. 36).

Die Klärung einer zweiten Voraussetzung ist noch wichtiger: Dem Orientalen liegt es fern, ein Ereignis als bloßes Faktum zu erzählen, vielmehr berichtet er die Begebenheit so, wie sie seiner Vorstellung nach gewesen ist. „Räsonnement war immer in Geschichte eingeflochten", und darum bilden „das Factum, und die Art, sich das Factum zu denken", ein unzertrennliches Ganzes (S. 37).

Da – und das ist nach Gabler in dem Fall unaufgebbare Voraussetzung – der von Lukas aufbewahrten Erzählung etwas Wahres zu Grunde liegt, entstand durch die jüdische bzw. orientalische Einkleidung „die Sage", deren Glaubwürdigkeit ebenso groß ist wie bei denen von griechischen und römischen Geschichtsschreibern (S. 38). Damit wird – und das ist die weiterreichende Bedeutung dieser Ausführungen – der biblische Autor auf die gleiche Stufe wie der profane Autor gestellt und biblische wie profane Mythen erhalten denselben Rang, unterliegen damit aber auch denselben Kriterien historisch-kritischer Methode, die C.G. HEYNE auf die Mythendeutung anwandte. Das besagt für den Exegeten aber zugleich die völlige Ablehnung der Theopneustie, die die Glaubwürdigkeit biblischer Geschichte zum „Bibelspott" herabwürdigte (S. 38). Gablers Kampf gegen die Theopneustie beruht mittelbar ebenfalls auf Heynes Prinzipien der Auslegung. Diese bereits in der Altdorfer Antrittsrede skizzierten und seitdem von ihm öfter ausgeführten Gedanken werden hier erstmals an einem *neutestamentlichen* Text zur Vorbereitung der Biblischen Theologie methodisch erprobt, wie Gabler hierzu und zum folgenden selbst bemerkt: „Alles dieß kann zwar hier nicht ausgeführt werden; es wird aber ein Hauptgegenstand meiner biblischen Theologie werden" (S. 40 Anm.).

Durch die „historische Kritik, welche nach den Quellen fragt, die gleichzeitigen Schriftsteller parallelisiert, und den historiographischen Geist des Zeitalters forschend prüft", nach der „obigen Deduktion" ist der buchstäbliche
Sinn der Erzählung von der Engelserscheinung „unerweislich" wie auch
„unwahrscheinlich" (S. 38). Mit dieser exegetischen Feststellung ist es jedoch
nicht getan, erst „die philosophische Kritik vollendet ... das Geschäfte".
Hier fällt nun die eigentliche Entscheidung „gegen die wirkliche Engelserscheinung zur Stärkung Jesu" (S. 38), wie Gabler in 3 Punkten und in einer grundsätzlichen Bemerkung zur Engellehre im Neuen Testament zeigt.

1. Engelserscheinungen sind schon an sich fragwürdig, weil sie „zur theologischen Maschinerie der Juden" gehören und somit „als Factum" („nicht als
Räsonnement" in oben angegebenem Sinne) für die philosophische Kritik wenn
nicht ganz unmöglich, so doch „äusserst verdächtig" sind (S. 38–41).

2. Für die Beruhigung Jesu ist die Erscheinung eines Engels „überflüssig",
weil Jesu sich natürlicherweise und nach den Gesetzen der Vernunft ohnehin
wieder beruhigt hätte (S. 41–44).

3. Die Engelserscheinung läßt sich nicht mit der anerkannten Würde Jesu
„vereinbaren" (S. 44).

Mit diesen drei Punkten kommt Gabler auf den „dogmatischen Gebrauch"
der angeführten Stelle im Lukas-Evangelium zu sprechen, und diesem Letzteren dienen in unseren Zusammenhang seine Bemerkungen zur Engellehre im
Neuen Testament (S. 40 Anm.)[182].

Hinsichtlich der Engellehre sind folgende Unterscheidungen zu machen:
1. Man muß Jesu eigene Äußerungen von den jüdischen Ideen noch besonders
verhafteten seiner Apostel unterscheiden. Diese exegetisch durch nichts ge-
rechtfertigte Unterscheidung ist Gabler aus dogmatischen Gründen wichtig.
Jesus steht dem reinen Christentum näher als seine Apostel, und daraus
resultieren die beiden weiteren Punkte: 2. „dogmatische Ideen des N. T." sind
von ihrer „historischen Einkleidung" abzusondern, und sind „bei den dogmatischen Ideen selbst *kategorische* Sätze von bloßen Accommodationen" zu
unterscheiden. Die kategorischen Sätze aber sind die „Grundideen" selbst,
die an den „Grundideen von reinen Geistern, von allwaltender Vorsehung,
und deren Wirksamkeit durch mancherley Kräfte der Natur" u.a.m. gemessen
und beurteilt werden. Diese Erwägungen sind aus doppeltem Grunde notwendig: a) „Die Aufklärung ging ja stufenweise", und darum kann man von
den neutestamentlichen Autoren, die ja weithin „geborene Juden waren",
ohnehin „keine *ganz reine* Religionsphilosophie erwarten". D.h. ihr Beitrag
für das bleibende Christentum, die „*ganz reine* Religionsphilosophie" ist deshalb immer erst auf historisch-kritischem Wege zu eruieren. b) Die Engellehre

---

[182] GABLER verweist hier ausdrücklich auf seine eigenen Forschungen in Urgeschichte I,
1790, S. 218 ff.; Bd. II passim; und (G. L. BAUER), Theologie des alten Testaments oder
Abriß der religiösen Begriffe der alten Hebräer, 1796, S. 171 ff.

ist im Neuen Testament eine „*außerwesentliche* Religionslehre"; sie kann sich deshalb nur in der „Anwendung schon vorhandener Ideen auf das Christenthum" auswirken, ist aber selbst „*keine Offenbarung*". An einer außerwesentlichen Religionslehre läßt sich relativ leicht die „Freiheit … philosophischer Vorstellung" behaupten, im ganzen aber – und mit dieser methodischen Bemerkung schließt diese Anmerkung – ist es ein Grundproblem Biblischer Theologie, philosophische Kritik und das Ansehen „der *wahren Offenbarung des N. T.*" in ein sachgemäßes Verhältnis zu setzen, und Gabler verweist darauf, daß er gerade diese Frage eingehend in seiner zu schreibenden Biblischen Theologie zu behandeln habe (S. 40 Anm.). Es geht hier, auf eine Kurzformel gebracht, um das seit Gablers Antrittsrede von ihm erörterte Verhältnis von Dogmatischer und Biblischer Theologie zueinander, bzw. dem, wie sich noch zeigen wird, von „Auslegen" und „Erklären". Den bisherigen Teil seiner Untersuchung zusammenfassend stellt Gabler heraus, daß durch die „*philosophische* Kritik" die Engelserscheinung „völlig unzulässig" sei, „die schon durch die *historische* Kritik sehr verdächtig ist" (S. 46). Beide Formen der Kritik verwerfen jedoch nur die Engelserscheinung und dringen nicht zur Sache selbst vor.

Man muß nämlich fragen, wie „*diese Sage* bei Lukas von einer Engelserscheinung *entstanden*" ist, man muß nach ihrem Wahrheitsgehalt und damit nach der ihr zugrundeliegenden „*Thatsache*" fragen (S. 46). Da es hier an historischen Quellen, die methodisch immer das sicherste Kriterium darstellen, fehlt, kann man beim Folgenden nur von Wahrscheinlichkeit reden. Methodisch weiterführend ist dabei, wenn „man sich nach dem *Genius* des damaligen Zeitalters und nach der *Analogie* ähnlicher historischer Mythen des A. T. den Ursprung dieser alten Sage" zu „erklären" versucht (S. 46). Die Ergebnisse einer solchen Mythenvergleichung, für die C. G. HEYNE das methodische Rüstzeug geliefert hat[183], können für den Abschnitt vierfacher Art sein: nämlich 1. bloß jüdische Einkleidung; 2. eine Vision; 3. bildliche Sprache, um die empfangene Fürsorge Gottes auszudrücken, was Jesus nach seiner Auferstehung äußerte; 4. aber kann diese Sage „aus einem *Philosophem* der ersten Christen über die plötzliche Veränderung des Seelenzustandes Jesu" erklärt werden (S. 47-51, Zitat S. 51): Jesus fühlt sich aufgrund seines Gebetes wirklich gestärkt (vgl. S. 53). Das ist Gablers persönliche Meinung, die er methodisch mit der allgemeinen Verbreitung solcher Philosopheme in der jüdischen wie frühchristlichen Welt begründet: „Philosopheme gingen aber in Geschichte über, wurden in der christlichen Welt eben so gut, wie in der jüdischen, in eine wirkliche Thatsache verwandelt, und als solche erzählt. – Die Sage wurde nun fester Glaube, und so kam sie in Lukas Evangelium" (S. 51 f.). Diese Erklärung aber verdient nach Gabler deshalb den Vorzug vor anderen, „weil sie ganz dem Geiste des ersten Christenthums und der Analogie der jüdischen Sagen zu entsprechen scheint" (S. 52).

[183] Vgl. auch HARTLICH-SACHS, S. 13–19 passim.

Gabler möchte diese Untersuchung als einen methodischen Versuch verstanden wissen, dem weitere folgen sollen (S. 52)[184]. Methodisch weiterführend sind in dieser Abhandlung die Aufeinanderfolge und Sachbezogenheit von Wortkritik, historischer Kritik und philosophischer Kritik, die, im Sinne der Mythendeutung Heynes angewandt, es ermöglichen, die Sache selbst von ihrer zeitbedingten Einkleidung zu unterscheiden und so an einem Einzelbeispiel die Kriterien zur Geltung zu bringen, deren es zur Gewinnung einer nicht wandelbaren Biblischen Theologie bedarf.

In dieser Hinsicht sind weitere Abhandlungen Gablers zu sehen, die die nahezu gleichen methodischen Probleme an neutestamentlichen Einzelperikopen in Hinblick auf die Biblische Theologie erörtern. Fast gleichzeitig mit der eben behandelten erschien die Untersuchung: ,,Ueber die Verklärungsgeschichte Jesu. Matth. XVII,1ff. Marc. IX,2.ff. Luc. IX,28.ff.''[185].

Drei methodische Grundsätze sind zu beachten, ,,wenn die Auslegung nicht willkührlich und anstößig seyn soll'' (S. 53f.). Es genügt nämlich nicht zu zeigen, daß die buchstäbliche Erklärung der Verklärungsgeschichte unhaltbar ist (vgl. S. 57–64). Man muß zur Sache selbst durchdringen, indem man 1. aufzeigt, daß es sich um ,,keine wahre Geschichte'' handeln kann, 2. nachweist, wie sich ,,diese Begebenheit *ganz natürlich*, d.h. nicht bloß aus *natürlichen Ursachen*, sondern zugleich *auf eine natürliche, wahrscheinliche Art*'', erklären läßt, so daß dabei 3. ,,die entschiedene *Aufrichtigkeit* und *Rechtschaffenheit* Jesu, der Apostel und der Evangelisten *bestehen*'' bleiben (S. 53).

Es ist eine der Auslegung ,,unwürdige Art den Knoten zerhauen, und nicht lösen'' (S. 57). Das aber heißt für Gabler, mit Hilfe der drei genannten Grundsätze zum Sachgehalt der Verklärungsgeschichte vorzustoßen, heißt meist übersehene hermeneutische Grundfragen z.T. *erneut* zu betonen (S. 70ff.). Nämlich 1. die Zusammengehörigkeit von Faktum und Räsonnement bei den neutestamentlichen Autoren, was methodisch die Scheidung von Faktum und Einkleidung erfordert (S. 70f.). *Daraus* folgt für ihn 2. [bisher noch nicht angeführt], daß die Apostel in der Vermischung von Faktum und Räsonnement sich selbst den Ablauf einer Begebenheit zurechtlegten. Diese Einsicht ermöglicht es, die in den Evangelien gegebene Anordnung der Begebenheiten (sowohl innerhalb der Einzelperikope wie im Gesamtablauf) preiszugeben. Die eigene Ansicht der Evangelisten führt zur Gestaltung und Komposition. ,,Und dieß giebt uns ein Recht, diese Spur zu verfolgen, und die Aufeinanderfolge und Auseinanderfolge der einzelnen Thatsachen auch wohl anders zu stellen,

---

[184] Abschließend wünscht Gabler, daß die hier geäußerten Vermutungen nicht im ,,Volksunterrichte'' mißbraucht werden sollen. Dort soll man weiterhin von den Engelserscheinungen, verbunden mit dem ermittelten ,,Hauptgedanken'', sprechen, denn ,,unsere bessere Einsicht darf nie anderen schädlich werden'' (S. 52f.). – Es zeigt sich hier, wie sich noch mehrfach ergeben wird, daß Gabler mit seinen Arbeiten und nicht zuletzt mit dem Programm seiner ,,Biblischen Theologie'' dem zerstörerischen Einfluß einer radikalen Aufklärungstheologie entgegenwirken will; vgl. auch S. 110f.

[185] Zuerst erschienen in: NthJ 1798 (= 12. Bd.), S. 511–550; wiederabgedruckt in: TS I, S. 53–83, danach zitiert.

als in den Evangelien geschehen ist" (S. 71f.; Zitat S. 72). Gabler weist hier in der Untersuchung einer Einzelperikope grundsätzlich nach, welchen Gewinn die Einsicht in die ‚Redaktionsgeschichte' für die exegetische Behandlung eines Einzelabschnittes hat. Es wird hier der Forderung in der Antrittsrede, daß in einer Biblischen Theologie der einzelne ntl. Autor je für sich zu behandeln sei[186], in einem exegetischen Einzelbeispiel Rechnung getragen und so zur Erstellung einer Biblischen Theologie beigetragen. Zugleich aber – und als der primäre Anlaß – wird gezeigt, daß durch die ‚Redaktionsgeschichte' „natürliche(n) Zusammenhänge" aufgedeckt werden können und so eine für Gablers Zeit gemäße natürlich-wahrscheinliche Exegese gefördert werden kann (S. 72. 53). Der Exeget ist berechtigt, den wahren Zusammenhang wiederherzustellen und hinter den Bericht der Evangelisten zurückzufragen, weil er verpflichtet ist, zur Sache selbst vorzudringen.

Eine dritte hermeneutische Erwägung trifft sich insofern mit dem zuletzt Ausgeführten, als sie die natürliche Erklärung stützen will: „*Was einer von den Aposteln gesagt, gethan, und überhaupt erfahren hat, das wird oft so in den Evangelien ausgedrückt, als wenn sie es alle gesagt, gesehen oder erfahren hätten*" (S. 73). Die Verklärungsgeschichte ist dafür ein Beispiel: Im Grunde hat nur Petrus etwas gesehen, aber es wird von allen Beteiligten gesagt (S. 74–80)[187]. Sie ist ein Beispiel für das ntl. Autoren zeitbedingte Verständnis von Objektivität einer Darstellung oder eines Erlebnisses. Damit ist erneut die Feststellung getroffen, daß die biblischen Schriften nur aus ihrer Zeit heraus verstanden werden können und die Sache, um die es ihnen jeweils geht, nur durch eine Vielzahl hermeneutischer Schritte herausgearbeitet werden kann, nämlich die Herauslösung dessen, was den unwandelbaren Grundbestand Biblischer Theologie ausmacht.

Die bisherigen Forschungen zusammenzufassen und entscheidend auf eine Biblische Theologie hinzuarbeiten, beabsichtigte Gabler in dem im Jahre 1800 (bzw. 1801) erschienenen Aufsatz: „Ueber den Unterschied zwischen Auslegung und Erklärung, erläutert durch die verschiedene Behandlungsart der Versuchungsgeschichte Jesu"[188]. Ein Gabler zu diesem Aufsatz „Abgenöthigter Nachtrag"[189] kennzeichnet in wenigen Sätzen seine Absicht. Die Abhandlung

---

[186] Vgl. TS II, S. 187. In der Nachschrift von E. F. C. A. H. NETTO, Einleitung in's NT, (s. Anm. 41), spielt denn auch die schriftstellerische Absicht der Evangelisten eine gewichtige Rolle; vgl. S. 361 ff. (Mtth.); S. 373 ff. (Mk.); S. 381 ff. (Lk.); S. 388 ff. (Joh.).

[187] Auf exegetische Einzelheiten, bei denen Gabler noch stark seiner Zeit verpflichtet ist (S. 76–80), ist hier nicht einzugehen. Wichtig dagegen ist sein Ergebnis, die der Perikope zugrundeliegende Intention: In der Verklärungsgeschichte wird der Glaube der Jünger an die Würde Jesu gefestigt (S. 81).

[188] NthJ 1800 (= 17. Bd.), S. 224 ff., wiederabgedruckt in: TS I, S. 201–214 (die Seitenangaben innerhalb des Haupttextes beziehen sich auf diesen Nachdruck).

[189] „Abgenöthigter Nachtrag zu dem Aufsatz Bd. VI. St. 3. [= Neuestes theologisches Journal 6. Bd., St. 3 = *NthJ 1800* (= *17. Bd.*), *S. 224 ff.*] über die verschiedene Behandlungsart der Versuchungsgeschichte Jesu", in: JthL 1801 (= 19. Bd.), S. 309–341 (nicht aufgenommen in Gablers ges. Aufsätze). Ein weiterer Nachtrag Gablers findet sich in: JthL 1803 (= 23. Bd.), S. 167 Anm.

soll „ein *hermeneutisches Probestück seyn, um jungen Gelehrten* den *stufenweisen Fortgang der manchfaltigen exegetischen Operationen* nach den *Bedürfnissen unsers Zeitalters*, und hauptsächlich den nicht zu übersehenden Unterschied zwischen *Auslegung* und *Erklärung* schwerer Abschnitte des N.T. an einem bekannten Beispiele zu zeigen"[190]. Will man die einzelnen exegetischen Schritte sachgemäß nachvollziehen, so müssen wir „aus unserm Zeitalter ganz herausgehen, unsere eigene Ansicht eines Gegenstandes der Kunst und des Geschmacks ganz verläugnen, und uns in den Geist und Charakter jenes Zeitalters versetzen", um so zu erkennen, was für die Einsicht in die exegetische Arbeit grundlegend ist, nämlich daß „nicht alles, was uns in unserm kritischen Zeitalter unwahrscheinlich vorkommt ... sogleich die Schüler Jesu auch für unwahrscheinlich" „hielten"[191]. Das aber heißt: Wie kann der Exeget einen Text der Vergangenheit sowohl aus der damaligen Zeit heraus verstehen und zugleich für seine eigene Gegenwart verstehbar machen, ohne Denken und Vernunft preiszugeben? Das gelingt, wenn der Exeget den Schritt von der Auslegung zur Erklärung vollzieht, wenn er einsichtig macht, daß beide Schritte aufeinander bezogen und nicht getrennt werden dürfen. Diesem Nachweis dient Gablers Abhandlung, in der er zunächst aufzeigt, daß der grammatische Ausleger, der sich um den grammatischen Sinn eines biblischen Abschnitts bemüht, im „Gebiet der Worterklärung" sich befindet. Er kann rasch den Sinn eines Schriftstellers festgestellt haben, ohne den eigentlichen Sachverhalt ermittelt zu haben (S. 201–203). Es müssen darum der Reihe nach „die *historische* und *philosophische* Kritik" hinzutreten, zur „Worterklärung" die „Sacherklärung" (S. 203), wie C.G. HEYNE bei seiner Mythenerforschung zeigt (S. 204). Denn „beides zusammen vollendet erst das Geschäft des Bibelerklärers. Man kann daher in der That einen gegründeten Unterschied zwischen *Auslegen* und *Erklären* machen: zu dem ersten gehört nur die *Erforschung* des Sinnes; zu dem letzteren hingegen die *Aufklärung der Sache selbst*" (S. 203). Die grammatisch-philologische Bearbeitung eines Textes bietet nur die „Operationen des Bibelauslegers in engerem Sinne" (S. 203), wie die Versuchungsgeschichte zeigt. Es will nämlich, obwohl die Evangelisten das, was sie schrieben, auch glaubten, nicht gelingen, diese Geschichte „so zu erklären", wie sie die Evangelisten erzählen (S. 204–207). Es ist darum die Pflicht des Bibelerklärers, „*weiter zu forschen*", er hat zu fragen, „*wie* die Evangelisten auf diesen Glauben gekommen sind? *woher* sie diese Geschichte erhalten haben", um so zu erhellen, welche Anhaltspunkte im Leben Jesu selbst sich für diese Geschichte der Evangelisten ergeben. Das entspricht „den Grundsätzen und *Forderungen* einer gesunden Hermeneutik – zwar nicht der gemeinen, die bei der Worterklärung stehen bleibt, – sondern einer *höhern*, die sich über die Aufklärung der biblischen Gegenstände selbst verbreitet" (S. 207).

Es sind die den einzelnen Versuchungen zugrundeliegenden Vorstellungen

---

[190] JthL 1801 (= 19. Bd.), S. 339.
[191] Ebdt., S. 314f.

zu untersuchen, es ist zu fragen, ob Jesus sich an jüdische Zeitvorstellungen accommodiert, ob bei ihm selbst Faktum und Räsonnement zusammengeschlossen sind und diese Geschichte geprägt haben, aber es genügt nicht, die verschiedenen Vorstellungsarten und Erklärungsmöglichkeiten zusammenzustellen (S. 204–206. 207–210)[192]. Man muß vielmehr unter verschiedenen die „*wahrscheinlichere* Vorstellungsart" von anderen abheben, denn hier erst geht das eigentliche „Geschäft der *exegetischen Kritik* an". Und dies ist „wirklich das schwerste Geschäft", weil sich dabei „Scharfsinn und natürliches Wahrheitsgefühl, umfassender Ueberblick des Ganzen und des Einzelnen", dazu Sorgfalt und Anstrengung verbinden müssen (S. 210). Gilt es doch hier, die Resultate der in den einzelnen Erklärungsmöglichkeiten sich zeigenden historischen Kritik der weitaus schärferen Prüfung der philosophischen Kritik zu unterziehen, um so die Sacherklärung abzurunden und zu vollenden (vgl. S. 205. 207. 210). Und ergibt sich dabei, daß man sich für keine der Erklärungsarten allein entscheiden kann, ist das Ergebnis durchaus offen, wie bei der Versuchungsgeschichte (S. 213), so spricht das nicht gegen, sondern gerade für die Gründlichkeit der Kritik.

Mit der Unterscheidung von „Auslegen" und „Erklären" ist ein wirklicher Fortschritt gegenüber J. A. ERNESTIS Hermeneutik markiert, wie Gabler mit den Worten seines Altdorfer Kollegen CHR. G. JUNGE es ausdrückt: „Die Ernestische Regel, daß es bei der Erklärung nicht eigentlich auf das, was wahr ist, sondern auf das, was gesagt und geschrieben ist, ankomme, gilt nur in den Fällen, wo die Interpretation gar nicht streitig ist". Da aber diese in fast allen Fällen strittig ist, muß das Gewicht auf der eigentlichen Erklärung liegen (S. 213f.). Gabler kann diese Äußerungen als Stütze für seine eigene Ansicht ansehen, denn seine Hermeneutik ist umfassender als die Ernestis, weil sie „Auslegen" und „Erklären" umgreift. Ernestis Interesse ist im Grunde das des Philologen[193] und nicht das des Theologen: „den Philologen interessirt nur die *Auslegung*, den *Theologen* hingegen hauptsächlich die *Erklärung* der Bibel". Entscheidend aber ist: „Der ächte *Exegete verbindet beides; von Auslegung geht er aus, und Erklärung ist sein Ziel*" (S. 214).

Diese Abhandlung ist methodisch gesehen der Höhepunkt in Gablers vorbereitenden exegetischen Studien für eine Biblische Theologie. Die beiden noch heranzuziehenden exegetischen Untersuchungen, deren zuerst zu behandelnde ausdrücklich als „ein neuer Beitrag zu meiner Antrittsrede in Altdorf im J. 1787" gekennzeichnet ist[194], bringen dagegen methodisch kaum Neues, sondern entfalten das Gesagte. Die Ausführungen „Ueber den richtigen Gesichtspunkt der Stelle 1 Petr. III,18.19"[195] fordern schon aufgrund der in der

---

[192] Gabler legt Wert auf die Feststellung, daß es sich nicht um *Auslegungs-*, sondern um *Erklärungs*möglichkeiten handelt (vgl. etwa S. 210–213).
[193] Vgl. auch JathL 6, 1811, S. 152–159 (= Bespr. Gablers von J. A. ERNESTI, Institutio interpretis Novi Testamenti, Leipzig ⁵1809). [194] TS I, S. 260.
[195] Ursprünglich in: JthL 1802 (= 21. Bd.), S. 426–448; wiederabgedruckt in: TS I, S. 243–260 (danach zitiert).

Kirchenlehre äußerst strittigen ‚Höllenfahrt Christi' eine klare Scheidung zwischen Dogmatik und Exegese (S. 246f.). Verbunden mit der Frage, „Wie lange will man sich denn der Dogmatik zu Liebe in der Exegese noch so plagen ?" (S. 247), werden die „historischen Gesichtspunkte in der Exegese" geltend gemacht (S. 246 ff., Zitat S. 246), und den Ausführungen der Antrittsrede entsprechend wird ein den „Zeitbegriffen" der jüdischen Umwelt dieses Schreibens gemäßer Sinn eruiert (S. 247 f.)[196]. Wieder wird ausdrücklich festgestellt, daß der Glaube *nicht* auf die religiösen Vorstellungen vergangener Zeiten verpflichtet werden darf, „denn nur die apostolischen *Grundideen*, nicht ihre temporellen Modifikationen und Einkleidungen, enthalten *bleibende* christliche Wahrheiten, und können als solche auf *allgemeinen* Glauben der Christen Anspruch machen" (S. 247 Anm.). Das heißt aber: Nur eine ‚Auslegen' und ‚Erklären' umfassende Hermeneutik vermag Göttliches und Menschliches zu scheiden und „das Göttliche nur auf eigentliche *Religionswahrheiten*" einzuschränken, „welche ohnehin *allein* zu einer göttlichen Offenbarung geeignet sind" (S. 259f.). Wo auf exegetischem Wege dieses Ergebnis gezeitigt werden kann, „harmonirt alles in der biblischen Theologie" (S. 259).

In dem, soweit ich sehe, letzten umfassenden und methodische Fragen behandelnden exegetischen Aufsatz Gablers „Ueber die Wiederbelebung des Lazarus, Joh. XI"[197], sieht sich der Verfasser angesichts der völlig unzureichenden Wunderdeutung zu Ende des 18. und zu Beginn des 19. Jahrhunderts gezwungen, in dieser Abhandlung hermeneutische Grundprobleme zu erörtern (S. 325–327). Weder Wundersucht noch grundsätzliche Wunderleugnung, die das Vorverständnis der Exegeten seiner Zeit kennzeichnen (S. 327, vgl. 341), helfen hier weiter, sondern allein seine methodische Unterscheidung zwischen „Auslegen" und „Erklären". Dabei kommt es weniger auf die Bezeichnungen an als darauf, daß nicht das, „was man sonst *Sacherklärung* nannte, das ganz erschöpft, was wir *Erklären* im Gegensatz des *Auslegens* nennen möchten" (S. 327 u. Anm. ebdt.). Man muß sich in die Entstehungszeit der neuzeitlichen Wundergeschichten zurückversetzen[198], in der Vieles nicht natürlich Erklärbare als Wunder ausgegeben wurde (S. 328. 331 ff.), und methodisch „die Ansichten der Evangelisten, welche *überall* göttliche Causalität sahen, von der erzählten Begebenheit selbst, welche wohl auch natürliche Ansichten zuläßt", unterscheiden[199]. Nichts anderes besagt der Unterschied zwischen Auslegen

---

[196] Ausführlicher noch dazu vgl. GABLERS „Nachtrag zu dem vorigen Aufsatz über 1 Petr. III, 18. 19" (urspr. in: JthL 1802 (= 21. Bd.), S. 469–484); wiederabgedruckt in: TS I, S. 261–312, vgl. bes. S. 279, 298, 307, 311.

[197] Urspr. in: JathL 3, 1807, S. 223–285; wiederabgedruckt in: TS I, S. 325–372 (danach zitiert); vgl. dazu GABLERS Verteidigung dieses Aufsatzes gegenüber C. F. AMMON im Rahmen der Bespr. von J. A. ERNESTI (s. o. Anm. 193) in: JathL 6, 1811, S. 152–159, bes. S. 156–159, und seine Auseinandersetzung mit einem ungenannten Anhänger Kants über Wunderberichte: „Kurze Prüfung einiger philosophischer Hauptgründe gegen die Wunder, nebst etlichen anderen Ansichten dieses Gegenstandes" (zuerst erschienen in: JthL 1801 (= 18. Bd.), S. 187–206; wiederabgedruckt in: TS I, S. 575–589).

[198] Vgl. auch TS I, S. 585 ff.

[199] JathL 1811, S. 157; vgl. TS I, S. 332.

und Erklären. Denn der *Bibelausleger* hat sich „um den Sinn des Schriftstellers zu bekümmern" und muß „folglich … nach unserm Dafürhalten überall die erzählten Wunder stehen lassen" und darf sie „nicht wegexegesiren"[200], sofern er „aus philologischen Gründen nach den Gesetzen einer richtigen grammatischen Interpretation" handelt (S. 328). Dem *Bibelerklärer* dagegen fällt „die Aufhellung der erzählten Sache selbst" zu, doch unterliegt er einer Beschränkung, nämlich nicht dem bloßen Rationalismus anheimzufallen[201] und „göttliche Causalität" zu beseitigen, denn „das Göttliche im Leben und in den Thaten Jesu darf nicht zu dem Gemeinen und Alltäglichen herabgezogen werden"[202]. Das wird verhindert, wenn man Gablers „liberale, und doch dabei vorsichtige und bescheidene, Methode … befolgt" (S. 332) und zwischen reinem bzw. natürlichem Faktum und dessen Deutung säuberlich scheidet (S. 329ff. 332). Es ist hier methodisch ebenso vorzugehen wie bei der Wunderdeutung profaner antiker Autoren – womit auf C. G. HEYNES Mythenerforschung Bezug genommen wird. Und auch der weiteren Überlegung Gablers liegen HEYNES Erkenntnisse zugrunde: Bei der anzuerkennenden Schwierigkeit solcher Scheidung bei Wundergeschichten kann man mit Hilfe der „Vergleichung" weiterkommen, sofern dasselbe Wunder von mehreren Zeugen berichtet wird (S. 330; vgl. 341). Die Methode der Mythenvergleichung wird auf die Wundervergleichung angewandt. Dazu berechtigt die Strukturverwandschaft von Wunderberichten und Mythen, wie Gabler schon früher feststellte: „Viele Erzählungen [gemeint sind Wunderberichte] tragen auch das Gepräge späterer, historischer oder philosophischer, *christlicher* Mythen an sich, wo alles noch mehr ins Wunderbare gemalt wurde"[203]. Sollte aber diese Scheidung nicht (mehr) möglich sein, so ist es „rathsamer, sich des natürlichen Erklärens der biblischen Wundergeschichten ganz zu enthalten und lieber seine Unwissenheit und sein Unvermögen, das reine Factum zu erforschen – kurz das Non liquet – aufrichtig zu bekennen, als sich mit unnatürlichen Erklärungen vergebliche Mühe zu geben" (S. 329).

Anders wiederum liegt der Fall, wenn sich innerhalb einer Wundergeschichte in die Darstellung des Wunders verwoben Hinweise für die Erklärung eines natürlichen Zusammenhangs finden (S. 331. 339ff.). Dieser Sachverhalt liegt nach Gabler bei der Auferweckung des Lazarus vor, sofern man hier die „Begebenheit nach dem Buchstaben der *Erzählung*, folglich *nach der Ansicht des Johannes*" durchgeht (S. 352 Anm.). Die Darstellung weist weder Johannes noch einen anderen als Augenzeugen des entscheidenden Vorgangs aus: Allein Jesus hat bei der Grabesöffnung die Bewegungen des Lazarus gesehen, der Berichtende hat lediglich das Gebet Jesu gehört. Aber „aus dem Gehörten"

---

[200] JathL 1811, S. 157f.
[201] Vgl. dazu GABLERS Abhandlung: „Ueber die Gränzen der Kirchengewalt Protestantischer Consistorien und Kirchenvorsteher über die Religionslehrer in Glaubenssachen", in: TS I, S. 590–652, bes. S. 592–608ff., 633ff.; vgl. auch TS I, S. 693.
[202] JathL 1811, S. 158; vgl. etwa TS I, S. 332–341 u. ö.
[203] TS I, S. 587.

ist methodisch sachgemäß auf „das Geschehene" zu schließen, aufgrund des Inhaltes des Gebetes Jesu ist man „zur Ergänzung der Geschichte berechtigt" (S. 352–360, Zitat S. 358): Lazarus war scheintot und durch die Kraft Gottes bereits wieder zum Leben auferweckt (S. 358–372). Zeigt sich in dem Letztgenannten Gabler der gängigen Deutung seiner Zeit verpflichtet, so ist doch sein dahinterstehendes Anliegen neu und dient der Verdeutlichung dessen, was dem *Bibelerklärer* als Aufgabe zukommt. Der Bibelerklärer hat methodisch einsichtig zu machen, daß oftmals „*natürliche Ursachen*" und außergewöhnliche Begebenheiten zusammentreffen und als Wunder bezeichnet werden, die man „von einer *momentanen* Wirkung der göttlichen *Allmacht* abzuleiten" nicht berechtigt ist. Entsteht der – freilich beabsichtigte – Eindruck des von der Natur Abweichenden und darum Wunderhaften, so wird hierdurch „die Dazwischenkunft der Gottheit" manifestiert, die der „feierlichen Legitimation Jesu" dient. Denn auf diese Weise wird „die *göttliche Wirksamkeit* bey den Thaten Jesu gesichert, auch wird das *Außerordentliche* von dem gewöhnlichen Laufe der Natur Abweichende dabey zugegeben; nur wird das der göttlichen Weisheit, folglich einer *ganz speciellen* göttlichen Vorsehung, welche sich auch natürlicher Ursachen, aber oft *sehr wunderbar*, bedient, zugeschrieben, was sonst von einem *unmittelbaren* Akte der *göttlichen Allmacht* abgeleitet worden ist"[204].

Zusammenfassung

Folgende wesentliche Punkte lassen sich herausheben, die Gabler als Vorbereitung für eine „Biblische Theologie" für unerläßlich ansieht:

1. Die Betonung des *einen* Schriftsinns und damit die eindeutige Ablehnung der allegorischen Schrifterklärung.

2. Die Ablehnung der buchstäblichen Auslegung und damit die Ablehnung der Theopneustie schlechthin.

3. Die konsequente Anwendung der historisch-kritischen Exegese, die sich wie folgt ausweist:
a) Der Exeget hat sich in das Zeitalter der biblischen Autoren zu versetzen.
b) Er hat die Mythenerforschung nach den Prinzipien C. G. Heynes auf das Alte Testament und das Neue Testament anzuwenden. Denn diese ermöglicht es,
c) die Scheidung zwischen Einkleidung und reinem Faktum vorzunehmen.
d) Damit verbindet sich methodisch die Beachtung der schriftstellerischen Absicht der einzelnen biblischen Autoren.
e) Ziel solchen Vorgehens ist es, den methodischen Zusammenhang von Wortkritik, historischer Kritik und philosophischer Kritik aufzuzeigen, um so

---

[204] JathL 1811, S. 158f.; vgl. auch TS I, S. 369ff., 582–589.

f) den Unterschied zwischen *Auslegen* und *Erklären* herauszuarbeiten, der die Zuordnung wie Trennung von grammatisch-, philologisch-historischer und theologischer Exegese verdeutlicht.

4. Es sind dies die jeweils zu beachtenden, notwendigen Schritte für eine *natürliche* Schrifterklärung, auf deren historisch-kritisch gewonnene Ergebnisse die Biblische Theologie schlechterdings nicht verzichten kann. Natürliche und historisch-kritische Exegese sind für Gabler identisch. Sie soll gegenüber den Feinden der Heiligen Schrift die Glaubwürdigkeit der Bibel wieder herausstreichen[205] und in ihren Ergebnissen das Verständnis der Offenbarung fördern. Gelingt es, Wesentliches und Unwesentliches durch die aufgezeigten methodischen Operationen zu scheiden und das Wesentliche *allein* als göttliche Offenbarung auszuweisen, dann erfüllt selbst die Exegese einer einzelnen Perikope eine Aufgabe für die Gewinnung der Biblischen Theologie, dann tragen auch die einzelnen exegetischen Aufsätze dazu bei, die sachgemäße Scheidung zwischen Exegese und Dogmatik aufzuzeigen. – Wie schon zur „Einleitung in das Neue Testament" ausgeführt, so ist auch die Exegese vor dem Zugriff der Dogmatik zu bewahren. Das Anliegen der Altdorfer Antrittsrede von 1787 bleibt gewahrt, und die weit verstreuten, im Vorstehenden gesammelten Bemerkungen Gablers zur Methodik des Auslegens unterstreichen die Notwendigkeit und Sachgemäßheit der in jener Rede erhobenen Forderungen.

5. In den besprochenen Abhandlungen weist Gabler den Leser in einer fast ermüdenden Eindringlichkeit darauf hin, daß es sich hier um Vorarbeiten für die Abfassung einer Biblischen Theologie handelt. Eine weiterführende Zusammenfassung der Einzelergebnisse geschieht darum am sinnvollsten in einer gleichzeitigen Verbindung mit Gablers verschiedenen Äußerungen zur Systematik einer solchen Biblischen Theologie. Zu berücksichtigen ist hier der Zeitabschnitt seit der Antrittsrede bis zum Beginn der Nachschrift von E. F. C. A. H. NETTO über die „Biblische Theologie" von 1816. Auf diese einzige geschlossene Darstellung der Biblischen Theologie Gablers ist dann abschließend im Vergleich mit *W.* SCHRÖTERS Ausführungen einzugehen.

E. PROGRAMM UND DURCHFÜHRUNG DER BIBLISCHEN THEOLOGIE

In seiner Antrittsrede von 1787 hatte Gabler davon gesprochen, daß er nur einen methodischen Beitrag, nicht aber eine Biblische Theologie selbst liefern wolle, und er hatte darum die „Veteranen" aufgefordert, seinen Grundsätzen

---

[205] Vgl. auch K. LEDER, S. 290ff.

6

entsprechende Arbeiten vorzulegen[206]. Gleichwohl wird bereits implizit und
explizit in der Bearbeitung von J.G. Eichhorns ‚Urgeschichte' deutlich, daß er
selbst eine Biblische Theologie zu verfassen gedenkt. Denn schon sechs Jahre
nach seiner Antrittsrede schreibt er im Anschluß an Bemerkungen über den
unheilvollen Einfluß der Hermeneutik Kants auf die Bibelauslegung[207]: „Nur
durch eine solche theologiam biblicam comparatam, wozu ich schon vor mehreren Jahren, obgleich noch etwas schüchtern und behutsam, den Plan angegeben
habe, kann Licht über biblisches und christliches Dogma kommen. Ich habe
damals die Veteranen unter unsern aufgeklärten deutschen Theologen, die
durch Talente und Gelehrsamkeit vollen Beruff zur Aufführung eines solchen
neuen Gebäudes haben, aufgefordert, diesen Plan einer biblischen Theologie
nach den Bedürfnissen unsers Zeitalters auszuführen; allein ich habe bisher
vergeblich darauf gehoffet. Ich sehe mich daher bey dem lebhaften Gefühl
dieses theologischen Bedürfnisses am Ende genöthiget, selbst Hand an's Werk
zu legen. Ich kann zwar nach meinen geringen Kräften nichts als einen bloßen
Versuch einer solchen biblischen Theologie versprechen; aber auch ein kleiner
Beytrag zum großen Ganzen ist doch immer besser, als eine gänzliche Nicht-
Befriedigung der großen theologischen Bedürfnisse unsers Zeitalters."

Immerhin waren seit Gablers Antrittsrede folgende Biblische Theologien
erschienen: C. CHRISTIAN EHRHARDT SCHMIDT, Dissertatio I.II. de Theologia
Biblica, Jena 1788; W.F. HUFNAGEL, Handbuch der biblischen Theologie
2. Bd. 1. Abth., Erlangen 1789; C.F. AMMON, Entwurf einer reinen biblischen
Theologie, Erlangen 1792. Die beiden erstgenannten Werke finden bei Gabler
literarisch keine Beachtung, während Ammons Buch Gabler in geradezu be-
stürzender Weise die eigene Lage vor Augen führte. Auf die Auseinandersetzung Gablers mit Ammon ist darum zunächst in Kürze einzugehen.

1. DIE AUSEINANDERSETZUNG ZWISCHEN GABLER
UND AMMON ÜBER DIE BIBLISCHE THEOLOGIE

Ammons Werk konnte vom Titel her den Eindruck erwecken, daß nunmehr
eine „reine biblische Theologie" nach Gablers Grundsätzen vorgelegt sei. Aber
wie mittelbar aus der oben angeführten Vorrede zu Bd. II,2 der „Urgeschichte"
hervorgeht, konnte ihr Gabler nicht die Bezeichnung „Biblische Theologie"
zuerkennen. In der Tat verbarg sich hinter dem Titel etwas anderes, für Gabler
Niederschmetterndes, wie C.F. AMMON selbst in einer Rezension von Bd. II,2
der „Urgeschichte" erklärt: Hinsichtlich der oben zitierten Äußerung Gablers
heißt es dort:[208] „Wir haben über die Frage: ob durch die bisherigen Versuche
in der biblischen Theologie so viel, als nichts geschehen sey? aus mehreren
Gründen keine Stimme, und sehen den Belehrungen des Verf. in der That mit

---

[206] TS II, S. 194.
[207] Urgeschichte II, 2, 1793, S. XVf.; vgl. ebdt. S. XIIIf., XX und o. S. 60f.
[208] NthJ, Bd. 2, 1793, S. 437.

großen Erwartungen entgegen, ob wir gleich nicht einzusehen vermögen", –
das Folgende gilt der Rechtfertigung seiner eigenen rein biblischen Theologie –
„worinnen der Glanz des verheisenen neuen Lichtes am exegetischen Horizont
bestehen werde, nachdem EICHHORN, und nach ihm beinahe alle neuere Interpreten, auf eine periodische Entwickelung der biblischen Theologie nach Zeitideen und reiner Wahrheit, die nur nicht in der planmäßigen Kürze eines jeden
Verfassers liegen konnte, so vortreflich vorbereitet haben". Das aber heißt
gegenüber Gabler: Der von ihm aufgestellten Grundsätze für die Biblische
Theologie hätte es gar nicht bedurft, man handelte je ohnehin nach ihnen.
Darin aber zeigt sich zugleich, wie grundlegend Gablers Anliegen mißverstanden werden konnte. Zwar ist nach Ammon die Biblische Theologie „*eine genaue
Kenntnis der reinen Resultate derienigen Schriftstellen ...*, *aus welchen die Lehrsätze der biblischen* Dogmatik fließen[209] (S. 7), sie hat historisch-kritisch die
Beweisstellen für die Dogmatik zu ermitteln (S. 8). Aber sie „lehrt auch ... eine
genaue philosophische Kenntnis dieser Resultate", indem sie als Vorarbeit dazu
die Schriftsteller chronologisch ordnet, „um das Stufenweise in den Offenbarungen Gottes genauer bemerken und fassen zu können" (S. 8), indem sie die
Besonderheit der einzelnen Schriftsteller beachtet und die „*Zeitideen* von allgemeinen Religionsideen" zu unterscheiden weiß (S. 8). Kann man bis hierher –
wenigstens im Programm –[210] eine *gewisse* Übereinstimmung mit Gablers
Grundsätzen feststellen, so ändert sich dies schon im nächsten Abschnitt
grundlegend. Denn bei der „Entwickelung des Unterschieds zwischen Dogmatik und biblischer Theologie" (= § 3) werden „die Grenzlinien noch genauer"
und d.h. unter dem Blickpunkt der Dogmatik abgesteckt (S. 9): Die biblische
Theologie liefert „nur Materialien, Grundbegriffe und Resultate" ungeordnet
und ohne jeden Zusammenhang. Einen Zusammenhang und damit eine Systematik zu schaffen, wird ihr ausdrücklich als eine ihr nicht zustehende Aufgabe
untersagt: „Dieses Geschäft bleibt allein dem Dogmatiker vorbehalten", er hat
die Resultate (wohlgemerkt: der Bibl. Theol.) untereinander zu verbinden und
so „ein vollständiges Lehrgebäude der ganzen christlichen Religion zu liefern.
Die bibl. Theologie ist also nur Wissenschaft im weiteren Sinn des Wortes"
(S. 9). Führt sie zu anderen als ohnehin schon durch die Dogmatik festgelegten
Ergebnissen (S. 17 ff.), so ist darin die „höchstnöthige Ueberzeugung" begründet, „daß Stillstand in den Kenntnissen der Religion" – nämlich der Dogmatik!
– „schon halber Rükfall in die Barbarei und Unwissenheit sei" (S. 18). Ammon

---

[209] Bibl. Theol. Bd. I, ²1801, S. 7. Ich zitiere aus der 2. Aufl., deren Einleitung mit der
1. Aufl. in §§ 1–8 mit geringfügigen Ausnahmen wörtlich übereinstimmt. Vgl. auch die
sorgfältigen Vergleiche von Vorreden und Einleitung in beiden Auflagen bei J. D. SCHMIDT,
Die theologischen Wandlungen des Christoph Friedrich von Ammon. Ein Beitrag zur
Frage des legitimen Gebrauchs philosophischer Begriffe in der Christologie, Diss. theol.
Erlangen 1953, S. 18 ff. H.-J. KRAUS, S. 40 ff. nimmt auf die verschiedenen Epochen im
Werke v. Ammons keine Rücksicht, wodurch methodisch v. Ammons Beitrag zur Bibl.
Theol. nicht voll erfaßt werden kann.
[210] In der Durchführung wird zum Beispiel die chronologische Reihenfolge völlig preis-
gegeben.

nivelliert nicht nur die Ergebnisse der biblischen Theologie, sondern erkennt ihr auch jede Eigenständigkeit gegenüber der Dogmatik ab.

Das hängt mit seinem Verständnis der „Entwickelung" zusammen. Die Erforschung Alten und Neuen Testaments, die Resultate einer Biblischen Theologie sind nur als Durchgangsstufe für ein immer gründlicher durchdachtes System der Dogmatik anzusehen. „Es bedarf wohl keines weitern Beweises für den denkenden Bibelleser, daß die Resultate einer grammatischen Exegese der heiligen Schriften des A. und N.T. an sich noch zu keinem wissenschaftlichen System einer religiösen Dogmatik brauchbar sind". „Die stufenweise Aufklärung nach Maaßgab der sittlichen Kultur des Zeitalters", in der die biblischen Autoren lebten, verlangt nach den festen Prinzipien einer kritischen Philosophie – nämlich nach der Hermeneutik Kants –, die „die Dogmatiker und Moralisten in den Stand" setzt, „allen Streitigkeiten auf dem Gebiete ihrer Wissenschaft für immer ein Ende zu machen, und die Ansprüche der heiligen Autoren zu einem dauerhaften Lehrgebäude zu vereinigen". Und Ammon stellt ausdrücklich fest, daß er „bei dieser Ueberzeugung, die alle meine Bemühungen für die biblische Theologie bisher geleitet hat", bleiben werde[211]. Darüber hinaus vermag seine so verstandene „Entwickelung", wie er sie etwa in seinem Werk „Entwurf einer Christologie des alten Testamentes. Ein Beitrag zur endlichen Beilegung der Streitigkeiten über meßianische Weissagungen und zur biblischen Theologie des Verfassers", Erlangen 1794, darlegt[212], nicht zwischen Altem und Neuem Bund zu scheiden, geschweige denn eine Biblische Theologie vorzulegen, die die Testamente trennt[213]. Ist von der Dogmatik her gesehen eine selbständige Biblische Theologie geradezu theologisch rückschrittlich, so hat doch Ammon auf ihre Fragestellungen nicht verzichten wollen. Denn mit Hilfe der Hermeneutik Kants will er „die gute Sache der Offenbarung" fördern, indem er die stufenweise Entwicklung der Offenbarung im Alten und Neuen Testament durch die vermittelst der Vernunft gewonnene Einsicht in die „höhere Offenbarung" auf ihre „allgemeine(n) Brauchbarkeit für *alle* Menschen, zu *allen* Zeiten" untersucht und die „nothwendigen Unterschiede zwischen Zeitideen und allgemeinen Begriffen, zwischen Vorstellung und Wahrheit, zwischen historischem und allgemeinem Sinne" aufzeigt[214]. Letzte-

[211] So C. F. AMMON in einer Bespr. von Kants Religion innerhalb der Grenzen der bloßen Vernunft, [2]1794 in: NthJ, Bd. 3, 1794, S. 490–500, bes. S. 491f. Ammon hat darüber hinaus in zahlreichen Rezensionen des von ihm mitherausgegebenen „NthJ" in den Jahren 1793–1797 Kants Hermeneutik verteidigt, so z.B. in der Bespr. der ersten Aufl. der Religionsschrift Kants, ebdt., Bd. 1, 1793, S. 418–456 [zur Verfasserschaft vgl. ebdt., Bd. 3, 1794, S. 184]; vgl. auch oben Anm. 121.

[212] In der 2. Aufl. der Bibl. Theol. wesentlich = Bd. II des Gesamtwerks; vgl. bes. die Vorrede vom 13. Juni 1794, S. III–XXXII.

[213] Vgl. etwa die Einleitung dieses Werkes, S. 3ff.; siehe auch J. G. EICHHORNS Bespr. in: AB VI, 1794, S. 348–360, und die eines unbekannten Rezensenten in: Erlangische gelehrte Zeitung 1794, S. 641–647, der treffend bemerkt, daß die Thematik das besondere Interesse des „dogmatischen Theologen" findet (S. 642). Zum Evolutionsdenken der Zeit vgl. bes. E. SEHMSDORF, aaO, S. 154ff.

[214] Vorrede zum 2. Teil der 1. Aufl. der Bibl. Theol. vom 14. Juni 1792, wiederabgedruckt

res erinnert an Gablers Programm, doch es sind die Berührungspunkte nicht größer, als sie Gabler selbst im Vergleich mit Kants Hermeneutik herausstellte[215]. Der Ammons Exegese leitende Maßstab ist das von Kant abgeleitete Prinzip der „objektiven Wahrheit", das seine ganze Biblische Theologie beherrscht[216]. Mit der Übernahme von Kants Hermeneutik, ja mit der in seiner Biblischen Theologie angewandten Methode verbindet sich bei ihm die Absicht, der Theologie gegenüber der Aufklärungsphilosophie wieder wissenschaftliche Geltung zu verschaffen und „das Problem" ‚Glaube und Wissen' … im Kantischen Sinne zu lösen, d.h. mit der Philosophie *Kants* zu beweisen, daß Jesus der erste Platz nächst Gott gebühre"[217].

Es bedarf kaum eines Beweises, daß GABLER Ammons Biblische Theologie von 1792 nicht widerspruchslos hinnehmen konnte. Schon seine oben angeführten Äußerungen von 1793[218] zeigen mittelbar, daß er dieses Werk als nicht nach seinen Grundsätzen verfaßt ansah. Wesentlich schärfer äußert er sich in jener oben behandelten Selbstanzeige von Bd. II,2 der ‚Urgeschichte'[219], die Ammon als eine „förmliche Antikritik" auf seine Rezension des angeführten Bandes der Urgeschichte ansieht[220]. Dort führt Gabler aus[221]:

„Es ist zwar inzwischen eine biblische Theologie von einem talentvollen und thätigen jungen Theologen erschienen; aber wir müssen bedauern, daß diese Arbeit weder in der Materie, noch in der Form unsern Wünschen entsprochen hat, da die darinn unverkennbare Eilfertigkeit, welche wohl Zeitumstände nöthig machten, bei allen Spuren mancherlei Kenntnisse, es nicht erlaubt, jenen Plan einer ächten biblischen Theologie genau zu befolgen, wozu noch die modische Anschließung an gewisse Zeitideen von moralischem Sinne der H.S. kam, die ihm das eigentliche Ziel noch vollends aus den Augen rückte"[222].

in Bd. II der 2. Aufl., S. IX–XIV, näherhin S. XII f. Zum Offenbarungsverständnis Ammons vgl. eingehend J. D. SCHMIDT, aaO, S. 87ff., 89: „A. folgt in der Ableitung seiner Offenbarungslehre ganz KANT" (in seiner kantischen Periode 1786–1800).

[215] S. o. S. 64f.

[216] Vgl. J. D. SCHMIDT, aaO, S. 18f.

[217] J. D. SCHMIDT, aaO, S. 18ff., näherhin S. 21f. Schmidt weist im einzelnen nach, daß bes. um der Christologie willen Ammon auf eine Bibl. Theol. im herkömmlichen Sinne nicht verzichten kann.

[218] S. o. S. 60.

[219] Neue nürnbergische gel. Ztg. 1794, S. 121–136.

[220] S. oben Anm. 208 und NthJ, Bd. 3, 1794, vor S. 185.

[221] Neue nürnbergische gel. Ztg. 1794, S. 128.

[222] Damit dürfte die bisher vergeblich gesuchte direkte Äußerung Gablers über die 1. Aufl. von Ammons Bibl. Theol. nachgewiesen sein. R. SMEND, Gabler, S. 350 ist dementsprechend zu berichtigen. Vor allem aber dürfte die schon von R. Smend, aaO, S. 349 mit guten Gründen widerlegte These von H.-J. KRAUS, Geschichte der historisch-kritischen Erforschung des Alten Testaments, 1956, S. 140 [in 2. Aufl. 1969, S. 151 übernommen], daß Ammons Bibl. Theol. die erste nach Gablers Grundsätzen verfaßte Biblische Theologie sei, als unhaltbar erwiesen sein. In seiner ‚Bibl. Theol.' geht H.-J. KRAUS auf diese Fragestellung nicht mehr ein (S. 40ff.). Aber durch die Anordnung entsteht *jetzt* ein unzulänglicher Eindruck, indem v. Ammon (S. 40ff.) *vor* Gabler (S. 52ff.) behandelt und die wissenschaftliche Auseinandersetzung zwischen Gabler und v. Ammon zum Schaden der Sache überhaupt nicht berührt wird.

Gegen Ammon speziell erhebt darum Gabler den Vorwurf der „Kantiolatrie", und er zeigt unter Anführung der betreffenden Passagen[223], daß Ammon „die feine Kunst Kants Gedanken gegen allen Zusammenhang gewaltsam zu verdrehen", vortrefflich verstehe, um sich „das Ansehen zu geben, Kanten gegen Mißverstand vertheidigt zu haben"[224]. Nicht nur in der Rezension der ‚Urgeschichte' (Bd. II,2), sondern – so ist sachgemäß zu ergänzen – in seinen bisherigen Leistungen ist Ammon „noch Anfänger in der Theologie" und darum bedarf Gabler „in Dingen, wo er glaubt kein Fremdling zu sein" – gemeint sind Hermeneutik und Biblische Theologie – der „Belehrung angehender Theologen" nicht. Gleichzeitig gesteht er aber zu: „Doch zweifeln wir nicht im geringsten , daß der wackere und vielversprechende Gelehrte nach 10 Jahren bei gereifteren Kenntnissen, besonders in der Religionsgeschichte der alten Völker, und in der jüdischen Theologie und bei festeren Grundsätzen etwas vorzügliches in diesem Fache werde liefern können"[225].

Die Beziehungen beider Gelehrter zueinander waren aufgrund dieses Streites auf einem Tiefstand. Erst im Laufe der Jahre verkehrten beide wieder freundschaftlicher miteinander, besonders als Gabler Nachfolger Ammons in der Herausgabe des neuen theologischen Journals wurde (1798)[226]. Beim Erscheinen der 2. Auflage von Ammons Biblischer Theologie war der äußere Friede wieder voll hergestellt, was für ihre Beurteilung durch Gabler zu beachten ist. Es ist sachgemäß, zunächst auch diese 2. Auflage heranzuziehen, ehe der Unterschied zu Gabler zusammenfassend aufzuzeigen ist. Denn diese Neuherausgabe der Biblischen Theologie ist in ihrer Anlage und methodischen Zielsetzung der 1. Aufl. praktisch gleich, indem sie „theils … Hülfsmittel zum besseren Verständnisse der sogenannten Beweißstellen der Dogmatik, theils … Leitfaden zu akademischen Vorlesungen über die reine Theologie der Bibel mit Rücksicht auf die gegenwärtigen Bedürfnisse des Zeitalters selbst seyn" will[227]. Zwar wird historisch-kritische Exegese im einzelnen nicht geleugnet, aber für sie einzutreten heißt, „den liberaleren Begriff der *biblischen Theologie*, als einer *bescheidenen Philosophie über den richtig aufgefaßten Wortsinn unserer heiligen Schriften* in der Ausführung" zur Geltung zu bringen[228]. Und im III. Band dieses Werkes wird noch einmal betont, daß die „ganze Bestimmung" einer Biblischen Theologie „erreicht" ist „wenn" sie „auf eine bessere und zweckmäßigere Benützung der biblischen Beweisstellen für die Lehrsätze der christlichen Theologie *vorbereitet*"[229]. Dem entspricht die Einzeldurchführung: Auf

---

[223] Zitiert wird; NthJ, Bd. 2, 1793, S. 438.

[224] Neue nürnberg. gel. Ztg. 1794, S. 134f.

[225] Neue nürnberg. gel. Ztg. 1794, S. 127, 136, 129.

[226] Zahlreiche Rezensionen Gablers von Ammons Schriften in seinem „Journal" zeigen eine in vielen Punkten auch sachliche Annäherung.

[227] C. F. AMMON, Bibl. Theol., Bd. I, ²1801, Vorrede (S. IX).

[228] AaO, Bd. II, ²1801, Vorrede, S. V.

[229] AaO, Bd. III, ²1802, Vorrede, S. III.

die Einleitung (Aufgabe und Zielsetzung der Biblischen Theologie)[230] folgt eine Erörterung der wesentlichen dogmatischen Begriffe anhand von Schriftbelegen, wobei nacheinander behandelt werden: 1. Lehre von Gott (bes. Trinität), 2. Lehre von der Schöpfung und Vorsehung, 3. Christologie (Jesu Person, Geschichte und Werk), 4) Eschatologie[231]. Erweitert ist besonders der 3. Abschnitt, indem in ihn die „Christologie des AT" (1794) ganz übernommen ist. Das ist in Ammons schon in der 1. Aufl. der Biblischen Theologie sich zeigendem Bemühen begründet zu erweisen, „daß *Jesus mehr als Davids Sohn, mehr als der Messias der Juden, daß er Gottes Sohn und Freund, der Lehrer und Beglücker der Welt durch die ewigen Wahrheiten seiner göttlichen Religion sei, ... daß seine Lehre von Gott ist"*[232], um so das Christentum in der es umgebenden Aufklärungsphilosophie zur Geltung zu bringen. Wirklich neugestaltet sind die dogmatischen Loci über die Trinität und die Offenbarung [im Abschnitt 1], wobei sich besonders beim Letzteren auch an einem Einzelpunkt die entscheidende Umgestaltung der Biblischen Theologie gegenüber der 1. Aufl. zeigt: Die Freigabe der Hermeneutik Kants[233]. So heißt es jetzt zur Frage nach der „objektiven Wahrheit" im Zusammenhang der Exegese[234]:

„Nach der *Kantischen Hermeneutik,* die dem Ausleger erlaubt hat, neue Wahrheiten in das Gewand alter Schulausdrücke nach einer mystisch moralischen Deutung einzuhüllen, mögte sich zwar auch der Schrifterklärer seinen Beruf als Religionsphilosophe erleichtern können; und wenn Jesus mit den Aposteln selbst die Schriften des A. T. beinahe immer allegorisch auslegt; wenn ferner die Dogmatik der Kirchenväter häufig auf der Basis einer mystischen Exegese ruht; so würde ein neuer philosophischer Midrasch, wie er sich in der That schon von einigen Seiten her vernehmen läßt, große Beispiele und Muster zu seiner Vertheidigung anführen können. Aber nach meiner ietzigen Ueberzeugung muß ich zweifeln, ob die reine praktische Vernunft so viel Sinn habe, daß sie Quelle des Bibelsinnes werden kann; ich muß zweifeln, ob diese Art der Schriftauslegung nur den gebildeten Bürger aus dem Munde des Predigers, geschweige dann den Wahrheitsforscher zufrieden stellen mag; zweifeln muß ich endlich, ob es redlich und weise sei, geflissentlich Meinungen und Vorurtheile von dem Sinne der Bibel, wenn schon zu vermeintlich guten Zwecken, zu unterhalten und zu nähren, welchen der Innhalt dieser Bücher selbst widerspricht. Wie man aber auch über die Kantische Auslegungstheorie denken mag, so ist doch so viel deutlich, daß man nach ihren Grundsätzen einer Theologie des Koran, der Mischnah und des Schuking durch Hülfe der praktischen Vernunft vollkommen gleichen Werth ertheilen kann, unter der Voraussetzung nemlich, daß man es dahin gestellt seyn läßt, ob iene praktischen Vernunftbegriffe wirklich in diesen Büchern enthalten seien, oder nicht? Und hier muß ich nur gestehen,

---

[230] Gegenüber der 1. Aufl. erweitert durch die Erörterung über theologische Richtungen seiner Zeit.
[231] Zu Einzelheiten der Gliederung vgl. auch J. D. Schmidt, aaO, S. 18 Anm. 6.
[232] AaO, Bd. III, Vorrede, S. XXIII.
[233] Zur Lehre von der Offenbarung „in den Jahren der Polemik gegen Kant" vgl. J. D. Schmidt, aaO, S. 121 ff.
[234] Bibl. Theol., Bd. I, ²1801, S. XII–XIV.

daß meine hermeneutischen Principien mir nicht erlauben, an dieser Vervielfältigung theologischen Verdienste Theil zu nehmen".

Die Abwendung von der zuvor von ihm enthusiastisch gehuldigten Hermeneutik Kants konnte kaum deutlicher ausfallen, wenngleich sich noch reichlich ‚Schalen' der alten Hermeneutik finden[235]. Immerhin war damit ein Hauptärgernis zwischen Gabler und Ammon beseitigt, zugleich aber ein Anschluß an Gablers Hermeneutik und so auch eine gewisse Annäherung seiner Grundsätze für eine Biblische Theologie vollzogen. Gablers Besprechung der 2. Aufl. von Ammons Theologie berücksichtigt diese veränderte Sachlage vollauf[236].

War die 1. Aufl., „jener Entwurf" im Gegensatz zu Gablers eigener Anschauung weithin sehr günstig aufgenommen und „weit gelinder beurtheilt" worden, „als er an sich hätte beurtheilt werden können", so darf man von der 2. Aufl., die zudem nicht völlig neu gestaltet ist, nicht die „eigentliche Vollendung" in der Behandlung der Biblischen Theologie „verlangen" (S. 401f.). Am besten wäre es gewesen, dieses Werk völlig neu zu schreiben, aber auch das vorliegende ist wesentlich gegenüber der 1. Auflage gebessert (402f.). Besonders die Vorreden sind Gabler „aus der Seele gesprochen und verdienen volle Beherzigung" (S. 426). Aber der (auch schon der 1. Aufl. anhängende) entscheidende methodische Fehler ist unverkennbar: Ammons Biblische Theologie „zeichnet sich … mehr durch die Erklärung der wichtigsten Beweisstellen für ein Dogma, und durch Reichthum der exegetischen Literatur, als durch eigentliche und bestimmte historische Darstellung und Entwicklung der biblischen Begriffe nach den verschiedenen Perioden aus. Man siehet dem Werke nur zu deutlich seinen Ursprung aus Vorlesungen[237] über die *Beweisstellen der Dogmatik*, und die Bildung desselben nach Hufnagelischer Methode an. Es behält als ein trefliches Repertorium schätzbarer exegetischer, historischer, literarischer und philosophischer Bemerkungen immer seinen entschiedenen Werth; aber *eigentliche biblische Theologie* ist es doch nicht" (S. 403f.). Das zeigt sich auch darin, daß Ammon oftmals philosophische Betrachtungen den einzelnen Abschnitten vorausstellt, was methodisch erst am Schluß erfolgen darf, wenn die einzelnen biblischen Gedankengänge historisch-kritisch entfaltet sind. „Denn die eigentliche biblische Theologie kann und darf ihrer Natur bloß *historisch* seyn" (S. 405). Damit ist das Methodenproblem in dieser Besprechung erneut und grundsätzlich aufgegriffen. In wenigen Sätzen faßt darum Gabler noch einmal sein Anliegen zusammen: Die Biblische Theologie „sollte

---

[235] J. Ph. Gabler weist auf diesen Sachverhalt im Schrifttum Ammons ausdrücklich hin im Zusammenhang der Bespr. von S. G. Lange, System der theologischen Moral, Leipzig u. Rostock 1803, in: JathL 1, 1804, S. 264–309, bes. 296f.

[236] In: JathL 2, 1805/06, S. 399–427. Seitenangaben im fortlaufenden Text beziehen sich auf diese Bespr.

[237] Vgl. auch ebdt., S. 406: „Endlich ist auch der Vortrag für ein Lehrbuch *hie und da* entweder zu blumenreich, oder gar in ein gewisses Helldunkel gehüllt, wo man deutliche Darlegung des biblischen Inhalts und bestimmte Resultate erwartet hätte. Doch liegt dieß wohl in dem geistvollen Charakter des Hern. Verfs., der auch in seinen Lehrbüchern den *Redner* nicht verläugnen kann".

uns·die verschiedenen Vorstellungsarten des Alten und Neuen Testamentes in verschiedenen Perioden, und von verschiedenen Verfassern bestimmt angeben, die Gründe derselben in den übrigen Zeitbegriffen aufsuchen, die verschiedenen Begriffe unter einander vergleichen, die Uebereinstimmung oder den Widerspruch verschiedener Schriftsteller durch Parallelen genau anzeigen, und daraus endlich, besonders mit Hülfe der philosophischen Kritik, *sichere Resultate* für die Dogmatik ziehen. Nach dieser Methode müssen die exegetischen Erläuterungen der biblischen Beweisstellen entweder in diese historische Darstellung gehörigen Ortes verwebt oder als Belege jeder einzelnen Untersuchung theils in Anmerkungen beigefüget, theils ein eigenen Excursen angehängt werden" (S 404 f.).

Vergleicht man Ammons Ausführungen und Gablers Kritik miteinander, so ist für das vorliegende Werk zunächst sachlich richtig, daß im Titel nicht mehr von „reiner" Biblischer Theologie gesprochen wird, wenngleich gerade diese Bezeichnung für Gabler noch wichtig werden sollte. Weiter wird deutlich, daß Ammon zwar nach der Ablehnung von Kants Hermeneutik nunmehr das historische Verstehen biblischer Texte bejaht, aber weder die historisch-kritische Eruierung der Biblischen Theologie methodisch sachgemäß vornimmt, noch zwischen den beiden nach Gablers Grundsätzen zu trennenden Biblischen Theologien unterscheidet[238]. Es klaffen methodisch die in den Vorreden und in der Einleitung genannten Grundsätze und die Durchführung auseinander[239], denn an einer für die Gegenwart brauchbaren Dogmatik wird die Biblische Theologie gemessen. Dogmatische Gesichtspunkte bestimmen ihre Gestaltung. Und es ist zu fragen, ob sich hier nicht Gablers eigene, seine Altdorfer Antrittsrede bestimmende Intention verhängnisvoll ausgewirkt hat, indem man nur diese Intention – eine den Anforderungen der Gegenwart genügende Dogmatik – zur Kenntnis nahm und bejahte, nicht aber Gablers zweifellos schwierige hermeneutische Schritte nachvollzog, die methodisch zur Scheidung der beiden biblischen Theologien und damit zur Grundlage für eine solche Dogmatik führten. Es wird hier einmal mehr deutlich, welche Schwierigkeiten die Abfassung einer „Biblischen Theologie" in sich birgt. Und wie leicht hier Programm und Ausführung auseinanderfallen können, zeigt sich z.B. darin, daß selbst Gabler – zumindest in der Vorlesung über „Biblische Theologie" – dieser Schwierigkeit erlegen ist: Er „las biblische Theologie nach Ammon" (!) und forderte dadurch den Widerspruch seiner Hörer heraus[240].

„Der neuere biblische Theologe hat in der That den mißlichsten Posten von der Welt"[241], Gabler selbst erfuhr die Wahrheit seiner eigenen Worte in seinem

---

[238] Vgl. auch R. SMEND, Gabler, S. 350.

[239] So die den zitierten Äußerungen Gablers ähnliche Bespr. eines unbekannten Rezensenten in: Tübingische gelehrte Anzeigen 1803, S. 209–216, 220–233, der Ammons methodische Fehler deutlich heraushebt; vgl. auch D. G. C. v. CÖLLN, Theol. I, 1836, S. 22f.; J. D. SCHMIDT, aaO, S. 18 Anm. 6 u.o. Anm. 210.

[240] So E. LÖSCH, Gotthold Emanuel Friedrich Seidel ... nach seinem Leben und Wirken. Nach einer biographischen Skizze des Verstorbenen dargestellt, 1838, S. 11f.

[241] So GABLER in der Bespr. von Ammons Bibl. Theol., JathL 2, 1805/06, S. 426.

Bemühen um die Gewinnung einer Biblischen Theologie. Der Zusammenhang von Schriftauslegung und Darlegung der Grundsätze für eine Biblische Theologie führt nicht nur zur Auseinandersetzung mit den theologischen Strömungen der Zeit, sondern verlangt nach Gabler entsprechend seinen häufigen Ankündigungen einer Biblischen Theologie auch die immer neue Entfaltung des eigenen Programms.

2. GABLERS „ANMERKUNGEN" ZUR BIBLISCHEN THEOLOGIE

Zeigte schon die Auseinandersetzung mit Ammon, daß Gablers Bemühen um die Biblische Theologie einseitig zugunsten einer gebesserten Dogmatik für seine Zeit (miß)verstanden werden konnte, so ist damit das eigentliche Problem angedeutet. Muß die Dogmatik von der Exegese abhängen und nicht umgekehrt, so hat in diesem für Gabler maßgeblichen und für die Biblische Theologie zu explizierenden Satz nicht nur die Trennung beider Disziplinen, sondern auch ihre (notwendige) Beziehung zueinander in den Blick zu kommen[242]. Das hatte sachlich bereits die Altdorfer Antrittsrede gezeigt, und es mußte Gablers wichtigstes methodisches Anliegen in der Folgezeit bleiben, unmißverständlich herauszustellen, daß die Biblische Theologie mit ihrer „historische(n) Schrifterklärung" die „Tochter" der „biblischen Dogmatik" ist[243], daß aber die ‚biblische Dogmatik' (nur) erst die biblischen Grundideen enthält, auf der die Dogmatik aller Zeiten errichtet werden kann. Folgende Schritte sind deshalb zu bedenken: die historisch-grammatische Interpretation, die Gewinnung der biblischen Grundideen, das Verhältnis von biblischen Grundideen und Dogmatik und besonders das Verhältnis der beiden biblischen Theologien zueinander. Alle diese Schritte werden darum von Gabler in seinen „Anmerkungen" und Buchbesprechungen wiederholt erörtert[244]. Gabler hat die Fragen zur Methodik einer Biblischen Theologie von immer neuen Seiten her aufgegriffen. Es liegt darum die Versuchung nahe, seine Ausführungen stärker systematisieren zu wollen, als es der Sache zuträglich ist. In der nachfolgenden Untersuchung wird ein Mittelweg eingeschlagen, auf dem sowohl subtile Beweisführungen wie eine systematische Straffung ihr Recht erhalten sollen.

Gabler ist „ein Freund der natürlichen *historischen* Interpretation aus den *damaligen Zeitideen*"[245]. Aus dieser Sicht des „ächt protestantischen Bibelforscher(s)" ergibt sich sein Programm: Denn „die [die hist. Interpr.] mag nun den heutigen Philosophen befriedigen, oder nicht; darum bekümmert sich die

---

[242] Vgl. GABLER, Urgeschichte II, 2, 1793, S. XV und R. SMEND, Gabler, S. 347.

[243] So NthJ, Bd. 8, 1796, S. 1002.

[244] Zu Gablers Verfasserschaft vgl. seine eigenen Hinweise in: NthJ 1799 (= 13. Bd.), S. 438 (Zeichen G. und †); JathL 4, 1808, S. 225 (Zeichen G–r oder †, nicht aber †* oder †**); vgl. auch Annales Academiae Jenensis, ed. H. C. A. Eichstadius, I, 1823, S. 5ff.

[245] JthL 1801 (= 18. Bd.), S. 567 Anm.; vgl. JthL 1801 (= 19. Bd.), S. 314.

historische Interpretation nicht: sie behält nur ihren Schriftsteller im Auge, ohne auf die heutige Philosophie zu schielen"[246]. Doch dieses zu behaupten heißt, die Grenzen zwischen grammatisch-historischer und philosophischer Schriftauslegung klar abzustecken[247]. Es setzt die Neubesinnung auf die Exegese überhaupt voraus, und hier muß nach Gabler der Schritt konsequent über J.A. ERNESTI und S.F.N. MORUS und die von ihnen abhängigen Exegeten herausgehen. Denn ihre Exegese, die sich „*streng grammatisch*" nennt, ist doch nur darauf bedacht, „einen *möglichen* Wortsinn, welcher sich mit der spätern Dogmatik verträgt, philologisch zu rechtfertigen, als denjenigen *möglichen* Wortsinn philologisch aufzufinden, welcher mit der Denkart der alten Welt, den eigentlichen Zeitgenossen des zu erklärenden Textes zusammentrift"[248]. Die erste dieser beiden exegetischen und (sog.) streng grammatischen Methoden kann man die „*blos = grammatische*" nennen, doch richtiger wäre es, sie als „dogmaticistisch-philologische" zu bezeichnen, „denn nur bey Nebensachen wagten ihre besten Befolger, von dem Leitstern des Kirchensystems etwas zur Seite auszubeugen und der historisch-philologischen Erklärungsart einige Rechte einzuräumen"[249]. Daraus erhellt, daß nur die letztgenannte, die ‚historisch-philologische' Methode, sachgemäß bei antiken Texten, wie sie die Bibel darstellt, angewandt werden kann. Hier lauert jedoch eine Gefahr, nämlich die, daß „nur das *Mechanische* des Interpretierens dem grammatisch-historischen Ausleger" zufällt, während „alle Operation des Vernunftvermögens bey dem Interpretieren dem philosophischen Ausleger" zukommt[250]. Die methodische Forderung auf Festlegung der Grenzen innerhalb der Schriftauslegung ist also unentbehrlich, um „den stufenweisen Fortgang der manchfaltigen exegetischen Operationen nach den Bedürfnissen unsers Zeitalters" aufzuzeigen[251]. Ziel bleibt sowohl von Seiten der Dogmatik wie von der Seite der Exegese her: „sichere Resultate für Religionstheorie und für *wesentlichen* Inhalt der Bibel" zu gewinnen[252]. Die Neubesinnung auf die Exegese führt Gabler auf die ihn eigentlich bewegende Frage zurück, wie die unwandelbare Grundlage Biblischer Theologie gewonnen werden kann, an der die Dogmatik einen sicheren Halt hat. Dabei sind für uns jetzt nicht mehr die einzelnen, schon in der Antrittsrede genannten exegetischen Schritte wichtig, sondern deren Hintergrund, der sich in zwei Punkten angeben läßt: 1. Das Problem der voraussetzungslosen Exegese[253] und 2. die von C.F. STÄUDLIN diskutierte

---

[246] JthL 1801 (= 18. Bd.), S. 567 Anm.

[247] NthJ 1799 (= 14. Bd.), S. 190 Anm.

[248] NthJ, Bd. 10, 1797, S. 828 Anm.; vgl. auch K. G. BRETSCHNEIDER, Die historisch-dogmatische Auslegung des Neuen Testaments, 1806, S. 8ff.; L. D. CRAMER, Vorlesungen über die biblische Theologie des neuen Testaments, hrsg. v. F. A. A. Näbe, 1830, S. 7; G. EBELING, Art. Hermeneutik, RGG³, Bd. III, 1959, Sp. 254.

[249] NthJ, Bd. 10, 1797, S. 828f. Anm.

[250] NthJ 1799 (= 14. Bd.), S. 190 Anm.

[251] JthL 1801 (= 19. Bd.), S. 339.

[252] NthJ 1799 (= 14. Bd.), S. 196 Anm.; vgl. ebdt., S. 190 Anm.

[253] Ebdt., S. 190 (Rezension eines Unbekannten); dazu Gabler, S. 190 Anm., 196 Anm.

Fragestellung, ob der moderne Interpret das Recht habe, einen antiken Schrift-steller besser zu verstehen als er sich selbst verstand[254].

Gabler meint, beide Fragestellungen in *einem* Beweisgang beantworten und klären zu können. Hatte schon die Besprechung der Antrittsrede mittelbar gezeigt, daß es eine voraussetzungslose Exegese nicht geben kann[255], so bejaht dies jetzt Gabler ausdrücklich, *indem* er den genannten ersten Problemkreis mit dem zweiten verbindet und an der von ihm geforderten sachgemäßen Scheidung von grammatisch-historischer und philosophischer Interpretation aufzeigt, daß das gewonnene Ergebnis, die „sichere(n) Resultate" und der „wesentliche Inhalt der Bibel" nicht ohne Voraussetzung, nämlich nicht ohne das Wissen um das Wesen der Sache selbst gewonnen werden können. Frei-mütig gibt er zu, „daß aber vieles bloß von gewissen dogmatischen Ideen ab-hänge, mit denen man zur Erklärung der Bibel kommt, ist eben so einleuch-tend"[256]. D.h. aber, das Vorverständnis des Auslegers gibt dem Interpreten das Recht, einen antiken Autor besser zu verstehen als er sich selbst verstand, weil er methodisch die „gewissen dogmatischen Ideen" zu läutern und *dadurch* die unwandelbaren Grundideen Biblischer Theologie fester zu begründen ver-mag. Die Beantwortung der Fragen hängt also an der sachgemäßen Eruierung jener Biblischen Theologie, die für die Dogmatik als Grundlage brauchbar ist.

Gabler gehört – und von daher werden seine Ausführungen verständlich – zu jener „Klasse neuerer Theologen", die „eben so weit entfernt" sind, „ihre Religionsphilosophie in das N.T. *hineinzuexegesiren*, als das *ganze N.T.* für antiquirt zu halten". Ihr Kennzeichen ist es, „nur den *wesentlichen* für alle Zeiten bestimmten *Religionsinhalt* des N.T. von dem *außerwesentlichen* localen und temporellen Inhalt desselben" zu unterscheiden und nur „dem *ersten* wahre *göttliche Autorität*" zuzuschreiben und „den Umfang desselben durch die praktische Vernunft" zu begrenzen[257]. – Entscheidend ist dabei, zwischen „Offenbarungsurkunde und Offenbarung selbst" zu unterscheiden und nicht den Lehrbegriff der Urkunde mit „darin enthaltenen *einzelnen* Lehren, welche als göttliche Offenbarung betrachtet werden können", zu verwechseln[258]. Diese Unterscheidung, die nach Gabler durch die „praktische Vernunft" erfolgt, ist dem Theologen als Vorverständnis „a priori" vorgegeben, und indem er die „Gränzen" der Offenbarung festlegt, versteht er den biblischen Autor besser,

---

[254] NthJ 1800 (= 15. Bd.), S. 476 ff. im Rahmen der Rezension eines Unbekannten über C. F. STÄUDLIN (Hrsg.), Beiträge zur Philosophie und Geschichte... (s. o. S. 65), (bei Stäud-lin, Bd. 5, S. 336 ff. Stäudlin weist nach, daß der Theologie diese Fragestellung durch Kants moralische Schriftauslegung aufgegeben sei), zum Ganzen siehe Gabler, aaO, S. 477 ff. Anm. – Zur Herkunft dieser Fragestellung und ihrer Bedeutung in der neueren Hermeneu-tik, jedoch ohne Hinweis auf Gabler, vgl. E.-W. KOHLS, Einen Autor besser verstehen, als er sich selbst verstanden hat. Zur Problematik der neueren Hermeneutik und Methodik am Beispiel von Wilhelm Dilthey, Adolf von Harnack und Ernst Troeltsch, ThZ 26, 1970, S. 321 ff.

[255] Vgl. o. S. 43.
[256] NthJ 1799 (= 14. Bd.), S. 196 Anm.
[257] NthJ 1800 (= 15. Bd.), S. 463 Anm.
[258] Ebdt., S. 467 f. Anm.

als er sich selbst verstanden hat: „Was aber Offenbarung seyn *könne* in einer Offenbarungsurkunde und was nicht, das kann ja nicht anders als a priori bestimmt werden: die praktische Vernunft liefert die Kriterien einer Offenbarung und bestimmt die Gränzen derselben"[259]. Die so erfolgende Festlegung der wesentlichen Offenbarung erlaubt es dem Theologen, „veraltete Meinungen" innerhalb des Neuen Testaments[260] auszuscheiden, ohne damit „die Autorität des ganzen N.T." preiszugeben. Er gesteht damit grundsätzlich zu, daß „die christliche Religion ... in mehr als einer Hinsicht *perfectibel* seyn" kann, um dann sofort einzuschränken mit dem Hinweis, daß „ein göttlichgeoffenbarter Satz" keineswegs *„als solcher"* „perfectibel sey"[261]. Dieser letzten Bemerkung kommt deshalb besondere Bedeutung zu, weil damit ein schon in der Antrittsrede charakteristischer, aber bedenklicher Zug größte Beachtung findet: Die einmal als wesentlich erkannten Inhalte der Biblischen Theologie sind durch keine Methode mehr hinterfragbar, die biblischen Grundideen sind unwandelbar und – so hat man zu ergänzen – nur wegen dieser Unwandelbarkeit für die Dogmatik brauchbar. Die biblischen Grundideen sind objektiv feststehend, weil des Theologen Vorverständnis mit dem Ziel, den biblischen Autor besser verstehen zu *wollen*, als er sich selbst verstand, durch die Norm des besser verstehen *Könnens*, die praktische Vernunft, festgelegt ist, die bestimmt, was als wesentliche Offenbarung zu gelten hat und somit als objektive Größe dem historischen Zugriff entnommen ist. Läßt man sich – und darin liegt Gablers eigentliches Interesse hinsichtlich unserer Fragestellung – auf das *Verstehen* biblischer Texte ein, dann muß man zugeben, daß mit der historisch-kritischen Methode nur Teilabschnitte, ja nur Bruchstücke einer Biblischen Theologie erarbeitet werden können. Gerade indem Gabler die Frage nach dem Vorverständnis mit dem Hinweis auf die unwandelbaren Grundideen der Biblischen Theologie löst, weist er der historisch-kritischen Arbeit eine begrenzte Bedeutung zu, und es ist in seinem Sinne sachgemäß, daß er diese Fragestellung im Rahmen der Erörterung der Grenzziehung zwischen grammatisch-historischer und philosophischer Interpretation behandelt[262].

Das Folgende wird dies noch verdeutlichen: „So bald wir einen alten Schriftsteller ... besser verstehen wollen, als er sich selbst verstand, so *interpretiren* wir ihn nicht; sondern wir *philosophiren* über ihn"[263]. Diese Feststellung veran-

[259] Ebdt. Zum Verständnis der Offenbarung in der 2. Hälfte des 18. Jahrhunderts und damit in der geistig-theologischen Umwelt Gablers vgl. etwa K. ANER, Die Theologie der Lessingzeit, 1929, S. 183 ff., 343 ff.; L. ZSCHARNACK, Lessing und Semler, 1905, S. 217 ff.; G. HORNIG, Die Anfänge der historisch-kritischen Theologie, 1961, S. 100 ff.

[260] Auffallend ist wieder die alleinige Bezugnahme auf das NT, die schon für die Antrittsrede charakteristisch war. Sie hat hier den gleichen Grund wie dort: Für die Dogmatik ist das NT allein ausschlaggebend; vgl. oben S. 42.

[261] S. Anm. 258. Zur Perfektibilität vgl. z.B. H.-W. SCHÜTTE, Die Vorstellung von der Perfektibilität des Christentums im Denken der Aufklärung, in: Beiträge zur Theorie des neuzeitlichen Christentums, Festschr. W. Trillhaas, 1968, S. 113 ff.

[262] Vgl. oben Anm. 253.

[263] NthJ 1800 (= 15. Bd.), S. 477 ff. Anm. (unter S. 478).

läßt Gabler, den Zusammenhang von Interpretieren und Philosophieren bei der Bearbeitung einer Biblischen Theologie zu erwähnen. Erst spätere Äußerungen zeigen, welche grundsätzliche Bedeutung diesen wenigen Sätzen beizumessen ist: „Allerdings müssen wir zwar die biblischen *Grundideen* ausheben, und das lokale, wohl auch individuelle, davon absondern, wenn wir in *unserer* Dogmatik davon Gebrauch machen wollen; aber diese Absonderung ist doch eigentlich mehr Werk des christlichen *Religionsphilosophen*, als des christlichen *Interpreten*. Beide Operationen des Interpreten und des Philosophen müssen zwar in einer für unsre Zeiten brauchbaren biblischen Theologie mit einander verbunden werden; aber es bleiben doch immer *an sich verschiedene* Operationen. Nach dem *Sprachgebrauche* wenigstens kann die Operation des Religionsphilosophen nicht *Auslegung* heißen"[264].

Damit ist nach Gabler die Aufgabe einer deutlichen Abgrenzung der ‚verschiedenen Operationen‘, die der Gewinnung einer Biblischen Theologie dienen, erneut in den Blick getreten, und ihrer Lösung gilt seine Arbeit in der Folgezeit. Es geht hier, kurz gesagt, um die sachgemäße Unterscheidung und Zuordnung von „Auslegen" und „Erklären", deren methodisches Problem er zuerst 1801 in seinem oben behandelten Aufsatz „Ueber den Unterschied zwischen Auslegung und Erklärung, erläutert durch die verschiedene Behandlungsart der Versuchungsgeschichte Jesu" erörterte[265]. Hatte sich dort Gabler die Aufgabe gestellt, an einer Einzelperikope den Unterschied der Erforschung des Wortsinns und der Sacherklärung zu zeigen und deutlich zu machen, daß der Exeget von der grammatisch-historischen Auslegung auszugehen hat, aber die Sacherklärung des denkenden Theologen sein Ziel sein muß, so hatte er mit diesen Ausführungen bereits die zu schreibende ‚Biblische Theologie‘ im Blick, wie weiterführende methodische Hinweise zeigen.

Zwei Gedanken- bzw. Beweisgänge Gablers sind hier zu berücksichtigen: a) die noch deutlichere Herausarbeitung der Unterscheidung von „Auslegen" und „Erklären", wie dies in zwei Rezensionen geschieht, und b) die unmittelbare Übertragung dieser Unterscheidung auf die Biblische Theologie.

a) In zwei sachlich zusammengehörenden und darum auch hintereinander abgedruckten Besprechungen[266] entfaltet Gabler noch einmal sein Anliegen. Er strebt „eine Anordnung der Hermeneutik nach *Wort-* und *Sacherklärung*" an, „wobey die Theorie den Ausleger Schritt vor Schritt bei allen seinen einzelnen und stufenweisen Operationen begleitet" (S. 164). Die grammatisch-historische Interpretation, eigentlich zwei zwar engstens zusammengehörende,

---

[264] Ebdt. (unter S. 478f.).
[265] JthL 1800 (= 17. Bd.), S. 224ff. (= TS I, S. 201–214); vgl. o. S. 75ff.
[266] Bespr. von K. A. G. KEIL, Lehrbuch der Hermeneutik des neuen Testaments nach Grundsätzen der grammatisch-historischen Interpretation, Leipzig 1810 in: JathL 6, 1811, S. 160–167, und C. F. STÄUDLIN, De interpretatione librorum Noui Testamenti historica non vnice vera, Gottingae 1807 in: JathL 6, 1811, S. 168–182. Im folgenden beziehen sich Seitenzahlen im fortlaufenden Text auf diese Besprechungen. Zur Zusammengehörigkeit beider Rezensionen vgl. auch aaO, S. 167.

aber nicht identische Schritte der Auslegung (S. 170), gehört in den Bereich der Worterklärung (S. 164): „Von grammatischer und historischer Auslegung des N.T. muß aber *jeder* Theolog ausgehen, wenn er sicher gehen will" (S. 182). Sie steht immer an erster Stelle, „aber damit ist noch nicht das *ganze* Geschäft des Bibelerklärers beendigt" (S. 173). Es muß die Sacherklärung hinzutreten, wie sie schon den Reformatoren eigen ist (S. 173)[267]. Grammatisch-historisch kann man nämlich durchaus wie bei jedem Schriftsteller, gemeint sind besonders die antiken Autoren, auch den Sinn einer ntl. Stelle ermitteln, aber denkt man bei dieser Art „Hermeneutik an den Sinn oder *Geist* Jesu selbst"? (S. 172). Gabler will damit zeigen, daß man „den Sinn eines Schriftstellers recht wohl verstehen" kann, „ohne deßwegen *Sinn dafür* zu haben" (S. 172). Der Theologe jedoch ist „bey der Exegese des N.T. interessirter, als der bloße Philolog; er will nicht bloß historisch wissen, was für Religionsmeinungen im N.T. vorkommen, sondern er will seinen eigenen Glauben daraus schöpfen; und dazu gehören, wenn man nicht mit den ältern Theologen den *gesammten* Inhalt des N.T. zur Norm seines Glaubens machen kann, complicirtere Operationen, als bloße historisch-grammatische Auslegung des N.T." (S. 166). Kurz: „Der denkende Theolog" ist nämlich „mit seiner Untersuchung da noch nicht zu Ende, wo der Exeget im Reinen ist. Dieser will nur den Sinn Jesu und der Apostel; der Theolog aber bleibende Wahrheit zur Begründung seiner Glaubenslehre. *Jener* begnügt sich mit der historisch-grammatischen Interpretation; *dieser* philosophirt noch über den gefundenen Sinn. Dieses Philosophiren gehört aber nicht in das Gebiet des Auslegers, sondern des Theologen" (S. 175f.). Und so gewiß „*keine* Sacherklärung wahr seyn und der Theologie wahren Nutzen bringen" kann, „die nicht von richtiger Worterklärung ausgeht; sonst fehlt bey jener ein festes Fundament" (S. 173), der „*philosophirende* Theolog" „will aus der Bibel eine Grundlage *seines* christlichen Glaubens gewinnen, der zugleich auch mit seiner Vernunft harmonire" (S. 166f.). Beim Geschäft des Theologen aber sollte man nicht von „philosophischer Auslegung" sprechen. „Diese ist entweder ein Unding, oder schiebt eigne Philosopheme einer fremden Meinung unter, oder ist doch ein falscher Ausdruck für ganz andre Operationen des Exegeten oder des Theologen" (S. 176). In der Verschiedenartigkeit die Zusammengehörigkeit der einzelnen „Operationen", in der Mannigfaltigkeit die folgerichtige Reihenfolge für die Gewinnung einer Biblischen Theologie herauszustellen, ist Gablers Anliegen: „Die *historische* Interpretation ist es, welche uns die Materialien zu dem Urtheil giebt, ob eine *bestimmte* Vorschrift bloß temporell oder für alle Zeiten sey" (S. 176). D.h.: den Sinn einer biblischen Stelle auf Individualität, Lokalität und Temporellität „zu erforschen, ist Sache des *grammatischen* und *historischen* Auslegers" (S. 180). Daran schließt sich der zweite Schritt an; „Findet sich nun, daß eine *bestimmte* Vorschrift des N. Test. *bloß* temporell ist, alsdann untersucht der

---

[267] „Die Theologie bedarf hauptsächlich der *Sacherklärung* nach dem Vorgang Melanchthon's, Calvin's u. a., auch der berühmtesten Kirchenväter" (S. 173).

philosophirende Theolog, ob nicht wenigstens das *allgemeine* Prinzip, aus dessen Anwendung auf Zeitumstände die temporelle Vorschrift entstanden ist, noch immer gültig sey" (S. 176). Der philosophierende Theologe hat also den Sinn einer biblischen Stelle daraufhin zu untersuchen, ob sie eine „*allgemeine, reine und bleibende religiöse Idee*" enthält. „Diesen *allgemeinen* Sinn zu erforschen, ist Sache des *philosophischen* Auslegers" (S. 180 f.). Somit ergeben sich „ganz verschiedene Operationen des historischen Auslegers und des philosophirenden Theologen: jeder hat sein eignes Gebiete. Nicht dem historischen Ausleger fällt es zur Last, wenn er in seinem Gebiete bleibt; wohl aber dem Theologen, wenn er nicht zugleich über Bibel philosophirt" (S. 176f.). Den Theologen fällt als entscheidende Aufgabe zu nachzuweisen, daß „das *Göttliche* nicht im *Besonderen*, Bestimmten und Localen der Aussprüche Jesu und der Apostel" zu suchen ist, „sondern im *Allgemeinen*; und eine Dogmatik, welche *bloß* auf den Resultaten der grammatisch-historischen Auslegung beruhet, möchte den philosophirenden Theologen wenig befriedigen" (S. 181). Diese Aufgabe ist nach Gabler „die Hauptsache" für eine zu erstellende Biblische Theologie, und deshalb darf sich der philosophierende Theologe „nicht durch den historischen Ausleger in seiner höhern Function einschränken lassen" (S. 181). Sein Geschäft kann darum nicht als Auslegung bezeichnet werden, weil seine Aufgabe das Erklären, nämlich „*Räsonnement* über die biblischen Grundideen (notiones vniversas)" ist (S. 181).

Auf „Auslegen" und „Erklären" beruht die Gewinnung der Biblischen Theologie. Beiden voran aber steht die Klärung der Frage, wie man es mit der Theopneustie halten will: „Ueber diese muß man … zuerst ins Reine kommen, ehe man einen Schritt vorwärts thun kann" (S. 182). Daß sie weitgehend abzulehnen sei, hatte Gabler schon in seiner Antrittsrede ausgeführt. Es bleiben also drei Schritte: Vorbesinnung über die Theopneustie, die historisch-kritische Auslegung und das philosophierende Erklären, die zur Gewinnung einer Biblischen Theologie führen. Entscheidend aber bleibt ihm bei alledem die Zuordnung von Biblischer Theologie und Dogmatik, und man wird auch hier, wie bei der Antrittsrede, sagen müssen, daß Gablers eigentliches Interesse bei der Dogmatik liegt und von der Intention einer für seine Zeit erforderlichen Dogmatik her die Biblische Theologie (und ihre Aufgabe) gesehen wird (S. 181). So ist es nicht verwunderlich, in den eben angeführten Besprechungen deutliche Hinweise dafür zu finden. Die philosophierenden Theologen werden nämlich bei ihrer Eruierung der Grundlagen für das bleibende Christentum (S. 180) ausdrücklich zur Vorsicht gemahnt, „nicht durch das *Generalisiren* der religiösen Vorstellungen den *positiven* Charakter der christlichen Religion ganz zu verwischen", ist doch immer vorauszusetzen, „daß der vollständige und bestimmte *Sinn* einer Stelle local und temporell sey, der nur in seiner *generellen* Idee für die Nachwelt fruchtbar seyn kann" (S. 181). Hier äußert sich der gemäßigte Anwalt einer vernünftigen Theologie, der sein Anliegen in einer für seine Zeit entsprechenden Dogmatik zur Geltung bringen will und für diesen

Zweck eine in seinem Sinne brauchbare Biblische Theologie als Grundlage benötigt. Doch ist darauf in einem weiteren Zusammenhang noch einmal zurückzukommen, nachdem auch der zweite o. g. Punkt bzw. Beweisgang berücksichtigt ist.

b) Schon die Altdorfer Antrittsrede hatte gezeigt, daß aus den historisch-kritisch gewonnenen „dicta classica" die für die Dogmatik allein verwendbaren „allgemeinen Vorstellungen" herausgearbeitet werden müssen, daß darum zwischen diesen „dicta classica" und der Dogmatik eine „Biblische Theologie im engeren Sinn des Wortgebrauchs" herausfiltriert werden muß[268]. Diese grundsätzliche Unterscheidung hat Gabler in der Folgezeit beibehalten, wenngleich unter anderer Bezeichnung und in präziserer Fassung.

Sicher nachweisbar von 1802 an bezeichnet er die „Biblische Theologie im engeren Sinn" auch als „reine biblische Theologie", so wie sie schon ein unbekannter Rezensent der Antrittsrede gekennzeichnet hatte[269]. „Reine biblische Theologie" bezeichnet das, was „allein die Grundlage der christlichen Religionslehre in unsern Tagen seyn kann"[270]. Dabei ist ausdrücklich festzustellen, daß „*reine* Religionsansichten ... nicht immer der *historische Sinn* eines biblischen Schriftstellers" sind. Sie werden vielmehr „erst aus den biblischen *Grundideen* mit sorgfältiger Absonderung der *Zeitideen* für die Bedürfnisse unsers Zeitalters tief hervor geholt", wie Gabler an einem Beispiel erläutert: „Dieß möchte der Fall bey mehrern apostolischen Vorstellungsarten von der Würde der *Person* Jesu seyn, wobey immer etwas *Wahres* und *Reinchristliches* ... zum Grunde liegt, das aber oft sehr stark mit *jüdischen Zeitideen* vermischt ist. Solche *Vorstellungsarten* gehören ja ohnehin nicht zum *Wesen* der Religion Jesu, also auch nicht zu den eigentlichen *Religionswahrheiten* des Christenthums ...; sondern sie sind bloß Philosopheme nach der Ansicht und dem Bedürfnisse jenes Zeitalters und enthalten keine *Glaubenspflicht* für unsre Zeiten, obgleich ihre, erst zu enthüllenden *Grundideen* ... allerdings zum *bleibenden* christlichen Glauben gehören"[271]. Schon aus diesen Zeilen wird deutlich, daß „historischer Sinn" und „reine Religionsansicht" voneinander zu trennen sind, daß der Verwendung des Wortes „rein" offensichtlich eine höhere Bedeutung zukommt als dem Begriff „historisch", wenngleich er „etwas Wahres" ausdrückend neben dem Begriff „Reinchristliches" seinen nicht zu beseitigenden Platz hat. In diesen Zeilen ist damit das entscheidende und für die Biblische Theologie maßgebliche Problem bereits angedeutet.

Bei der Verwendung des Begriffs „rein" ist zunächst die Zweideutigkeit des Ausdrucks anzuerkennen und für die Biblische Theologie zu klären: „Rein kann hier [bei der Bibl. Theol.] einmal dem *Gemischten* entgegen stehen; so

---

[268] Vgl. TS I, S. 192f., s. o. S. 37, 42.
[269] So Erlangische gelehrte Zeitung 42, 1787, S. 398.
[270] JthL 1802 (= 21. Bd.) (in Gablers Bespr. von C. F. AMMON, De prologi Johannis Evangelistae fontibus et sensu, Gottingae 1800; ders., Adscensus Jesu Christi in coelum historia biblica, Gottingae 1800), S. 400.
[271] Ebdt., S. 401f.

7

können die biblischen Grundbegriffe *rein* heißen, wenn sie von den mit ihnen in der Bibel vermischten Zeitideen, nach reinen Religionsbegriffen unsers Zeitalters, gehörig *abgesondert* worden sind. Und *nur eine solche* biblische Theologie kann die *Grundlage* eines *reinen Christenthums* für unsere Zeiten seyn"[272]. Der Begriff „rein" bildet aber zugleich auch den Gegensatz zum „*Unverfälschten*". Auf die Biblische Theologie angewandt besagt er, die Meinung eines biblischen Autors unverfälscht wiederzugeben, nämlich „mit *allen* den jenem Zeitalter eigenthümlichen Modificationen, ... doch mit genauer Unterscheidung der verschiedenen *Zeitalter* und *Schriftsteller*". Doch sollte man nach Gabler hier nicht von „reiner Biblischer Theologie" sprechen, sondern sie als „die *wahre* biblische Theologie" bezeichnen, denn „diese stellt *historisch* den wahren Sinn der biblischen Schriftsteller dar". Sie ist im historischen Sinne „rein" und unterscheidet sich damit vom erstgenannten Gebrauch des Wortes. Ihre Aufgabe vollzieht sich „ohne weitere Untersuchung ihrer Wahrheit, kurz ohne alles Raisonnement. Die *reine* biblische Theologie hingegen sondert durch *philosophische* Kritik die wahren Grundideen von den Modificationen des Zeitalters ab, und liefert durch diese *philosophische* Operation eine *Grundlage* zur *reinen christlichen Religionslehre*"[273]. Damit ist nach Gabler eine klare Scheidung vollzogen: „Jene, welche immer das *erste Geschäft* seyn muß, gehört bloß in das *historische* Religionsgebiet; diese hingegen, welche nach Vollendung des ersten historischen Geschäftes eine *chemische Scheidung* vornimmt, nach festen Grundsätzen einer reinen Moral, als des Princips aller Religion, gehört in das *philosophische* Religionsgebiet"[274].

Die Berührungen mit den Ausführungen der Antrittsrede sind deutlich, und mit Recht kann Gabler fast zur gleichen Zeit auf die für ihn unverminderte Gültigkeit des dort Gesagten verweisen[275]. Aber die veränderte Akzentuierung ist zu beachten: 1787 gehörte der „doppelte Filtrierungsprozeß"[276] zum „genus historicum", und nach der dort gegebenen Bestimmung der Abgrenzung von Biblischer und Dogmatischer Theologie müßte bei der jetzt vorgenommenen Scheidung von „wahrer" und „reiner" Biblischer Theologie die letztere der Dogmatik zugeordnet werden, während zugleich die „*historisch* den *wahren* Sinn" ermittelnde „wahre biblische Theologie" jetzt als die „eigentlich" Biblische Theologie ausgewiesen wird[277]. Das aber hat gleichzeitig zur Folge, daß diese, nicht mehr mit der „Biblischen Theologie im engeren Sinn des Wortgebrauchs" unmittelbar im Bereich des „Historischen" verbundene, ‚eigentliche' Biblische Theologie als ‚bloß historisch' abgewertet wird. Ihr Negativum liegt dabei *nicht* in der ihr zufallenden historisch-kritischen

---

[272] Ebdt., S. 402f. Anm.
[273] Ebdt., Anm. unter S. 403f.
[274] Ebdt., Anm. (unter S. 404); vgl. auch JathL 2, 1805/06, S. 656f.; 4, 1808, S. 233 Anm.
[275] JthL 1803 (= 23. Bd.), S. 162 Anm.
[276] So K. Leder, S. 289.
[277] JthL 1802 (= 21. Bd.), S. 402 Anm. (unter S. 403); vgl. JathL 2, 1805/06, S. 405 u. R. Smend, Gabler, S. 348.

Aufgabe, sondern darin, daß man, gäbe es nur *„eine* Art von biblischer Theologie, die *historische"*, „in unserm philosophischen Zeitalter sehr ins Gedränge kommen" möchte[278]. Damit aber ist der Stellenwert jener „Biblischen Theologie im engeren Sinn des Wortgebrauchs" (1787), die „reine Biblische Theologie" (1802), erhöht. Diese empfängt nämlich nunmehr eine selbständige, allein dem oben skizzierten Vorverständnis verpflichtete Stellung, d.h. sie ist allein an Gablers Offenbarungsverständnis orientiert. Nicht von ungefähr geht den programmatischen Äußerungen Gablers zur Biblischen Theologie die Klärung des Offenbarungsverständnisses einher.

Schon 1799 hatte Gabler grundsätzlich herausgestellt, daß „wir" die Aussprüche und Reden Jesu und die „Autorität der Apostel" nach *„unserer* Philosophie" „auf *wesentliche Religionswahrheiten* einschränken dürfen". „Denn in außerwesentlichen Behauptungen waren sie ja, nach historischer Observation, dem Irrthume ausgesetzt"[279]. Das besagt für die „wahre Biblische Theologie", daß ihre Aufgabe zwar unentbehrlich ist, aber daß sie im Vorfeld des eigentlich Wichtigen geschieht: Ihr fällt die historisch-kritische Auseinandersetzung mit der außerwesentlichen Offenbarung zu, die für den denkenden Theologen immer schon entschieden ist. Für den Religionslehrer ist es relativ gleichgültig zu wissen, was die biblischen Autoren in ihrer Zeit gedacht und gesagt haben, „für *unsere Religionstheorie"* ist deshalb auf die *„theologische"* Exegese das Gewicht zu legen, die *„mehr als historischen* Nutzen für Theologen haben soll"[280]. Hier spricht die Vernunft, „die höchste Instanz und die höchste Richterin in Glaubenssachen". Sie allein liefert die „Kriterien" für wesentliche oder außerwesentliche Offenbarung, „sie ist es, die das Göttliche und das Menschliche in einer Offenbarungsurkunde scheiden muß, um uns eine reine und bleibende christliche Religionslehre zu verschaffen"[281]. Deshalb ist Gabler überzeugt, *„durch die Vernunft selbst* die christliche Religion als eine *göttliche Offenbarung* begründen zu können", in der diese göttliche Offenbarung mit der Vernunft „auf das genaueste harmonirt"[282]. Die für Gablers Vorverständnis maßgebliche, bereits oben skizzierte Festlegung von wesentlicher und außerwesentlicher Offenbarung, ermöglicht ihm zwar, „ein festes System der christlichen Religion" zu haben, von dem gilt, daß es „mit der Vernunft auf das genaueste harmonirt" und daß es „folglich" auch „in allen Punkten" aus der Vernunft „reducirt" werden kann. Aber in gleichem Satz meldet sich wieder der gemäßigte Vertreter einer vernünftigen Theologie zu Wort: Das System „*als* System" läßt sich nicht – wie alle seine Einzelpunkte – aus der Vernunft reduzieren, sondern gehört „einer *positiven* Religion" zu und muß darum

---

[278] JthL 1802 (= 21. Bd.), S. 405 Anm.; vgl. auch ebdt., 1803 (= 23. Bd.), S. 76f.
[279] NthJ 1799 (= 13. Bd.), S. 94–97, Zitat S. 95; vgl. auch den Wiederabdruck in TS I, S. 87–89.
[280] NthJ 1800 (= 16. Bd.), S. 200f.
[281] JthL 1803 (= 22. Bd.), S. 13.
[282] JathL 1, 1804, S. 675. Zur Fragestellung, ohne auf Gabler einzugehen, im 18. Jhdt. vgl. auch K. ANER, s. Anm. 259, S. 183ff., 243ff.

„aus den christlichen Urkunden wirklich *deducirt*" werden[283]. Der an diese Ausführungen sich unmittelbar anschließende Satz bei Gabler zeigt, daß das Voranstehende als Erwägungen zu seiner Biblischen Theologie verstanden werden will: „Die *Basis* zu einem solchen System gedenke ich in künftigem Jahre in den *Prolegomenen zu einer biblischen Theologie* zum Gebrauche meiner Vorlesungen zu liefern und sie zugleich der scharfen Prüfung meiner theologischen Zeitgenossen zu übergeben, ehe ich die darauf gegründete biblische Theologie selbst ausarbeite"[284].

Aus Gablers eigener theologischer Position, genauer aus dem dieser Position zugrundeliegenden Offenbarungsverständnis ergibt sich sein Programm der Biblischen Theologie. Gabler selbst auf eine ‚Schule' oder ‚Richtung' festzulegen, ist dabei schwieriger, als es aufgrund seiner zahlreichen eigenen Äußerungen den Anschein hat. Auch ist in unserem Zusammenhang nur anzuführen, was unmittelbar etwas für Gablers Biblische Theologie austrägt.

Gabler weiß sich dem „historischen Protestantismus" verpflichtet[285]. Darauf beruht, wie oben gezeigt, erstens sein Insistieren auf dem *einen*, dem reformatorischen Sinn der Schrift[286]. Darauf beruht zweitens seine Forderung, neben der Vernunft die Autorität der Schrift anzuerkennen: Der „historische Protestantismus" hat „für dieselbe Wahrheit eine doppelte Autorität", nämlich die Vernunft und die Offenbarung[287]. Sie in Einklang miteinander zu bringen, ist darum für Gabler die Aufgabe des protestantischen Theologen. Sie wird gelöst durch eine nach seinen Grundsätzen bearbeitete Biblische Theologie. Diese Disziplin aber ist im Sinne Gablers nur im Protestantismus denk- und durchführbar.

Daraus ergibt sich ein dritter Bereich, in dem Gabler, dem „historischen Protestantismus" verpflichtet, auf die Ableitung bzw. Übereinstimmung mit den Reformatoren besonderen Wert legt: Sein Prinzip der Sacherklärung[288].

Gehören der *eine* reformatorische Schriftsinn, der sich in der historisch-kritischen Bearbeitung biblischer Texte, also in der „Auslegung" kundtut wie das Geschäft des denkenden Theologen, die Sacherklärung = „Erklären" im „historischen Protestantismus" als Erbe der Reformation zusammen, dann auch in der protestantischen Disziplin der Biblischen Theologie. Hier liegt die Wurzel für das Neben- bzw. besser Nacheinander von „wahrer" und „reiner" Biblischer Theologie innerhalb der Abfolge ihrer Bearbeitung, und von hier ergibt sich sachgemäß die Übertragung der „Auslegung" auf die „wahre Biblische Theologie" und des „Erklärens" auf die „reine Biblische Theologie".

[283] JathL 1, 1804, S. 675, vgl. S. 672 ff.
[284] Ebdt. Im Wiederabdruck von JathL 1, 1804, S. 671–676 in: TS I, S. 694–698 haben Gablers Söhne diese entscheidende Passage gestrichen und damit Zweck und Ziel dieser Ausführungen Gablers verwischt.
[285] JthL 1803 (= 22. Bd.), S. 13 ff.; vgl. auch JthL 1801, (= 18. Bd.), S. 584 Anm. 587 ff., 596 Anm.; JthL 1801 (= 19. Bd.), S. 314; TS I, S. 608.
[286] Vgl. o. S. 52 ff.
[287] JthL 1803 (= 22. Bd.), S. 13 ff. (Zitat S. 14 f.).
[288] Vgl. ebdt., S. 15; JathL 6, 1811, S. 173 (s. o. Anm. 267).

Von hier aus läßt sich schließlich die *Unaufgebbarkeit* beider Biblischen Theologien aufzeigen: Weil das Christentum nach reformatorischer Ansicht eine ‚positive Religion' ist, muß die feste Grundlage, auf der die für die Gegenwart entsprechende Dogmatik entfaltet werden kann, „aus den christlichen Urkunden wirklich *deduzirt*" werden[289], muß also durch die Schritte „Auslegen" und „Erklären" diese Grundlage geschaffen werden.

Mit der Unaufgebbarkeit ist jedoch, wie oben gezeigt, keine Gleichwertigkeit dieser beiden Biblischen Theologien verbunden. Hier kommt jenes skizzierte Vorverständnis zum Tragen, das der „reinen Biblischen Theologie" eine besondere Stellung ermöglicht. Anders gesagt: Hier kommt Gablers Kritik am reformatorischen Ansatz zur Geltung. Denn hier entwickelt er Gedanken, die zwar einen *Ansatz* im reformatorischen Denken haben, die es ihm aber nicht erlauben, die *Bibel als uneingeschränkte Norm* anzusehen. Gerade darum erweisen sie ihn ganz im Denken seiner Zeit verwurzelt[290], indem diese Gedanken „unserm philosophischen Zeitalter" Rechnung tragen[291]. Zugleich aber stellt Gabler fest, daß „der gründliche Schriftforscher" um der Sache des Protestantismus willen zu dieser Kritik in seiner, besseren Methoden der Schriftauslegung verpflichteten Zeit genötigt ist: Es liegt hier nämlich, wie er in einer Besprechung äußert, ein Spezialfall dafür vor, daß man einen Autor, in diesem Fall die Reformatoren, besser zu verstehen hat, als sie sich selbst verstehen konnten: Im „Sinne LUTHER's und MELANCHTON's ist freilich *biblische Theologie* und Kirchenlehre Eins, d.h. nach den *Grundsätzen* unsrer protestantischen Kirche sollte nichts in die Kirchenlehre aufgenommen werden, als was festen biblischen Grund hat". Da nun aber „evident gezeigt werden" kann, „daß so manche Lehrbestimmungen in die kirchliche Dogmatik aufgenommen worden sind, welche auf unrichtiger Interpretation beruhen", sollten sie „folglich nach den Grundsätzen der Reformatoren nicht darin stehen. In sofern ist biblische Theologie und Dogmatik *nicht* Eins". Der Fehler lag in der Identifizierung von grammatischer und theologischer Interpretation, die gleichzeitig bedingte, die Vernunft dem Gehorsam des Glaubens unterzuordnen. Deshalb ist es nur durch die Kritik an der Bibel als uneingeschränkter Norm, nicht durch die ‚reine Biblische Theologie' möglich, „den ächten biblischen Grund der christlichen Dogmatik, *wie sie seyn sollte*", herauszuarbeiten. Nur so kann verhindert

---

[289] JathL 1, 1804, S. 675.

[290] NthJ 1800 (= 15. Bd.), S. 463 Anm., S. 467 Anm.; vgl. TS I, S. 707–732, bes. S. 722f. (aus JathL 5, 1810, S. 600–634); R. SMEND, Gabler, S. 354f. Einzeluntersuchungen zum reformatorischen Schrift- und Kanonsverständnis fehlen bei Gabler (abgesehen von den genannten Einzelhinweisen). Seiner Sicht vergleichbar wäre etwa H. LILJE, Luthers Geschichtsanschauung, 1932, S. 118f. Auch Gablers umfangreiche „Oratio de tenuibus initiis, vero natura et indole doctrinae evangelicae per *Lutherum* instauratae, variisque illius ad nostra usque tempora vicissitudinibus atque multiplici usu ex hac doctrinae evangelicae indole ac historia capendio", TS II, S. 693–722, bleibt mehr bei allgemeinen Fragestellungen (vgl. etwa S. 707ff.). Siehe o. S. 8ff.

[291] Vgl. etwa JthL 1802 (= 21. Bd.), S. 405 Anm. u. oft.

werden, daß Biblische Theologie und Kirchenlehre verwechselt und vermischt werden [292].

Zwei Beweisgänge Gablers sind zu berücksichtigen, die zugleich zeigen, warum die „reine Biblische Theologie" dem ‚genus historicum' entzogen und dem Vorverständnis Gablers untergeordnet, damit aber *eher* dem ‚genus dogmaticum' zugeordnet wird. Der erste beruht auf der unmittelbaren Kritik am reformatorischen Denken: Man vereinigte „ganz *heterogene* Dinge", indem man „göttliche Offenbarung" und „Offenbarungsurkunde", folglich „Göttliches und Menschliches" vermischte und somit „dem gesammten doctrinellen Innhalte der Bibel durch Voraussetzung einer durchgängigen Theopneustie gleichen dogmatischen Wert" zuschrieb. Das aber hat verheerende Folgen für die „sogenannten *biblischen Theologen*": Sie halten „sich bloß an die heilige Schrift ..., sie denken und sprechen auch ganz im Sinne LUTHER's" und „sie glauben fest an eine unmittelbare göttliche Offenbarung der Bibel". Aber sie merken nicht, daß sie in Wirklichkeit dem „Synkretismus" erlegen sind, „indem sie Stoff und Form, Grundideen und Einkleidung, Wesentliches und Außerwesentliches mit einander vermengen". Diese *„bloß biblischen Theologen"* möchten „den *durchgängigen* dogmatischen Inhalt der Bibel zur *Glaubensnorm* für alle Zeiten machen", denn sie erkennen nicht, daß „eine auch der Form nach für *alle* Zeiten gegebene Offenbarung undenkbar ist" [293]. Das heißt natürlich nicht, daß „ein göttlichgeoffenbarter Satz, *als solcher*, perfectibel sey", wie Gabler schon früher feststellte [294]. Vielmehr kommt es darauf an – und das ist die *Aufgabe* der ‚reinen Biblischen Theologie' –, der Kritik an der uneingeschränkten Norm der Bibel, „der Sachkritik innerhalb des biblischen Kanons" [295], positiv die durch die ‚reine Biblische Theologie' ermittelte neue Norm, die durch die praktische Vernunft festgelegte wesentliche Offenbarung als unwandelbare Grundlage gegenüberzustellen. Überspitzt gesagt: An die Stelle der Theopneustie tritt die praktische Vernunft. Sah der biblische Theologe durch die Lehre von der Theopneustie die ganze Bibel als „unmittelbare göttliche Offenbarung" an, so ist für den durch die Aufklärung hindurchgegangenen bzw. in ihr stehenden Theologen die praktische Vernunft das Instrument, das ihm die unmittelbare göttliche Offenbarung vermittelt. Auf diesem der Zeit verpflichteten, durch die praktische Vernunft ausgewiesenen Verständnis beruht Gablers „reine Biblische Theologie".

---

[292] JathL 5, 1810, S. 337–363, bes. 358 ff. (Zitate S. 361 f. Anm.). Vgl. zur Sachfrage in der 2. Hälfte des 18. Jhdts. GABLER, „Oratio" (s. Anm. 290), S. 710 ff. (passim); G. HORNIG, s. Anm. 259, S. 116 ff. („Semlers Lutherkritik") und S. 176 ff. („Reformatorisches und historisch-kritisches Schriftverständnis"); s. auch G. EBELING, s. Anm. 78, bes. S. 27 ff. – Instruktive Beispiele für die Zeit zwischen Reformation und Aufklärung bietet C. H. RATSCHOW, Lutherische Dogmatik zwischen Reformation und Aufklärung I, 1964, S. 71 ff., 77 ff., 98–137; vgl. auch S. 15, Anm. 50.

[293] Ursprüngl. in: JathL 5, 1810, zitiert nach TS I, S. 722 f.; vgl. auch JthL 1802 (= 21. Bd.), S. 405 Anm.

[294] NthJ 1800 (= 15. Bd.), S. 467 Anm.

[295] So treffend R. SMEND, Gabler, S. 355.

Der zweite Beweisgang hat eine dritte, nur von der Dogmatik her einsichtige Bestimmung des Begriffes „rein" zur Grundlage: „Rein" ist nicht nur ein Gegenbegriff zu „gemischt" und „unverfälscht", sondern auch gleichbedeutend mit „allgemein", „grundlegend", „bleibend". „Reine Biblische Theologie" heißt darum: „Die praktische Vernunft liefert die Kriterien" dafür, was als wesentliche Offenbarung zu gelten hat, sie legt diese fest und „bestimmt die Gränzen derselben"[296]. Die ‚reine Biblische Theologie' hat damit „die *allgemeine, reine* und bleibende religiöse Idee", „das Göttliche" ermittelt und auf diese Weise die (biblische) Grundlage für die Dogmatik geschaffen[297]. Allein sie ist eine „objective" Größe, die zu gewinnen die historisch-kritisch arbeitende ‚wahre Biblische Theologie' nicht in der Lage ist, was einen ständigen Widerspruch zwischen den Biblischen Theologien, nämlich den Theologen, die entweder die eine oder die andere stärker bevorzugen, hervorrufen muß[298].

Mit Gablers offensichtlich größerem Interesse an der „reinen Biblischen Theologie" verbindet sich zwangsläufig die Notwendigkeit ihrer sachgemäßen Einordnung und damit die Frage, ob sie die ihr zugewiesene Aufgabe zu lösen vermag.

Darf als sicher gelten, daß diese „reine Biblische Theologie" eher dem ‚genus dogmaticum' zugerechnet werden kann, so ist doch ihre Stellung *zwischen* ‚wahrer Biblischer Theologie' und Dogmatik unverkennbar. Sie steht zwischen Exegese und Dogmatik. Und da Dogmatik von Exegese abhängen muß und nicht umgekehrt, muß folglich die Dogmatik von dieser ‚reinen Biblischen Theologie' abhängen. Sie ist darum für Gabler der ‚Umschlagplatz' von historischer Exegese zu theologischer Besinnung über die Bibel und damit der Ausgangspunkt für die Konfrontierung theologischer Zeitfragen mit der durch die praktische Vernunft ermittelten wesentlichen Offenbarung. Doch bleibt erneut festzustellen: Es fällt nicht dem Verfasser einer ‚wahren Biblischen Theologie', dem Ausleger, zur Last, wenn er sich nicht um die ‚reine Biblische Theologie' kümmert, wohl aber dem Theologen, wenn er sich in der ‚reinen Biblischen Theologie' auf die historisch-kritisch ermittelten Ergebnisse verläßt[299].

Schon in seiner Abhandlung „Ueber den Unterschied zwischen Auslegung und Erklärung ..." (1801)[300] hatte Gabler zwar festgestellt, daß der „ächte Exeget" mit der „Auslegung" beginnt und die „Erklärung ... sein Ziel" ist[301], aber gleichzeitig betont, daß zu den „Operationen des Bibel*auslegers* in engerem Sinn" über die Darstellung des grammatisch-philologisch Feststellbaren hinaus zur Wahrheitsfindung, zur Erklärung der Sache selbst dieser nichts beizutragen

---

[296] NthJ 1800 (= 15. Bd.), S. 467 Anm.
[297] JathL 6, 1811, S. 180f.
[298] TS I, S. 711f.
[299] JathL 6, 1811, S. 176f.
[300] S. o. S. 75ff.
[301] TS I, S. 214.

habe[302], während dem „Bibel*erklärer*" verschiedenartige „historisch- und philosophisch-kritische Operationen" zukommen[303]. Diese Sicht war sachgemäß, solange die ‚reine Biblische Theologie' dem ‚genus historicum' zugehörte. Aber sobald ihr Stellenwert in der Verschiebung zur Dogmatik hin sich veränderte, fällt der „Auslegung" die grammatisch-philologische wie grammatisch-*historische* Exegese zu, wie Gabler ausdrücklich feststellt[304], während das „Erklären" zugunsten der philosophischen Kritik der historischen Verifizierung, weithin enthoben ist[305]. Allerdings will sich Gabler hier nicht ganz festlegen[306], aber sowohl seine Kritik an einer *nur* historisch-kritisch die biblischen Texte behandelnde Methode[307] wie das Beharren darauf, daß allein die praktische Vernunft den Inhalt der ‚reinen Biblischen Theologie' bestimmt, zeigen, welche Wendung die Biblische Theologie bei ihm genommen bzw. welche Präzision sie jetzt erhalten hat.

Jetzt nämlich ist, was für die „Biblische Theologie im engeren Sinn des Wortgebrauchs" der Antrittsrede erschlossen werden konnte, in der ‚reinen Biblischen Theologie' klargestellt: mit der praktischen Vernunft als Gestalterin dieser letztgenannten Biblischen Theologie ist Gabler der seiner Zeit eigenen Geschichtslosigkeit verpflichtet, denn in seiner Epoche ist „die Vernunft ein Geschichtsloses"[308]. Die Intention der Antrittsrede, die feste Grundlage für eine ständig im Wandel begriffene Dogmatik zu schaffen, hat Gabler nicht nur beibehalten, sondern noch deutlicher herausgestellt, indem er die beiden Biblischen Theologien dadurch noch schärfer voneinander abgrenzte, daß er die ‚reine Biblische Theologie' nicht mehr dem ‚genus historicum' zuordnete.

Überblickt man diese zum Teil verwickelten Gedankengänge Gablers, so ergibt sich: Mit der ‚reinen Biblischen Theologie' ist Gabler ganz seiner Zeit verpflichtet, damit aber zugleich auch am weitesten innerhalb der Ausführungen zur Biblischen Theologie vom reformatorischen Ansatz entfernt[309]. Sein Interesse an der Biblischen Theologie ist ihm, dem denkenden und für seine Zeit sich verantwortlich wissenden Theologen durch die (gefährlichen) theologischen Strömungen seiner Zeit diktiert[310].

---

[302] TS I, S. 202 ff.
[303] TS I, S. 203.
[304] JathL 6, 1811, S. 164, 170, 176.
[305] Ebdt., S. 176 f.
[306] Ebdt., S. 169 f.; auch R. SMEND, Gabler, S. 357. Dieses nicht völlige Festlegen zeigt sich z. B. begrifflich darin, daß er noch *gelegentlich* von historisch-philosophischer Kritik durch die ‚reine Biblische Theologie' spricht, soweit ich sehe, letztmalig in JathL 1, 1804, S. 308 in einem Zusammenhang, aus dem ersichtlich ist, daß diese ‚reine Bibl. Theol.' deutlich auf die Dogmatik hin ausgerichtet ist (ebdt., S. 307–309).
[307] JathL 6, 1811, S. 160–167 in der Bespr. von K. A. G. KEIL, s. Anm. 266.
[308] Vgl. E. HIRSCH, Geschichte der neuern evangelischen Theologie V, 1954, S. 9; vgl. o. S. 43.
[309] Vgl. auch R. SMEND, Gabler, S. 355.
[310] Vgl. etwa TS II, S. 180–182 (Antrittsrede); JathL 1, 1804, S. 671–676 (= TS I, S. 694–698); JathL 5, 1810, S. 600–634 (= TS I, S. 707–732); siehe auch K. LEDER, S. 279–303.

Als „christlicher Rationalist"[311], wie er sich selbst bezeichnet, was sachlich erlaubt, ihn bedingt unter die Spätneologen einzuordnen[312], obwohl Namen nach Gabler gar nichts besagen[313], steht er im Kampf gegen den „bloßen Rationalismus"[314] und ist als gemäßigter Anwalt der Vernunft bemüht, „den positiven Charakter der christlichen Religion" theologisch zu rechtfertigen[315]. Das aber heißt für ihn, der Offenbarung wieder einen gebührenden Platz im theologischen System einzuräumen[316], heißt „die nothwendige Perfectibilität jeder Offenbarung" anzuerkennen und damit die erforderliche Absonderung des Lokalen und Temporellen „von dem *Wesentlichen* ... und nur dieses zum *bleibenden* Christenthume zu erheben. Diese Operation ist das Geschäft der *kritischen* biblischen Theologie, wodurch die *allgemeinen* und *reinern* Religionsbegriffe, worin die verschiedenen biblischen Vorstellungsarten zusammenfließen, ausgehoben, und zur *Basis* eines *reinern Christenthums* für unsre Zeiten gemacht werden"[317]. Um dieses weitgespannten und seiner Zeit dienenden Anliegens willen bekennt sich Gabler unumwunden zur ‚reinen biblischen Theologie' als der wichtigeren von beiden Biblischen Theologien[318].

[311] Vgl. J. PH. GABLER, „Einige Bedenklichkeiten bei dem Eifer mancher neuen Theologen für die Wiederherstellung alter Dogmen" (zuerst erschienen in: Für Christenthum u. Gottesgelahrtheit. Eine Oppositionsschrift zu Anfange des vierten Jahrhunderts der evangelisch-protestantischen Kirche, hrsg. v. W. Schröter und D. Klein, Bd. 1, Jena 1817/18, S. I–XX), wiederabgedruckt in: TS I, S. 732–748 (danach zitiert): Es „muß jeder verständige Christ, dem die Vernunftmäßigkeit des Christenthums am Herzen liegt, ein Rationalist seyn". Deshalb fordert Gabler: „Unterscheide man doch lieber strengen Rationalismus, und christlichen Rationalismus; der strengere Rationalismus erkennt kein anderes Glaubensprinzip, als die Vernunft an; der christliche Rationalismus aber ehrt die Vernunft, allein er nimmt zugleich die Offenbarung, als *homogenes* Glaubensprinzip an, sucht jedoch die Gründe seines Glaubens an eine göttliche Offenbarung ausser der bloßen Vernunft selbst auf. Die Vernunft nöthigt ihn, an eine göttliche Offenbarung durch Christum zu glauben" (S. 740f.).

[312] Gabler selbst legt sich nicht klar fest, man würde ihn wohl am ehesten *zwischen* „christl. Rationalismus" und Spätneologie einordnen; vgl. seine Abhandlung: Ueber die vom Hrn. Compastor Funk besorgte Altonaer Bibelausgabe. Ein Nachtrag zu dem Gutachten des Hrn. Superint. Dr. Schuderoff, in: TS I, S. 749–763, bes. 753; zur Frage siehe weiterführend (aber Gabler etwas zu stark festlegend) K. LEDER, S. 279–303. Besonders verbunden wußte sich Gabler hinsichtlich der ‚theologischen Richtung' J. F. W. JERUSALEM und J. J. SPALDING (vgl. TS II, S. 182; K. Leder, S. 281); zu Jerusalem vgl. E. H. PÄLTZ, RGG³, Bd. III, 1959, Sp. 599 (Lit.); W. MAURER, Art. Aufklärung III. Theologischkirchlich, RGG³, Bd. I, 1957, Sp. 726, Abschn. III, 3b; zu Spalding vgl. R. KRAUSE, Die Predigt der späten deutschen Aufklärung (1770–1805), 1965, S. 18ff.; J. SCHOLLMEIER, J. J. Spalding. Ein Beitrag zur Theologie der Aufklärung, 1967.

[313] TS I, S. 739: „Und wozu der Name: *Neolog*? Mit gleichem Rechte nennt der freier denkende Theolog seine Gegner Paläologen. Namen entscheiden nichts; sie schrecken höchstens den Unwissenden".

[314] Vgl. etwa JthL 1801 (= 19. Bd.), S. 107 Anm.; JathL 1, 1804, S. 671–676; TS I, S. 663–693 („Ueber die Gründe des jetzt herrschenden Nichtglaubens an eine unmittelbare göttliche Offenbarung"), bes. S. 693; weiter TS I, S. 753.

[315] JathL 6, 1811, S. 181; JathL 1, 1804, S. 673; TS I, S. 682f., 611.

[316] JathL 1, 1804, S. 672ff.; JathL 4, 1808, S. 265–267; TS I, S. 722f., 584f.; vgl. JathL 3, 1807, S. 417: Die „mittelbare Offenbarung hält die Mitte zwischen dem *bloßen* Rationalismus und dem strengen Supernaturalismus der ältern Theologen", s. ebdt., S. 417ff.

[317] JathL 2, 1805/06, S. 657.

[318] Ebdt., S. 654–658, bes. 657f.

Jetzt nämlich ist zu klären, ob „die Argumente gegen die christliche Offenbarung so *evident*" sind, „daß man sie, ohne sich bey Denkern zu compro-
mittiren, ganz aufgeben muß", jetzt ist „zu entscheiden, ob die Theologie,
als solche, sich noch halten lasse, oder ob sie sich bey jedem Denkenden noth-
wendig in [bloßen] Rationalismus auflösen" muß. „Denn in der bisherigen elenden
Gestalt, wo sie entweder als Orthodoxie verspottet wurde, oder als Hetero-
doxie inconsequent erschien, oder doch auf alle Fälle aus membris male dis-
iectis bestand, kann sie nicht länger bleiben"[319].

Entscheidet sich nach Gabler an der ‚*reinen biblischen* Theologie', ob wir
Theologen bleiben, so hat er damit die theologische Notwendigkeit *dieser*
Biblischen Theologie für seine Zeit erwiesen, zugleich aber implizit – und ohne
seine Absicht – die Zeitbedingtheit seiner Ausführungen aufgedeckt. Nur
wenn man dies im Blick hat, kann man das bleibend Wichtige herausschälen:
Es ist *der Ruf zur theologischen Besinnung über biblische Aussagen*, es ist die
Forderung nach *theologischer Exegese, die der reformatorischen Schriftauslegung
über die Zeiten hinweg Gültigkeit zu verschaffen sucht.* So konstruiert, fragwürdig und vor allem zeitbedingt diese ‚unwandelbare' ‚reine biblische Theologie'
auch ist, Gablers Anliegen bleibt beachtenswert: der ständig sich wandelnden,
stets die Probleme der Zeitströmungen in ihre Diskussion einbeziehenden
Dogmatik eine biblisch-reformatorische Grundlage zu geben.

Dieses Anliegen aber kann nach Gabler ohne ein abschließendes, klärendes
Wort zur ‚wahren biblischen Theologie' mißverstanden werden. Es ist nämlich
zunächst das mögliche Mißverständnis abzuwehren, daß die Abwertung der
historisch-kritisch arbeitenden ‚wahren biblischen Theologie' im Verhältnis
und Vergleich zur ‚reinen biblischen Theologie' eine Geringschätzung der
historisch-kritischen Exegese überhaupt bedeute. Diese ‚Abwertung' ist allein
im Zusammenhang mit Gablers oben skizziertem Anliegen der ‚Biblischen Theologie' zu sehen. Es ist darum zugleich zu betonen, daß seine eigene theologische
Position ihn geradezu zwingt, sein „System" „aus den christlichen Urkunden"
zu ‚deduzieren'[320], und daß sein Pochen auf das reformatorische Schriftprin-
zip in Verbindung mit der Biblischen Theologie die historisch-kritische Exegese einzubeziehen verlangt. Kurz: Sein Grundsatz, Dogmatik müsse von
Exegese abhängen, ist ohne die in der Reformationszeit aufgebrochene,
seit Semler wiedererkannte und seitdem von J.S. SEMLER selbst, J.A.
ERNESTI, S.F.N. MORUS, J.D. MICHAELIS – und vor allem für Gabler
wichtig – HEYNE und EICHHORN, u.a. betriebene freiere historisch-kritische
Exegese nicht denkbar und verteidigungsfähig. Dies bestätigen sowohl seine
Altdorfer Antrittsrede, seine Verteidigung der Mythenerforschung C.G.
HEYNES, seine Auseinandersetzung mit der moralischen Schriftauslegung
KANTS und AMMONS wie auch seine ausdrücklich als Beitrag zur Biblischen
Theologie verstandenen exegetischen Aufsätze[321].

[319] JathL 1, 1804, S. 673, 675f.   [320] JathL 1, 1804, S. 675; vgl. S. 672ff.
[321] NthJ 1800 (= 15. Bd.), S. 460; C. F. STÄUDLIN (Hrsg.), siehe Anm. 254, Bd. IV,

Und auch in dem aus den „Anmerkungen" und „Besprechungen" zu rekon-
struierenden Programm der beiden Biblischen Theologien ist festzustellen, daß
die historisch-kritische Exegese am Anfang aller Bemühungen um die Biblische
Theologie zu stehen habe: Die „kritische theologische Hermeneutik", die eine
„kritische biblische Theologie construirt", die ‚reine biblische Theologie',
„muß ... von genauer grammatisch-historischer Interpretation ausgehen,
wenn es mehr seyn soll, als: leeres Stroh dreschen, und wenn die Würde Jesu
und der heil. Schrift durch solche Versuche [wie eine ‚reine Biblische Theologie'] nicht auf's Spiel gesetzt werden soll"[322].

Die historisch-kritische Exegese, für die Gabler so nachdrücklich im Sinne
C. G. HEYNES eintritt, bleibt ihm immer der Anfang, aber sie ist in ihren Nachweisen nie das Ziel bei der Bearbeitung einer Biblischen Theologie, auch von
da an nicht, als er nur noch die ‚wahre Biblische Theologie' zum ‚genus historicum' rechnete und diese als „eigentliche" Biblische Theologie bezeichnete.
Auch in der Funktion und unter dem Namen der „historischen biblischen
Theologie"[323], die den „*historisch* entwickelten biblischen Lehrbegriff" aufdeckt[324], wird sie nicht wirklich selbständig. Denn die Ergebnisse dieser historisch-kritischen Untersuchungen sind ja gerade das Preiszugebende, nämlich
das Lokale und Temporelle „nach Verschiedenheit der Zeitalter und Personen
geordnet"[325]. Die „historische Biblische Theologie hat in dem Sinne keine
‚Resultate', weil diese auszumitteln bzw. mittelst der Vernunft festzulegen der
‚reinen Biblischen Theologie' vorbehalten ist. Von ihr aus „gehen" „diese
Resultate ... dann in die Dogmatik über, und werden dort schicklich mit der
Religionsphilosophie in Verbindung gesetzt"[326]. Das ‚bleibende' und eigentlich
weiterführende Ergebnis der historisch-kritisch bearbeiteten Biblischen Theologie ist vielmehr, ihr eigenes Ungenügen für die theologische Arbeit aufzu-
decken, positiv gewandt: den für Gabler unaufgebbaren Zusammenhang von
‚Auslegen' und ‚Erklären' zu rechtfertigen und so zu zeigen, daß ‚wahre
Biblische Theologie' und ‚reine Biblische Theologie' – und zwar in dieser
Reihenfolge (!) – nacheinander folgen müssen, wenn Dogmatik von Exegese
abhängig sein soll[327].

S. 1–50; GABLER(-NETTO), Dogmatik (s. Anm. 151), S. 64f.; zu J. S. SEMLER vgl. bes.
L. ZSCHARNACK, s. Anm. 259, S. 90ff.; G. HORNIG, s. Anm. 259, bes. S. 56ff., 116ff., 149ff.,
176ff.; W. G. KÜMMEL, NT, S. 73ff. u. biogr. Anhang; G. EBELING, s. Anm. 248; zu
J. A. ERNESTI vgl. bes. W. G. KÜMMEL, NT, S. 68ff. u. Anm. 59; K. ANER, s. Anm. 259,
S. 219ff.; W. PHILIPP, RGG³, Bd. II, 1958, Sp. 600f. (Lit.); zu S. F. N. MORUS vgl. H.
HOHLWEIN, RGG³, Bd. IV, 1960, Sp. 1142 (Lit.); zu J. D. MICHAELIS vgl. bes. W. G.
KÜMMEL, NT, S. 81ff.; ders., „Einleitung in das NT" (s. Anm. 50), S. 340ff., E. KUTSCH,
RGG³, Bd. IV, 1960, Sp. 934. (Lit.). – Vgl. auch o. S. 54ff., 58ff., 69ff., 82ff.
[322] JathL 5, 1810, S. 363; vgl. etwa JathL 6, 1811, S. 173, 182.
[323] JathL 1, 1804, S. 307.
[324] Vgl. etwa JathL 4, 1808, S. 233 Anm.; JthL 1801 (= 18. Bd.), S. 567; JathL 2,
1805/06, S. 656.
[325] JthL 1803 (= 23. Bd.), S. 76.
[326] JathL 1, 1804, S. 308; JathL 4, 1808, S. 233 Anm.
[327] JathL 1, 1804, S. 307–309; JathL 5, 1810, S. 358ff.

Unabhängig davon, ob Gabler im einzelnen und durchgreifend der Nachweis
gelungen ist: die Bezogenheit der beiden Biblischen Theologien aufeinander
will vor der Gefahr falscher Verabsolutierungen warnen[328]. Dies geschieht,
indem einerseits die historisch-kritische Arbeit in die theologisch-kritische
Arbeit, in die hermeneutische Fragestellung einbezogen wird und andererseits
der theologisch-kritischen Arbeit der Spiegel vorgehalten wird, daß diese
Hermeneutik ohne den historisch-kritischen Unterbau „leeres Stroh" ‚drischt',
wie es Gabler drastisch ausdrückt[329]. Dem Negativum, dem Ungenügen
historisch-kritischer Arbeit an sich, steht das weitaus bedeutendere Positivum
gegenüber: Der feste Platz historisch-kritischer Forschung im Gesamtgefüge
theologischer Wissenschaft. Anders und ebenfalls im Sinne Gablers ausgedrückt: Die Bestimmung von wesentlicher und außerwesentlicher Offenbarung
mittelst der praktischen Vernunft bleibt an die Offenbarung Gottes in Zeit
und Geschichte gebunden. Die für die Dogmatik brauchbaren ‚Resultate' der
‚reinen Biblischen Theologie' haben ihren Ursprung immer in den „Offenbarungsurkunden" und sind darum über den Weg der ‚wahren Biblischen
Theologie' zu ‚deduzieren'[330]. Die Nachweise der „historischen-biblischen
Theologie" müssen darum immer in die ‚reine biblische Theologie' hereinrei-
chen[331].

Ist somit die historisch-kritische Arbeit im Gesamtgefüge der Biblischen
Theologie wie der theologischen Wissenschaft überhaupt verankert, so ist
im weiteren zunächst daran zu erinnern, daß auch die Einleitungswissenschaft, wie oben gezeigt, mittelst der „höhern Kritik" in die theologisch-
kritische Arbeit einbezogen wird und damit eine theologische Aufgabe erhält[332].
Auch hier sucht Gabler den sachgemäßen Zusammenhang von historisch-
kritischer und theologisch-kritischer Arbeit aufzudecken, ohne den Wert
der historisch-kritischen Einzelergebnisse der Einleitungswissenschaft auch
nur einen Augenblick in Frage zu stellen. Das stete Bemühen, nicht nur in der
Biblischen Theologie, sondern ebenso in der Einleitung wie in seinen exegetischen Aufsätzen die grammatisch-historische Auslegung zur theologischen
Interpretation weiterzuführen, nicht jene durch diese zu korrigieren oder zu
ersetzen (!), zwingt ihn dazu klarzustellen, daß die historisch-kritische Arbeit
nicht doch letztlich eine Hilfsfunktion für die Dogmatik ausübt und daß insbesondere die Biblische Theologie selbst nicht wieder zu einer Hilfsdisziplin
der Dogmatischen Theologie herabsinkt. Der Befreiung aus der Umklammerung durch die Dogmatik galt die Antrittsrede, und wie schwierig hier ein
Selbständigwerden war, zeigen Gablers Äußerungen zur Behandlung der Biblischen Theologie im akademischen Unterricht.

„Nach unserer Meinung müßte entweder die Dogmatik wieder, wie sonst, ein

---

[328] JathL 2, 1805/06, S. 657.
[329] Vgl. JathL 5, 1810, S. 360ff.
[330] JathL 1, 1804, S. 672ff., bes. 675; JathL 2, 1805/06, S. 657.
[331] JathL 2, 1805/06, S. 657; vgl. JathL 1, 1804, S. 307ff.
[332] Vgl. o. S. 47ff.

ganzes Jahr auf Universitäten gelehrt, und darin Religionsphilosophie, biblische Theologie, Dogmengeschichte und Kirchenlehre (in *dieser* Ordnung)
nach den einzelnen Kapiteln der Dogmatik schicklich miteinander verbunden
werden; oder wo dieß (besonders auf größern Universitäten) nicht wohl thunlich seyn möchte, müßten in der Dogmatik die *Religionsphilosophie*, die *Resultate* der *biblischen Theologie* und die Kirchenlehre nebst ihrer Kritik zusammengefaßt, und in einem halben Jahr, wie jetzt gewöhnlich ist, beendigt werden;
dafür sollte aber der wichtigen *biblischen Theologie* in ihrem ganzen Umfange
ein *besonders* Collegium bestimmt werden, weil die Dogmatik wegen ihres
übrigen großen Inhalts nur die *Resultate* der bibl. Theol. aufnehmen kann.
Diese Methode befolgt Rec. und hält sie aus folgender Ursache für besser,
weil der Theolog nicht bloß die reine *Christenthumslehre* ... kennen muß,
sondern auch die *gesammte Bibellehre* nach den verschiedenen Perioden. Mit
dieser *historischen* biblischen Theologie muß aber am Ende" die oben dargelegte
und hier wiederholt ausführlich genannte Kritik im Rahmen der ‚reinen Biblischen Theologie' einsetzen. Erst die hier gewonnenen „*Resultate* gehen dann
in die Dogmatik über"[333].

Daraus ergibt sich erstens, daß ein selbständiges, die biblischen Lehren ent-
wickelndes Kolleg dem Umstand des großen Umfangs der Dogmatik zu ver-
danken ist. Zweitens und gewichtiger aber ist, daß der Dogmatik im Hinblick
auf die Biblische Theologie insofern Genüge getan wird, als ihr die „*Resultate*
der *biblischen Theologie*" verbleiben. Daraus ergibt sich drittens, daß die ‚reine
Biblische Theologie' aus ihrer Mittelstellung zwischen ‚wahrer Biblischer
Theologie' und „Dogmatik" heraus die „historische biblische Theologie" als
selbständiges Kolleg im Rahmen des akademischen Lehrplans ermöglicht,
obwohl ihr in theologischer Hinsicht keine volle Selbständigkeit gewährt
werden kann. Denn „am Ende" der „historischen biblischen Theologie" muß
ja die Aufgabe der ‚reinen Biblischen Theologie' beginnen. Mit der selben
‚reinen biblischen Theologie', mit der Gabler das Ungenügen historisch-
kritischer Arbeit im Rahmen der Biblischen Theologie aufdeckt, rechtfertigt
er die „historische biblische Theologie" gegenüber der Dogmatik und begründet mit ihr theologisch das Recht, der Dogmatik die Biblische Theologie als
Hilfswissenschaft zu entziehen.

Ist damit einerseits erneut die grundlegende Bedeutung der ‚reinen Biblischen Theologie' für Gablers Ansatz in den Blick getreten, andererseits aber
die ‚wahre Biblische Theologie' auf eine breitere Grundlage gestellt, so ist
abschließend das Verhältnis der beiden Biblischen Theologien zueinander noch
einmal unter einem neuen Gesichtspunkt zu würdigen.

Gabler wünscht in der „historischen biblischen Theologie", wie gezeigt, mit
den biblischen Lehrbegriffen bekanntzumachen und sie nach den verschiedenen
Perioden, Zeiten und Schriftstellern zu entfalten. Er fordert eine auf diesem

---

[333] JathL 1, 1804, S. 307f.; vgl. auch das Zitat oben bei Anm. 326.

Wege gewonnene Bibelkenntnis, die nicht nur für die Biblische Theologie
bis hin zur Dogmatik wichtig ist, sondern die vor allem auch als Grundlage
für die praktische Theologie zu gelten hat. „Christliche Predigten müssen
biblischen Unterricht zur Basis haben; sonst hören sie auf, christliche Predigten
zu seyn"[334]. Die in der ‚wahren biblischen Theologie' gebotene Bibelkenntnis auf historisch-kritischer Grundlage ist ein Schutz gegen die Aufklärungspredigt, denn sie erweist, daß „auch die Aufklärung … ihre Gränzen"
hat[335]. Es zeigt sich hier, wenn auch nicht so umfassend wie bei der ‚reinen
biblischen Theologie', daß der ‚wahren biblischen Theologie' ebenfalls eine
Funktion in der Auseinandersetzung mit den Strömungen der Zeit zukommt.
Noch wichtiger aber ist, daß in dieser Funktion Gablers eigene Beurteilung
der ‚wahren biblischen Theologie' abschließend zur Geltung kommt. Im Nachtrag zu einer nicht von ihm verfaßten Rezension bemerkt er: „Andere finden
es daher rathsamer und sicherer, den wahren Sinn Jesu und der Apostel durch
historisch-grammatische Interpretation, so wie bey jedem alten Schriftsteller,
und ganz unabhängig von unsern neuern Religionsansichten, auszumitteln,
um dadurch das reine (d. h. wahre) Urchristenthum zu gewinnen … So gewinnt man eine *historische* biblische Theologie, welche, sobald sie nur exegetisch *begründet* ist, *als Geschichte* der Religionsideen Jesu und der Apostel,
bey allen Veränderungen unsrer Religionsphilosophie, selbst unverändert
bleibt"[336]. Gegen eine solche Biblische Theologie hat natürlich Gabler weder
der Form noch dem Inhalt nach etwas einzuwenden, trifft sie doch wesentlich
mit seinen eigenen, schon in der Antrittsrede geäußerten Forderungen zusammen. Doch sofort kommt die Einschränkung: „Sobald aber von der Beziehung dieses *historisch-reinen* Urchristenthums auf *unsern* Glauben die Rede
ist, so entsteht die große Gränzscheide der neuern Theologen"[337]. Gabler entfaltet an dieser Stelle erneut sein Programm der ‚reinen Biblischen Theologie',
um einerseits, wie oben ausgeführt, der Offenbarung im Christentum als einer
positiven Religion wieder Geltung zu verschaffen, zum anderen aber, um zu
zeigen, daß Glaube und Vernunft bei einer bloß historischen Biblischen Theologie in Widerspruch geraten müssen. Nur ein Glaube, der „bloß auf die
wesentlichen Religionslehren …, welche die philosophische Kritik zu bestimmen habe", sich bezieht, ist den Anfechtungen und Forderungen der eigenen

---

[334] NthJ 1800 (= 15. Bd.), S. 596 Anm. (unter S. 598); vgl. auch J. PH. GABLER, Sammlung einiger Predigten, 1789, Vorrede S. IX–XI; ders., Wie ein rechtschaffener christlicher
Lehrer nach dem Muster Jesu seine Religionsvorträge einzurichten habe. Abschiedspredigt
1804, 1804; ders., Wünsche eines alten Theologen…, abgedruckt bei W. SCHRÖTER, S. 110
(im Orig. irrtümlich 210)–118; s. auch F. W. KANTZENBACH, Die Erlanger Theologie, 1960,
S. 66; zu Gablers Vorbild J. J. SPALDING vgl. R. KRAUSE, s. Anm. 312, S. 18ff.; J. SCHOLL-
MEIER, s. Anm. 312, S. 108ff.

[335] NthJ 1800 (= 15. Bd.), S. 596 Anm. (unter S. 598); vgl. ebdt., 1802 (= 19. Bd.),
S. 190–196, bes. 191. Zur „Predigt in der Zeit der Aufklärung" vgl. A. NIEBERGALL, Die
Geschichte der christlichen Predigt, in: Leiturgia, Bd. II, 1955, S. 306ff.; R. KRAUSE,
s. Anm. 312, bes. S. 11ff., 52ff., 88ff.

[336] JathL 2, 1805/06, S. 654–658, bes. S. 656.

[337] Ebdt., S. 656.

Zeit, der Aufklärung gewachsen. Deshalb meint Gabler, das Ungenügen einer nur ‚historischen Biblischen Theologie' weiterhin betonen zu müssen, indem er *zugleich* die unaufgebbare Verbindung von ‚wahrer' und ‚reiner' Biblischer Theologie geltend macht: „Diese Gründe bestimmen auch den Herausgeber, zur Ehre des Christenthums und aus hoher Achtung gegen die ehrwürdigen Urkunden desselben, die letztere Methode [sein Programm der beiden Biblischen Theologien] vorzuziehen [gegenüber einer *allein* historischen Biblischen Theologie] und sich zu dieser Ansicht des Urchristenthums und dessen Beziehung zu dem reinern und bleibenden Christenthume unumwunden zu bekennen"[338].

Die historisch-kritische Bearbeitung biblischer Texte ist die unerläßliche Voraussetzung jeder christlichen Predigt. Aber wie im exegetischen Kolleg bei der Exegese einer Einzelperikope zum „Auslegen" das „Erklären" hinzutreten muß, so muß zum biblischen Unterricht in seiner Gesamtschau als Kolleg über ‚historische Biblische Theologie' die ‚reine Biblische Theologie' hinzutreten. Sie erst ermöglicht einen *vernunft*gemäßen Glauben. Das Aufeinanderbezogensein der beiden Biblischen Theologien will solch einen Glauben auf sichere Grundlage stellen. Die nach den aufgezeigten methodischen Grundsätzen erarbeitete *Biblische Theologie* ist somit nach Gabler *Einführung in den Glauben*[339], *der in einer je neuen Gegenwart überzeugend vertreten und theologisch gerechtfertigt werden kann und in Glauben stärkender und erhaltender Predigt seinen praktisch-theologischen Ausdruck findet*[340].

Daß es hierzu der *beiden* Biblischen Theologien bedarf, muß abrundend noch einmal von einem anderen Gesichtspunkt aus an Gablers Verständnis des Historischen aufgezeigt werden, nämlich an der Einwirkung der Vernunft auf die ‚historische Biblische Theologie'. Gemäß seiner Forderung in der Antrittsrede als auch in den folgenden Jahren sind zwar die Lehrbegriffe der verschiedenen biblischen Autoren aus ihrer damaligen je eigenen Zeit heraus auszulegen, zu unterscheiden und untereinander zu vergleichen, aber gerade Letzeres bleibt in Gablers ‚*historischer Biblischer Theologie*' reines Postulat[341]. Denn der historisch-kritische Vergleich der verschiedenen Lehrbegriffe untereinander erfolgt gerade nicht, und deshalb kann weder das Lokale und Temporelle ausgeschieden noch – gewichtiger – Wesentliches und Außerwesentliches unterschieden werden. Die Frage nach dem ‚Kanon im Kanon', etwa die Frage nach der zentralen Botschaft des Neuen Testaments kommt gar nicht in den Blick. Die historisch-kritische Arbeit endet bei einer sorgfältigen, die einzelnen biblischen Autoren und Zeiten berücksichtigenden und so die biblischen Lehrbegriffe auffächernden Bibelkenntnis, die mit ‚historischer Biblischer Theo-

---

[338] Ebdt., S. 657f.; vgl. ferner TS I, S. 722f.; JthL 1802 (= 21. Bd.), S. 405 Anm.
[339] Vgl. etwa JathL 6, 1811, S. 166, 175f.
[340] Vgl. Anm. 334 u. 335.
[341] Etwas anders R. SMEND, Gabler, S. 356, der meint, daß Gabler zwar die „Vorstellungsarten" vergleiche, „aber sie stehen in keiner lebendigen Beziehung zueinander, entwickeln sich nicht, stoßen sich nicht ab, bleiben doktrinär, abstrakt, unlebendig".

logie', wie gezeigt, gleichzusetzen sich Gabler offensichtlich nicht scheut.
Es fehlt, entgegen der erhobenen Forderung, die „*Geschichte* der Religions-
ideen Jesu und der Apostel"[342] in der ,historischen Biblischen Theologie',
und man ist geneigt, dafür „das Fehlen der geschichtlichen Dimension" bei
Gabler verantwortlich zu machen[343]. Das ist richtig, wenn man differenziert.
Es ist nämlich erstens geltend zu machen, daß Gabler in der historisch-kritischen
Arbeit der Schüler C. G. HEYNES zeitlebens geblieben ist. Zweitens ist zu be-
achten, daß er die Notwendigkeit des Vergleichens, die Bestimmung von
Wesentlichem und Außerwesentlichem und damit eine Kritik innerhalb des
Kanons stets gesehen, sie aber aus den genannten Sachgründen nicht der
,historischen Biblischen Theologie', sondern der ,reinen Biblischen Theologie'
zugeschrieben hat. Da aber in dieser die „praktische Vernunft" die wesentliche
Offenbarung festlegt, die seiner Zeit verpflichtete Vernunft aber eine geschichts-
lose Größe ist[344], ermangeln die so ermittelten unwandelbaren biblischen
Grundlagen der ständig im Wandel begriffenen Dogmatik in der Tat der
„geschichtlichen Dimension". Um der in seiner Zeit notwendigen ,reinen Biblischen Theologie' willen ist die historisch-kritische Arbeit auf halbem Wege
stehen geblieben. Daraus erklärt sich Gablers relative ,Abwertung' der ,histo-
rischen Biblischen Theologie': Sie deckt das Temporelle und Lokale als das
(von der Vernunft her) zu Eliminierende auf und arbeitet mit ihren Nachweisen
doch nur auf die ,reine Biblische Theologie' hin. Als historisch-kritisch vermittelte Bibelkenntnis hat sie mit der ,reinen Biblischen Theologie' nach außen
hin die Unveränderlichkeit gemein. Aber was bei der Letzteren durch die Anwendung der „praktischen Vernunft" sich ergibt, ist bei der ,historischen
Biblischen Theologie' die Folge des nicht zu Ende gegangenen historisch-
kritischen Weges. Bzw. es ist einerseits die Folge davon, daß der Einfluß der
„praktischen Vernunft" auf die Gestaltung der ,reinen Biblischen Theologie'
sich lähmend auf die historisch-kritische Arbeit der ,wahren Biblischen Theologie' (= historischen Biblischen Theologie) niederschlug. Andererseits hat es
zur Folge, daß man es bei dieser nicht zu Ende geführten historisch-kritischen
Arbeit bewenden lassen konnte, *weil* die „praktische Vernunft" das Fehlende
in der ,reinen Biblischen Theologie' *auf ihre Weise* erledigte. Hat man diese
Zusammenhänge im Blick, dann ist es von da aus nur noch ein kleiner Schritt
bis zum Verzicht auf die Verifizierung jener unwandelbaren biblischen Grundlagen für die Dogmatik durch die historisch-kritische Exegese. Und wenn
Gabler diesem Verzicht, wie gezeigt, auch nicht ausdrücklich das Wort reden
will[345], so bietet sich für einen solchen seine Zuordnung der beiden Biblischen
Theologien zueinander an.

---

[342] JathL 2, 1805/06, S. 656. Unzutreffend und ohne Quellennachweise sind die Behauptungen von K. HAACKER, s. Anm. 5, S. 86 zur Sache.
[343] So R. SMEND, Gabler, S. 355f.
[344] Vgl. o. S. 43, 104.
[345] Vgl. o. S. 111f.

Es bleibt als Ergebnis festzustellen, daß Gablers Programm der Biblischen Theologie in der Durchführung gerade hinsichtlich der ‚historischen Biblischen Theologie' erhebliche Mängel aufweist. Das hat seine Ursache in Gablers Ausgangspunkt: Die Biblische Theologie aus der Jahrhunderte langen Umklammerung und aus der Verschmelzung mit der Dogmatischen Theologie zu befreien und diesen Schritt als theologische Notwendigkeit in seiner eigenen Zeit zu begründen, um so eine *feste Grundlage für die in seiner Gegenwart erforderliche Dogmatik zu gewinnen.* Diese Tat entlastet Gabler für mancherlei Unstimmigkeiten und Mängel in seinem Programm wie in dessen Durchführung. Zeigt sie ihn doch ebenso innerhalb der Grenzen seiner Zeit, sowohl in der Anwendung der Vernunft wie der historisch-kritischen Arbeit im Bereich der Biblischen Theologie und damit im Aufbau dieser Disziplin als einer eigeneigenständigen und von der Dogmatik unabhängigen.

F. NETTOS NACHSCHRIFT VON GABLERS VORLESUNG ÜBER „BIBLISCHE THEOLOGIE"

1. Die Prolegomena der Nachschrift als Zusammenfassung der bisherigen Ausführungen

Eine Zusammenfassung der Einzelgedanken und der verschiedenen Beweisführungen Gablers zur Gewinnung der „Biblischen Theologie", vor allem auch im Hinblick auf die Anordnung der Darstellung, ist uns in den 1816 für den Druck vorbereiteten „Prolegomenen" (sic!) zur Biblischen Theologie gegeben, die in einem kleinen Ausschnitt bei W. SCHRÖTER angeführt werden[346] und von E.F.C.A.H. NETTO in der Nachschrift von Gablers Vorlesung über „Biblische Theologie" (S. 1–79) offenbar vollständig wiedergegeben werden[347]. Die verschiedenen Hauptteile dieser Prolegomena stimmen mit W. Schröters Angaben genau überein[348], und ein Vergleich der bei Schröter abgedruckten Abschnitte mit denen bei Netto zeigt eine oft bis in die Formulierung hinein wörtliche Übereinstimmung[349]. Weiter trifft sich Nettos Nachschrift so weitgehend mit Gablers eigenen, an zahlreichen Einzelstellen veröffentlichten Äußerungen, so daß von dem Überprüfbaren auf das Ganze geschlossen werden darf und die Nachschrift der Prolegomena als wirklich Gablers Sicht der Dinge

---

[346] W. SCHRÖTER, S. 54ff.
[347] S. wesentliche Auszüge S. 114–134 und die handschriftlichen Wiedergaben auf S. 32f.
[348] W. SCHRÖTER, S. 52–54.
[349] S. Anhang II dieser Arbeit, S. 285ff.
  Zu S. 54.   (Schröter) vgl. S. 62ff. Netto
  Zu S. 55–57 (Schröter) vgl. S. 70ff. Netto
  Zu S. 57f.   (Schröter) vgl. S. 78f. Netto.

wiedergebend angesehen werden kann[350]. Sie kann darum sachgemäß als *Zusammenfassung des bisher Ausgeführten* gelten.

„Biblische Theologie
vorgetragen von D. Joh. Phil. Gabler

    nach

Bauer
Breviar. Theol. Bibl.

E.F.C.A.H. Netto, Jena 1816", 423 gez. Bl.

Biblische Theologie[351]

Vorerinnerung (S. 1)

„Die Bibel, besonders die Lehre Jesu soll die Basis der Theologie seyn, u. um so wichtiger ist es, sie zu studieren; aber da in der Bibel u. selbst im Neuen Testament sehr vieles ist, was als Glaubensgrund nicht gelten kann, da so viel lokales und temporelles sich darinnen findet, so muß man eine historische u. kritische Operation mit der Bibel vornehmen, indem man zu untersuchen hat, was ein Biblischer Schriftsteller hat sagen wollen, u. wie er darauf gekommen ist". (S. 1). Die Alten halfen sich bei dieser Bestimmung mit der Theopneustie, aber die Definition derselben ist unzureichend gewesen, und darum ist sie jetzt nicht mehr anwendbar. „Der Theologische Gesichtspunkt der Biblischen Theologie ist, daß wir auch für unseren eignen Glauben sorgen, u. ihn von dem Biblischen Glauben abhängig machen; u. da wir unsern Glauben auf Offenbarung gründen, aber nur das religiös-moralische in der Bibel sich aus Offenbarung annehmen läßt, so müßen philosophische Grundsätze die Kriteria der Offenbarung geben" (S. 1).

Inhaltlich kommt es entscheidend auf die Lehre Jesu an, „denn die Apostel hatten noch mancherley Jü||dische Begriffe, sie spekuliren schon über die Person Christi, aber bey der Absonderung müßen wir immer die Grund-Idee fest halten,

---

[350] Anmerkungsweise darf erwähnt werden, daß es sich bei Nettos Nachschrift um die einzige bisher auffindbare Gesamtdarstellung von Gablers Gedanken zur Biblischen Theologie (abgesehen von dem Programm der Antrittsrede, 1787) handelt.

[351] Das Manuskript weist zahlreiche, mit Farbstift vorgenommene Unterstreichungen auf, die in den wörtlichen Anführungen nicht berücksichtigt werden. Lediglich mit der gleichen Tinte hervorgehobene Unterstreichungen werden beachtet. – Die Seitenzahlen im folgenden beziehen sich auf dieses Manuskript. Zur Straffung und zur Verminderung der Druckkosten muß auf den vollen Wortlaut verzichtet werden. Eine vollständige Xerokopie der S. 1–79 des MS befindet sich in dem bei der Theologischen Fakultät der Philipps-Universität Marburg aufbewahrten Exemplar meiner Habil. Schrift.

daß το θειον in Christo gewesen sey" (S. 1/2). Die Lehre Jesu findet sich in den
„Aussprüchen" Jesu, doch bei Johannes muß man beachten, „was nur sein
eigner Commentar zu den Sentenzen Christi ist; sodann finden wir aber auch
die Lehren Jesu in den Lehrsätzen, in welchen alle Apostel mit einander überein
stimmen; wo sie abweichen tragen sie bestimmt ihre eignen Ideen vor". (S. 2).

„Biblische Theologie ist im weitern u. engern Sinn zu nehmen; die erstere
ist die historische, die zweite enthält Untersuchungen, was wir aus der Bibel
für unsern Glauben brauchen können; sie ist also kritisch und thetisch.

Der Grund aller Religion liegt in dem Menschen selbst, durch göttliche innere
Offenbarung hat er sie erhalten. Dazu kommt eine allgemeine u. specielle Form
des Christenthums. Die specielle Form muß man in der Biblischen Theologie
absondern, denn sie enthält die Ideen, welche dem Klima, der Volksthümlich-
keit u. a. m. angehören" (S. 2).

In dieser Vorerinnerung sind die Weichen für die nachfolgenden Prolegomena
gestellt.

„Prolegomena,

I.

Allgemeine Vorkenntniße der Biblischen Theologie"

§ 1

„Biblische Theologie ist eine Theologie, die aus dem gründlichen Studium
der Bibel gewonnen wird, u. ihre Quelle ist also die Bibel selbst, ohne Rücksicht auf Kirchliche Lehre" (S. 3).

Die beiden Gesichtspunkte, unter denen man die Bibel betrachten kann,
sind entweder der historische oder der theologische. „Im ersten Fall ist die
Bibel eine Saṁlung von Schriften der alten Jüdischen Welt, welche außer
der Geschichte auch religiöse Ideen enthalten, u. zwar Ideen einzelner Personen
so wohl als der ganzen Nation. Dies muß immer der erste u. Hauptgesichts-
punct seyn, aber er ist nicht der einzige, sondern es giebt auch einen theologischen Gesichtspunct, wenn wir die Bibel als eine Sammlung von Schriften
betrachten, von welchen wir unsern Glauben abhängig machen, wozu uns die
Idee der göttlichen Offenbarung berechtigt. Auf diesen doppelten Gesichtspunct bezieht sich der Unterschied der Biblischen Theologie im weitern u.
engern Sinn; im weitern faßt man den historischen Gesichtspunkt auf, im
engern den theologischen" (S. 3).

Biblische Theologie im weiteren Sinn ist „der Inbegriff aller übereinstimmen-
den u. der von einander abweichenden Religions Vorstellungen der Bibel, nach
Verschiedenheit der Zeitperioden und Personen" (S. 4). Mit den sog. dicta
classica als Sammlung der Beweisstellen für die Dogmatik ist es also nicht getan,
zumal diese in der Regel aus ihrem Zusammenhang gerissen wurden: „u. wir

müssen doch die Bibel im Ganzen studieren. Dies Bibelstudium beförderte vorzüglich Zachariä in seiner biblischen Theologie, die jedoch für unsere Zeiten nicht mehr paßt, da er die Bibelstellen promiscue braucht, u. den historischen Gesichtspunct nicht auffaßt" (S. 4). „Die religiösen Ideen von Jesu" sind von denen „Jesu selbst" abzusondern, ebenso sind weiter die Ideen der Apostel von diesen abzusondern, denn die Apostel könnten ja einige der Ideen Jesu „falsch aufgefaßt haben". „Denn so bald wir annehmen, daß sie inspirirt gewesen, so ist dieß schon ein theologischer Gesichtspunct" (S. 4).

„Im engern oder theologischen Sinn ist Biblische Theologie der systematische Inbegriff der reinen, von lokalen u. temporellen Vorstellungen abgesonderten Bibellehre, welche jeder Glaubenslehre aller Zeiten u. Orten zum Grunde ge||legt werden kann. Wenn daher die historische Ansicht dazu dient, manche Religionsmeinung niederzuwerfen, die auf irriger Interpretation beruht, so dient diese dazu, ein neues System aufzubauen. Übrigens beruht dieser ganze Theil auf der Idee von der Offenbarung, aber weder die Kantische noch die Schellingsche Ansicht können hier Statt finden" (S. 4/5).

„Von der Biblischen Theologie im weitern unterscheidet sich Dogmatik dadurch, daß jene historischer, diese thetischer Art ist; von der Biblischen Theologie im engern Sinn unterscheidet sich aber Dogmatik dadurch, daß jene nur die Basis des Systems liefert, die Resultate aus der Bibel, den Stoff zu einer geläuterten Dogmatik, aber kein System. Was nehmlich durch die Biblische Theologie gewonnen worden ist, verbindet man zu einem System, u. das ist Dogmatik, u. zwar entweder positiv, wenn man bloß die Bibel zu Rathe zieht, oder mit Religions-Philosophie verbunden" (S. 5). Die ältern Dogmatiken beruhen oft auf „falschen Beweisstellen", „geläuterte Dogmatik aber auf ächt biblischer Theologie im engern Sinn; es kann keine feste Religions Theorie aufgeführt werden ohne die Basis der Biblischen Theologie" (S. 5).

§ 2

Das bisher Ausgeführte stellt „eigentlich" keine Einteilung dar, sondern dient der „genauern Bestimmung des Begriffs" (S. 5). Für eine Einteilung jedoch ist wichtig, daß man „auch die Biblische Theologie ... in die dogmatische u. moralische" aufteilt, wenngleich man die „Biblische Dogmatik" „uneigentlich, κατ' εξοχην ||Biblische Theologie" nennt, „obgleich Theologie aus Glaubenslehren u. Lebenspflichten besteht, u. auch dieß der doppelte Inhalt der Bibel ist" (S. 5/6). „Bloß biblische Dogmatik" lieferten Zachariä u. Ammon. [von G. L. Bauer wird nicht gesprochen].

„Dann theilt man sie auch ein in die Biblische Theologie des Alten Testaments u. des Neuen Testamentes, oder gar nur einzelner Perioden, Personen und Materien, aber dieß sind nur einzelne Theile eines u. desselben Ganzen" (S. 6).

§ 3

Zwei „Hauptmethoden" sind zu berücksichtigen: 1. Man stellt den „Lehrbegriff" einer Periode oder auch einer Person dar, so daß man entsprechend der Anzahl der Perioden auch Teile der Biblischen Theologie hat. 2) „Man kann die Materialien der Dogmatik nach der Ordnung aufstellen, u. über jedes dann die Meinung der ganzen Bibel nach den verschiedenen Perioden, in welchen man verschiedene Personen unterscheidet" (S. 6). Im Neuen Testament gibt es jedoch „nur eine Periode, u. wir müßten da bloß auf die Personen Rücksicht nehmen, vorzüglich Jesus, Johannes u. Paulus, da die übrigen wenig in Betracht kommen können. Beyde Methoden kann man durch Hülfe eines Registers in einem Buche vereinigen" (S. 6).

Die erste Methode dient mehr für Handbücher und ist unentbehrlich für das Studium, „um zu sehen, wie die Ideen sich entwickelten." S. 6). Die zweite Methode dient für den Vortrag (bei Fortgeschrittenen!) (S. 7).

In den Vorlesungen sind nicht alle Stellen erklärbar, aber man muß die „Quellen der Meinung aufsuchen, die theils in dem Zeitgeist, theils in der Individualität der Personen ruhn. Dann muß die Kritik hinzu kommen, warum wir dieß und kein anderes zur Grundlage unseres Glaubens nehmen können" (S. 7).

§ 4

Hier wird vom Nutzen der biblischen Theologie gehandelt, der in folgenden Punkten liegt: 1. Verständnis der einzelnen Stellen: „Biblische Theologie enthält den Kern der Biblischen Exegese für den Theologen". 2. „Noch wichtiger ist es, daß sie zeigt die stufenweise Entwickelung von der rohen Sinnlichkeit bis zur Bildung u. Vollendung religiöser Ideen, zumahl da sie die Quellen dieser Entwickelung aufsucht. Man sieht, wie solche Ideen sich ohne Inspiration natürlich entwickeln mußten. 3. Am wichtigsten aber ist es, die Biblischen Begriffe rein aufzufaßen, um etwas festes für unsern Glauben zu erhalten" (S. 7).

§ 5

„Zur Literatur der Biblischen Theologie gehört in gewißer Rücksicht der ganze Apparat der Exegese des A. u. N.T. besonders aber, theils die Schriften über die Dicta Classica, theils die, welche der Biblischen Theologie besonders gewidmet sind, im Ganzen, oder in einzeln Theilen" (S. 7). Wichtig sind dabei besonders Gablers Randbemerkungen zu den Biblischen Theologien seiner Zeit. Berücksichtigt werden u.a. T. ZACHARIÄ, W. HUFNAGEL, C.F. AMMON, G.L. BAUER (S. 9–14).

II.

„Quellen der Biblischen Theologie"

§ 1

„Überhaupt"

„Die Biblische Theologie hat ihren Namen von der Bibel, ihre Quellen müßen also die Bibel selbst seyn; und da wir die Ideenfolge bis auf Christus haben müßen, die Kanonischen Bücher aber nur bis kurz nach dem Exil reichen, so gehören die Apokryphischen Bücher ebenfalls dazu" (S. 14). Zudem haben „sie Einfluß ... auf die gramatische Interpretation d. N. T.; sie gehören also notwendig zur historisch-biblischen Theologie" (S. 15). Dagegen sind die Apokryphen des Neuen Testaments wegen ihrer phantasiereichen Ausmalung nicht heranzuziehen (S. 15).

Ein nun anschließender, relativ unmotivierter Abschnitt über die Bedeutung des „alex. Dialectes" braucht nicht näher berücksichtigt zu werden.

§ 2

„In wiefern kann die Bibel Quelle seyn?"

„Die Quelle der historisch B. Th. ist die Bibel schon als Sammlung der ältesten Urkunden des Jüdischen und Christlichen Glaubens, wenn nur die Aechtheit der einzelnen Bücher erwiesen ist". (S. 16).

Die Klärung dieser Fragen gehört in die Einleitung des Alten und Neuen Testaments. Neben den allgemeinen Einleitungsfragen muß im Neuen Testament „auf den Unterschied der ομολογουμενων u. der αντιλεγομενων Rücksicht" genommen werden. D. h. „was in leztern steht, nicht als ungezweifelte Idee ansehn, sondern in Parenthese setzen, besonders aber mit den Ideen in den ομολογουμενοις vergleichen u. das absondern, was in diesen nicht steht, oder ihnen gar widerspricht. Man sieht von selbst, daß dieser Unterschied am wichtigsten ist, wo es auf Glaubens-Verbindlichkeit ankommt" (S. 16).

Bei den Ideen und Meinungen Jesu selbst ist achtzugeben, ob nicht die Evangelisten, insbesondere Joh., umgestaltet haben. Joh., „weil bey ihm die Sprache Jesu von der bey den andern Evangelisten ganz verschieden ist, u. Johannes in seinem ersten Briefe gerade spricht wie Jesus in seinem Evangelium" (S. 16). Doch sprach Jesus „... viel sententiöser". Johannes hat auch dem Täufer allerlei in den Mund gelegt. „Wir müßen also hier kritisch verfahren, um unsern Glauben nicht auf die Paraphrasen des Johannes sondern auf die Lehren Jesu zu gründen" (S. 17).

Im Alten Testament sind ebenfalls die Einleitungs- bzw. Verfasserfragen wichtig, „da es auf die successive Entwickelung der Ideen der Juden ankom̅t".

Darum „ist auch die Zeit nicht einerley wenn u. von wem ein Buch geschrieben ist" (S. 17). Ist der Pentateuch auch nicht von Mose verfaßt, so enthält er doch grundlegende „Traditionen u. frühere Ideen" (S. 17).

„Im engern Sinn kann die Bibel nur Quelle seyn der Biblischen Theologie, wegen ihrer Göttlichkeit" (S. 17). Diese Göttlichkeit zeigt sich hinsichtlich „1) Ursprungs, 2) des Inhalts, 3) des Ansehns" (S. 17). Dabei ist die Göttlichkeit des Inhalts nicht von der Göttlichkeit des Ursprungs abhängig, doch da beide Bezug haben auf „die Göttlichkeit des Ansehens" (S. 18), muß die Göttlichkeit der Bibel grundlegend in einer Biblischen Theologie untersucht werden.

§ 3

„Göttlichkeit der Bibel im Allgemeinen"

Die „Göttlichkeit einer heiligen Schrift" will immer eine besondere Beziehung zu Gott ausdrücken, sei es ihres Inhaltes nach, sei es ihres Ursprungs und Ansehens nach (S. 18).

Die Übereinstimmung des Inhalts mit Vernunftwahrheiten zugleich als dessen Göttlichkeit zu erweisen, scheitert daran, daß die „ausgemachten Vernunftwahrheiten" nicht schon „an sich" göttlich sind, vielmehr zeigt sich gerade daran die Unhaltbarkeit einer solchen Relation von Göttlichkeit und Vernunft, daß beide sich wesentlich unterscheiden können und daß „eine besondere von der Autorität der Vernunft verschiedene Basis einer Religions-Anstalt gelten" kann (S. 18). Diese Annahme setzt eine göttliche Offenbarung „des doctrinellen Inhalts" der Schrift (S. 19) voraus, die jedoch nichts über den göttlichen Ursprung heiliger Schriften aussagt. „Denn nur alsdann findet" eine „nähere Beziehung auf Gott Statt, wodurch er zur Basis einer bleibenden positiven Religion geeignet ist" (S. 19).

Geht man davon aus, daß „die Göttlichkeit des Ansehens … ganz von der Göttlichkeit des Inhalts und Ursprungs" abhängt und daß es „bey der B. Th. im engern Sinn … bloß auf die Göttlichkeit des Ursprungs" (S. 19) ankommt, so dient die Lehre von der göttlichen Bestätigung zur Erklärung: „Gott kann" nämlich „nur das Göttliche bestätigen, und so kann er keine Offenbarung geben, die nicht Bezug auf religiöse Gegenstände habe, das ist erweislich, denn die Gottheit offenbart sich nur in Beziehung auf sich selbst, nicht bloß zur Aufhellung des Verstandes, sondern in dem, was ein religiös-practisches Interesse hat" (S. 20). D.h. Jesus ist „göttlicher Gesandter" nur hinsichtlich seiner „Hauptlehren" und seiner Wunder. Da Jesus aber vielerlei sagen mußte, was nicht zu seinen Hauptlehren gehörte, „u. da Gott nur das durch Wunder bestätigen kann, was zur Hauptlehre gehört, so kann nur dasje-[nige] unsrer Religion zum Grund gelegt werden, was durch Wunder bestätigt worden ist" (S. 20).

Jede Offenbarung setzt ein „verschlimmertes Zeitalter" voraus; eine solche Zeit aber vermag über Wunder nicht richtig zu urteilen.

§ 4
„Göttlichkeit des Ursprungs der Bibel im Allgemeinen"

Die „Göttlichkeit des Ursprungs der Bibel" bezieht sich entweder „nur"
auf die in ihr enthaltenen „Religions-Wahrheiten", oder „sogar auf die schrift-
liche Abfassung der Bibel" (S. 21). „Die erstere ist die Theopneustie im
weitern u. biblischen Sinne, die zweite im engern u. dogmatischen Sinne"
(S. 21).

Die „inspiratio rerum et verborum" aber ist ein „Wahn" (S. 21), man mißverstand 2. Tim. 3,16, denn πᾶσα γραφὴ ϑεόπνευστος ist sachgemäß auf Gedanken und Empfindungen des Menschen zu deuten, der sich in seiner Begeisterung über das Gemeine erhaben wußte. Das schrieb man fälschlich Gott
als Inspiration zu. Die Theopneustie ist hier „in sensu latiori" gesehen. Das
ist biblisch vertretbar (S. 22), nicht aber begegnet sprachlich und sachlich diese
Theopneustie „in sensu strictiori". Freilich läßt sich diese Theopneustie „im
engern Sinn erweisen, wenn man sie nicht unmittelbar sondern mittelbar
nimmt, indem nehmlich die Gottheit vorher den Verstand u. das Gemüth der
heiligen Schriftsteller erleuchtete" (S. 22). Will man auf diese Weise „die
dogmatische Erklärung der Theopneustie" retten, wird man folgende Vorstellung damit verbinden müssen: Die Gottheit hat in Jesus selbst wie in den
Aposteln unmittelbar gewirkt in ihren Begriffen und Gedanken, „ohne daß der
heilige Geist die Apostel inter scribendum vor Irrthümern bewahrt hätte"
(S. 22).

Jedoch reicht die Theopneustie im weiteren Sinne für die Basis der christlichen Religion völlig hin. „Es kommt uns nur darauf an, daß die Schriften
des N.T. göttliche Offenbarungen enthalten, u. göttlichen Inhalts seyn, nicht
aber daß die unmittelbare ||Theopneustie erwiesen werde" (S. 22f.). Wenn die
Dogmatiker bereits für den mündlichen Vortrag der Apostel Inspiration
annehmen, bedarf es ohnehin des heiligen Geistes nicht mehr. Es gilt vielmehr;
„Die Bibel" bleibt „Basis des Christenthums …, auch wenn bey der Abfassung
der Bücher der heilige Geist nicht mit gewirkt hat, wenn nur erwiesen wird,
daß die Lehren aus göttlicher Offenbarung herfloßen" (S. 23). Denn:

„Göttlicher Ursprung der Lehren selbst heißt Offenbarung, u. in dieser
Bedeutung heißt auch die Bibel Offenbarung" (S. 23). Aus diesem Satz ergeben
sich *drei* Fragen: 1. Ist der vollständige Inhalt der Bibel göttlich? 2. Bezieht
sich die Göttlichkeit nur auf den wesentlichen, religiösen Inhalt? 3. Ist die
ganze Bibel menschlich und nur das göttlich, was mit der Vernunft übereinstimmt?

Die *erste* Frage bejaht die allgemeine „Kirchenlehre", „wobey freylich aller
Gebrauch der Vernunft aufhören muß" (S. 23). Die Reformatoren hielten noch
die ganze Bibel für göttlich, „aber wenn wir es nicht so finden, so müßen wir
nach Luthers eignen Grundsätzen diese Meinung verlaßen, u. unsern Glauben
nicht von Menschen abhängig machen" (S. 24).

„Offenbarung ist göttlicher Ursprung der Lehre, u. diese ist entweder mittelbar oder unmittelbar" (S. 24). Als „unmittelbar" gilt „eine objective Offenbarung" (S. 24); es muß vorausgesetzt werden, daß diese auch direkt durch Ideen etc. einwirkt im Menschen, „aber da sich jede neue Idee an alte anschließen muß, so ist eine solche unmittelbare Wirkung gar nicht denkbar" (S, 24).

Stellt man sich die unmittelbare Offenbarung in der Weise vor, daß die „Gottheit" als „Weltseele" „überall und stets wirkt, dann ist „diese Art von Theopneustie" „nicht nur die Quelle der reinern Mystik", sondern wirkt durch alle Zeitalter fort. An der „Wirkung der Gottheit", die die Menschen zu verspüren meinten, wurde über „höhere oder mindere Offenbarung" entschieden. Denn wer sie nicht verspürte, dem wurde „Mangel an Receptivität" nachgesagt. Diese Theopneustie habe in Christus „am meisten gewirkt, weil er die höchste Receptivität gehabe habe" (S. 24f.).

In neuerer Zeit ist „alle Offenbarung mittelbar gedacht" worden (S. 25), nämlich in dem Sinne, daß Gott „die ganze Natur" durchwaltet (S. 25).

„Ist nun die Inspiration Jesu u. seiner Apostel mittelbar oder unmittelbar?" „Wenn Gott nur das offenbaren kann, was Bezug auf Religion hat, so kommt nicht viel auf die Entscheidung dieser Frage an; das wahre und vernünftige Ansehen der Bibel, also d. A.T. sowohl als des N.T. leidet durchaus nichts, wenn wir bloß die mittelbare Offenbarung annehmen" (S. 25).

Grundsätzlich müssen „dreyerlei Ansichten unterschieden werden" (S. 25): „1) die Biblische, 2) die der ältern Theologen, 3) die rein vernünftige historisch-kritische" (S. 25). Die biblischen Schriftsteller dachten nur an eine Inspiration der Sachen, die älteren Theologen übernahmen „inspirationem rerum et verborum inter scribendum von den Talmudisten" (S. 25).

§ 5

„Wie haben wir den göttlichen Ursprung des A.T. und wie den des N.T. anzusehn?
A. Theopneustie des A.T."

Auffallend ist: „die Götter blieben sich immer gleich" (S. 26). Das spricht gegen den Umgang der Urväter mit den Göttern, und später schickten die Götter nur ihre Gesandten. „Es sind also nur die Stufen‖ der menschlichen Ideen, die auch nur in der Vorstellung wirklich sind" (S. 27f.).

II. Sam. 23,7 spricht nicht „von der Inspiratione rerum et verborum" (S. 27), zudem besagt sie nichts von göttlicher Abfassung einer Schrift. Erst in der LXX und im Talmud wird diese Inspiration vorausgesetzt und von dort ins Christentum übernommen. Man muß den Geist jener Zeit beachten, in der man alles Außerordentliche auf Gott zurückführte. „Jene Männer waren daher keine Betrüger, sie wollten nicht täuschen, sondern sie dachten u. sprachen im Geiste ihrer Zeit" (S. 28).

Das wird verdeutlicht in den Theophanien und Visionen: „Die Theophanien gehören zu den Mythen der alten Welt, denn wie sollte Gott mit dem Abraham Milch und Kalbfleisch gegessen haben?" (S. 28).

Die Visionen sind „theils natürlich", weil im Orient die „Phantasie an der Tagesordnung war", teils aber sind sie – besonders bei den atl. Propheten – Fiktionen: „vieles wurde in eine Vision eingekleidet, weil man eben daran gewöhnt war" (S. 28), vgl. die Apokalypse.

„So ist es auch, wenn Gott mit den Menschen sprach; das Heilige schloß sich in jenen großen Männern auf ... und die neuen Aufschlüße über manche Dinge die sie in sich fühlten, nannte man Zusprache Gottes" (S. 28).

Jesus und die Apostel behaupten von der Theopneustie des AT „den göttlichen Ursprung des Inhalts, nicht der Abfaßung der Schriften" (S. 28; vgl. Mtth. 15, 3 u. 16; Mk 7,9. 13; Mtth. 22, 31.32; Joh. 8,40.46.47; Lk. 24, 25–27); – (S. 29: Rm. 3,4; II. Tim. 3,14–17); (S. 30: II. Petr. 1,19–21). Die daraus sich ergebenden Resultate sind (S. 30):

1. Im AT gibt es zahlreiche menschliche Vorstellungen, aber „auch viel Göttliches" (S. 31), so daß Theopneustie als „mittelbar" göttliche Offenbarung nicht geleugnet werden kann.

2. „Die Apostel haben wirklich geglaubt, daß die religiöse Begeisterung im A.T. unmittelbar von der Gottheit herrühre" (S. 31). Das zeigt sich z.B. darin, daß die Apostel nach jüdischen Grundsätzen exegesierten und das AT auch dort als Beweis verwandten, wo es keine Belege hergibt (z.B. hinsichtlich des Leidens Jesu) (S. 31f.), vgl. Lk 24,25–27, wobei jedoch fraglich bleibt, ob dies Jesus gesagt oder ob es Lukas zugeschrieben werden muß, der dann auch die Verantwortung dafür trägt (S. 32). Da die Lehre der Orthodoxen, daß Jesus die messianischen Stellen auf sich deutete, unhaltbar ist, muß man eine andere Erklärung suchen. Man muß beachten, daß „nur der λογος das Göttliche in ihm war, u. die objective Gottheit in ihm durch Offenbarung wirkte" (S. 33). Das besagt, man muß „in den Reden Jesu das Wesentliche, was religiös practische Tendenz hat", unterscheiden, nämlich die Offenbarung von dem Unwesentlichen, von dem Reden und Handeln Jesu als Mensch (S. 33). „Auf diese Art konnte Jesus sich in manchem irren, was nicht zur Religion wesentlich gehörte" (S. 33). Und wußte er sich auch als Messias, „so konnte er als Mensch, die aus dem Zusammenhang gerissenen Stellen des A.T. welche nach der Jüdischen Hermeneutik auf den Messias gedeutet wurden, auch auf sich deuten, u. sich so im ganzen A.T. wiederfinden" (S. 33).

Hauptresultat der voranstehenden Ausführungen ist: „Theopneustie des A.T. kann nicht von den Schriften als Schriften gelten ..., sondern‖ bloß von dem religiös-moralischen Inhalt. Was keinen solchen hat, ist menschlich, u. darauf kann Theopneustie nicht angewandt werden. Diese Offenbarung könne aber mittelbar gewesen seyn, in sofern die Gottheit alles zur Veredlung der Juden lenkte ... u. ihre Ideen auf erhabene Religions-Begriffe hinleitete, daß sie als Religions-Genies auftreten könnte[n]. Sieht man aber darauf, daß die Gottheit überall wirkt, und also auch nach dem Denkvermögen und der Receptivität der Menschen auf diese wirken kann, so kann man in diesem Sinn auch noch eine unmittelbare Theopneustie annehmen" (S. 33f.).

§ 6

„B. Theopneustie des Neuen Testamentes"

Die Theopneustie im NT ist für unsere Fragestellung weit wichtiger, denn hier begegnen „weit mehr religiös-moralische Ideen" und darum erstreckt sich auch die Offenbarung viel weiter (S. 34); „auch streiten mehrere Gründe dafür, wenn wir sie nur im weitern, u. nicht im engern dogmatischen Sinn nehmen" (S. 34).
Folgende wesentliche Punkte sind zu beachten:

1. Was hat Jesus selbst hinsichtlich „des Ursprungs seiner Lehre behauptet" und was hat er seinen Schülern aufgrund dieser Lehre zugesagt? (S. 34f.).

2. Was haben die Apostel von sich aus geglaubt und behauptet? (S. 35).

3. „Da doch nur die Wirkungen u. nicht die Ursachen der Gegenstand der wahren Erfahrung der Apostel seyn konnten, wie wir jetzt die Versicherungen u. den Glauben der Apostel von dem göttlichen Ursprung dieser Lehren anzusehen haben, und ob wir dadurch genöthigt sind, eine eigentliche unmittelbare Theopneustie anzunehmen, oder nur eine mittelbare, und in welchem Sinne man das eine oder das andere von ihnen zu behaupten berechtigt sey" (S. 35).

Jesus behauptet sowohl den göttlichen Ursprung seiner Lehre wie seine Verbindung mit Gott: Mtth. 11,27; Joh. 5,22.23.43; 6,37.38; 12,49; 7,16; 8,38; 17,7.8; 3,31.
Jesus versprach seinen Schülern „göttlichen Beystand im Vortrag seiner Lehren" Mtth. 10,19.20 (aus dieser Stelle ist nicht die inspiratio rerum et verborum abzuleiten); Lk. 12,11; 21,11; dieser Beistand ist in den joh. Schriften das πνεῦμα ἅγιον (Joh. 14,15.16.17.25.26; 15,26; 16,12–17; I Joh. 2,9).
Die Apostel aber versichern, diesen Beistand erhalten zu haben, „zwar nicht bei Abfaßung ihrer Schriften, wohl aber überhaupt bey ihren Vorträgen zur würdigen Führung ihres Amts. Sie schildern diesen πνευμα αγιον als einen bleibenden veredelten Zustand ihres inneren Menschen, nicht als einen einzeln immer wiederkehrenden Act des Gottesgeistes" (S. 38f.); vgl. II. Kor. 3,5.6; I. Kor. 2,10–16; 7,40; Gal. 1,11; Eph. 3,1–5.
„Es fragt sich nun, in wiefern wir verbunden sind, den Glauben Christi zu unserm Glauben zu machen, u. dieß hängt lediglich davon ab, ob wir eine objective oder subjective Gottheit annehmen" (S. 40).

Der Glaube an eine Theopneustie gründet sich auf eine „objective Gottheit" (S. 41), wobei *drei* Fälle möglich sind:

1. „Gott hat von Ewigkeit die Anstalten bestimmt, die er durch Jesus verrichten wollte" (S. 41), diese Ansicht verlangt nicht, daß die Gottheit unmittelbar in Jesus wirkt, sondern besagt nur, daß Jesus mit hervorragenden Fähigkeiten ausgestattet war.

2. „Die Gottheit hat allmächtig in Christo gewirkt, u. sich persönlich mit ihm vereinigt" (S. 41). Diese Ansicht, die der kirchlichen Lehre, zeigt die völlige Vereinigung der Gottheit mit Jesus und hat zur Folge, daß Jesus nicht irren kann, „außer wo er ex concessis oder κατ’ ἄνθρωπον disputirte" (S. 41).

3. „Da Gott überall wirksam ist, u. da am meisten, wo die Receptivität am größten ist, so habe Gott am meisten auf Jesus gewirkt, weil er die höchste Receptivität gehabt habe, eine Wirkung Gottes, die wir in der ganzen Natur finden" (S. 41).

Ob von der kirchlichen Lehre – der Annahme 2 – abzugehen ist, kann erst entschieden werden, wenn über Christus gehandelt ist. Doch schon jetzt ist klar, daß weder Jesu Aussprüche noch Wunder etwas für eine „mittelbare Offenbarung" austragen, denn alles, was Jesus redete und tat, kann natürlicherweise aus seiner „außerordentlichen Religionsanlage" (S. 42) erklärt werden. Und aus der Lehre der Apostel ergibt sich, daß diese eine andere Vorstellung vom πνεῦμα ἅγιον gehabt haben als die neueren Dogmatiker hinsichtlich der Theopneustie. „Aber so viel ergibt sich auch, daß der wesentliche Inhalt des N.T. göttlich sey, und daß man diesen Schriften Theopneustie zuschreiben müße, aber nur im weitern Sinn" (S. 44).

§ 7
„Verhältniß des A.T. zum Christenthum"

„Jesus wollte anfangs seine Lehre nur als eine Veredlung der Mosaischen betrachtet wissen" (S. 44), vgl. Mtth. 5,17; Mtth. 23,16–23; Lk. 11,39.42; Mtth. 22,23–33; 15,3–5; Joh. 4,22–24. Mit einem völligen Sturz der atl. Religion hätte Jesus nichts ausrichten können bei seinem Volk.

„Paulus sprach noch wegwerfender von der Mosaischen Religion, als einer unvollkom̄nen, sinnlichen, nur auf das Christenthum vorbereitenden Religion" (S. 45); vgl. Gal. 3, 23–27; 4,5; 3,3; Kol. 2,8; II. Kor. 3,6. Im ganzen aber muß gesehen werden, daß Paulus weit mehr als alle andern Apostel als Rabbi in das Verständnis des Judentums eindrang (S. 47).

Wenn auch durch das Christentum das Judentum „abgeschafft wurde" (S. 47), so sind deshalb die Schriften des A.T. nicht nutzlos, „denn Jesus verweiset selbst darauf als Lehrer seiner Nation" (S. 48), vgl. Joh. 5,39; Lk. 16,31; Mtth. 21,31–40; 11,3; 19,11; Lk. 24,25–27. Entsprechendes gilt für Paulus (II. Tim. 3,16; Eph. 5,32).

„Noch immer kann man einen sehr nützlichen so wohl thetischen als historischen Gebrauch von den Schriften des A. T. machen" (S. 48). Das gilt sowohl vom Inhaltlichen (Lehre von Gott wie von moralischen Stellen) als auch, weil das Judentum das Christentum vorbereitet hat. „Aus dieser Rücksicht ist der gereinigte u. veredelte Mosaismus als die Grundlage des Christenthums zu betrachten, in sofern das Christenthum positiver Art ist" (S. 48).

§ 8

„Verhältniß des N. T. zum bleibenden Christenthum u. zur Vernunftreligion"
(S. 49)

Sind die Schriften des NT weder in Form noch Materie auf unmittelbare göttliche Offenbarung zurückzuführen, „so müßen u. können sie doch als göttliche Offenbarung betrachtet werden, sobald nur die Göttlichkeit der Lehre Jesu anerkannt ist" (S. 49). Es handelt sich um „Offenbarungsurkunden" und an diese sind nicht die gleichen Forderungen zu stellen wie an die Offenbarung selbst, die keinem Irrtum unterliegen darf.

Die Offenbarung schränkt sich „auf wesentliche Religionslehren ein", sie überschreitet ihre „Grenzen nicht" und „muß perfectibel seyn", während die Offenbarungs*urkunden* auch viel Außerwesentliches enthalten und deshalb muß von ihnen „das lokale, temporelle und individuelle … abgesondert werden" (S. 49). „Denn Gott kann nichts offenbaren, was nicht den Zeitverhältnißen angemeßen ist, sowohl in der Materie als in der Form" (S. 49).

Hinsichtlich der Materie kann Gott nur so viel offenbaren, als es die Menschen ertragen können, vgl. Joh. 16,12. „Eine Offenbarung die an den vorhandenen Ideen nicht haften kann, ist unnütz und unweise, u. folglich auch ungöttlich" (S. 49). Darum ist auch eine vollständige Offenbarung, in der alles erschöpfend enthalten ist, nicht möglich (S. 50).

„Auch die Form, die Einkleidung der Religionswahrheiten muß den Zeitverhältnißen angemeßen seyn, u. bey den verschiedenen Völkern verschieden seyn" (S. 50). Bei der Form wie der Materie müssen also Lücken bleiben, d.h. die Offenbarung muß „perfectibel" bleiben, offen für die Entwicklung. Aus diesem Grunde ist auch die Offenbarung, auf der die christliche Religion beruht, nicht in ein System zwängbar. Auch kann sie „nicht scientivisch seyn: der menschliche Geist soll immer weiter fortschreiten, u. gerade darinne[n] liegt der Grund seiner Fortdauer oder der ewigen Seeligkeit. Wenn daher die Gottheit zur Veredlung u. Erleuchtung der Menschen einwirkt, so müßen diese Einwirkungen den Denkgesetzen gemäß seyn" (S. 50).

„Im Umfange, im Maß u. in der Einkleidung ist also der Sitz der Perfectibilität" zu sehen (S. 50); dies berücksichtigend kann manche Idee weiterentwickelt werden und ihr „Zeitgewand ablegen", wodurch zugleich „der menschliche Geist in Thätigkeit erhalten wird".

Dagegen sind die „*Grund-Ideen* … nie falsch", sie können nicht verbessert werden und gelten für alle Zeiten (S. 50 f.). „Um daher die Offenbarung zu gewinnen, muß man die Grundideen aufsuchen, und sie von dem Lokalen und Temporellen absondern" (S. 51). Gleichzeitig aber ist zu beachten, daß jeder Lehrer auch eigene Ideen hat – Kennzeichen der Individualität überhaupt –, auch darauf ist bei der Absonderung das Augenmerk zu richten.

„Viele glauben, daß eine solche Absonderung nicht möglich sey, wie auch Bauer meint, allein es geht doch, u. zwar 1) a priori" – nämlich nach den Grundsätzen der praktischen Vernunft, „welche das Wahre nach Grundsätzen bestimmt; und da alle Religion von Moral ausgehen muß, so giebt der reine religiöse Sinn an, was bleiben muß". 2. „a posteriori, denn wir können historisch die Zeitideen der damaligen Welt, die Denkart und den Charakter des Schriftstellers kennen lernen, u. dieß dann von den Grundideen absondern" (S. 51).

Zu beachten bleibt dabei: Die Zeitideen aus dem Talmud und den Rabbinen zu ermitteln, ist nur in gewisser Hinsicht möglich, da diese Quellen zeitlich später als das NT liegen.

„In außerwesentlichen Lehrsätzen u. Accomodationen ist keine Offenbarung, u. bey exegetischen so wohl als dogmatischen Accomodationen ist Irrthum leicht möglich, besonders nach den Perfectibilitäts-Gesetzen" (S. 51). Damit können die „Naturalisten", die „das Christenthum aus Offenbarung leugnen" (S. 51f.), widerlegt werden, was den Dogmatikern nicht gelingen will.

„Accomodationen gehören zur Form", sie sind entweder exegetisch (z.B. Verwendung des AT – NT) oder dogmatisch (wenn jemand die Meinung anderer als seine eigene positiv anwendet). „Auch in den Hauptlehren können Accomodationen, u. der Irrthum dann nur nebenher Statt finden" (S. 52). Das besagt für das Urchristentum:

„Urchristenthum im gewöhnlichen Sinn, als Summe der Ideen der ersten Christen, kann also mit dem reinen Christenthum nicht identificirt werden; denn der Inbegriff aller Ideen der ersten Christen mußte viel lokales u. temporelles enthalten, u. sie konnten daher nicht alle zur göttlichen Offenbarung gehören" (S. 52).

„Aber Urchristenthum kann auch heißen der Ingebriff der Urideen oder Grundideen des Christenthums, und damit ist es mit dem reinen Christenthum einerley. Man muß also historisches Christenthum, wie es in der Wirklichkeit war, u. kritisch geläutertes Urchristenthum unterscheiden" (S. 52).

„Reine Vernunftreligion muß dem Christenthume, so wie jeder positiven Religion|| zum Grunde liegen" (S. 52f.). Freilich hat das Christentum auch durch die Vernunft nicht erkennbare Sätze, „doch dürfen diese Sätze mit entschiedenen Wahrheiten der Vernunft nicht in Widerspruch stehn; denn eine Offenbarung die der Vernunft widerspricht, ist keine Offenbarung, vielmehr muß durch Vereinigung der Vernunft u. Schrift-Analogie eine, selbst der grübelnden Vernunft respectable feste Basis der Christenthums Lehre gewonnen werden" (S. 53).

Analogie aber setzt Harmonie und Zusammenhang voraus. „Vernunft-

Analogie ist also das harmonische Ganze nothwendiger und unveränderlicher Vernunft-Wahrheiten, die nicht Theile einer gewißen Schule oder eines Systems, sondern das Eigenthum der gesamten Menschheit sind" (S. 53).

„Schrift-Analogie ist das harmonische Ganze der wesentlichen Schrift-Wahrheiten, welche religiös-practisches Interesse haben, u. mit religiöser Moralität u. geistiger Glückseligkeit nach der Lehre Jesu zusammenhängen" (S. 53).

„System's Analogie, analogia fidei, setzt nur die Lehren der Kirche in Verhältniß" (S. 53). Hier werden häufig Dogmen und Bibel verbunden, ohne daß sich wirklich eine Harmonie herstellen läßt.

Vernunft- und Schriftanalogie gleichen sich in Bezug auf die Religion sehr, sowohl im Inhalt wie Umfang.

„Reine Christenthums-Lehren u. reine Vernunft-Religion unterscheiden sich nur durch die Autorität; die Glaubensverbindlichkeit des Christenthums ist göttliche Offenbarung, die Verbindlichkeit der Vernunft-Religion ist absolute Vernunft, u. da beyde mit einander harmoniren, so haben die Christenthums-Lehren eine doppelte Autorität, Offenbarung und Vernunft, u. also auch eine sehr feste Basis, was auch zugleich die gründlichste Apologie des reinen Christenthums ist. Bloße Meinungen verändern sich in Jahrzehnten und Jahrhunderten, was aber eine solche Basis, genaue Übereinstimmung der Vernunft- u. Schrift-Analogie hat, das besteht in Ewigkeit" (S. 54).

„Diese Basis durch richtige Schriftauslegung u. kritisches Räsonnement zu gewinnen, ist das Ziel der kritisch-biblischen Theologie, da die historische nur Meinungen darlegt" (S. 54).

„Den Inbegriff der Regeln, die man beobachten muß, um das reine Christenthum durch die kritisch-biblische Theologie zu gewinnen, liefert die Theologische Hermeneutik" (S. 54).

III.
„Theologische Hermeneutik"

§ 1
„Allgemeine Bemerkungen"

Die lokale und temporelle Einkleidung der Offenbarungs-Lehren im NT macht es notwendig, nicht nur historisch-grammatisch zu erklären, „sondern es müßen vorzüglich die religiösen Grundideen als die bleibenden Offenbarungen herausgehoben werden, u. zwar mit Hülfe der Practischen Vernunft u. durch das Studium des Alterthums" (S. 55).

„Den Inbegriff der Regeln dieser Operation macht die Theologische Hermeneutik aus, deren die Biblische Theologie im engern Sinn bedarf, da die Biblische Theologie im weitern Sinn nur die genaue Grammatik nöthig hat" (S. 55). Folgendes ist zu beachten:

1. „Das erste Princip der Theologischen Hermeneutik ist Vernunft- und Schrift-Analogie" (S. 56). Danach ist jede dogmatische Stelle zu untersuchen, nämlich, ob sie „reiner Satz" ist oder „Jüdischer Beweis", ob sie lokal u. temporell ist oder nicht (S. 56).

2. „Nur die wesentlichen Religions-Lehren können auf Offenbarung Anspruch machen" (S. 56), d. h. näherbestimmt: „was nicht religiös-practischer Art, und mit Vernunft-Religion nicht vereinbar ist, ist nicht Offenbarung" (S. 56).

3. „Man darf eine lokale Religions-Lehre nicht sogleich ganz wegwerfen" (S. 56). Es ist jeweils zu untersuchen, ob sich eine „Grundidee" aufweisen läßt, die sich „mit dem Geist des Christenthums vereinen" läßt (S. 56).

Weiter ist zu beachten: „alles was noch Dubiae interpretationis ist, kann nicht zur Schrift-Analogie gehören" (S. 56), denn die Schrift-Analogie hat nicht den einzelnen (zweifelhaften) Teil, sondern stets das Ganze vor Augen.

Bei der „Vernunft-Analogie" darf man auf die „Zeitsysteme" keine Rücksicht nehmen, sondern allein „auf die Aussprüche der absoluten Vernunft" (S. 56); diese ist kein negatives, sondern „ein positives Princip der Hermeneutik, da nicht alles was geoffenbart ist, ... aus der Vernunft deducirt werden" kann. Doch alle Offenbarung ist mit der Vernunft „homogen" (S. 56).

Bei der Vernunft selbst ist zwischen dem „formellen u. materiellen Gebrauch" zu unterscheiden, wobei der erstere die Tätigkeit des logischen Schlusses kennzeichnet und der zweite zum Glauben hinzugehöre, trotz häufiger Bestreitung (S. 56f.).

Das Gesagte ergibt drei Vorschriften, die beachtet werden müssen:

1. Es muß „geoffenbarte Lehren geben", „welche mit der Schrift- und Vernunft-Analogie harmoniren, u. religiös-practisches Interesse haben "(S. 57).

2. Es muß Lehren geben, die „bloß lokal und temporell sind, was zu beweisen ist a priori und a posteriori" (S. 57).

3. Es muß auch „problematische Religions-Lehren" geben, bei denen man die „Grundidee" herausarbeiten muß, um zu zeigen, ob sie dem „bleibenden Christenthum" zugehörig sind, oder nur temporell, so daß ihr „religiös-practisches Interesse nur in der Ferne gezeigt werden kann" (S. 57).

§ 2

„Specielle Bemerkungen und Behandlung der dogmatischen Stellen"

1. Man muß beachten, daß Jesus wie die Apostel Juden waren und daß das Christentum „positiv" auf das Judentum aufbaut. Und man muß auch sehen, daß die einzelnen Apostel ihre Ideen nicht alle auf einmal hatten. Es ist zu sehen, „in welcher Schrift eine Stelle steht", ja es ist grundsätzlich „auf die Zeitfolge dieser Schriften Rücksicht" (S. 58) zu nehmen. Eine Stelle ist darum nicht immer aus der anderen erklärbar, woraus sich der hermeneutische

Grundsatz ergibt: „Sensus non est inferendus sed efferendus, daher ist es am besten, man erklärt jede Stelle aus sich selbst, zumahl wenn die weitläufigern Paralellstellen später sind, was besonders auf die Schriften Paulus paßt" (S. 58).

2. „Man muß untersuchen, ob eine aufgestellte Idee dem A.T. und N.T. gleich zu kommt, oder ob sie eine eigentlich christliche sey, die nur im N.T. steht" (S.58). Diesen letzteren Fall soll man bei Jesus und besonders nach seinem „Lieblingsschüler Johannes" untersuchen, dann „mit denen der Apostel vergleichen, das temporelle u. lokale absondern, u. so den Zeitbegriff zu einem allgemein gültigen erheben" (S. 58).

Sollten sich Widersprüche ergeben, so ist zu untersuchen, ob diese auf Sachfragen oder Lesarten beruhen (vgl. Rm 3,28 mit Jak. 2,14, was Paulus $\pi i \sigma \tau \iota \varsigma$ nennt, nennt Jakobus $\check{\epsilon} \varrho \gamma \alpha$). Man muß auch sehen, „ob der Apostel selbst redet, oder ob er seinen Gegner redend einführt", vor allem aber ist auf den Zusammenhang der Stellen zu achten (vgl. Mk. 16,16; Apg. 10,34.35) (S. 59).

3. Wichtig ist es, bei den Aposteln den „Mangel an systematischer Consequenz" richtig einzuschätzen (S. 60). „Es ist ... ein falscher Grundsatz der Hermeneutik, der sich auf die Inspiration gründet, daß alles was man aus einem Satze folgern kann, auch als Sinn der Bibel u. als Biblische Wahrheit gelten müße" (S. 60). „Was unmittelbar aus einem Satze fließt, so daß der, welcher ihn schrieb, selbst darauf fallen mußte, das können wir als Biblische Wahrheit annehmen, nur nicht entferntere Sätze" (S. 60). „In Nebensachen" ist Irrtum durchaus denkbar. Im ganzen gilt auch hier, daß die Apostel sich immer weiter fortbildeten (S. 61).

4. „Man merke genau, auf welche Art die Apostel disputiren, oft disputiren sie ex concessis $\varkappa \alpha \tau$ ' $\alpha \nu \vartheta \varrho \omega \pi o \nu$ wo man aus der Meinung eines andern etwas folgert" (S. 61).

5. „In außerwesentlichen Dingen sprechen u. schreiben die Apostel nach ihrer individuellen Denkart, u. können sich widersprechen. Solche Lehren gehören freilich zur historisch-biblischen Theologie, als eigner Glaube der Apostel, aber nicht zum bleibenden Christenthum, nicht zur kritisch-biblischen Theologie" (S. 61).

6. Im AT ist wegen des langen Zeitraums „die Entwickelung der Jüdischen Religionsbegriffe noch sichtbarer" (S. 61); daraus ergibt sich notwendig die sorgfältige Darstellung der einzelnen Perioden; „die Theopneustie kann nur im weitesten Sinn gelten, u. die Haupt-||ideen können kein constituirendes, sondern nur ein präparirendes Ansehn haben" (S. 61f.).

„Aber alle diese Dinge u. Ideen im A.T. sind für die historisch-biblische Theologie sehr wichtig wegen des Real-Nexus mit dem N.T. u. weil sich vieles im N.T. auf dasselbe bezieht" (S. 62).

§ 3
„Hermeneutik und Logik der Apostel"

„Die Hermeneutik u. Logik der Apostel" und die unserer Zeit, „ist grundlegend verschieden". Zur Hermeneutik der Apostel gehören maßgebend die
Beweise, wozu sowohl die „Materie" = „womit sie beweisen", wie die „Form"
= „wie sie beweisen" gehören (S. 62).

Die Beweise, die sich mit der Vernunft vereinigen lassen, sind „für alle
Christen" (S. 62).

Die meisten Beweise sind jedoch „bloß für Juden, also ökonomisch, oeco-
nomicum dicendi genus" (S. 62); sie entstammen dem A.T. und entsprechen der
jüdischen Hermeneutik. Kennzeichen dafür ist die Wertung des einzelnen
Verses als Beweis (S. 63). Die Form des jüdischen Beweisverfahrens wandten
die Apostel, besonders Paulus, sowohl auf hebräische, wie LXX-Texte des A.T.
an (Beispiele S. 64–66). Nach „Jüdischer Art" (S. 66) wurde dabei der Wortsinn geistlich gedeutet und allegorisiert (vgl. S. 66). Den Juden kam es seit dem
Exil darauf an, alle „philosophischen Ideen" in ihrer Bibel zu finden, und zu
Jesu und der Apostel Zeiten war dies nicht anders (S. 67) (vgl. Gal. 4,21;
1. Kor. 15,21–28 zeigen, daß man überall jüdische Vorstellungen voraussetzte).

Drei Unterscheidungen sind bei diesen Beweisarten zu beachten und zu
unterscheiden (S. 68).

1. „Anspielungen": Man spricht mit den Worten eines andern, ohne ihn
direkt zu zitieren. Daraus folgt nicht, daß man hier etwas beweisen will.

2. „Accomodation": „wenn der Apostel eine Stelle citirt und ϰατ’ ανϑϱωπον
und συγϰαταβασιν disputirt, ohne die Stelle selbst so zu verstehn" (S. 68).

3. „Allegation": „wo … der Apostel ernstlich meint, daß in der angeführten
Stelle der Sinn wirklich liege, den er ihr giebt" (S. 68).

Nach diesen drei Arten sind die Beweise der Apostel bei ihren A.T. Zitaten
zu beurteilen. Weichen sie davon ab, so sind die Beweise für uns nicht mehr
„stringent" (S. 68). „Das al||les aber war im Sinn des Zeitgeistes" (S. 68f.).

„Bey alle dem dürfen wir aber die Apostel keines offenbaren Betrugs beschuldigen, denn sie haben nach ihrer besten Überzeugung die Stellen des A.T.
citirt, um für ihre Zeit zu beweisen, u. deshalb können ihre Beweise für uns
kein Gewicht haben" (S. 69).

§ 4
„Kants moralische Bibelauslegung" (S. 70)

Kant ist von den Kantianern zu unterscheiden.

„Kant giebt seine moralische Auslegung der Bibel nicht für den wahren
Sinn derselben aus, denn in seinem Buche, Die Religion innerhalb der Grenzen
der bloßen Vernunft sagt er, daß die Bibel durchgängig zu einem Sinn gedeutet

werden müße, welcher mit den allgemein practischen Regeln der reinen Vernunft zusammenfiele" (S. 70). Eine solche Auslegung sei in jedem Fall der
buchstäblichen vorzuziehen, auch wenn sie „noch so gezwungen schiene"
(S. 70), denn die buchstäbliche Auslegung enthält „nichts für die Moral",
bzw. ist ihr entgegen (S. 70).

„Kant verwirft die historische Auslegung nicht, aber seine Meinung, daß
Moral der höchste Zweck der Religion sey, berechtigt uns nicht, die Bibel
moralisch auszulegen; Auslegung giebt den Sinn des Schriftstellers, Erklärung ist Räsonnement über den Sinn. Nicht der durchgängige ganze Inhalt
der Bibel, sondern nur der moralische ist zum bleibenden Christenthum
nöthig" (S. 79).

„Allein es ist eben so unleugbar, daß Kant von einer durchgängig moralischen
Auslegung verstanden seyn will. Er betrachtet die Bibel als Vehikel zur Introduction der Vernunft-Religion, u. seine Hermeneutik nimt denselben Gang /
wie die allegorische des Philo und Origenes, nur daß sie einen andern Zweck
hat" ... „Kant meint, weil die Bibel ein Volksbuch sey, so könne ihr Inhalt,
da er für uns keinen weiteren Werth habe, als Vehikel zur Vernunft-Religion
dienen" (S. 70f.).

In *drei* Fällen kann Kants Hermeneutik stattgegeben werden:

1. „Wenn die Urkunden einer positiven Religion durchaus unvernünftig
wären, u. bey beßern Religions-Kenntnißen doch beybehalten werden sollten"
(S. 71). Das ist in der Bibel jedoch nicht der Fall.

2. „Wenn diese Urkunden manches enthielten, was mit den moralischen
Principien nicht vereinbar wäre, u. dennoch durchaus in allen ihren Theilen
einer beßern Religion zur Basis dienen sollten. Dieß war Kant's Meinung:
Doch brauchen wir dieß nicht, wenn wir nur den wesentlichen Inhalt der Bibel
von dem außerwesentlichen unterscheiden" (S. 71). Würde man jedoch in der
Bibel durchgängig Theopneustie annehmen, dann wäre Kants moralische
Bibelauslegung das wahre Heilmittel (S. 71).

3. Wenn die göttliche Offenbarung und moralische Religion im Widerspruch
stünden, bzw. der historische Sinn der Urkunden der Moral zuwider sei,
was aber unmöglich ist und auch von Kant nicht angenommen wird, dann
„müßte die Bibel moralisch gedeutet werden" (S. 71f.; Zitat S. 72).

Sobald man nicht die ganze Bibel, sondern nur den „wesentlichen Inhalt
derselben" (S. 72) als „göttliche Offenbarung" ansieht, „fällt die Kantische
Erklärungsart der Bibel von selbst weg" (S. 72) (vgl. J. NIETHAMMER, Über
Religion als Wissenschaft, 1795).
Kants Bibelerklärung ist:

1. „unmoralisch", weil es sich nicht mit der „Redlichkeit des Religions-
Lehrers" verträgt, „wenn er der Bibel einen andern Sinn unterlegt. Der moralische Schriftausleger täuscht seine Gemeinde, u. befolgt den Jesuitischen Grundsatz, daß der Zweck die Mittel heilige" (S. 72).

2. Die „moralische Bibel-Auslegung" ist „untauglich". Sie hat die Absicht, „das Ansehen der Bibel zu erhalten", aber das führt zu künstlichen Erklärungen, die viele gar nicht verstehen können (S. 72).

3. Die moralische Auslegung ist „schädlich", weil viele merken werden, daß der Bibel ein anderer Sinn untergeschoben werden soll. Das Volk kann sich betrogen fühlen wie auch irre werden (S. 72f.).

„Kant hat in der Anwendung seiner Theorie auch Bibel-Auslegung und religiösen Gebrauch der Bibel verwechselt, so wie kirchliche Dogmatik, Offenbarung und Offenbarungs-Urkunde, und geräth mit sich selbst im Widerspruch, zumahl in seiner Schrift, Streit der Fakultäten, wo er behauptet, der Theologe dürfe gar nichts aus seiner Vernunft einmischen" (S. 73).

Man kann leichter als Kant zum Ziel kommen, „wenn man die kirchlichen Dogmen von den rein-biblischen Lehren absondert, den wesentlichen u. außerwesentlichen Inhalt unterscheidet, u. mit Übergehung des Lokalen u. Temporellen die Grundideen aushebt. Etwas anderes ist Auslegung der Bibel, u. etwas anderes Behandlung der Bibel zum Theologischen Gebrauch, u. der Lehrer mit richtigem Sinn wird auch in vielen historischen Stellen einen moralischen Sinn finden. Für den Philosophen ist die / moralische Bibel-Auslegung ohnehin nicht, weil er alles aus der Vernunft deducirt und um die Bibel sich nicht kümmert" (S. 73f.).

Ungeschmälert dieser Kritik hat Kant „durch seinen Kanon der Bibel-Auslegung große Verdienste um die Benutzung der Bibel zum bleibenden Christenthum, daß man nichts dahin aufnehme, was nicht religiös-moralische Tendenz hat, und mit der practischen Vernunft übereinstimmt. Nur durch diesen Kanon erhält man eine Biblische Theologie im engern Sinn, aber zur historisch-biblischen Theologie taugt er nicht; er paßt bloß auf die Kritik der Ideen, die zu einer bleibenden Religions-Theorie zu brauchen sind" (S. 74).

Wie Kant der Bibel durch seine Theorien einen anderen Sinn unterschiebt, so tun es seine Schüler ihm gegenüber. „Ammon, als er noch Kantianer war, unterschied historische u. doctrinelle Auslegung der Bibel; unter leztern verstand er die Aufsuchung der Grundideen, was aber nicht Auslegung, sondern Räsonnement ist, Kritik der Ideen, auch ist dieß nicht Kant's Idee" (S. 74). Auch H. E. G. Paulus ist hier einzuordnen:

„Der Schriftforscher soll sich um den historischen Sinn bekümmern, der Ausleger aber um den moralisch möglichen Sinn; allein auch dieß ist nicht nur gegen Kant's Sinn, sondern auch gegen den Sprachgebrauch" (S. 74).

§ 5

„Schellings Auslegung der Bibel zum Religion's Gebrauch"

Schellings Behandlung der Bibel ist noch schlimmer als die Kants, wenngleich Schelling auch Kants Bibelauslegung ablehnt, „weil sie dahin ziele, das positive und historische aus dem Christenthum gänzlich zu entfernen und zur reinen Vernunft hinzuleiten" (S. 75). Kant bleibe auf rein empirischem Standpunkt stehen.

Schelling ist in seiner Bibel-Auslegung sowohl seiner Philosophie wie seiner „Erziehung" verpflichtet (S. 75), denn: „alles positive soll poetisch und allegorisch gedeutet werden: aber diese Ansicht ist weder der Bibel noch der christlichen Theologie günstig" (S. 75).

„Ihm ist die wahre Theologie die idealische, wo alles positive und historische bloß spekulativ gedeutet wird und er sie mit seinem Identitäts-System identificirt" (S. 75). Wie bei Kant alles moralisch gedeutet werden soll, so bei Schelling alles spekulativ mit dem Ziel, daß die Bibel „am Ende nur Schelling's Philosophie enthielt" (S. 75). Die ideale Form des Christentums ist in seiner „Vereinigung mit dem Unendlichen", in dem „Streben nach der Identification mit ihm" gegeben, „wodurch der Geist einen poetischen Schwung bekommt", (S. 76).

Die biblischen Bücher [des N. T.] sollen nach Schelling weit „unter den Jüdischen Religions-Büchern" stehen (S. 76), sie seien geradezu ein Religionshindernis, da die „Idee des Christenthums" allein „in seiner Geschichte" zu finden sei, nicht aber in jener empirischen Form, der auch die biblischen Bücher zugehören. „Sollten also diese Bücher noch gebraucht werden, so müße man sie symbolisch erklären, und die Dogmen in der Idee auffassen, um das Bleibende zu gewinnen" (S. 76). „Der Weltgeist" zielt auf „das Unendliche", das immer neue Gestaltungsformen annehme, und deshalb wolle „der Zeitgeist auch nicht mehr das Christenthum in seiner empirischen Erscheinung" (S. 76).

„Dieses Schellingsche System steht u. fällt mit seinem eignen idealischen Religions System" (S. 77). Wie von Kant so wird auch von Schelling der Bibel „ein ganz fremder Sinn" untergeschoben (S. 77). Der Wert der Bibel wie des Christentums wird herabgesetzt und beides verkannt, ja verfälscht „unter dem Nahmen Idealisches Christenthum" (S. 77), „Auf diese Weise könnte man auch den Koran behandeln" (S. 77).

Da Schellings Ansicht nicht mit dem historischen Christentum vereinbar ist, kann sie folglich auch nicht für „das bleibende Christenthum" brauchbar sein, weil „dieses auf das empirische gegründet ist" (S. 77).

Andererseits enthält Schellings System „viel Wahres" (S. 77). Denn die christliche Offenbarung ist in der Tat „eine Erscheinung des Unendlichen im Endlichen" (S. 77). Von daher ergibt sich, daß sie „temporell seyn" muß, „so wie sie als Erscheinung des Unendlichen auch bleibend seyn mußte; jenes ist die Form, dieses der Stoff, das Erheben des Endlichen zum Unendlichen, das Losreißen vom Sinnlichen zum Geistigen, was bleibt, wenn auch die Form untergeht. In den Urkunden des Christenthums liegt der Keim zu jeder / Veredlung der Religion, u. wenn auch die Form untergeht, so bleiben die Grundideen des Christenthums, durch welche wieder andere combinirt werden können" (S. 77 f.).

§ 6

„Resultate über den Gebrauch der Bibel nach den verschiedenen Arten des Biblischen Theologie"

Man hat zu unterscheiden: „historische Interpretation, und moralischen Gebrauch der Bibel nach unsern religiösen Einsichten" (S. 78).

„Bey jeder biblischen Stelle religiösen Inhalts laßen sich zwey Hauptoperationen des Theologen, nicht des Interpreten unterscheiden: 1) historische Darstellung, des Sinnes nach den Regeln der historisch-grammatischen Interpretation; 2) philosophische Kritik über den religiösen Wert einer Stelle, der sich auf entschiedene Grundsätze der practischen Vernunft gründet" (S. 78).

Man könnte noch 3) die „moralische Anwendung einer Stelle" hinzufügen, „wenn sie auch lokal ist, aber diese Anwendung ist sehr willkührlich, und taugt nur für den Asceten und Homileten, der bey einer nicht sehr gebildeten Gemeinde auf Erbauung zu / achten hat" (S. 78f.).

„Aus den beyden Hauptoperationen gehen die beyden Arten der Biblischen Theologie hervor, u. zwar aus der erstern, der historischen Darstellung des Sinnes, Biblische Theologie im weitern Sinn, aus der zweiten, der philosophischen Kritik, Biblische Theologie im engern Sinn" (S. 79).

„Keine Operation ist ohne die andere hinreichend, sondern beyde Arten der Biblischen Theologie sind nicht nur für den Theologen und Schriftgelehrten, sondern auch für den moralischen Religions-Lehrer wichtig" (S. 79).

„Beyde Operationen müßen mit einander verbunden werden, u. deswegen haben wenig Theologen die Fähigkeit, eine gute Biblische Theologie aufzustellen, weil man einen Exegeten u. Philosophen sellten beysammen findet! –"

2. ABSCHLIESSENDE BEMERKUNGEN ANHAND DER VORLESUNGSNACHSCHRIFT

So wichtig diese „Prolegomenen" als Zusammenfassung der methodisch an eine Biblische Theologie zu stellenden Fragen sind und so wichtig es ist zu sehen, in welcher Abfolge Gabler die methodischen Probleme behandelt, so enttäuschend ist die sich anschließende „Eigentliche Biblische Theologie", wie sie ausdrücklich genannt wird (S. 81). Damit ist nach Gabler, wie schon früher deutlich wurde, die ‚historische Biblische Theologie' gemeint, die jetzt nach den Loci der kirchlichen Dogmatik und in starker Abhängigkeit von G. L. BAUER behandelt wird. Ist Gabler in diesem Teil der Vorlesung auch wenig selbständig[352], so ist schlimmer noch, daß er – im Gegensatz zu G. L. Bauer (wenngleich auch dieser nicht ganz konsequent ist) und vor allem im

---

[352] Aus JathL 1, 1804, S. 675 u. W. SCHRÖTER, S. 52 u. Anm. ebdt. (Brief von K. A. G. KEIL) geht hervor, daß Gabler zunächst nur die „Prolegomenen" für den Druck vorbereitete. Vgl. u. S. 285.

Gegensatz zu den „Prolegomenen" und seinen früheren Äußerungen – hier offenkundig nicht nur die ntl. Autoren promiscue verwendet, sondern auch atl. und ntl. Belege so anführt, als gäbe es nur *eine*, Altes und Neues Testament umfassende Biblische Theologie. Doch sieht man einmal von diesen (erheblichen) Mängeln ab, so bleiben verschiedene wichtige methodische Einsichten zu erwähnen, die das bisher Ausgeführte noch verdeutlichen und vor allem auch Einblicke vermitteln, die zu G.L. Bauers Beitrag zur Biblischen Theologie hinführen.

a) Im Anschluß an die im herkömmlichen (dogmatischen) Sinne behandelte „Lehre von Gott. Seinen Eigenschaften und Werken" (S. 81; vgl. S. 83–97) wird ein umfangreicher Exkurs „Über den Dogmatischen Gebrauch dieser Biblischen Begriffe" eingeschaltet (S. 98–166). In diesem Exkurs entfaltet Gabler sein eigentliches Anliegen: Wegen des sich überall in der ‚Lehre von Gott' findenden Anthropomorphismus „müßen" wir „bloß die Grundideen ausheben, weil zum bleibenden Christenthum würdigere Begriffe von Gott nöthig sind" (S. 98). Es ist kennzeichnend, daß diese ganze ‚historische Biblische Theologie' beherrscht ist von der Frage nach den Grundideen, daß die Fragestellung der ‚Biblischen Theologie im engeren Sinne' die Aufdeckung des historischen Sachverhalts in der ‚Biblischen Theologie im weiteren Sinne' geradezu behindert oder vorzeitig abbrechen läßt.

b) Bei dieser Intention muß sachgemäß der Zusammenhang von „Auslegen" und „Erklären" erneut zur Sprache kommen, der in den „Prolegomenen" expressis verbis zurücktritt. Wiederum steht die „Versuchungsgeschichte" als Exemplum im Mittelpunkt der Erwägungen (S. 208ff.).

c) Selbstverständlich will dabei Gabler die historisch-kritische Arbeit nicht aus dem Blick verlieren. Von da her erklären sich seine zahlreichen diesbezüglichen methodischen Hinweise. Eine methodische Bemerkung im Zusammenhang der Erläuterung des joh. Prologs steht stellvertretend für das grundsätzliche Anliegen: Die Bedeutung eines Wortes oder eines Sachverhaltes kann grammatisch richtig, aber historisch falsch sein, „eine ächte Erklärung muß aber historisch grammatisch richtig seyn" (S. 129). D.h. die ‚Erklärung' kann nicht auf die mit allen Mitteln historisch-kritischer Arbeit geleistete ‚Auslegung' verzichten (vgl. auch S. 189–191). „Die Biblischen Stellen" sind „genau zu untersuchen; denn wir müßen die Schriften des N.T. nicht klüger machen wollen als sie sind". Das ist gegen die Dogmatik herkömmlicher Art gerichtet, von der gilt: „Jeder hat sein System in das N.T. hineingetragen" (S. 339 f.). Es ist bei der Auslegung nicht zu „beweisen", sondern zu „untersuchen". Erst aus den „Resultaten", der für die Dogmatik aller Zeiten biblischen Grundlage, die durch die ‚Biblische Theologie im engeren Sinn des Wortes' gewonnen wird, sind die „Beweise" zu führen. „Folglich" ist für die Auslegung, die ‚historische Biblische Theologie', „nicht die synthetische, sondern die analytische Methode anzuwenden" (S. 340). Die historisch-kritische Auslegung ist also richtig und wichtig im Kampf gegen das Eindringen der

Dogmatik in die „Biblische Theologie', aber sie wird sofort in ihrer Bedeutung abgeschwächt, sobald es darum geht, die ‚historische Biblische Theologie' zu entfalten (vgl. auch S. 189 ff.). Es bleibt, wie schon in der Antrittsrede, das Ziel, die unwandelbaren biblischen Grundlagen für eine zeitgemäße Dogmatik zu schaffen, wofür nach Gablers Sicht jene ‚Biblische Theologie im engeren Sinn des Wortes' allein Entscheidendes austrägt.

d) Hinsichtlich der Unaufgebbarkeit der historisch-kritischen Methode erfolgt sachgemäß eine erneute Auseinandersetzung mit I. KANT in den „Prolegomenen" (S. 70 ff.; weiter S. 154 f.) und auch mit FR. W. SCHELLING (ebdt., S. 75 ff. 154 f.). Schon in seinen Anmerkungen und Rezensionen hatte Gabler gelegentlich Schellings für die historisch-kritische Arbeit unhaltbare Methode kritisiert[353]. Trägt für die von Gabler angestrebte ‚Biblische Theologie' im Unterschied zu dem Vergleich mit Kant jedoch Schelling nicht unmittelbar etwas aus, so ist doch seine Erkenntnis von der Temporellität der Offenbarung (S. 77) und damit der Notwendigkeit ihrer Veredlung (S. 77 f.) Gablers eigenem System dienstbar, weil sich damit mittelbar die Frage nach den bleibenden Grundideen des Christentums und das heißt nach der ‚Biblischen Theologie im engeren Sinn des Wortes' verbinden läßt.

e) Die unaufgebbare methodische Besinnung zeigt sich vor allem in zwei weiteren Punkten:

1. Es wird erneut die Notwendigkeit der Mythenerforschung betont und begründet (bes. S. 230–235): „Mythen hat die ganze alte Welt; wo man keine wahre Geschichte mehr findet, da macht man Vermuthung zur Geschichte, u. so fängt fast alle Geschichte mit Mythen an" (S. 233). Wie jeder Mensch seine Kindheit vor dem Mannesalter hat, so hat auch die ganze Welt die Kindheitsstufe voranstehend (S. 233 ff.).

2. Damit verbindet sich ein Zweites: Die Beachtung der „Stufenfolge" (vgl. etwa S. 7.17.155.181.189). Hatte die Mythenerforschung die Notwendigkeit aufgezeigt, den jeweiligen Mythos auf seinen Sachgehalt hin zu befragen, weil der Mythos die Kindheitsstufe der Menschheit widerspiegelt, so ist jetzt dieser Sachverhalt auf die Biblische Theologie anzuwenden:

Die Menschheit hat sich von dieser ersten Stufe an in ihrem Denk- und Vorstellungsgehalt weiterentwickelt, „denn die Aufklärung gieng ja nur stufenweis" (S. 189; vgl. S. 17). In einer Biblischen Theologie ist deshalb die Entwicklung religiöser Vorstellungen und Begriffe sorgfältig zu beachten.

---

[353] Vgl. etwa JathL 2, 1805/06, S. 426; JathL 4, 1808, S. 266 Anm.; TS I, S. 326 f. Daß Gabler Schellings historisch-kritische Arbeit unzureichend eingeschätzt hat, darf aufgrund der neueren Schellingforschung als sicher gelten. Doch ist Gabler insofern entlastet, als wichtige Äußerungen Schellings erst in dessen spätere Lebensjahre fallen; vgl. etwa, jedoch ohne Bezug auf Gabler, E. BENZ, Schelling. Werden und Wirken seines Denkens, 1955, Kap. IV: „Schelling und die Bibel", S. 65 ff.; ders., Schellings theologische Geistesahnen, Akademie der Wiss. u. Lit. Mainz, Abh. der Geistes- u. Sozialwiss. Kl. Jhrg. 1955, Nr. 3, S. 239 ff., bes. 245 ff. (in der Einzelausgabe, S. 9 ff., 15 ff.).

„Erst die christliche Religion lehrte vernünftige Begriffe von Gott, als Gott aller Menschen" (S. 87). Dem Christentum ist darum die Entwicklung und Veredelung des Monotheismus zuzuschreiben. Weil aber z. B. für den Gottesbegriff die letzte Entwicklungsstufe vor dem Christentum im Judentum lag, sind die jüdischen Vorstellungen für die Entfaltung einer ‚Biblischen Theologie' (des NT) der unentbehrliche Boden (S. 87 ff.). Auf das Ganze der ‚Biblischen Theologie' (des N. T.) übertragen heißt das: Die Vorstellungen und Begriffe im Neuen Testament sind in ihrer religionsgeschichtlichen Verwurzelung zu sehen. Die durch die Mythenerforschung begründete Einsicht in die stufenweise Entwicklung der Menschheit führt also zum für die ‚Biblische Theologie' unentbehrlichen religionsgeschichtlichen Vergleich (vgl. etwa S. 181–207)[354].

Aus dieser stufenweisen Entwicklung ist nun aber auch das Recht abzuleiten, die Äußerungen Jesu selbst von denen seiner Apostel zu unterscheiden (S. 118 ff. 201). Jesus steht in der Stufenfolge höher, er hat dementsprechend auch höhere Einsichten. Deshalb ist zu unterscheiden, wie Jesus sich selbst verstand und wie ihn seine Jünger ansahen (S. 118 ff.). Deshalb auch kann behauptet werden, daß Jesus von den Engeln (und sonstigen überirdischen Wesen) symbolisch sprach, während seine Apostel an diese glaubten (S. 201 ff. 207). Ein konsequentes Durchdenken der „stufenweisen Entwicklung" erlaubt es, den ‚historischen Jesus' von den Urteilen und Ansichten seiner Apostel (und damit der ntl. Schriftsteller) zu unterscheiden (vgl. etwa S. 258 ff.). Und das gestattet auch, den Grad der angewandten Akkommodationen bei Jesus und seinen Aposteln verschieden anzusetzen (S. 193 ff. 201) und etwa zu konstatieren, daß die Naherwartung nicht durch Akkommodation zu deuten ist (S. 259). Der erste Satz der Biblischen Theologie: „Die Bibel, besonders die Lehre Jesu soll die Basis der Theologie seyn" (S. 1), ist durch die Einsicht in die Stufenfolge theologisch gerechtfertigt.

Diese stufenweise Entwicklung mit der ihr verbundenen stufenweisen Aufklärung hat schließlich eine Konsequenz für die *beiden* Biblischen Theologien: „in den Schriften derer, die gebohrene Juden waren, darf man keine ganz reinen philosophischen Lehren erwarten" (S. 189; vgl. S. 190 f.; 7). Die historischkritische Aufdeckung biblischer Sachverhalte in der Auslegung verlangt nach der ‚Erklärung', der ‚reinen Biblischen Theologie' als der höheren Stufe, die den zugrundeliegenden Sachgehalt, die nicht mehr zu hinterfragende, ein für allemal feststehende Grundlage für die Dogmatik aufdeckt.

Ein letzter Gesichtspunkt, der sich mit der stufenweisen Entwicklung verbindet, ist der nach der sachgerechten Predigt. Es geht um die Frage, inwieweit die schon früher als verderblich gekennzeichnete Aufklärungspredigt verhindert werden kann[355]. Es wird mehrfach der Rat erteilt, lieber auf einer

---

[354] Gesehen, aber überwertet im Schrifttum Gablers hat diesen Sachverhalt W. MAURER, in: Gelehrte der Universität Altdorf, hrsg. von H. C. Recktenwald, 1966, S. 56.
[355] Vgl. o. Anm. 335, bes. die Altdorfer Abschiedspredigt, S. 5 ff.

Stufe, die der ‚Auslegung' entspricht, stehen zu bleiben, als den Glauben der Gemeinde durch freilich tiefere theologische Einsicht zu zerstören (vgl. etwa S. 301. 401. 407).

Gabler hat seit seiner Altdorfer Antrittsrede von der notwendigen Beachtung und Unterscheidung der verschiedenen Zeiten und Schriftsteller und insofern auch von einer historischen Abfolge und der mit ihr verbundenen Entwicklung gesprochen. Er kennt den Begriff und die Sache der ‚stufenweisen Entwicklung'[356]. Aber im unmittelbaren Zusammenhang der ‚Biblischen Theologie' war von ihr nicht die Rede. Es tritt damit ein aus den Anmerkungen und Rezensionen so nicht belegbarer Gedanke an entscheidende Stelle, den Gabler mit seinem Anliegen der ‚Biblischen Theologie' bestens verbinden konnte. Insofern weist seine Vorlesung über ‚Biblische Theologie' von 1816 über das bisher Ausgeführte hinaus (vgl. etwa auch in den „Prolegomenen" S. 57f. 61). Es grenzt an hohe Wahrscheinlichkeit, daß er die Verwendung dieses Gedankens im Rahmen der ‚Biblischen Theologie' – wenngleich etwas modifizierend – von G. L. BAUER übernommen hat. Bauer hat diesen Gedanken schon in seinen frühen Veröffentlichungen geäußert und in seiner umfangreichen „Biblischen Theologie des Neuen Testaments" (1800–1802) entfaltet und im ‚Breviarium Theologiae Biblicae" (1803) erneut aufgegriffen[357]. Das erstgenannte Werk kannte Gabler[358] und das letztere legte er seiner Vorlesung über ‚Biblische Theologie' zugrunde. Man darf die weitergehende Vermutung äußern, daß er wegen dieses Gedankens nicht mehr nach C. F. AMMON, für desssen „Biblische Theologie" der Entwicklungsgedanke eine seinem eigenen Programm einer ‚Biblischen Theologie' entgegengesetzte Intention hatte, sondern nach G. L. BAUER vortrug[359].

Es ergibt sich abschließend: Nettos Nachschrift der ‚Biblischen Theologie' bietet in den „Prolegomenen" eine sachgemäße Zusammenfassung der Äußerungen Gablers zur Behandlung der Biblischen Theologie (S. 1–79). In der „eigentlichen Biblischen Theologie" (S. 81–423), die in ihrer Durchführung erhebliche Mängel aufweist, kommen erneut die methodischen Grundfragen historisch-kritischer Exegese, der Mythenerforschung und der *beiden* Biblischen Theologien zur Sprache, die durch die Fragestellung nach der „stufenweisen Entwicklung" einen neuen, wesentlichen Aspekt erhalten. Es bestätigt sich dabei ein Doppeltes: 1. Die zahlreichen methodischen Hinweise, die Gabler seit seinen Anfängen gegeben hat, zielten auf die Bearbeitung der ‚Biblischen Theologie'. Nettos Nachschrift bestätigt, daß sachgemäß diese Erwägungen in das Methodenproblem Biblischer Theologie einbezogen werden mußten. 2. Trotz neuer und gerade durch den Gedankengang der „stufenweisen Ent-

---

[356] Vgl. etwa Urgeschichte II, 1, 1792, S. 52; TS I, S. 40 Anm.; s. auch C. F. AMMON, Bibl. Theol. I, ²1801, S. 8 u. unten S. 152ff., 157ff., 178ff., 192f. u. ö.
[357] Vgl. grundsätzlich § 5, S. 6; vgl. u. S. 178ff., 192f.
[358] Vgl. JathL 2, 1805/06, S. 405.
[359] Vgl. auch JathL 2, 1805/06, S. 399–427.

wicklung" vertiefter Einsichten hat Gabler sein Programm der ‚Biblischen Theologie' von 1787 in den nachfolgenden 30 Jahren aufrecht erhalten und theologisch rechtfertigen können. Seine Intention verlangt die Herausarbeitung zweier Biblischer Theologien. Denn nicht im historisch Auf- und Ausweisbaren, nicht in der „Auslegung", wie sie die „wahre Biblische Theologie" bietet, liegt das bleibende Ergebnis, sondern in dem durch die „Erklärung", durch die „Biblische Theologie im engeren Sinn des Wortes", durch die „reine Biblische Theologie" gewonnenen theologischen Sachgehalt biblischer Aussagen ist die angestrebte unwandelbare Grundlage für die stets im Wandel begriffene Dogmatik gegeben. Die historisch-kritische Arbeit an biblischen Texten wird im Kampf gegen die Einflußnahme der Dogmatik auf die ‚Biblische Theologie' zwar geltend gemacht, aber die theologische Exegese erhält im Hinblick auf das erstrebte Ziel bei weitem das Übergewicht. Daß damit die historisch-kritische Arbeit im ganzen für die ‚Biblische Theologie' abgewertet wird, läßt sich Nettos Nachschrift entnehmen, die auch hierin das früher (kritisch Angemerkte und) Ausgeführte bestätigt. Wie weit der Weg zu einer wirklich durchgeführten, die historischen Aspekte sachgemäß berücksichtigenden und verwertenden „eigentlichen Biblischen Theologie" (die Nettos Nachschrift ja sein will) war, läßt sich einmal daran ermessen, wie schwer es war, die ‚Biblische Theologie' als eigenständige Disziplin aus den Schlingen der Dogmatik zu befreien[360], und zum anderen daran, welcher Anstrengungen es bedurfte, um zu wirklich selbständigen historischen Ergebnissen zu kommen. Die Einleitungswissenschaft, deren Bedeutung und deren theologische Aufgabe Gabler im Hinblick auf die ‚Biblische Theologie' gesehen hat, war selbst noch – und mit ihr Gabler, trotz gewichtiger Einzelerkenntnisse![361] – zu sehr in vorgegebenen Fragestellungen befangen[362], als daß sie ihm bahnbrechend zu einer *allein* historisch-kritisch bearbeiteten ‚Biblischen Theologie' hätte verhelfen können. 3. Ein Drittes kommt hinzu: Die ‚historische Biblische Theologie' vermag zwar das Temporelle und Lokale, kurz: das Partikulare aufzudecken (vgl. etwa S. 98), aber nicht das Universale der biblischen Aussage, das für das bleibende Christentum unentbehrlich ist. Dies Aufgabe kommt allein der ‚Biblischen Theologie im engeren Sinn des Wortes' zu. Die Betonung des Universalismus aufgrund des historisch-kritisch eruierten Partikularismus weist der ‚Biblischen Theologie im engeren Sinn des Wortes', der ‚reinen Bib-

---

[360] Vgl. dazu auch Nettos Nachschrift von Gablers Vorlesung über Dogmatik (s. Anm. 151), Abschnitt „Vorerinnerung", S. 4–36, 69.

[361] Aus der Einl. Vorl. in der Nachschrift Nettos (s. Anm. 41) sind als wesentliche Erkenntnisse zu nennen: 1.) Es muß zwei Evangelisten [Matth. u. Lk.] gegenüber dem dritten, der sie nicht benützt hat [Mk.], eine durchgängige Quelle zur Verfügung gestanden haben (S. 331); 2.) vgl. oben Anm. 186; 3.) der joh. Christus spricht in der Manier des Evangelisten Johannes (S. 409); 4.) die Aufteilung von Paulusbriefen ist methodisch nicht zwingend (S. 456ff.), Rm. 16 läßt sich textgeschichtlich zu Rm. 1–15 gehörig erweisen (S. 459–461); 5.) die Sprache des NT ist keine heilige Sprache, sondern sie gehört in die Volkssprache der Entstehungszeit (S. 296ff.).

[362] Vgl. auch R. Smend, Gabler, S. 357.

lischen Theologie' die maßgebliche, zwischen Exegese und Dogmatik ange-
wiesene und gelegene Stellung zu[363]. Damit aber ist dem Historischen von der
Sache der ‚Biblischen Theologie' her eine zwar unentbehrliche, aber theologisch
minder wichtige Stelle zugewiesen. Gabler vermochte es nicht, wie oben gezeigt,
der historisch-kritischen Arbeit in der ‚historischen Biblischen Theologie' die
Aufgabe zuzuweisen, sowohl das Partikulare wie das Universale aufzudecken.
Die Kritik im Kanon war ihr versagt.

Die Fülle der Anregungen, die Gabler für die ‚Biblische Theologie' gab,
gelten der Methodik und dem Programm dieser Disziplin. Der in akademischen
Ämtern und Aufgaben sowie in Vorlesungen sich aufreibende Gelehrte[364] hatte
offensichtlich weder die Muße noch die Energie, ein seinen Grundsätzen entsprechendes Werk zu verfassen. Aber von ihm und seinem dennoch geleisteten
Beitrag zur ‚Biblischen Theologie' gilt, was er selbst anläßlich des Todes von
J.G. HERDER über diesen schrieb[365]: „Doch verdankt die Theologie seinem
Geiste meist nur *einzelne* Lichtfunken, die man erst in einem gemeinschaftli-
chen Punkte concentriren muß, um für das Ganze der Theologie dadurch
helleres Licht zu gewinnen".

---

[363] Vgl. auch R. SMEND, Universalismus, S. 169f.
[364] Vgl. TS I, S. III–VII. 802; TS II, S. V–XV, XVI–XX.
[365] JthL 1803 (= 23. Bd.), S. 616.

III. KAPITEL

GEORG LORENZ BAUER UND DIE BIBLISCHE THEOLOGIE

GEORG LORENZ BAUER

* 14. 8 1755 in Hiltpoltstein

† 12. 1. 1806 in Heidelberg

Die umseitige Bildvorlage ist entnommen aus
J. G. H. Müller, Schattenrisse der jetztlebenden Altdorfischen Professoren nebst einer
kurzen Nachricht von ihrem Leben und Schriften, Altdorf 1790,
zwischen S. 96 und 97

A) WISSENSCHAFTLICHER WEG UND VERÖFFENTLICHUNGEN ZWISCHEN 1780 UND 1794/95

Wurde im vorigen Kapitel der Versuch unternommen, J. Ph. Gablers Beitrag zur Biblischen Theologie aufzuzeigen, so gilt es jetzt darzulegen, ob und inwieweit sein Programm weiterführend gewirkt hat.

Nach einer verbreiteten Ansicht hat sein „Schüler" G. L. Bauer „die Durchführung seiner Gedanken" in verschiedenen Werken zur Biblischen Theologie versucht[1]. Diese Ansicht ist, so undifferenziert geäußert, unzutreffend, denn Bauer ist biographisch gesehen niemals Schüler von Gabler gewesen und hat mit ihm erst im Zusammenhang seiner eigenen Berufung nach Altdorf Berührung erhalten[2]. Ob und inwiefern Bauer theologisch als ein Schüler Gablers angesehen werden kann, ist im folgenden im Rahmen dieser Untersuchung hinsichtlich unserer Fragestellung zu prüfen.

Der gebürtige Hiltpoltsteiner hatte als Sohn des Frankenlandes an seiner Heimatuniversität Altdorf Theologie und besonders auch Orientalistik studiert (1772–1775) und war von 1776 an bis zu seiner Berufung nach Altdorf (1789) Pfarrer und später Rektor der Sebaldus-Schule in Nürnberg. Aufgrund des persönlichen Einsatzes seines Lehrers in Orientalistik, Nagel, und von G. A. Will, der sich bereits für Gablers Berufung nach Altdorf tatkräftig verwandt hatte, wurde Bauer 1789 als Orientalist in die Philosophische Fakultät nach Altdorf berufen[3].

Diese biographischen Hinweise sind für Bauers wissenschaftlichen Werdegang und schließlich für seinen Beitrag zur Biblischen Theologie nicht un-

[1] So stellvertretend für viele H. Weinel, Bibl. Theol., ³1921, S. 2f.; R. Smend, Wilhelm Martin Lebrecht de Wettes Arbeit am Alten und am Neuen Testament, 1958, S. 73f.; ders., Mitte, S. 12; K. Leder, S. 322 passim. Leider wertet H.-J. Kraus, S. 57, seine beachtliche Bemerkung: „Es sind bemerkenswert neue Ideen, die bei Bauer in Erscheinung treten; sie lassen eine stringente Bezugnahme auf das Programm Gablers fraglich erscheinen", in keiner Weise aus.

[2] Vgl. K. Leder, S. 321 u. die Anm. 19 ebdt. Genannten; vgl. auch den Brief Gablers an G. A. Will vom 9. 10. 1788, in: NStBibl.: Will VIII. 85. Autogr. (3).

[3] Vgl. G. A. Will, Nürnbergisches Gelehrtenlexikon, fortgesetzt v. Chr. K. Nopitsch, Bd. V, 1802, S. 64–67; J. G. H. Müller, Schattenrisse..., 1790, S. 97 ff. – Zunächst hatte man Gabler die Professur für Orientalistik angeboten, die dieser aber ausdrücklich in dem vor. Anm. genannten Brief ablehnt. Ein Brief von G. L. Bauer, den er am 9. 10. 1788 erhalten habe und den er großenteils wörtlich zitiert, habe ihn in seiner Ablehnung bestärkt: Bauer sei für dieses Fach der geeignetere, und außerdem solle man dem Wunsch des Orientalisten Nagel nachkommen und dessen Schüler Bauer berufen.

wichtig. Sind seine Veröffentlichungen auch nicht wie bei Gabler wesentlich auf eine zu verfassende Biblische Theologie ausgerichtet und somit Vorarbeiten für ein solches Werk, so zeigen sich doch bereits in seinen ersten wissenschaftlichen Veröffentlichungen Gesichtspunkte, die später für seine Biblische Theologie grundlegend werden sollten.

Schon an seinen frühesten, praktisch-theologisch ausgerichteten Veröffentlichungen rühmen die Rezensenten die Gründlichkeit und Richtigkeit der Exegese und die darin sich zeigende Betonung „vernünftiger Auslegung". So kann zu Bauers „Betrachtungen über die vier letzten Dinge für denkende Christen", Leipzig 1781, ausdrücklich festgestellt werden:" Man hat darinnen keine Lavaterische Dichtungen, keine Schwedenborgische (sic!) Schwärmereyen, keine Bonnetsche Palingenesie, auch keine philosophische Untersuchungen ..., sondern blos die reinen biblischen Vorstellungen"[4]. „Das reine biblische System des Christenthums" ist ihm Maßstab schon bei seinen frühesten orientalistischen (und religionsgeschichtlichen) Untersuchungen[5], denn die in der Bibel dargelegte ist die vernünftigste aller Religionen[6].

Einen ersten umfassenden Eindruck von Bauers exegetisch theologischer Arbeit gewinnt man durch seine „Sammlung und Erklärung der parabolischen Erzählungen unsers Herrn", 1782[7]. War für Bauer Jesus bisher aufgrund seiner Gleichnisse – ganz im Sinne der Aufklärung – „ein kluger, weiser Lehrer der Menschen", so konnte dies prinzipiell zweifelhaft werden angesichts der mangelhaften Gleichnisauslegung seiner Zeit. „Jeder fand darinnen, was er darinnen suchte", und die Folge war: „Man entdeckte nicht mehr darinnen den weisen, sondern den rätselhaften Lehrer" (Vorrede, unnumeriert [S. 1f.]). Seine Absicht ist es deshalb, die Gleichnisse zu sammeln und „nach bewährten und richtigen Auslegungsregeln zu erklären" (Vorrede [S. 2]). Sachlich Neues ist in der Auslegung der einzelnen Gleichnisse nicht zu finden, wie Bauer selbst in der Vorrede ausführt. Er wender sich nicht an die „Meister", sondern an Studierende und gebildete Laien (Vorrede [S. 2f.]). Wichtig für uns ist darum nicht die Einzelerklärung, sondern allein seine Ausführung zur Methode der Gleichnisauslegung, die er in drei Abhandlungen voranstellt.

In der ersten wird untersucht, „was eine Parabel ist" (S. 1–12). „Eine

[4] So in Rezensionen über die (mir nicht zugänglichen) Schriften: Summarien über die Fest- und Sonntäglichen Episteln zum Gebrauch der kirchlichen und häußlichen Andacht, Frankfurt u. Leipzig 1780, in: Nürnbergische gelehrte Zeitung 1780, S. 675–677; Betrachtungen über die vier letzten Dinge..., Leipzig 1781, in: Nürnbergische gelehrte Zeitung 1781, S. 289–291 (Zitat S. 289f.). – Daß Bauers „theologische Schriftstellerei im Jahre 1785" „begonnen" habe (so K. Leder, S. 322), ist unzutreffend. Leder widerlegt sich ebdt., Anm. 34 selbst.

[5] Vgl. G. L. Bauer, Was hielt Mohammed von der christlichen Religion und ihrem Stifter ? Aus der Urkunde beantwortet, 1782, S. 13.

[6] Ebdt., S. 4 Anm.; vgl. S. 94; vgl. auch Nürnbergische gelehrte Zeitung 1782, S. 273–276; Erlangische gelehrte Anmerkungen, Bd. 37, 1782, S. 334–336 (nach einer handschriftlichen Eintragung in dem Exemplar der Erlanger UB auf S. 334 ist diese außergewöhnlich freundliche Rezension von W. F. Hufnagel verfaßt).

[7] Die nachfolgenden Seitenangaben im fortlaufenden Text beziehen sich auf dieses Werk.

Parabel ... ist eine Erzählung einer erdichteten Sache oder Begebenheit, um darunter eine wichtige Wahrheit zu lehren und anschaulicher zu machen" (S. 2, im Orig. gesperrt). Trifft dies zu, dann muß folglich „bey einer Parabel vorhanden seyn comparans und comparatum" (S. 2). Ist der Inhalt solcher Erzählungen in keiner Weise mit der Wirklichkeit übereinstimmend oder auch nur als möglich denkbar, dann haben wir es mit einer „Fabel" zu tun, für die es hinreichend Parallelen in der antiken Welt gibt (S. 3–6). Jesu Gleichnisse jedoch sind nicht mit diesen Fabeln vergleichbar, denn es liegt in ihrem Charakter, daß sie sich in Jesu Welt und Umwelt durchaus zutragen könnten (S. 6f.). Gerade dieser Sachverhalt erfordert es, hier von „Parabeln", nicht aber von Gleichnissen zu sprechen. Denn „zu einer guten Parabel fordert man, daß die vergleichende Sache oder das Bild von bekannten Gegenständen hergenommen sey". Ihr „Endzweck" ist es, „etwas deutlich und anschauend zu machen: so würde statt, daß mehr Licht sollte verbreitet werden, mehr Finsterniß hinein gebracht werden, wenn man Bilder, Gleichnisse von fremden und unbekannten Dingen entlehnte. Die Erzählungen Jesu haben in dieser Rücksicht die Eigenschaften einer guten Parabel" (S. 7). Das zweite Kennzeichen einer guten Parabel aber liegt darin, „daß ihre Bilder nicht nur müssen bekannt und reizend seyn, nicht von zu niedrigen, schmuzigen, pöbelhaften Dingen dürfen entlehnt seyn". Jesu Parabeln entsprechen dem, und auch ein drittes Kennzeichen trifft für diese zu: „Das gewählte Bild" muß „gut ausgemalt" sein und „mit der verglichenen Sache wohl" übereinstimmen. „Um der Auszierung willen, und um die Erzählung lebhafter zu machen, dürfen auch manche Umstände hinzugesetzt werden, die nicht zu dem tertio comparationis gehören, nur muß immer der Hauptendzweck nicht aus dem Gesicht verlohren werden" (S. 9f.). Es folgt die Aufzählung der z.Zt. Bauers mit den Parabeln verbundenen Absichten, die zwar für Bauers Einzelerklärung, nicht aber für unsere Fragestellung Näheres austragen[8].

Das Recht für die voranstehende ausführliche Wiedergabe ergibt sich daraus, daß Bauer in diesem Abschnitt Grundgedanken von R. Lowth zur atl. Parabelauslegung übernimmt, sie auf das Neue Testament überträgt und ausgestaltet, worauf er ausdrücklich auf Seite 2 und 10 mit ausführlichen Zitaten verweist. Sie sind der 10. Vorlesung aus dessen Werk „Praelectiones de sacra poesi Hebraeorum, 1753 [2. Aufl. Göttingen, 1770, mit Anmerkungen von J. D. Michaelis] entnommen, einem Werk, das „als Vorbereitung für die Einführung des Mythosbegriffes in die Bibelwissenschaft" grundlegend war und auf C.G. Heyne wie J.G. Eichhorn in gleicher Weise befruchtend wirkte[9]. Daß

---

[8] „Die Wahrheiten, welche Jesus mit seinen Parabeln lehrt, sind entweder *dogmatisch*, oder *moralisch*, oder historisch, oder es werden zwo miteinander verbunden" (S. 11).

[9] Vgl. zur Bedeutung Lowth's für die Mythenerforschung Hartlich-Sachs, S. 6ff. (Zitat S. 6) mit Belegen; vgl. auch J. G. Eichhorn, AB I, 1787, S. 707ff., bes. 715ff.; zur geistesgeschichtlichen Bedeutung Lowth's s. F. Meinecke, Die Entstehung des Historismus, in: F. M., Werke, Bd. III, 1959, S. 249ff.; W. Dilthey, Leben Schleiermachers, Bd. II, 2, hrsg. v. M. Redeker, 1966, S. 705.

auch Bauer unmittelbar von Lowth beeinflußt ist, aber wurde bisher nicht
beachtet. Aus dieser Kenntnis Lowth's erklärt sich, daß Bauer in ungewöhnlich
reichem Maße auf die ästhetische Seite der Parabeln aufmerksam macht (vgl.
bes. S. 9f. 17.25) und die Frage der Dichterfiktion bei Fabel und Parabel eingehend behandelt (S. 2 ff.). Beides sind maßgebliche Fragestellungen von Lowth,
und die Vergleiche mit Fabeln der antiken Literatur bei Bauer (S. 3–6, vgl. S.
13 ff.) haben ihre Wurzel in den Ausführungen des Engländers[10].

Der Einfluß Lowth's ist auch in der zweiten vorbereitenden Abhandlung
„Ueber die Lehrmethode Jesu in Parabeln" festzustellen (S. 12–23). Denn hier
wird die Methode, in Parabeln zu reden, als in der hebräischen Poesie verwurzelt aufgezeigt (S. 12–16) und nachgewiesen, daß auch z.Zt. Jesu „die Lehrmethode in Parabeln sehr üblich gewesen ist" (S. 16). Dieser Nachweis ist
jedoch erst dann gelungen, wenn er sich mit dem „Endzweck Jesu" bei dessen
Anwendung der Parabeln verbinden läßt (S. 18). Eine solche Verbindung liegt
auf der Hand. Denn „*erstlich*" wollte Jesus „die Aufmerksamkeit des Volkes
rege machen, sie mehr an sich ziehen und ihr Nachdenken befördern … Die
Aufmerksamkeit der gemeinen Klasse der Menschen, deren Verstand langsam
faßt, und deren Nachdenken nicht geübt ist, wird leichter erweckt und gehalten,
wenn man sich ihrem Verstand durch Gleichnisse, Bilder, Erzählungen von
Beyspielen zu nähern sucht, als durch einen trockenen Vortrag und künstliche
Demonstration. Jenes ist ihnen faßlicher, weil es sinnlicher ist" (S. 18f.). Diese
Sicht trifft sich genau mit Lowth's Anschauung, nach der man „den bildhaften
Stil überhaupt als typisch für eine bestimmte *universelle Entwicklungsstufe*
des menschlichen Vorstellungs- und Ausdrucksvermögens" anzusehen hat[11].
Diese für die Erforschung der Mythen grundlegende Einsicht hat Bauer für
Jesu Parabeln ausgewertet und damit erstmalig innerhalb seines eigenen
Schrifttums auf einen Sachverhalt aufmerksam gemacht, der für seine Biblische
Theologie noch von großer Bedeutung werden sollte.

Dem entspricht auch der zweite Punkt: In der Parabel soll eine Wahrheit
leichter verständlich gemacht und so dem Gedächtnis aufgeholfen werden.
Dieses Exempel kann man im täglichen Leben an Kindern machen, d.h.. aber:
auf einer bestimmten Stufe menschlichen Daseins ist die Rede in Parabeln unentbehrlich (S. 19f.). – Ein dritter Punkt ist unmittelbar am Inhalt der Parabeln
Jesu orientiert: Jesus wählte „zuweilen" Parabeln, „wenn er gewisse bittere
und unangenehme Wahrheiten, oder künftige Dinge nicht geradezu heraus
sagen wollte" (S. 21), wenn also Jesus neue, weitere Stufen menschlicher Entwicklung im Blick hatte, die zu verstehen auf einer früheren Stufe seinen
Hörern noch nicht möglich ist. Von daher erklärt Bauer auch die Parabel-
theorie: Die Jünger sind einsichtiger als das Volk und können schon in eine
höhere Stufe des Verstehens eingeführt werden (S. 22f.).

Eine „Dritte Abhandlung, worinnen die bey Parabeln nöthigen Auslegungs-

---

[10] Vgl. auch R. LOWTH, 2. Aufl., S. 535f.
[11] Vgl. bes. HARTLICH-SACHS, S. 10 (mit Belegen).

regeln angegeben werden" (S. 24–32), ist in unserem Zusammenhang wichtig, weil hier Bauers Hermeneutik eine erste Darstellung erhält. Die erste Regel verlangt eine „*deutliche Übersetzung, welche dem Sprachgebrauch gemäß ist*" (S. 24). Hier legt Bauer dar, daß das schlichte Übersetzen bereits das Verstehen impliziert. Das Ziel des Übersetzens ist es, „den Sinn des Verfassers auszudrücken" (S. 25). – Nach der zweiten Regel ist die „Wahrscheinlichkeit der erzählten Begebenheit oder Handlung" aufzuzeigen, d.h. es ist zu zeigen, ob die jeweilige Parabel auf die „Landesgewohnheiten der damaligen Zeit angemessen" Rücksicht nimmt (S. 25f.). Es wird hier die Forderung erhoben, daß der Exeget sich eingehende Kenntnisse von Palästina mit seinen Sitten und Gebräuchen anzueignen habe, eine Forderung, der Bauer selbst in mehreren Werken z.B. in: „Beschreibungen der gottesdienstlichen Verfassung der alten Hebräer", Bd. 1.2., 1805/06, in späteren Jahren nachgekommen ist.

Die dritte Regel ist eine der wichtigsten: Jede Parabel hat *eine* „Hauptwahrheit", was behauptet werden kann, weil jeweils *ein* tertium comparationis zu ermitteln ist (S. 26f.). Die Ermittlung des tertium comparationis ist zugleich das Ziel der Sacherklärung, der, die vorige unterstützend, die vierte Regel dient: Die Absage an jene noch zu Bauers Zeit beliebte Methode der allegorischen Auslegung der Parabeln (S. 28–30). Hier unterscheidet sich Bauer von Lowth. Zwar kann er wie dieser die Parabel im Alten Testament als „eine Tochter der Allegorie" bezeichnen (S. 14) und auch Lowth's Beispiele teilweise übernehmen (S. 14ff.)[12], aber sein Bestehen auf dem *einen* tertium comparationis verbietet ihm die Anwendung der Allegorie. Diese für die Gleichniserforschung grundlegende Einsicht wurde zu seiner Zeit nur teilweise als weiterführend gewürdigt[13], eher sah man darin den nüchternen, allzu nüchternen Rationalismus Bauers[14]. Erst ein Jahrhundert später hat dann Bauer die gebührende Anerkennung durch ADOLF JÜLICHER gefunden[15]. – Eine fünfte Regel dient der Absicherung der dritten und vierten, indem Bauer nicht abstreiten will, daß es einige Parabeln gibt, in denen ein weiteres tertium comparationis vorliegt oder einzelne besondere Züge über das tertium comparationis hinaus berücksichtigt werden müssen. Als Beispiel dient ihm Lk. 15,11–32 (S. 30–32). Die im Laufe der weiteren Erforschung der Gleichnisse wichtig gewordene Frage, wie es sich mit den „Doppelgleichnissen" verhalte, ist hier im Grundansatz gesehen[16]. In eine Erörterung über Bauers Prinzipien der Parabelauslegung, insbesondere über die Frage, ob er bereits Bild- und Sachhälfte in den Parabeln jeweils sachgemäß erfaßt hat (S. 20ff. 26ff.), ist in unserem Zusammenhang nicht einzutreten.

[12] Zu Lowth's Ansicht über Parabel und Allegorie vgl. auch A. JÜLICHER, Die Gleichnisreden Jesu, I. Teil, (Nachdruck der 2. Aufl.) 1910, S. 287.

[13] Vgl. Nürnbergische gelehrte Zeitung 1781 (sic!), S. 754–757, bes. 755; Journal für Prediger, Bd. 12, 1781 (sic!), S. 451–454, bes. 453.

[14] Vgl. den Nachweis bei A. JÜLICHER, aaO, S. 190f.

[15] AaO, S. 290.

[16] Vgl. zu dieser Fragestellung J. JEREMIAS, Die Gleichnisse Jesu, [6]1962, S. 89ff.

Als wichtigste Ergebnisse aber sind festzuhalten: Bauers Kenntnis des Werkes von R. Lowth und die Ablehnung der Allegorie bei der Parabelauslegung. Folgerungen für die Schriftauslegung im ganzen werden an dieser Stelle nicht gezogen. Ein dritter, die ganzen prinzipiellen Erwägungen beherrschender Zug kommt hinzu: Bauer ist bemüht, die Parabeln Jesu im Rahmen seiner Verkündigung in einem bestimmten Volk zu einer bestimmten Zeit und Geschichte aufzuzeigen (S. 12. 18f. 25f. u. ö.). Das hierin sichtbar werdende historisch-exegetische Bemühen ist offenkundig (vgl. auch S. 12–17). Der historisch-kritische Ansatz in der Exegese Bauers ist bereits hier klar erkennbar. Daß auch hierin Lowth's Gedanken nachwirken, läßt sich nicht mit Sicherheit nachweisen, ist aber nicht auszuschließen (vgl. S. 10), denn von dessen Werk gilt, „daß es zur Loslösung der historischen Forschung von den Fesseln der Theologie" beitrug, indem es „einen rein menschlichen und geschichtlichen Gehalt und Wert der Bibel zur Anschauung brachte"[17].

Die angeführten Veröffentlichungen sind die Grundlage für Bauers 1785 erschienene Schuldogmatik: „Gespräche eines Lehrers mit seinem erwachsenen Eleven über die Wahrheiten der christlichen Religion für die studierende Jugend und andere Freunde des Christenthums". Dieses Werk ist nur insoweit zu berücksichtigen, als es über die sachlich nicht neue und weiterführende Behandlung der einzelnen Loci der Dogmatik hinaus einige Aufschlüsse zur Darstellung der Biblischen Theologie Bauers zu geben vermag. Zunächst: Bauer erweist sich hier deutlicher als in den bisherigen Veröffentlichungen als Rationalist, jedoch in der Weise, daß das „mildere, nicht blendende, Licht der Aufklärung" in seinen Ausführungen sichtbar wird[18]. Er will nur „das *Wesentliche* der Christenthumslehre" darstellen und damit „auch dem Verächter der Lehre Jesu Achtung gegen das reine, biblische, ganz vernünftige Christenthum" einflößen (Vorrede, S. 3). Dem entspricht, daß nur Lehrsätze aufgenommen werden, die auf biblischer Grundlage beruhen, und daß der „*Beweiß der Wahrheit und Göttlichkeit der Religion Jesu aus innern und äußern Gründen*", der Leitgedanke des ganzen Buches ist (Vorrede [unnumeriert S. 4]).

Folgende Gesichtspunkte im Rahmen unserer Fragestellung sind zu beachten: 1. Eine Dogmatik muß auf exegetisch bearbeiteter Grundlage stehen. Der ständige Hinweis auf exegetische Einsichten bei fast allen behandelten Loci bestätigt dies[19]. 2. Im Zusammenhang der Erörterung über Gen. 3 wird gezeigt, daß hier ein Mythos zugrundeliegt (S. 136ff.), und ebenso wird auch die Höllenfahrt Christi (I. Petr. 3,19ff.) als Mythos verstanden (S. 174), wenngleich sich Bauer gegenüber seinen Lesern sehr vorsichtig ausdrückt und den Begriff

---

[17] So F. MEINECKE, s. Anm. 9, S. 251f.

[18] So Nürnbergische gelehrte Zeitung 1785, S. 279; vgl. S. 279f. und Allg. Lit. Ztg. Jena 1786, 3. Bd., Sp. 81f.; zum Rationalismus in diesem Buche s. auch (wenngleich etwas einseitig, weil nur diesen Gesichtspunkt hervorhebend) K. LEDER, S. 322.

[19] So wird in der Nürnberg. gel. Ztg. 1785, S. 280 ausdrücklich und anerkennend „von der liberaleren Auslegungskunst des V." gesprochen, was auch im Hinblick auf das Folgende zu beachten ist.

selbst nicht verwendet. Begegnete bei Bauer bisher diese Fragestellung nicht, so ist doch bedeutsam, daß sie von jetzt an bei ihm der Sache nach nachweisbar ist, und zwar sowohl für das Alte wie für das Neue Testament. Die Radikalität dieser These macht verständlich, daß sich Bauer sehr behutsam äußerte und so, verbunden mit dem z.T. recht platten Rationalismus seiner Darlegungen, keine Durchschlagskraft gewinnen konnte. Hier bewahrheitet sich die Bemerkung in der Vorrede: „Hin und wieder habe ich auch dem Weisen nur Winke gegeben" (Vorrede, S. *3). So blieb J.G. EICHHORN in der wissenschaftlichen Welt der Ruhm, als erster auf mythologische Abschnitte auch im Neuen Testament hingewiesen zu haben[20]. Gerade die hier begegnende Fragestellung sollte jedoch noch von besonderer Bedeutung für Bauers spätere Veröffentlichungen und damit auch für die Biblische Theologie werden[21]. 3. Zugleich weist Bauer nach, daß Denken und Anschauung im Mythos von Gen. 3 „in dem grauen Alter" seiner Entstehung nichts mit Allegorie zu tun hat (S. 138). Werden hier auch keine Folgerungen für die Schriftauslegung gezogen, sondern wird als Ergebnis die rationalistische Sicht geboten, daß eine nicht buchstäblich aufgezeichnete „Thatsache" (vgl. S. 138–142) zugrunde liegen müsse, so hat Bauer hier doch die Ablehnung der Allegorie auf eine noch breitere Grundlage gestellt als in seinem Buch über die Parabeln Jesu. 4. Wird erneut auf die Notwendigkeit der Erforschung der Umwelt der Bibel verwiesen (S. 82). 5. Es wird – und das ist in methodischer Hinsicht der wichtigste Beitrag – der Gesichtspunkt der „Stufenfolge" jetzt näher erläutert[22]. Auf die Frage des Lehrers, ob Gott die „Offenbahrung … dem Menschengeschlecht auf einmal oder stufenweise, nach dem Wachsthum ihrer übrigen Ansichten und Fähigkeiten, verliehen" habe, antwortete der „Eleve": „Stuffenweise, wie aus der Bibel erhellet, die ja nicht zu gleicher Zeit verabfaßt ist" (S. 12). Die stufenweise Offenbarung wird hier mit der Einsicht in das geschichtliche Gewordensein der biblischen Schriften erklärt, was der „Lehrer" anschließend näher erläutert mit dem Hinweis auf die verschiedenen Perioden innerhalb der Bibel. Zu den drei großen Perioden, der vormosaischen, der mosaischen und der christlichen treten zahlreiche „Abstuffungen" (= Weiterentwicklungen der einzelnen Epochen, vgl. S. 12). Diesen stufenweisen Fortgang kann man von der inhaltlichen Seite der Offenbarung her bestätigen: „In der Mosaischen Constitution ist alles local und so wohl der Denkungsart des ungebildeten jüdischen Volks als auch der grossen Absicht, welche Gott mit diesem Volke hatte, an-

---

[20] Vgl. o. S. 69.

[21] Vgl. auch D. G. C. v. CÖLLN, Theol. I, 1836, S. 24 Anm. 24.

[22] Zur Bedeutung dieser Fragestellung in den Jahren 1780ff. vgl. K. A. G. KEIL, Ueber die historische Erklärungsart der heiligen Schrift, aus dem Lateinischen übersetzt von C. A. Hempel, 1793, S. 39f. (= Keil, O. A., S. 95f.). Er verweist auf Sup. ROSENMÜLLER, Ueber die Stufenfolge der göttlichen Offenbahrungen (vermehrt und verbessert), Hildburgh 1784; Diac. HESS, Von dem Reiche Gottes, Zürich 1780; auch macht Keil auf die Wichtigkeit von G. E. LESSING, Erziehung des Menschengeschlechts, Berlin 1780, zur Frage aufmerksam. Daß Bauer diese Arbeiten gekannt hat, ist bei seinem Interesse für diese Fragestellung anzunehmen, unmittelbare Hinweise jedoch fehlen.

gemessen" (S. 13). Von diesem Partikularismus geht es stufenweise zum Universalismus: „Zulezt tratt Christus auf, und lehrte die vollkommnere geistige Religion, welche Licht über alle Völker verbreitete" (S. 13). Durch diese inhaltliche Seite wird sichtbar, daß mit der Stufenfolge in der zeitlich-periodischen Abfolge zugleich eine qualitative Steigerung der Offenbarung verbunden ist. Das bedeutet jedoch keine Abwertung des Alten Testament: „Mir" ist „kein ehrwürdigers Denkmahl des Alterthums als dieses" bekannt. Denn „*ganz alleine* lehrt es im grauen Alterthum die richtigen Begriffe von einen (sic!) einzigen wahren Gott und seinen Eigenschaften, von der Vorsehung" (S. 30). Wohl aber gewinnt man durch die Einsicht in die Stufenfolge einen Einblick in den Gesamtplan Gottes, der „stuffenweise das menschliche Geschlecht aufklären, und zu sich leiten will" (S. 30). Da aber Jesus das wahre Licht der Aufklärung ist, hat alle Theologie sich an seiner Lehre auszurichten (Vorrede insgesamt). Hier tritt zu dem Vertreter historisch-kritischer Bibelerforschung der aufgeklärte Theologe seiner Zeit hinzu (vgl. auch S. 208), der historisch-kritische Einsichten seinem „Eleven" zeitgemäß verständlich machen will. Sein gewählter Vergleich zeigt dies: „Die Oeconomie der Offenbahrung verhält sich eben so, wie die Oeconomie der Natur. Gott hat da nicht allen Menschen gleiche Geistes-Gaben, gleiche Stärke, Schönheit, gleiche Reichthümer gegeben. Er beobachtet hier viele Stuffen. Und eben dieses Verhältniß hat es mit der göttlichen Erleuchtung des Menschengeschlechtes" (S. 13). An anderer Stelle kann es noch weitergehend heißen: „Diese Stuffenfolge bemerken wir im Reiche der Natur, im Reiche der Thiere, und sie ist eben also im Reiche der Geister. In diese große Kette gehört das Menschengeschlecht" (S. 133, vgl. S. 81. 83f. 212). Die aufgezeigte Verbindung von historisch-kritischem und zeitgemäßem Verständnis der Stufenfolge ist offenbar beabsichtigt, denn mit dem Verweis auf diese Stufenfolge kann zugleich die Vernunft in die ihr gebührenden Grenzen verwiesen werden: Sie muß bei jedem Menschen „stuffenweise wachsen" (S. 263; vgl. S. 198). Gilt es auch als sicher, „daß die Vernunft erst ganz richtige Urtheile von Gott, seinem Willen und unserm Verhalten gegen ihn fälle, seitdem das Christenthum in der Welt vorhanden ist" (S. 326), so ist doch gleichzeitig das „fortwährende Wachsthum in den Vollkommenheiten des Verstandes und Willens" aufgegeben bis in Ewigkeit (S. 289). 6. Das gibt Bauer das Recht, das Leben der Christen unter dem Gesetz der Stufenfolge zu sehen (S. 207. 212) und darum dieser Schuldogmatik einen zweiten Teil, „welcher die christliche Sittenlehre oder den practischen Theil der Religion enthält", anzufügen (S. 315ff.). Es ist damit der für die Zeit ungewöhnliche Schritt vollzogen, Dogmatik und Ethik zu verbinden. Welche (an dieser Stelle sicher noch nicht beabsichtigte) Vorarbeit hierin für eine Biblische Theologie liegt, ist unten zu erörtern[23].

Bis diese genannten Fragestellungen unmittelbar für die Biblische Theologie tragend wurden, sollte ein weiteres Jahrzehnt vergehen, in dem Bauer vor-

---

[23] Vgl. unten S. 161, 193 ff.

nehmlich alttestamentliche und orientalistische Arbeiten veröffentlichte gemäß seiner im Vorwort zu dem Buch über die Parabeln Jesu geäußerten Absicht: „Uebrigens werde ich künftig meine Zeit und meine Muße hauptsächlich
auf das orientalische Studium und Erklärung des alten Test. verwenden,
welches von jeher meine Lieblingsbeschäftigung und das Fach war, das ich
mir zu bearbeiten wählte" (Vorrede [unnumeriert S. 3f.], im Orig. gesperrt).

Seine wichtigsten Veröffentlichungen auf diesem Gebiet in den folgenden
Jahren sind: „Die kleinen Propheten übersetzt und mit Commentarien erläutert", Leipzig, I. Theil, 1786; II. Theil, 1790[24]; „Chrestomathia e Para-
phrasibus Chaldaicis et Talmude delecta notis brevibus et indice verborum
difficiliorum illustrata", Edidit G. L. B., Nürnberg und Altdorf 1792[25]; „Joh.
Christ. Frid. Schulzii Scholia in Vetus Testamentum", continuata a G.L.B.,
Vol. IV–X, Nürnberg 1790–1795[26]. Drei Bauers Schriften kennzeichnende
Züge sind auch hier deutlich erkennbar. 1. Als besonders selbständig und mit
neuen Erkenntnissen verbunden gilt unter diesen Veröffentlichungen die
Übersetzung und Kommentierung der kleinen Propheten, denn der historisch-
kritisch arbeitende Verfasser scheut sich nicht, „auch Dogmatiker, Mystiker
und Typiker" durch „wohlgemeinte Belehrungen" auf den richtigen Weg der
Schriftauslegung zu lenken. Auf diese Weise will Bauer dazu anleiten, den
biblischen Autor „verstehen" zu „lernen"[27]. Mit dem Bemühen um eine sachgemäße Schrifterklärung verbindet sich 2. das für Bauer typische Sammeln
und Auswählen der Ergebnisse neuerer Forschungen, das ihn zu einem führenden Kompendienverfasser werden ließ[28]. Die ihm vorgegebene Anlage der
„Scholia" unterstützte diese Seite. Doch werden gerade hier seine umfangreichen „philologischen und kritischen Kenntnisse", „vor allem" aber seine
„reife Beurtheilungskraft, die das geprüfte und wirklich zur Erklärung des
Schriftstellers dienliche, von dem unnöthigen und minder haltbaren zu unterscheiden weiß"[29]. Besondere Beachtung finden in den „Scholia" die den einzelnen biblischen Büchern (Bauer behandelt die Psalmen und die Propheten)

---

[24] Vgl. dazu Nürnbergische gelehrte Zeitung 1785 (sic!), S. 796–799 u. ebdt. 1790,
S. 323–325; Erlangische gelehrte Anmerkungen und Nachrichten 41, 1786, S. 209–211.
[25] Erlangische gelehrte Zeitung 1793, S. 85–87; J. G. Eichhorn, AB VI, 1794, S. 895–898.
[26] Vgl. dazu die von J. Ph. Gabler verfaßten Rezensionen, in: Nürnbergische gelehrte
Zeitung 1790, S. 313–315; ebdt. 1791, S. 457–459; ebdt. 1794, S. 449–456, 457 ff.; ebdt.
1796, S. 49–51. (Bis auf die erstgenannte sind sämtliche Bespr. von Gabler [= „G." =
Gablers Zeichen] unterzeichnet. Auch inhaltliche Bemerkungen lassen auf Gabler als
Rezensenten schließen. Es ist daher anzunehmen, daß er auch die erste der angeführten
Bespr. verfaßt hat). Vgl. weiter NthJ, 3. Bd., 1794, S. 427–429; ebdt. 1798 (= 12. Bd.),
S. 483–499.
[27] Nürnberg. gel. Ztg. 1785, S. 797; vgl. auch NthJ, 3. Bd., 1794, S. 429.
[28] Vgl. auch Schleusner-Stäudlin, Göttingische Bibliothek IV, 1798, S. 782; L.
Diestel, S. 625.
[29] NthJ, 3. Bd., 1794, S. 427f.; bes. Nürnberg. gel. Ztg. 1790, S. 316 u. ö. – Offenbar ohne
Quellenkenntnis urteilt C. Kuhl, Art. Bibelwissenschaft I. Bibelwissenschaft des AT,
RGG³, Bd. I, 1957, Sp. 1230: „Ein typisches Erzeugnis des *Rationalismus* sind die
Scholien von Georg Lorenz Bauer (Heidelberg † 1806); dagegen zeichnen sich die Scholia
von K. Rosenmüller durch ein reiches Wissen und gesunderes exegetisches Urteil aus."

vorangestellten „Einleitungen", die Bauers historisch-kritisches Interesse
deutlich sichtbar werden lassen. Die Benutzung von J. G. EICHHHORNS Einleitung in das Alte Testament (1787) ist dabei unverkennbar[30].

Bauers Veröffentlichungen in den Jahren 1780–1794/95 sind der Boden, der
die Grundlage bildet für seine unmittelbaren Beiträge zur Biblischen Theologie,
denen wir uns jetzt zuwenden.

B. DER BEITRAG ZUR BIBLISCHEN THEOLOGIE

1. Einleitung und Biblische Theologie

Einzusetzen ist mit einem Werk, das zeitlich sowohl zum voranstehenden
wie zum folgenden Abschnitt gehört: Bauers „Entwurf einer Einleitung in die
Schriften des alten Testaments, zum Gebrauche seiner Vorlesungen", Nürnberg-Altdorf 1794[31]. Es soll ein Handbuch zu seinen Vorlesungen sein (Vorrede
[unnumeriert, S. 7]). In der Vorrede bereits werden die Akzente gesetzt: Bauer
weiß sich J. G. EICHHORNS Einleitung ins Alte Testament ([2]1787) verpflichtet,
denn durch sie hat „die Behandlung des Alten Testaments eine ganz neue
vortheilhafte Gestalt gewonnen"[32], doch gleichzeitig protestiert er schon im
voraus dagegen, daß man ihn „für einen bloßen Epitomator halte(n)" könnte
(Vorrede [unnumeriert, S. 4]). In der Tat ist sein Werk selbständiger und freier
als andere von Eichhorns Einleitung beeinflußte Darstellungen[33].

Sein Leitgedanke ist, den Stoff mit Hilfe „der historischen Lehrmethode"
zu entfalten und die „Resultate … einer historischen Einleitung" in dem
Buche niederzulegen (Vorrede [unnumeriert, S. 5. 6f.]). Zu diesem Zweck bringt
er einige über Eichhorns Einleitung hinausgehende und nicht eigentlich in das
Gebiet der Einleitung gehörende Abschnitte „über die hebräische Sprache,
Theopneustie, exegetische Hilfsmittel, Werth der alttestamentlichen Schriften,

---

[30] Vgl. J. PH. GABLER, in: Nürnberg. gel. Ztg. 1791, S. 457f. u.ö.; NthJ, 3. Bd., 1794,
S. 428f.

[31] Eine 2. u. 3. Aufl. mit der zutreffenden Titelerweiterung: Entwurf einer historisch-
kritischen Einleitung in die Schriften des Alten Testaments, 2. verb. und ganz umgearb.
Aufl., Nürnberg 1801; 3. Aufl. ebdt., 1806. Die Seitenangaben innerhalb des fortlaufenden
Textes beziehen sich auf die *erste* Aufl.

[32] „Ich weiß in diesem Jahrhundert nur zwey glückliche Epochen für das Alte Testament
in Teutschland zu machen, die erste durch Michaelis, für die kritisch-philologische, histo-
risch-geographisch- und naturhistorische Interpretation; und die zweyte durch Eichhorn
für die richtige Behandlung dieser Bücher in Absicht ihres Geistes, ihrer Dichtungen,
ihrer innern Oekonomie, ihres Werths" (Vorrede [unnumeriert, S. 4]). Zu Eichhorns Einleitung ins AT (bes. Bd. 3) vgl. E. SEHMSDORF, Die Prophetenauslegung bei J. G. Eichhorn,
1971, S. 48ff.

[33] So wenigstens urteilen die Rezensenten: J. PH. GABLER, Nürnbergische gelehrte Zeitung 1794, S. 458–460; vgl. auch NthJ, 3. Bd., 1794, S. 306–310; Tübingische gelehrte Anzeigen 1795, S. 318–320; J. G. EICHHORN, AB VI, 1794, S. 68–78, bes. 71; vgl. auch
L. DIESTEL, S. 611.

über die hebräischen Geschichtsbücher überhaupt, über die Poesie der Hebräer",
dazu kommen kurze Prolegomena (Vorrede [unnumeriert, S. 5f.]). Daraus erklärt sich das für die „Einleitungen" der Zeit ungewöhnliche Übergewicht der
„allgemeinen Einleitung" gegenüber der „besonderen Einleitung" (266 zu
166 Seiten).

Am Anfang der Geschichte der Menschheit und damit auch des Volkes
Israel stehen Mythen (S. 17), darum muß sinngemäß mit einem Hinweis auf die
Mythenerforschung eine Einleitung ins Alte Testament beginnen (S. 17f.).
Wir befinden uns hier im „Kindesalter der Welt", was sich zugleich an den
zwei oder einsilbigen „Wurzelwörtern" der hebr. Sprache nachweisen läßt
(S. 18). Methodisch ist es darum geboten, der historischen Darstellung der Einleitung eine entsprechende der Geschichte der hebr. Sprache einhergehen zu
lassen (S. 26). Erst dieses In- bzw. Nebeneinander erlaubt es, Bauers Kernsatz
volle Geltung zu verschaffen: „allein dogmatische Gründe können in der Geschichte nichts entscheiden" (S. 89). An der Entwicklung der hebr. Sprache
lassen sich die Epochen der israelitischen Geschichte ablesen (S. 20–24), und
an der Sprache läßt sich die Eigenständigkeit des einzelnen biblischen Autors
in seiner jeweiligen Epoche aufdecken (S. 64ff.), verbunden mit den besten
„innern Gründen", die durch die Zeit- und Umweltgeschichte des einzelnen
Schriftstellers gewonnen werden (S. 65). Damit ist „der Theopneustie der
Bücher Alt. Test." der entscheidende Stoß versetzt (S. 68ff.), doch gründet
Bauer seine Ablehnung der Theopneustie nicht allein darauf, sondern zeigt,
daß Theopneustie und Mythologie eng verwandt sind: In der alten Welt
meinte man, „daß alles Ausserordentliche, Vortrefliche und Wichtige auf Gott,
als den Urheber müsse zurückgeführt werden, daß daher kein Held ohne die
Gottheit handelt, kein Dichter ohne sie sprach, kein Mantis ohne sie Orakel
gab". Daraus erhellt, „daß die Hebräer ihren heiligen Schriften kein minderes
Ansehen eingeräumt und keinem geringern Ursprung zugeschrieben haben"
(S. 69). Die Einsicht in das historische Verstehen des Mythos überhaupt trifft
die Theopneustie an ihrer Wurzel. Darum kann Bauer feststellen, daß die
historischen Bücher des Alten Testaments keine Berührung mit der Theopneustie haben (S. 268).

Es sind C. G. HEYNES Argumente, die J. G. EICHHORN für die Erforschung
des Alten Testaments ausgewertet hat und die Bauer *weitergestaltend* in seine
„Einleitung" aufgenommen hat (vgl. auch S. 70 Anm. 2 u. 3; S. 72 Anm.).
Kennzeichnend ist sein eigenes „Urtheil darüber" (S. 71): In der alten Welt
war man „zu wenig mit psychologischen Kenntnissen begabt". Man vermochte
deshalb „keinen genauen Unterschied zwischen dem Natürlichen und Ueber-
natürlichen" zu machen. „Dieses aber kann uns, die wir besser von der Natur
unserer Seele und ihrer Wirkungskraft und von der Natur der Dinge unterrich-
tet sind, nicht hindern, freyer und gründlicher darüber zu urtheilen" (S. 71f.).
Hier meldet sich der historisch-kritisch geschulte rationalistische Theologe
zu Wort, wie auch das Folgende zeigt.

Geben die historischen Bücher des Alten Testaments keine Hinweise auf Inspiration, dann ist es unzutreffend, ihnen „einen höhern Ursprung beymessen" zu wollen (S. 73). Diese Bücher sind vielmehr „von Menschen im Geist ihres Zeitalters geschrieben" (S. 74. 269).

Man soll darum diesen Sachverhalt mit allen zur Verfügung stehenden Mitteln erforschen und bei dem historisch-kritisch Ermittelten stehen bleiben, nicht aber die biblischen Autoren besser verstehen wollen, als sie sich selbst verstanden (S. 73f.). Dasselbe ist für die poetischen Bücher geltend zu machen (S. 74ff.). „Anders" jedoch „verhält es sich mit den Propheten", denn „es würde ... allerdings zu gewagt seyn, wenn man den Propheten alle göttliche Einwirkung absprechen" wollte (S. 76f.). Aber auch hier gilt, nicht mehr wissen zu wollen, als erkennbar ist, sondern (historisch-kritisch) zu untersuchen, „*wie viel* göttlich und wie viel menschlich sey" (S. 77)[34]. – Noch deutlicher werden seine Anschauungen in den vier letzten Abschnitten der „Allgemeinen Einleitung", die fast 200 Seiten ausmachen. Anhand der „Geschichte des Textes", einem ganz unverfänglichen Abschnitt, kann der vorsichtige Bauer klarstellen, daß die Schriften des Alten Testaments nicht anders als die von „Profanautoren" anzusehen sind und daß die „Integrität des hebr. Textes" als Aberglaube zu geißeln ist (S. 103f.). Auch das Alte Testament ist eine historische Urkunde, die mit rein historischen Mitteln erforscht werden muß, und deshalb haben alle „dogmatischen Gründe" auszuscheiden (S. 89). Wie bei den „Profanautoren" muß man alle „krit. Hilfsmittel." anwenden und darf auch vor „Conjecturalkritik" nicht zurückscheuen (S. 252).

Erfordert der Text des Alten Testaments eine historisch-kritische Behandlung, so ist damit eine (Vor)Entscheidung über die Auslegung des Alten Testaments selbst gefällt (S. 252). Der maßgebliche Satz lautet darum: Die Hermeneutik erfordert „historische Vorkenntnisse" (S. 252f.). Die erste Forderung für das historische Verstehen besteht darin, eine Hermeneutik zu erheben, die Altes und Neues Testament klar voneinander scheidet. Innerhalb der Hermeneutik des Alten Testaments sind dann weiter die „historischen, prophetischen und poetischen Bücher" zu trennen (S. 253). Im einzelnen gehören schließlich zu diesen „historischen Vorkenntnissen" sowohl die Geschichte Israels, die Kenntnis der Umwelt wie der Sprache, dazu Sitten und Gebräuche des Volkes (S. 253ff.), alle die Materialien, die Bauer in den „Scholia" gesammelt hat (S. 260 Anm. 3).

Erst aufgrund dieser (historischen) Vorkenntnisse kann in einem letzten Abschnitt der „Werth der Bücher des Alt. Test." behandelt werden (S. 260 ff.)[35]: Voran steht ihr Wert für die „Religion", der sich aus der im Alten Testament sichtbar werdenden Stufenfolge ergibt, aus der Entwicklung vom Parti-

---

[34] Im einzelnen verweist Bauer auf das für ihn bahnbrechende Prophetenverständnis von J. G. Eichhorn, dem er sich verpflichtet weiß. Zu diesem vgl. jetzt – ohne auf Bauer als Kommentator und Deuter Eichhorns einzugehen – E. Sehmsdorf, aaO.

[35] Nach J. Ph. Gabler, Nürnberg. gel. Ztg. 1794, S. 459: „ein treflicher Abschnitt".

kularismus zum Universalismus. Das Alte Testament bleibt die unaufgebbare Grundlage des Neuen Testaments und bietet für dieses „den vollständigsten Beytrag zur Religionsgeschichte" (S. 261 f.). Wer die „allmählige Entwicklung" konsequent, und d. h. historisch, verfolgt, erfährt im Alten Testament die „ältesten Begriffe der Menschen" sowohl hinsichtlich des Glaubens wie der Moral (S. 262). Das ist gewichtig, denn hier versucht Bauer zu zeigen, daß im Alten Testament – profan-historisch interpretiert – sowohl Gottes wie der Menschen Geschichte zur Geltung kommt und darum ebenso von theo-logischer wie von anthropo-logischer Seite her das Alte Testament unaufgebbare Bedeutung für den Christen (und auch für den aufgeklärten Rationalisten!) hat. Dem entspricht bis zu einem gewissen Grade der zweite Punkt: Der Wert des Alten Testaments für die Geschichte. Bauer ist der Meinung, daß das Alte Testament als antike Urkunde unmittelbaren Quellen- und Geschichtswert für die „Aufhellung der Profangeschichte" hat (S. 262f.), und er folgert daraus als weitere Punkte seinen Wert „für Chronologie und Geographie" (S. 263f.) wie „für die Geschichte der Erfindung der Künste" (S. 264). Der wahrhaft aufgeklärte Mensch muß das Alte Testament kennen. Die überragende Besonderheit des Alten Testaments ist seine Poesie. Sie wird darum als letzter und höchster Wert genannt (S. 264ff.). R. LOWTH hat „die Eigenheiten der hebr. Poesie" erkannt, Herder hat diese Erkenntnisse in seinem Werk „Vom Geist der Ebräischen Poesie" (Teil 1.2, 1782 u. 1783) „entwickelt" (S. 315ff.), doch J. G. EICHHORN war es, der diese Poesie in der Gegenwart Bauers der gebildeten Welt nahebrachte (S. 265f.)[36]. Jedoch nicht Schwärmerei, sondern die historisch-kritisch eruierte Zeitbedingtheit der hebräischen Poesie öffnet nach Bauer den Weg zu ihrem Verständnis: Man muß sich von dem „Wahn" freimachen, „daß sie *göttliche Offenbarung für alle Menschen und Zeiten, und große göttliche Geheimnisse enthalte(n)*". Sie läßt sich vielmehr „aus der Urkunde des Geistes der ältesten Menschen, des Orients und der Denkungsart des frühesten Kindesalters der Welt erklären" (S. 266). Damit aber ist zum Ausgangspunkt zurückgelenkt: Die Bedeutung der Erforschung des Mythos für das Verstehen des Alten Testaments ist auch auf die hebräische Poesie anzuwenden.

Dieses von der Fachwelt hervorragend rezensierte Buch stellt unbeschadet der Abhängigkeit in vielen Einzelergebnissen von J. G. Eichhorns Einleitung einen Markstein in Bauers Schrifttum dar[37]. Bauer bekennt sich in diesem Werk nicht nur zu R. LOWTH, C.G. HEYNE, J.D. MICHAELIS, J.G. HERDER und J.G. EICHHORN und damit zur Richtung freierer Schriftauslegung seiner Zeit, wofür er die volle Anerkennung seines Altdorfer Kollegen J.PH. GABLER erhält, sondern er bestätigt zugleich die Richtigkeit der in seinen frühen, mehr

---

[36] ‚Zwischen den Zeilen' und auch dadurch, daß er auf Herder und Eichhorn an verschiedenen Stellen eingeht, zeigt Bauer, daß er nicht der Meinung ist, daß Eichhorn in unmittelbarer Nachfolge (und Abhängigkeit) von Herder steht; zu dieser Frage – ohne Bezug auf Bauer – vgl. E. SEHMSDORF, aaO, S. 33ff., 48ff., 79ff., 131ff.

[37] Vgl. Anm. 33.

für gebildete Laien gedachten Veröffentlichungen gegebenen Hinweise[38]. Seine
„Einleitung" hat den Charakter einer umfassenden Programmschrift und überschreitet somit inhaltlich das zur Einleitungswissenschaft Gehörende bei
weitem. „Das meiste ... von diesen Abschnitten [der allg. Einl.] gehört zwar
eigentlich in eine Hermeneutik des A.T. da es aber leider bisher an einer
solchen, wie sie nemlich unser Zeitalter bedarf, fehlt ...: so wird man sie mit
Vergnügen in dieser Einleitung lesen"[39]. Die hermeneutische Fragestellung
und die daraus sich ergebenden Folgerungen sind denn auch das wirklich
Bedeutsame: Bauers Bemühen, das Alte Testament konsequent historisch-
kritisch auszulegen und es in diesem Sinne als eine antike Urkunde anzusehen,
das den Werken der Profanschriftsteller gleichzuordnen ist. Darüber hinaus
geht sein gelegentlicher und vorsichtiger Versuch, auch den *Inhalt* des Alten
Testamentes ganz rational-natürlich zu erklären. Gablers Bemerkung, der
Leser „wäre wohl manchmal ... begierig, die eigene Meynung des Herrn Verfassers zu wissen, die er in seinen Vorlesungen ausführt"[40], zeigt, daß Bauer in
seinen Vorlesungen freiere und auch rationalistischere Ansichten vertreten hat
als in seinen Veröffentlichungen[41]. Ziel aller dieser Überlegungen Bauers aber
ist es, der von dogmatischer Beeinflussung freien, selbständigen „historischen
Lehrmethode" Geltung zu verschaffen, wie Gabler in seiner Rezension zutreffend erkannt hat.

Dies zeigt sich in mehrfacher Hinsicht: Erstens verlangt historisch-kritische
Fragestellung die selbständige Behandlung beider Testamente. Daraus ergibt
sich zweitens die Forderung nach einer Hermeneutik des Alten Testamentes
allein, erweist sich drittens die „Einleitung in das Alte Testament" als theologische Besinnung auf das Alte Testament und die mit ihr verbundene Wissenschaft als selbständige Disziplin. Viertens zielt die historische Betrachtungsweise auf die Entfaltung der Vorstellungen von Gott, Welt, Menschen und
Ethik innerhalb der verschiedenen Epochen der Geschichte des Volkes Israel
(S. 261 f.). D. h. aber: im Ansatz der „Einleitung in das Alte Testament" ist für
Bauer eine ,Biblische Theologie des Alten Testamentes' intendiert. Man wird
darüberhinaus sagen müssen, intendiert ist auch eine ,Biblische Theologie
des Neuen Testamentes', denn das Alte Testament bildet in der Stufenfolge
ja nach Bauer die unaufgebbare Voraussetzung für das Neue Testament und
seine Anschauungen. Auch die neutestamentliche Wissenschaft gilt ihm als
eine in sich selbständige Disziplin (S. 261). Fünftens ergibt sich der allerdings
nur andeutungsweise geltend gemachte Gesichtspunkt, daß eine solche, die
Testamente je für sich behandelnde Theologie die Ethik (Bauer spricht von
„Moral") aufgenommen werden muß. Sechstens erhebt Bauer die Forderung

---

[38] Vgl. o. S. 144 ff., 148 ff.
[39] J. Ph. Gabler, Nürnberg. gel. Ztg. 1794, S. 459 f.
[40] Ebdt., S. 459.
[41] Zu dieser Vermutung vgl. auch K. Leder, S. 323.

auf eine eingehende Erforschung der Geschichte des Volkes Israel, seiner Umwelt und schließlich der Sitten und Gebräuche der Hebräer (S. 262).

Auf dem einmal als richtig erkannten Weg ist Bauer in den folgenden Jahren konsequent weitergeschritten, indem er in verschiedenen Werken sein Programm zur Ausführung zu bringen suchte. Es erschienen: 1796: Theologie des alten Testaments; 1797: Hermeneutica sacra Veteris Testamenti; 1799: Entwurf einer Hermeneutik des Alten und Neuen Testaments; 1800: Biblische Theologie des Neuen Testaments; 1802: Hebräische Mythologie des alten und neuen Testaments; 1803: Biblische Moral des Alten Testaments; 1804/05: Biblische Moral des Neuen Testaments, um nur die Hauptwerke zu nennen.

2. Die Biblische Theologie des Alten Testaments

Einen ersten Schritt zur Verwirklichung seines Programms bildet die ,,Theologie des alten Testaments oder Abriß der religiösen Begriffe der alten Hebräer" (1796), ein Werk, von dem man angenommen hat, daß hier erstmals J. PH. GABLERS Auffassung von Biblischer Theologie zur Darstellung gekommen sei[42]. Doch ist darauf erst abschließend zurückzukommen, nachdem man dieses Werk im Rahmen von Bauers eigenem Programm gesehen hat.

Im Zusammenhang der Vorlesungen über ,,die sogenannten dicta classica Vet.[eris] Test.[amenti]" erkannte Bauer die Unhaltbarkeit dieser zu seiner Zeit üblichen Vorlesung, die den Studenten eine Vorbereitung für die Dogmatik sein soll, indem hier die biblischen Beweisstellen der Dogmatik erklärt werden. Allein sinnvoll als Voraussetzung dogmatischer Arbeit aber kann nur eine Biblische Theologie gelten (Vorrede, S. III). Es hat den Anschein, daß wie Gabler so auch Bauer an der Erstellung eines Fundaments der Dogmatik durch die Biblische Theologie interessiert ist. Aber der Schein trügt. Bauer ist nichts an einer für seine Zeit brauchbaren Dogmatik gelegen, sondern (höchstens) an den Grundlagen einer ,,Dogmengeschichte" (Vorrede, S. IVff.), wobei für ihn die Dogmengeschichte Altes und Neues Testament als deren Beginn einschließt. Die Bezeichnung ,,Dogmengeschichte" ist ihm dabei in doppelter Weise wichtig: Sie ermöglicht ihm einerseits, auf die wirklich historische Einordnung und Entwicklung der biblischen Begriffe Wert zu legen, und andererseits zu ermitteln, ,,von welchem Punct religiöser Aufklärung der Stifter des Evangeliums ausgegangen ist, und bis zu welchem Punct er sie fortgeführt hat" (Vorrede, S. IV). Der Gedanke der stufenweisen Entwicklung, auf den im weiteren noch zurückzukommen ist, ist also das Leitbild, und dieses ist an der historischen, nicht aber an der dogmatischen Fragestellung ausgerichtet. Denn ,,wahren Nutzen" kann nur haben, wenn ,,die religiösen Begriffe der alten Hebräer von den frühesten Zeiten bis auf die spätern historisch verfolgt, ihr muthmaßlicher Ursprung und ihre allmälige Ausbildung entwickelt

---

[42] Vgl. etwa H.-J. KRAUS, Geschichte der historisch-kritischen Erforschung des AT, ²1969, S. 151; C. KUHL, s. Anm. 29, Sp. 1231; vgl. auch H.-J. KRAUS, S. 87–91.

und dargestellt werden" (Vorrede, S. III), also wenn man eine „Darstellung der Religionstheorie der alten Hebräer im Ganzen, oder eine biblische Theologie des Alten Test." liefert (Vorrede, S. IV). Das nämlich „bereitet auf die biblische Theologie des Neuen Test. vor" und „lehrt ältere und neuere Begriffe im Christenthum scheiden" (Vorrede, S. IIIf.). Um dem skizzierten Anliegen der stufenweisen Entwicklung gerecht zu werden, kann sich Bauer nicht auf eine Darstellung der Theologie des Alten Testaments beschränken, seine in dem „Entwurf einer Einleitung …" (1794) erhobene Forderung wird jetzt in der „Vorerinnerung" präzisiert (S. 1–8).

Der „Verstand der Völker aller Zeiten" bemüht sich um die Lösung zweier Fragen: „Was ist das Verhältniß der Gottheit zum Menschen, und das Verhältniß des Menschen zur Gottheit?", deren Beantwortung „nach den verschiedenen Stuffen ihrer Cultur verschieden" ausfällt. Daraus ergibt sich für Bauer das Recht, diese Fragestellung auf die Vorstellungen der „alten Hebräer" zu übertragen und sowohl „Theologie" wie „Anthropologie" entsprechend den Loci der Dogmatik aus dem Alten Testament zu erheben unter Einschluß eines Abschnitts über „die Christologie, die Lehre der alten Hebräer vom Messias" (S. 1f.). Strenggenommen wird also eine nicht aus der Bibel genommene, aber den aufgeklärten Menschen bewegende Frage in die Bibel zurückprojiziert. Damit aber ist der Übertragung dogmatischer Fragestellungen und Systeme auf die Bibel eine nur schwer wieder zu schließende Tür geöffnet, und auch Bauer vermochte sich diesem Zugriff durch die Dogmatik nicht zu entziehen. Unter diesem Vorzeichen sind seine dennoch weiterführenden methodischen Hinweise zu sehen.

Er will die Begriffe und Vorstellungen von der ältesten Zeit bis zur ntl. Zeit verfolgen, „wo der größte und beste Lehrer der Menschen auftrat, und das vollkommenste Religionssystem aufstellte, vest in seinen Principien, zusammenhaltend in seinen Theilen, fruchtbar an Resultaten, beglückend für Menschen" (S. 2f.). Methodisch aber ist dies nur möglich, wenn man „das Religionssystem der alten Hebräer rein und ungemischt" kennenlernt, das aber heißt, wenn man streng historisch die verschiedenen Epochen der atl. Schriften durchgeht (S. 3). Drei hermeneutische Grundregeln sind dabei unerläßlich: Man lese die Schriften des Alten Testaments „a) im Geist ihres Zeitalters, trage nicht die Ideen hinein, die wir heut zu Tage haben, oder die in spätern Zeiten aufgekommen sind, sondern unparteyisch eigene man ihnen nicht mehr und weniger zu, als sie selbst dachten"; eine Hilfe dafür ist b) der Vergleich mit Vorstellungen und Begriffen „anderer Völker, welche ohngefehr auf gleicher Stuffe der Cultur stunden"; c) ergibt sich – daraus abgeleitet – die Forderung, sich mit den „Religionsmeinungen" der Völker vertraut zu machen, mit denen die Israeliten im Laufe ihrer Geschichte in Verbindung kamen (S. 4f.).

Hält man sich an diese Regeln, dann zeigt sich der „Nutzen" der historisch-kritisch entfalteten stufenweisen Entwicklung. Man wird a) vor dem Fehler gewarnt, dem Alten Testament Vorstellungen und Gedanken unterzuschieben, die es gar nicht haben konnte: „Wie lange ist es denn, daß man aufhört, die Trinität, die Lehre vom Verdienst Christi und dem Glauben, der Auferstehung und der künftigen Seligkeit, aus dem Alt. Test. ganz klar zu beweisen, und die ganze Lebensgeschichte Jesu nebst der Geschichte der christl. Kirche darinnen zu lesen?", b) – das ist einer der wesentlichsten Gesichtspunkte – „die Ideen des N. Test. schließen sich an jene des Alt. Test. an. Jene sind der Keim, welcher aus diesen hervorgesproßt ist. Man wird diese nie recht fassen, wenn man nicht weiß, auf welchem Grund sie gebaut sind. Das Christenthum ist aus dem Judenthum hervorgegangen. Auf eine biblische Theologie des Alt. Test. kann erst eine biblische Theologie des N. Test. folgen. Welche Idee des N. Test. neu, und welche schon bekannt, aber nun weiter entwickelt und angewandt wurde; wie mancher anderer Zeitbegriff entstand, und daher nicht mit allgemeingültigen Principien dürfe verwechselt werden, lehrt diese Entwicklung" (S. 5f.); c) werden die „Vorzüge der christl. Religion" deutlich, nämlich „was für Religionsbegriffe der Stifter der christl. Religion vorgefunden, und wie er sie berichtiget, erweitert, vervollkommnet hat. Sie zeigt, wie weit deutlicher, edler, Gottwürdiger, fruchtbarer und moralischer das System des Christenthums ist" (S. 6).

Diese bewußt ausführlicher zitierten methodischen Ausführungen Bauers gehören zu den mit aufschlußreichsten Belegen für sein Verständnis von Biblischer Theologie. Hier nämlich wird deutlich, daß der schon in seinen frühen Schriften sich zeigende Gedanke von der stufenweisen Entwicklung tragende Bedeutung hat: Stufenweise Entwicklung heißt historisches Gewachsen- und Gewordensein biblischer Schriften. Das jedoch verbindet sich ihm mit dem Gedanken der qualitativ sich steigernden Vernunft (und Offenbarung) und erlaubt ihm die Höherbewertung des neutestamentlichen Zeugnisses gegenüber dem alttestamentlichen. Doch behält die historische Seite stets das Übergewicht. So kann er hinsichtlich des „Religionssystems" Jesu feststellen: „das zwar immer fruchtbarer entwickelt, und der Vernunft je mehr und mehr übereinstimmend gemacht, aber an dessen Stelle nie ein besseres wird gesetzt werden können" (S. 3), und somit an dem historisch-kritisch eruierten neutestamentlichen Zeugnis festhalten. Es ermöglicht ihm zugleich, die Entfaltung der Vorstellungen und Begriffe alten (und neuen) Testaments an den Beginn der „Dogmengeschichte" zu stellen, um daraus dann die Folgerung zu ziehen, daß dem aufgeklärten Theologen, dem Rationalisten, das Recht zustehe, die „religiösen Begriffe der Hebräer" zwar so „kühn" zu entfalten, daß es „der positiven Religion nachtheilig seyn möchte(n)", weil „in unsern Zeiten so viele theologische Spreu und Stoppeln voriger Tage wegzuräumen" sind, aber „dann wird das Positive der Religion in einem eingeschränktern Sinn auch mit solchen [rationalistischen!] Aeußerungen immer bestehen können" (Vorrede, S. VI).

Bauer will nach „Vorrede" und „Vorerinnerung" ein gemäßigter Rationalist sein, der offensichtlich bei aller natürlichen und rationalen Erklärung der Bibel die Offenbarung nicht völlig leugnen will. Seine Anschauungen laufen zunächst parallel und treffen sich später mit denen des ebenfalls gemäßigten

Marburger Rationalisten WILHELM MÜNSCHER[43], dessen „Handbuch der christlichen Dogmengeschichte", Marburg 1797/98, ihm für die Ausarbeitung der „Biblischen Theologie des Neuen Testaments" (1800–1802) noch wichtig werden sollte[44], weil auch dort die Bibel als Grundlage (und Beginn) der Dogmengeschichte gewertet wird. Schließlich äußert sich wie Bauer auch Münscher hinsichtlich des Offenbarungsverständnisses sehr vorsichtig.

Eine Durchmusterung der Alttestamentlichen Theologie erweist Bauers Rationalismus als ein historisch-kritisches Anliegen. Bauers Bemühen um natürliche Erklärung ist weithin identisch mit dem Nachweis der stufenweisen Entwicklung der Begriffe und Vorstellungen der Hebräer (vgl. etwa S. 87. 128. 222. 224. 364. 374), die wiederum in die Perioden der Geschichte dieses Volkes einzuordnen sind (vgl. etwa S. 26f. 35. 130. 316. 331. 333. 378ff.). Gerade die Einsicht in die historische Entwicklung der Vorstellungen und Schriften des Alten Testaments erlaubt die Feststellung, daß man hier „Vorstellungen, welche die geläuterte Vernunft nicht verträgt", findet (S. 66; vgl. etwa S. 53f. 87. 91ff. 167 Anm.). Die Grundlage dazu bietet die Mythenerforschung. Am Urbeginn steht die mythische Geschichte der Vorzeit (S. 20. 214–233 mit ausdrücklichen Verweisen auf die Vertreter der neueren Mythenerforschung). Auf die Interpretation der Mythen ist darum größtes Gewicht zu legen (S. 94. 96), um die früheste Geschichte des Volkes Israel aus den überlieferten Sagen zu eruieren (S. 96ff.). Mythische Vorstellungen sind aber auch der Urgrund zahlreicher Begriffe und Vorstellungen. Folglich gestattet die historisch-kritische Einsicht in die Mythenerforschung, eine natürliche Erklärung der einzelnen Vorstellungen für die jeweilige Entwicklungsstufe zu suchen, in der eine Vorstellung oder ein Begriff im geschichtlichen Ablauf der Entstehung der atl. Schriften ausweisbar ist oder wichtig wurde (vgl. etwa S. 123. 184 Anm. 1). – Eine solche natürliche Erklärung ist aber erst dann gesichert, wenn (soweit möglich!) Vergleiche mit den entsprechenden Vorstellungen in der antiken Welt durchgeführt sind (S. 36 u. ö.). Der religionsgeschichtliche Vergleich beruht also auf der historisch-kritischen Methode und ist selbst ein entscheidendes Mittel, die natürliche Erklärung zu unterbauen. Und noch einen Schritt weiter: Historische Erklärung ist vernünftige = natürliche Erklärung (vgl. S. 368. 374 u.ö.); sie entwickelt die Begriffe nach den einzelnen Epochen und darum „rein" = richtig im historischen Sinn (vgl. auch S. 319 u.ö.).

Ist somit der Sinn des Rationalismus Bauers im Rahmen seiner Biblischen Theologie aufgedeckt und gezeigt, daß hinter diesem eine Methode des Verstehens sichtbar wird, so ist noch auf zwei weitere Gesichtspunkte hinzuweisen, ehe abschließend beurteilt werden kann, ob Bauers Alttestamentliche Theo-

---

[43] Vgl. zu Münschers Rationalismus W. MAURER, Aufklärung, Idealismus und Restauration I, 1930, S. 47f.; s. auch P. MEINHOLD, Gesch. d. kirchl. Historiographie II, 1967, S. 73ff.; W. ZELLER, Frömmigkeit in Hessen, hrsg. v. B. Jaspert, 1970, S. 59.
[44] Vgl. Bibl. Theol. NT I, Vorerinnerung, S. 12.

logie eine Entfaltung des Programms der Altdorfer Antrittsrede von J. Ph. Gabler ist.

Erstens wird der Forderung aus der „Einleitung" Rechnung getragen, daß in einer Biblischen Theologie des Alten Testaments von der „Moral der Hebräer" gehandelt werden muß, weil das Neue Testament seine Moral weithin aus dem Alten Testament schöpft (S. 330). Wieder wird auf die historischen Voraussetzungen und Gegebenheiten im Hinblick auf die Biblische Theologie des Neuen Testaments gesehen. Von der ältesten Epoche der Geschichte des Volkes Israel bis zum Auftreten Jesu wird die Ethik des Alten Testaments in Kürze entfaltet (S. 331–362). Damit wird erstmalig in einer Biblischen Theologie die Ethik historisch-kritisch eruiert, wie ein unbekannter Rezensent sehr anerkennend hervorhebt [45], doch Bauer legt Wert darauf, daß eigentlich eine „vollständigere Erörterung" erforderlich sei (S. 330) [46].

Zweitens. Der zweite Gesichtspunkt geht über das soeben besprochene Werk hinaus und gehört doch unmittelbar hinzu. Wie Bauer selbst feststellte und darin durch eine Rezension seiner Alttestamentlichen Theologie von J.G. EICHHORN bestärkt wurde [47], war er in der Lehre von Gott „mehr dogmatisch, als historisch zu Werke gegangen":

„In der Lehre von der Unsterblichkeit und Christologie verfolgte ich die Lehre nach den verschiedenen Zeitperioden, und schritt von ihrem Ursprung bis zu ihrer Ausbildung fort, und untersuchte zugleich ihren Ursprung. Aber bald merkte ich, daß ich dieses in dem Abschnitt von Gott, Schöpfung, Vorsehung und den Engeln zu thun, guten Theils versäumt habe. Wenn gleich die dort vorgetragenen Sachen meistens richtig und biblisch sind; so ist doch nicht genug auf die successive Ausbildung der Lehre von Gott bey den Hebräern Rücksicht genommen, und daher bedarf allerdings dieser Abschnitt einer Umarbeitung (S. IVf. des gleich zu nennenden Werkes).

Diese „Umarbeitung" legte Bauer vor in seinen „Beylagen zur Theologie des alten Testaments enthaltend die Begriffe von Gott und Vorsehung nach den verschiedenen Büchern und Zeitperioden entwickelt. – Kann als zweyter Theil der Theologie des alten Testaments angesehen werden", Leipzig 1801 [48].

Jetzt geht Bauer „die bibl. Bücher alten Test. und die vorzüglichsten Apocryphen nach ihrem Alter in der Absicht durch, um zu erforschen, welche Begriffe von Gott und Vorsehung nach den verschiedenen Zeitperioden, und der steigenden oder sinkenden Einsichten, darinnen vorgetragen werden"(S. Vf.). Denn „wenn bestimmt werden soll, was das alte und das neue Testament für

---

[45] NthJ, Bd. 9, 1797, S. 131.
[46] Diese bietet Bauer in: Biblische Moral des Alten Testaments, Th. 1.2, Leipzig 1803.
[47] AB VIII, 1797, S. 1011.
[48] Vorbereitungen dazu lieferte Bauer in den „Dicta classica Veteris Testamenti notis perpetuis illustrata", Sect. I. II, Lipsiae 1798/99; vgl. Bauer, Beylagen, S. IV. Hohe Anerkennung und Würdigung der „Beylagen" erhält Bauer durch einen unbekannten Rezensenten in: Theologische Monatsschrift für das Jahr 1802, 1. Bd., hrsg. von Joh. Christ. Wilh. Augusti, S. 59–65.

eine Ausbeute für Religion und Sittlichkeit gebe, welcher Werth diesen alten jüdischen Schriften in dieser Hinsicht beyzulegen sey, und was die daraus abgeleitete jüdische und christliche Religion für Achtung und Werthschätzung verdiene so muß vor allem erst recht auseinander gesetzt seyn, was für religiöse Begriffe darinnen herrschend sind. Hieraus ergiebt sich die Nothwendigkeit und Nützlichkeit einer *reinen*, auf ächten Grundsätzen der Auslegung gegründeten *„biblischen Theologie“* (S. III f.).

Dieser selbst gesetzten Forderung kommt Bauer in hohem Maße nach, indem nunmehr die Begriffe nach den einzelnen Zeitperioden unter Einbeziehung der mythischen Urgeschichte des Volkes Israel behandelt werden. Jetzt werden die einzelnen Quellen des Pentateuch zeitlich eingeordnet, wobei ausdrücklich festgestellt wird, daß ihnen Sagen zugrundeliegen (S. 16 ff.), und die Lehre von Gott wird aus jeder einzelnen Quelle je für sich nicht nur dargestellt (S. 1 ff. 16 ff.), sondern entwickelt (S. 14 ff.). „Das Maaß der Aufklärung der Vernunft eines Volks ist … immer noch der Maaßstab, nach dem man mangelhaftere oder richtigere Erkenntniß Gottes bey demselben vermuthen kann“. Deshalb gilt: „Man darf nur keck in der Geschichte jedes Volks dieses Maaß ihrer Einsichten und Moralität verfolgen, so wird man daran einen getreuen Anzeiger von der Beschaffenheit ihrer Gotteserkenntniß und Gottesverehrung haben“ (S. 15). Die Einsicht, daß man es im Alten Testament mit „historischen Urkunden“ aus verschiedenen Epochen zu tun hat, erlaubt darum die Feststellung: „Daß nun dieses auch bey den alten Hebräern also gewesen, wird die stufenweis verbesserten Begriffe von Gott lehren, die wir anjetzo zu entwickeln gesonnen sind“ (S. 16).

Die stufenweise Entwicklung der einzelnen Begriffe aufzuzeigen heißt – so wird erneut festgestellt –, dem historischen Gewordensein sowohl der einzelnen Vorstellungen wie der einzelnen Schriften des Alten Testaments und seiner Epochen Rechnung zu tragen, heißt, das Gegen- und Nebeneinander wie das Verbindende der einzelnen Vorstellungen darzulegen (S. 33) und so zu entwickeln, wie Jahwe vom Stammes- und Familiengott zum Nationalgott Israels zu werden vermochte (S. 12 f.). Es gilt weiter, den Weg vom Partikularismus zum Universalismus im Gottesgedanken des Alten Testaments nachzuzeichnen (S. 12 ff. 14 ff.), den Weg vom Familiengott zum Weltschöpfer darzulegen (S. 16–47. 48 ff.). Eine Durchmusterung der einzelnen Epochen und Schriften ergibt, „daß die historischen Bücher mehr den gemeinsamen Grundsätzen der Volksreligion folgen, als den Ideen, welche sich weisere und talentvollere Israeliten selbst durch Nachdenken und gelehrte Bildung erworben haben“ (S. 152)[49]. Erst in „Salomos Denk- und Sittensprüchen“ (S. 134 ff.) wird im Gottesbegriff „eine Grundwahrheit aller wahren Religion“ sichtbar, „ohne welche sie nicht bestehen kann“ (S. 136), denn Salomo dachte „aufgeklärter“ von Gott (S.

---

[49] Vgl. S. 245: „Bey weitem nicht so rein und gut sind die Begriffe von Jehova in den historischen Schriften, weil sie immer nur den eingeschränkten Gesichtspunct haben, Jehoven von der Seite darzustellen, was er für sein Volk war“.

139). Es nimmt deshalb nicht wunder, daß Bauer im Buche Hiob, das er der salomonischen Zeit oder alsbald danach zuordnet (S. 154), „das schönste und erhabenste poetische Werk der Hebräer" sieht, „ein wahres Meisterstück des Althertums, zu dem ich kein Gegenstück kenne"; entsprechend gilt von ihm: „so hat es auch den *vortrefflichsten religiösen Inhalt,* und die *reinsten Begriffe von Gott"* (S. 154). Denn der Verfasser des Buches „vergaß völlig seine israelitischen Vorurtheile, Volksreligion, Nationalglauben, und lehrte *reine Vernunftreligion,* und Moral" (S. 155; vgl. S. 155–185).

Die prophetischen Bücher, die den einzelnen Perioden zugeordnet werden, werden gegenüber den historischen Büchern im ganzen kurz behandelt (S. 186– 239) mit dem Ergebnis, daß von ihrem Gottesgebriff gilt: „Besser, obwohl noch immer sehr israelitisch, sind die Begriffe in den Propheten" (S. 254, im Orig. gesperrt), wenngleich Bauer Belege für Gott als Weltschöpfer deutlich heraushebt (S. 186. 213). Besser als Einzelheiten verdeutlicht die zitierte Bemerkung Bauers Anliegen: „Reine biblische Theologie" hat einerseits die Aufgabe, die biblischen Vorstellungen und Begriffe rein = historisch rein in den einzelnen Schriften und Epochen zu entfalten, zu entwickeln und miteinander zu vergleichen als auch – und hier läßt sich der Rationalist nicht verbergen – die für die Vernunft reinsten, weil allgemeingültigen Vorstellungen aufzuzeigen. Aber es handelt sich für Bauer hierbei nicht um zwei verschiedene Schritte, bei dem der eine dem genus historicum und der andere dem genus dogmaticum zuzuordnen wäre, sondern um ein und dieselbe *historische* Aufgabe, die stufenweise Entwicklung des Denkens vom „Kinderalter" an (S.17 f.) sichtbar zu machen, die methodisch als der Weg vom Partikularismus zum Universalismus zu kennzeichnen ist (S. 12 ff. 245. 254 u. ö.). Auch hier ist der Rationalismus Bauers von seinem oben gezeigten historischen Ansatz her zu verstehen[50].

3. Zusammenfassender Vergleich zwischen Gabler und Bauer aufgrund der Schriften zur alttestamentlichen Theologie

Versucht man abschließend zu klären, ob Bauers „Theologie des alten Testaments" Gablers Programm entspricht bzw. auch von diesem abhängig ist, so muß zunächst festgestellt werden, daß wir keine direkte und gleichzeitige Äußerung Gablers zu Bauers alttestamentlicher Theologie besitzen. Gelegentliche Zitierungen[51] lassen noch keine näheren Schlüsse zu. Mehr Aufschluß geben die allerdings 20 Jahre später liegenden Bemerkungen, die E.F. C.A.H. NETTO in der Nachschrift von Gablers Biblischer Theologie (1816) bringt. Dort heißt es zur „Theologie des alten Testaments": „eins der besten

---

[50] Vgl. o. S. 159 ff.
[51] Vgl. Kap. Gabler Anm., 182. Das gilt auch hinsichtlich des kurzen Nachrufs, den Gabler in JathL 2, 1805/06, S. 746 f. veröffentlichte, wo auf die Theologie des alten Testaments als auf eines der besten Werke Bauers hingewiesen wird.

Bücher Bauer's" und zu den „Beylagen": „Es enthält die Kapitel von Gott u.
der Vorsehung, was vorher nicht genug unterschieden und bearbeitet war"[52].
– Mit Sicherheit läßt sich sagen, *Bauer hat die erste, allein das Alte Testament
umfassende Biblische Theologie veröffentlicht*[53] und insofern Gablers Forderung
in der Antrittsrede (1787), daß die beiden Testamente in der Biblischen Theologie getrennt zu behandeln seien, erfüllt. Doch ist neben diesem mehr äußeren
Gesichtspunkt vor allem darauf hinzuweisen, daß Bauer in diesen Werken zur
alttestamentlichen Theologie Gedanken weiterführt, die er bereits in seinen
Schriften *vor* 1787 angedeutet hat[54]. Gablers und Bauers Erwägungen laufen
ursprünglich parallel, ihre unabhängig von einander zutage tretende Ähnlichkeit ergibt sich daraus, daß sie sich derselben ,Schule' C.G. HEYNES, J.G.
EICHHORNS u.a. verpflichtet wußten. Auch nach der Begegnung beider Gelehrter in Altdorf behält trotz Berührung in vielen Punkten jeder seine Eigenständigkeit und selbständige Sicht, was sich gerade in der Biblischen Theologie
auswirken sollte.

1. Um mit dem Wichtigsten zu beginnen: Bauer kennt nur die eine, rein
biblisch = rein historische Biblische Theologie, wie auch ein unbekannter Rezensent anerkennend bemerkt: „Man findet hier den religiösen Inhalt des
A.Ts ... sogar vollständiger und reiner, d.h. historischer", so wie „dies selbst
bey der biblischen Theologie des N.Ts noch nicht thunlich war, wenigstens
nicht zur Ausführung gekommen ist"[55]. Nirgendwo ist auch nur ein Ansatz
dafür zu finden, daß Bauer wie Gabler einer doppelten Biblischen Theologie
bedarf, der rein historischen und der für die Dogmatik seiner Gegenwart die
Grundlage bildenden[56]. Damit aber entfällt bei Bauer ein Grundpfeiler von
Gablers Programm. Vergleichbar bleibt nicht Gablers Programm der Biblischen Theologie als ganzes, sondern nur jene, von Gabler als minder wichtig
gekennzeichnete, die (nur) das Lokale und Temporelle aufzeigende historisch-
kritische Biblische Theologie. Berücksichtigt man *allein* dieses Teilprogramm,
dann wird man sagen müssen, daß Bauer *auch* Gablers Ideen sachgemäß
zur Durchführung gebracht hat, indem er konsequent nach den Vorstellungen
der einzelnen biblischen Autoren in ihrer jeweiligen Epoche fragt, diese herausarbeitet und miteinander vergleicht. Aber: Was Gabler zweitrangig an der
Biblischen Theologie ist, ist für Bauer das Maßgebende. – Auch konnte Bauer –
wie Gabler in seiner Antrittsrede – für sein Anliegen den Begriff ,reine Biblische
Theologie' wählen und sich insoweit mit Gabler treffen, doch z.Zt. der Ab-

---

[52] GABLER(-NETTO), Bibl. Theol., S. 12.
[53] Bauers eigene Feststellung in: Theologie des alten Testaments, Vorrede, S. IV, trifft
zu: „... dieser Versuch, welcher, so viel er [Verf.] weiß, der erste ist, der die Darstellung der
Religionstheorie der alten Hebräer im Ganzen, oder eine biblische Theologie des Alten Test.
enthält...". – H.-J. KRAUS, S. 57 Anm. 16 bestreitet zu Unrecht, daß Bauer seine ,Theol. d.
alten Test.' habe als „biblische Theologie" bezeichnen können.
[54] Vgl. o. S. 144ff., 148ff. u.ö.
[55] NthJ, Bd. 9, 1797, S. 128–131, bes. 130f. (Zitat).
[56] Vgl. zu Gablers Sicht o. S. 35ff., 42.

fassung von Bauers Schriften zur alttestamentlichen Theologie beginnt bereits Gablers begriffliche Unterscheidung zwischen wahrer (= historischer wahrer) und reiner (= rein zur Verwendung für die Dogmatik) Biblischer Theologie[57].

2. Das führt zu einem Zweiten. Auch Bauer ist an den, die einzelnen Epochen übergreifenden, allgemeinen Vorstellungen gelegen, und es läge nahe, hier doch mittelbar Gablers „Biblische Theologie im engeren Sinn des Wortes" in anderer Gestalt wiederzufinden. Das aber ist nicht der Fall: a) Ist Bauer nicht an der unwandelbaren Grundlage für eine zeitgemäße Dogmatik interessiert. Es ist vielmehr b) sein Anliegen, die stufenweise Entwicklung des Denkens und damit auch der göttlichen Offenbarung dergestalt historisch-kritisch zur Geltung zu bringen, daß die höhere Entwicklungsstufe sich auch durch allgemeinere, in nachfolgende Epochen hineinreichende Vorstellungen ausweist. Die „Beylagen" zur alttestamentlichen Theologie sind der klare Beweis dafür, daß Bauer auch dort, wo er systematisch die Analysen seiner Untersuchungen auswertet, als Historiker und nicht als Dogmatiker verstanden werden will. Der Weg vom Partikularismus zum Universalismus als Methodenproblem der Biblischen Theologie Alten Testaments bietet sich ihm dar aufgrund historischer Untersuchung, nicht aufgrund systematischer Besinnung. c) Wenn auch zunächst nur kurz skizziert, so läßt sich bereits erkennen: Das sich Bauer bei der Theologie des Alten Testaments stellende Methodenproblem verlangt, den Universalismus des Neuen Testaments darzustellen. Die methodische Frage nach den übergreifenden, bleibenden Vorstellungen des Alten Testaments erweist die Schriften des Alten Bundes nicht nur als die Grundlage für das Neue Testament, sondern macht ihm die historisch-kritische Bearbeitung einer Biblischen Theologie Neuen Testaments notwendig[58]. d) Der Gedanke der stufenweisen Entwicklung ermöglicht es schließlich, den Beginn der Dogmengeschichte in die biblischen Schriften zurückzuverlegen, wodurch dem Rationalisten Bauer sich die Möglichkeit erschloß, die stufenweise Weiterentwicklung bis in seine eigene aufgeklärte Zeit historisch zu verfolgen.

3. Spätestens an diesem letzten Punkt mußte Gablers Kritik einsetzen. Zwar ist man hier auf einen Rückschluß angewiesen, nämlich auf Gablers Bemerkungen zur Besprechung eines Unbekannten von W. MÜNSCHER, Handbuch der christlichen Dogmengeschichte, Bd. I, Marburg 1797. Dort heißt es in einer Münscher wie der Sache nach Bauer treffenden Anmerkung[59]: „Noch einen Wunsch fügt der Herausgeber ... bey, daß der Hr. Verf. die Darstellung des Lehrbegriffs Jesu und der Apostel von seiner Dogmengeschichte ganz *trennen* möge. Diese Untersuchung gehört *ausschließend* in das Gebiet der *biblischen Theologie*. In der Dogmengeschichte würde sie zu viel Platz wegnehmen, und doch nicht befriedigend ausfallen. Sie könnte auch sowohl der

---

[57] Vgl. o. S. 97 ff.
[58] Vgl. etwa Theologie des alten Testaments, Vorrede, S. IIIf.
[59] NthJ 1798 (= 12. Bd.), S. 461–482, S. 481 Anm.; vgl. auch GABLER, ebdt., S. 339 Anm.

eigenen Unbefangenheit großen Eintrag thun, als auch die Unparteylichkeit
in der Erforschung der Darstellung der Dogmen bey dem theologischen Publikum sehr verdächtig machen. Denn wie leicht trägt man seine biblischen Ideen
in die Dogmengeschichte hinein! Und damit ist aller Nutzen der Dogmengeschichte verloren". Es wird hier dem gemäßigten Rationalisten Münscher
u.a. gezeigt, wie „verdächtig" man sich macht, wenn man nicht Biblische
Theologie und Dogmengeschichte trennt, anders gesagt: Man ist als Rationalist
verdächtig, wenn man diese Scheidung nicht vornimmt[60].

Das aber ist offensichtlich auch der Punkt, an dem Gabler mit Bauer nicht
übereinkommen konnte. Nicht die inhaltliche Einzelausführung, sondern die
dahinterstehende Tendenz ist ihm, dem Spätneologen[61], verwerflich. Nicht
historisch-kritische Arbeit als solche, sondern die Bauers Rationalismus im
Rahmen seiner Veröffentlichungen (und auch in der Bearbeitung der „Biblischen Theologie") rechtfertigende ist ihm das Unhaltbare.

Daß wir uns hier nicht in vagen Vermutungen ergehen, zeigt eine heftige Auseinandersetzung zwischen Gabler und Bauer aus dem Jahre 1793: Bauer war ein
Wechsel von der Philosophischen in die Theologische Fakultät Altdorf angeboten
worden. Doch Gabler und sein Fakultätskollege der ‚Vernünftige Orthodoxe'
J.A. SIXT, hintertrieben dessen Berufung, um zu verhindern, daß ein offenkundiger
Rationalist in ihrer Fakultät Fuß faßte[62]. Gabler drohte sogar mit seinem Weg-
gang aus Altdorf, falls Bauer berufen würde[63]. Man wird bei der Fülle der Berührungspunkte beider Gelehrter gerade auch im Hinblick auf das Folgende zu
berücksichtigen haben, daß Gabler Spätneologe, Bauer aber Rationalist ist. Beider
Wirken und beider Zielsetzung in der wissenschaftlichen Arbeit gehen vielfach
nebeneinander her, obwohl sie, der gleichen ‚Schule' verbunden, viel Gemeinsames
haben und obwohl gerade Gabler in den folgenden Jahren sich sehr anerkennend
über Bauers Veröffentlichungen äußerte[64].

4. Ist damit ein grundlegender Unterschied zwischen Gabler und Bauer
skizziert, so wird im folgenden auszuführen sein, daß der in Bauers Rationalismus sich zeigende hermeneutische Ansatz zumindest einen weiteren Punkt enthält, dem Gabler nicht zustimmen konnte: Bauer begründet – und hier ist über
die Schriften zur alttestamentlichen Theologie hinauszugehen – in seinem bisherigen Schrifttum, daß es methodisch unerlaubt sei, einen Autor besser verstehen zu wollen, als er sich selbst verstand[65]. Damit aber ist ein hermeneutisches Kernproblem berührt, das Bauer methodisch klar erkannt hat. Auf

---

[60] Daß hinter Münschers Dogmengeschichte eine bestimmte Tendenz liegt, hat der
unbekannte Rezensent klar erkannt und kritisch herausgearbeitet, aaO, S. 461–482.
[61] Vgl. o. S. 105f.
[62] Vgl. dazu die Briefe Bauers vom 28. u. 30. Juli 1793 in: AUA 97, 21. 23 und Gablers
vom 30. 7. u. 7. 8. 1793 in: AUA 97, 24. 25; zusammenfassende Darstellung jetzt bei
K. LEDER, S. 323f.
[63] Vgl. Gablers Brief vom 7. 8. 1793 in: AUA 97, 25. Da Gabler gerade einen Ruf nach
Gießen hatte, konnte er dieser Drohung Nachdruck verleihen; vgl. auch K. LEDER, S. 305.
[64] S. Kap. Gabler, Anm. 25, 32, 34.
[65] Vgl. etwa S. 167ff.

dieses ist – zunächst unabhängig von der weiteren Fragestellung, ob sich Bauer an seine eigenen Grundsätze gehalten hat – einzugehen. Er selbst hat in der Klärung dieser Kernfrage, in der es um den *historischen Ansatz* in seinen Veröffentlichungen geht, die Voraussetzung sowohl für die alttestamentliche wie für die neutestamentliche Theologie gesehen. Da dies über den bisher gegebenen zusammenfassenden Vergleich hinausgeht, soll dieser Fragestellung der folgende Abschnitt dienen.

4. Bauers Hermeneutik im Hinblick auf die „Biblische Theologie des Neuen Testaments"

Parallel zu seinen alttestamentlichen Forschungen und letztlich vorbereitend auf die „Biblische Theologie des Neuen Testaments" (1800–1802) sind Bauers Bemühungen um die Hermeneutik zu sehen. Es ist kein Zufall, daß die betreffenden Veröffentlichungen kurz vor Erscheinen der neutestamentlichen Theologie vorgelegt werden.

Konnte schon bei der Neubearbeitung der „Philologia Sacra" von Salomo Glassius durch Bauer (1795) festgestellt[66] werden, daß hier ein die Hermeneutik der Zeit gebührend berücksichtigendes Werk vorgelegt sei, von dem man unter hermeneutischem Gesichtspunkt sagen konnte: „Das ganze Buch kann man als einen ausführlichen Commentar über die Einleitung des Hrn. Verf. in die Schriften des A.T. (1794) … betrachten"[67], so gilt das in weit größerem Maße von seiner „Hermeneutica sacra Veteris Testamenti", Lipsiae 1797, auch im Hinblick auf die „Theologie des alten Testaments". Dieses Werk, das wegen seiner rücksichtslosen Offenheit die Theologische Fakultät in Halle an der Veröffentlichung zu hindern suchte (vgl. Vorrede)[68], enthält Bauers Bekenntnis zur rein grammatisch-historischen Interpretation. Schon zu Beginn stellt er klar, daß er sich in dieser Hinsicht J.A. Ernesti (S. IV. 19) und K.A.G. Keil (S. 4) verpflichtet weiß. Jeder andere als der eine grammatischhistorische Sinn der Schrift wird abgelehnt (S. 47), wobei besonders Kants moralische Schriftauslegung als unhaltbar gekennzeichnet wird (S. 45–50, bes. S. 49f.) und in „Sectio Tertia: De Interpretatione Historica" sein Anliegen eingehend entfaltet wird (S. 256ff.), so wie wir es wesentlich bereits aus der Einleitung und den Schriften zur alttestamentlichen Theologie kennen. Besondere Beachtung verdient innerhalb des Werks der Abschnitt § 81 (nicht 87!; so im Orig.): „Definitio et divisio mythorum" (S. 351ff.), weil sich hier Bauer als Sachwalter C.G.Heynes und seiner Schüler erweist und weil hier auch die Frage angeschnitten wird, wie es sich mit *Mythen im Neuen Testament* verhalte (S. 352–365).

---

[66] Salomonis Glassii Philologia Sacra his temporibus accommodata. Post primum volumen Dathiis opera in lucem emissum nunc continuata et in noui plane operis formam redacta a Ge. L. Bauero, Tomus secundus. Sectio prior. Critica Sacra, Lipsiae 1795.

[67] So J. Ph. Gabler, Neue nürnbergische gelehrte Zeitung 1796, S. 425–428, Zitat S. 426f.

[68] Vgl. auch L. Diestel, S. 625.

Eine eingehendere Würdigung dieses Werkes in unserem Zusammenhang ist nicht erforderlich, da Bauer in seinem noch gewichtigeren, unten zu behandelnden Buch „Entwurf einer Hermeneutik des Alten und des Neuen Testaments. Zu Vorlesungen", Leipzig 1799, seine Hermeneutik des Alten Testaments weitergehend übernimmt: „Beym Alt. Test. habe ich hauptsächlich meine Hermeneutik V.T. epitomirt" (Vorrede S.V).

Nur drei Punkte seien angeführt: a) Bauer fordert die völlig profane Behandlung der alttestamentlichen Schriften, was einer Radikalisierung der grammatisch-historischen Auslegung gleichkommt (S. 45–50. 256ff.). Es erweist sich hier erneut und verschärft, daß sein Rationalismus eine bestimmte Methode des Verstehens beinhaltet[69].

b) Im Rahmen der Besprechung eines Unbekannten erläutert GABLER in einer Anmerkung den *einen* historisch-grammatischen Sinn der Schrift und fügt hinzu: „welcher oft nicht der wahre Sinn ist"[70]. Damit ist bereits hier angedeutet, daß Gabler einem Grundanliegen in der Hermeneutik Bauers nicht zustimmen kann, nämlich dem, in dem es um die Verneinung der Frage geht, ob man einen Autor besser zu verstehen habe, als er sich selbst verstand.

c) Gablers kurze Bemerkung verdient es deshalb, beachtet zu werden, weil Bauer in seiner Hermeneutica sacra Vet. Test. sich mit aller Entschiedenheit zu C.G. HEYNE und seinen Schülern bekennt (S. 351ff.)[71]. Was Bauer anstrebt, ist, die noch ausstehende Hermeneutik der ‚mythischen Schule' zu liefern unter deutlicher Betonung seiner eigenen Sicht.

Es ist das Verdienst von CHRISTIAN HARTLICH und WALTER SACHS, die Bedeutung Bauers als Hermeneutiker erkannt zu haben. Ihre Darstellung und Würdigung von Bauers „Entwurf einer Hermeneutik des Alten und des Neuen Testaments" unter reicher Zitierung der Quellen ist darum nicht zu wiederholen[72]. Nur unter spezieller Zuspitzung auf die „Biblische Theologie des Neuen Testaments" werden im folgenden einige Gesichtspunkte hervorgehoben.

Seit „der unsterbliche ERNESTI sein goldenes Büchlein, die institutionem interpret. N.T. ... der theologischen Welt geschenkt hatte" (Vorrede, S. IV), wurden hermeneutische Erwägungen vornehmlich im Hinblick auf das Neue Testament angestellt. Doch die Vernachlässigung des Alten Testaments ist nicht nur unberechtigt, sondern für den sachlich notwendigen Zusammenhang beider Testamente geradezu schädlich (Vorrede, S.V. 10). Gibt es für jedes Testament eigene, so doch auch für beide Testamente gemeinsame Regeln, die zu beachten sind. Daß das Alte Testament die Grundlage für das Neue Testament ist, wie es Bauer bereits im Rahmen seiner Ausführungen zur alt-

---

[69] Diese konnte auch mißverstanden werden. So schreibt L. DIESTEL, S. 625 über die Hermeneutica sacra Vet. Test.: sie „trägt das Gepräge des blühenden Rationalismus".

[70] NthJ 1798 (= 12. Bd.), S. 287–297, Anm. Gablers S. 289.

[71] In der genannten Rezension (s. Anm. 70) wird dieser Sachverhalt deutlich hervorgehoben.

[72] HARTLICH-SACHS, S. 70–79 u. S. 79–87 zu Bauers „Hebräische Mythologie des Alten und des Neuen Testamentes" (1802).

testamentlichen Theologie zeigte, wird jetzt auf das Gebiet der Hermeneutik übertragen.

Für jedes Testament ist je ein allgemeiner und ein besonderer Teil zu beachten (S. 10). Denn „die biblische Hermeneutik trägt entweder Regeln vor, welche überhaupt bey der Auslegung jedes Schriftstellers, oder welche besonders bey einzelnen Schriftstellern nur zu beobachten sind". Der allgemeine Teil ist wiederum untergliedert, weil er sich „*erstens* mit der Erfindung des Sinnes (welches heißt subtilitas intelligendi) und *zweitens* mit dem Vortrag desselben (welches heißt subtilitas explicandi)" befaßt. Entscheidend ist dabei die erstgenannte Untergliederung, denn dieser gehören Wort- und Sacherklärung zu (S. 10)[73]. Beide aber sind der Grundpfeiler im Hinblick auf unser Thema, denn in ihm wurzelt das „einzig richtige Princip aller wahren Auslegung", das für „Profanautoren" wie für biblische Autoren in gleicher Weise gilt: Die „*grammatische Interpretation*", die den „Wortverstand" bietet, und die „historische Interpretation", die die „Sacherklärung" bietet (S. 20). Darüberhinaus *kann* man zwar eine „*philosophische*, oder *philosophisch-critische Interpretation*" anschließen, aber sie trägt *nichts* für die Auslegung antiker Schriften aus. „Die grammatische und historische Interpretation" ist „die einzig richtige Auslegungsmethode", denn „bey jedem vernünftigen Schriftsteller wird vorausgesetzt, daß er den vernünftigen Zweck habe, es sollen die Leser ihn verstehen" (S. 20f.). Darum kommt es darauf an, die Sprache und die „Denkungsart" jenes Zeitalters, in dem der Verfasser lebt, zu erforschen, um so das Anliegen in seinen Schriften verstehen zu lernen.

„Die grammatische Interpretation ... untersucht die Bedeutung einzelner Worte und ganzer Redensarten und Sätze; die historische Interpretation untersucht näher, was und wie viel ein Verfasser bey seinen Werken gedacht, welche Begriffe er genau damit verbunden und gewollt hat, daß andere die nämlichen Begriffe damit verbinden sollen. Denn es ist dazu nicht genug, die Bedeutung eines Worts im allgemeinen zu wissen, wenn man nicht auch zugleich weiß, in welcher Einschränkung oder Ausdehnung der Autor dasselbige genommen hat, was für eine vollkommene oder unvollkommene Idee er damit verbunden hat" (S. 96).

Dieses Insistieren auf der grammatisch-historischen Auslegung heißt für Bauer nicht nur die Ablehnung des Besser-Verstehen-Wollens eines Autors, als er sich selbst verstanden hat. Er selbst gibt darüberhinaus auch eine Erläuterung, in der er zeigt, warum die von ihm konsequent vertretene Methode der Auslegung auf ein solches Besser-Verstehen verzichten kann: Die grammatisch-historische Methode deckt das historische Gewordensein der Hlg. Schrift, die stufenweise Entwicklung ihrer Einzelschriften auf (S. 100f.) und zeigt dadurch hinsichtlich des Inhalts der Schrift, „daß darin keineswegs Dinge enthalten sind, welche schlechterdings keiner Veränderung unterworfen" sind

---

[73] „Bey der Erfindung des Sinnes sieht man entweder nur auf die *Worte*, und die durch dieselben ausgedruckten Vorstellungen, oder auf die *Sachen*, man entwickelt näher die vorgetragenen Begriffe" (S. 10).

(S. 98). Die grammatisch-historisch bearbeitete „biblische Theologie" (S. 119f.), schließt Wort- und Sacherklärung ein, sie ermittelt das Lokale und Temporelle wie das Bleibende, Universale (S. 120). Die historisch-kritisch eruierte Biblische Theologie erfüllt damit das ganze Geschäft der Biblischen Theologie. Sie ist nichts, weil nur historisch, Zweitrangiges, dem erst eine ‚biblische Theologie im engern Sinn des Wortes' folgen muß. Bauers Ausführungen über die stufenweise Entwicklung in seinen früheren Veröffentlichungen werden hier im „Entwurf einer Hermeneutik" in zielstrebiger Folgerichtigkeit auf die Biblische Theologie angewandt (vgl. S. 118f.): „Auf diese Art und nach diesen Regeln [der grammatisch-historischen Methode] muß eine biblische Theologie, Dogmatik sowohl als Moral des Alt. und N. Test. gemacht sein, sie muß enthalten eine genaue Entwickelung der religiösen Begriffe der Hebräer vor Christo, und Jesu und seiner Apostel nach dem verschiedenen Zeitalter und Kenntniß der Schriftsteller" (S. 119f.).

Die stufenweise Entwicklung ist denn auch das Instrument, mit dem Bauer die Einwände gegen die alleinige Anwendung der grammatisch-historischen Methode abzuwenden sucht. Er muß sich mit der Frage auseinandersetzen, ob „eine philosophische Interpretation oder Kritik" vollends abzulehnen sei oder doch ein gewisses Recht beanspruchen darf (S. 117f.). Er lehnt sie, soweit es um die grammatisch-historische Eruierung biblischer Schriften bzw. der Biblischen Theologie geht, eindeutig ab mit dem Hinweis, daß hier die Vernunft ein der historisch-kritischen Arbeit unhaltbares Vorverständnis zumutet, indem man voraussetzt, „daß die heilige Schrift eine göttliche Offenbarung sey, welche lauter reine Wahrheiten enthalte, und da diese eben so gut, als die menschliche Vernunft, ein Geschenk Gottes ist, der sie nicht widersprechen kann, daß die Offenbarung mit der Vernunft, und daher mit einer geläuterten und bescheidnen Philosophie, in allen wesentlichen Religionslehren übereinstimmen müsse" (S. 117). Es ist methodisch falsch, a) die biblischen Schriften anders als profane Autoren behandeln zu wollen, bei denen ein solcher Zusammenhang von Offenbarung und Vernunft gar nicht zu erwägen ist, und b) das jeweilige (durchaus offene) Endergebnis im Voraus festlegen zu wollen: „Aber so gern wir auch zugeben, daß in der heiligen Schrift göttliche Offenbarung enthalten sey: so wenig darf dies doch supponirt werden, sondern muß vielmehr aus dem richtig [grammatisch-historisch] erklärten Inhalt derselben sich als Resultat ergeben" (S. 118). Weil man häufig mit falschem Vorverständnis an die Schrift herangegangen ist – und das ist Bauers schärfstes Argument – wurden „die allegorische und mystische, oder moralische Interpretation erzeugt" (S. 118), die er schon als unhaltbar in seiner „Hermeneutica sacra Vet. Test". (bes. S. 45ff.) bekämpft hat und ebenso eindeutig in seinem „Entwurf" ablehnt (S. 14–18).

Nun will Bauer freilich nicht bestreiten, daß „eine philosophische Interpretation oder Kritik" (S. 118) ein bestimmtes oder auch berechtigtes Anliegen hat: Die Erörterung über die das Lokale und Temporelle überschreitenden

Religionswahrheiten, also über das Bleibende oder auch Universale. Er weist erstens nach, daß nicht das oben skizzierte Vorverständnis hier weiterhilft, sondern allein die folgerichtige und das heißt die historisch-kritisch herausgearbeitete stufenweise Entwicklung im Alten und Neuen Testament.

„Bey Erklärung der Stellen, welche Religionswahrheiten enthalten, befolge man folgende Regeln: 1) Man erkläre nicht das Alt. Test. aus dem N. Test. und trage nicht in dasselbige das Licht von diesem. Denn stufenweise haben sich die Religionskenntnisse erweitert. 2) Man erläutere nicht die Religionslehren des N. und noch weniger des Alt. Test. aus den philosophischen und theologischen Kenntnissen unserer Tage, nicht aus unserm theol. System, oder dem System irgend einer Kirche. Wer dieses nicht thut, wird sicher viel spätere Begriffe in ur|alte Schriften hineintragen. Hierdurch sind noch alle philosophischen Systeme bisher durch die Autorität der Bibel bestätiget gefunden worden. und jede christliche Partey zieht die Bibel für sich an. Dadurch ist der Spott entstanden, daß in der Bibel nicht nur jeder seine Lehre suche, sondern daß sie so gemacht sey, daß er sie auch darin finden könne. 3) Er verbinde mit den Worten gerade die Begriffe, welche die Menschen der damaligen Zeiten damit verbunden haben, gebe Acht, wo ein Schriftsteller diese berichtiget, verbessert, oder ganz neu vorträgt, oder Worten andere Begriffe unterschiebt, und 4) folge dem Stufengang der Zeit, weil bey weitem nicht zu aller Zeit gleiches Maaß an Religionskenntnissen vorhanden war." (S. 118f.)

Zweitens empfiehlt er, auf die Akkommodationen besonderes Gewicht zu legen. Denn es gilt: „Man" „unterscheide die für alle Menschen aller Zeiten und Orte geltende religiöse Wahrheit von dem lokalen und temporellen Lehrvortrag, von dem, was nur aus Accommodation gesagt ist" (S. 120). Das geschieht, indem man ein Grundgesetz der stufenweisen Entwicklung historisch-kritisch zur Geltung bringt: Nämlich die Vorstellungen und Begriffe der einzelnen biblischen Schriftsteller wirklich entwickelt und miteinander vergleicht (S. 120). „Man sammle ... die wichtigsten von einer Materie handelnden Stellen ..., vergleiche sie untereinander, bemerke ihr Übereinstimmendes oder Abweichendes, nach der verschiedenen Veranlassung und Zweck" (S. 120). Auf Letzteres legt die Akkommodation ihr Gewicht, denn Jesus und seine Apostel haben sich bewußt akkommodiert (S. 121ff.). Wenn Bauer freilich in diesem Zusammenhang feststellt, Jesus und seine Apostel hätten sich „in keiner wesentlichen Religionswahrheit" akkommodiert (S. 123), so fällt er damit selbst eine nicht historisch-kritisch ausweisbare Vorentscheidung, die zu korrigieren er sich bemüht, ohne die gängigen Vorstellungen in seiner eigenen Zeit ganz überwinden zu können. Das zeigt sich schon darin, daß auf Akkommodationen im Bereich des Alten Testaments ganz verzichtet wird. Hier kommt man nach Bauer, ohne daß dies näher ausgeführt wird, mit rein grammatisch-historischer Erklärung zum Ziel[74]. Für das Neue Testament wagte Bauer diese Entscheidung angesichts der lebhaften Diskussion zu seiner Zeit nicht. Doch auch hier

---

[74] In den „Beylagen", S. 61 wird dann auch ausdrücklich festgestellt, daß man im AT durch die Annahme von Akkommodationen die historisch-kritische Herausarbeitung der einzelnen Epochen nur erschwert und die gewonnenen Ergebnisse verdunkelt.

hilft die Einsicht in die stufenweise Entwicklung weiter: Jesus wandte sich an Menschen einer bestimmten Bildungs- und Entwicklungsstufe. Diese historisch ermittelbare Feststellung erlaubt es, „zuweilen einen wahren Satz mit schwachen oder gar unrichtigen Beweisen neben den bessern und richtigern" aufzuzeigen (S. 125). Solche „argumenta κατ' ανϑρωπον" setzen zwar die Vorentscheidung, welches ein wahrer Satz ist, voraus, aber es wird mit Nachdruck gezeigt, daß ein wirkliches Vergleichen der einzelnen Vorstellungen eines Autors oder einer Schriftengruppe, also die historisch-kritische Arbeit es erst ermöglicht, ,wahre Sätze' und damit „wesentliche Religionswahrheiten" zu erkennen (S. 123ff.). Denselben Sachverhalt verdeutlicht Bauer anschließend noch von einer anderen Seite her: an den moralischen Stellen des Alten und Neuen Testaments, indem er zeigt, daß nur die konsequente Beachtung der Zeiten und Epochen das jeweils Eigene sowie das Lokale und Temporelle herausarbeiten läßt (S. 128ff.). Wenn man sowohl die Normen wie die Begründungen der Moral Alten und Neuen Testaments untersucht, gelingt es, das Allgemeingültige vom Zeitbedingten zu scheiden (S. 127ff.). Auch die „Kennzeichen" der Akkommodation (S. 122) verweisen auf die grammatisch-historische Interpretation, und damit ist nach Bauer gezeigt, daß zur Ermittlung allgemeingültiger Vorstellungen keine „philosophische Interpretation" notwendig ist. Eine solche Interpretation gehört nicht zum Geschäft des Bibelerklärers und sie hat keinen Platz im Rahmen einer Biblischen Theologie (S. 118ff.), wohl aber kann man diese – gemeint ist offenbar im Zusammenhang der Dogmatik – betreiben, um zu prüfen, ob die historisch-kritisch gewonnenen Ergebnisse der Bibelwissenschaft mit der Vernunft [der Zeit] in Einklang gebracht werden können (S. 117ff.).

Diese hermeneutischen Erwägungen dürfen als außerordentlich aufschlußreich für die Biblische Theologie gelten. Hier wird nämlich mit der wünschenswerten Klarheit gezeigt, daß *Bauers Verständnis von Biblischer Theologie von dem Gablers entscheidend abweicht, sobald in dieser über die grammatisch-historische Interpretation hinaus philosophisch-kritische Fragestellungen erörtert werden sollen.* Hatte Gabler – wie oben gezeigt[75] – zwei Biblische Theologien gefordert, weil die grammatisch-historisch erarbeitete Biblische Theologie ohne die hinzutretende philosophische Interpretation unzureichend sei, so ist jetzt von Bauer – in folgerichtiger Weiterentwicklung seiner „Theologie des alten Testaments" – hermeneutisch begründet, daß eine rein historisch bearbeitete Biblische Theologie in vollem Umfang ihre Aufgabe erfüllt. Das liegt in der Konsequenz seines Ansatzes: Er sieht nicht auf die Dogmatik seiner Zeit, sondern auf das historisch in den einzelnen Epochen der biblischen Schriftsteller Vorgegebene und Gewordene, er sieht auf die stufenweise Entwicklung und entfaltet diesen Gedanken, indem er seinen Rationalismus als Methode historischen Verstehens lehrt.

Man sucht in dem „Entwurf" vergeblich nach einem Hinweis auf Gablers

[75] S. o. S. 35f., 42, 97ff.

Antrittsrede, obwohl sie sachlich dem stärksten Angriff ausgesetzt ist[76]. Dafür finden sich zahlreiche Belege aus J.A. ERNESTI, MORUS und KEIL, die Vertreter der grammatisch-historischen Interpretation. Besonders Keils Programm wird mit oft langen Zitaten angeführt[77]. Bauer, der einerseits der Anhänger und Verteidiger der ‚mythischen Schule' ist und in seinem „Entwurf" wie schon in seiner „Hermeneutica sacra Vet. Test." (1797) HEYNES, EICHHORNS und GABLERS Anschauungen zur Mythenerforschung in hermeneutische Regeln zusammengefaßt hat (S. 156 ff.)[78], ist mit Recht gleichzeitig Anhänger von Keil (und im weiteren von dessen Vorgängern). Obwohl Keil nicht der ‚mythischen Schule' zugehört, weiß er sich ihm ebenso verpflichtet, denn beide ‚Schulen' schließen sich nicht aus, sobald es darum geht, historisch-kritische Maßstäbe für die Erkennung und Erforschung von Mythen als hermeneutische Regeln anzugeben (S. 156 ff.). „Es ist der *Gesichtspunkt kritischer Rationalität*"[79] und damit wieder Bauers Rationalismus als Methode historischen Verstehens, nach dem hermeneutisch festgelegt wird, wie ein Mythos zu bestimmen ist: Möglichkeit und Wirklichkeit sind streng zu scheiden, das reine Faktum wie das natürlich Erklärbare von der mythischen Einkleidung (S. 157 ff.). Die historisch-kritisch aufzuzeigende stufenweise Entwicklung lehrt auch, die stufenweise „Ausschmückung" eines Mythos zu erkennen (vgl. S. 158). – Schließlich werden auch die Wundererzählungen nach derselben Methode des Verstehens einsichtig gemacht (S. 160 f.). Ihre natürliche Erklärung ist nichts anderes als die historische Einsicht in eine bestimmte Stufe der Entwicklung. Deshalb gilt: „Der Ausleger … spüre den natürlichen Ursachen nach, aus welchen sich ein Effekt ergeben hat, er behandele die israelitische Geschichte, wenn er sie pragmatisch machen will, wie die Geschichte anderer und neuerer Völker" (S. 161). – Entsprechendes gilt von den Wundern im Neuen Testament (S. 175 f.).

Diese Ausführungen über die grammatisch-historische Methode unter Einbeziehung ihrer Auswirkung auf die Mythenerforschung und die Wundererklärung führen nur scheinbar von unserer Fragestellung ab, in Wirklichkeit decken sie *das Nebeneinander von Gabler und Bauer hinsichtlich der Biblischen Theologie auf*. Bauer verbindet das Anliegen der ‚mythischen Schule' mit dem der rein ‚grammatisch-historischen'. Das Ergebnis seines „Entwurfs" ist einerseits die Rechtfertigung seiner „Theologie des alten Testaments", andererseits die unerläßliche Vorbereitung seiner „Biblischen Theologie des Neuen Testaments" (1800–1802). Daraus erklärt sich, daß er seine Grundsätze im „Entwurf" vornehmlich an der Hermeneutik des Alten Testaments darlegt, wenngleich mit deutlichen Hinweisen, daß sie entsprechend für das Neue Testament gelten (S. 119 ff. 128 ff. 155 f.).

---

[76] Diese Nichterwähnung besagt jedoch nicht zu viel, denn auch in der „Biblischen Theologie des Neuen Testaments" wird Gablers Programm nirgendwo angeführt.

[77] Vgl. o. Anm. 22, im „Entwurf" vgl. bes. S. 20 f., 96 f.

[78] Vgl. dazu HARTLICH-SACHS, S. 76 ff.

[79] Vgl. HARTLICH-SACHS, S. 77.

Daß Bauer in seinem „Entwurf" auf die „Biblische Theologie des Neuen Testaments" hinarbeitet, wird aus dem abschließenden Teil „Specielle Hermenevtik des Neuen Testaments" (S. 172 ff.) vollends deutlich: Hier wird zunächst in einem ersten Kapitel gezeigt, daß die Evangelisten kein „Leben Jesu" darstellen und darum auch keine „Chronologie" bieten wollen, sondern nur einzelne Begebenheiten bringen (S. 172). Es ist deshalb jeweils auf „den eigentlichen Endzweck" (S. 172 f.) zu achten, warum eine bestimmte Begebenheit erzählt wird. Will man das Anliegen der Evangelisten auf einen Nenner bringen, dann kann man sagen: „sie wollten die Messiaswürde Jesu erhärten" (S. 173). In jedem Fall aber muß „die Glaubwürdigkeit der Evangelisten … nach den allgemeinen Regeln der historischen Kritik" geprüft werden (S. 174), d. h. nach der bereits oben behandelten Methode. Insbesondere aber muß historisch-kritisch geprüft werden, inwieweit Augenzeugenberichte vorliegen können (S. 174). Diese Frage ergibt sich, wenn man die schriftstellerische Tätigkeit der einzelnen Evangelisten untersucht (S. 175).

Ist einmal erkannt, daß die Evangelisten ihre eigenen Gedanken und Zielsetzungen verfolgen, dann ist dies auch bei den Wundererzählungen anzunehmen (S. 175 f.), darum sind sie ebenso historisch-kritisch zu eruieren wie die alttestamentlichen (S. 160 f.). – Von den drei ersten Evangelisten ist Johannes abzusondern (S. 178 f.)[80]. Seine „Eigenheiten" und seine Herkunft vermutlich aus Täuferkreisen erfordern besondere hermeneutische Regeln: 1. Man „erkläre ihn nach der Sprache der gebildeten Juden zu seiner Zeit"; 2. man „mache sich mit den Grundsätzen der Zabier und der morgenländischen γνῶσις … bekannt, und erläutere daraus die Stellen, wo er auf sie anspielt"; 3. man „lerne das Charakteristische seiner Schreibart kennen" (S. 179). Es wird also nicht nur auf Sprache und Stil, sondern auch auf die religionsgeschichtliche Einordnung zum Verstehen des Johannesevangeliums hingewiesen.

In einem zweiten Kapitel wird in aller Kürze (auf 3 Seiten!) „Ueber die Briefe Pauli, Petri, Judä, Jacobi, Offenbahr." gehandelt (S. 180–182) und gezeigt, daß die paulinischen Briefe von den Lehrbegriffen der katholischen Briefe und von dem der Offenbarung zu trennen sind. Der Hebräerbrief wird ohne nähere Erläuterung unter die Paulusbriefe gerechnet (S. 180). – Für Paulus wird ausdrücklich als Voraussetzung des Verstehens „eine genaue Kenntniß der jüdischen Theologie" verlangt, „denn" er „war ein jüdischer Theolog vor seinem Uebergang zum Christenthum, und brachte Sätze seiner alten Theologie in seine Schriften, um sie zu erläutern oder zu bestreiten" (S. 180). Andererseits weist Paulus – gemeint sind vornehmlich die Pastoralbriefe – so viel dem griechischen Denken Verwandtes auf, daß er „aus guten griechischen Schriftstellern kann … erläutert werden" (S. 180).

Das Wichtigste dieser kurzgefaßten Spezialhermeneutik ist die Einsicht, daß jeder neutestamentliche Autor für sich gesehen, aus seiner Zeit heraus

---

[80] „Christus spricht in den ersten drey Evangelien wie ein palästinischer, im Evangelium Johannes mehr wie ein alexandrinischer jüdischer Gelehrter" (S. 177).

erklärt und damit auch religionsgeschichtlich eingeordnet werden muß. Damit wird für die ntl. Schriftsteller die gleiche Forderung erhoben wie für die Verfasser der alttestamentlichen Schriften (vgl. etwa S. 165 ff. 172). Auch wird hier wie für jene der Vergleich der Begriffe und Vorstellungen gefordert, besonders bei den Evangelisten. Auch die neutestamentliche Spezialhermeneutik zielt auf die grammatisch-historische Interpretation. Damit ist Bauers weiterer Arbeit am Neuen Testament die Richtung gegeben, es sind die hermeneutischen Grunderwägungen für seine „Biblische Theologie des Neuen Testaments".

Überblickt man den ganzen „Entwurf", so ist zunächst Bauers abschließende Bemerkung zu beachten: „Dieses sind nur wenige Fragmente zu einer künftigen Specialhermenevtik des N. Test., die ich jetzt noch nicht geben kann, wie überhaupt Specialhermenevtik des ganzen Alt. und N. Test. und speciellste nicht die Sache eines Mannes und vielleicht nicht die Sache eines Decenniums ist" (S. 182 Anm.). Mit ähnlichen Worten hatte GABLER seine programmatischen Ausführungen zur Biblischen Theologie beendet[81], und ebenso will Bauer mit dieser Schlußbemerkung auf das Programmatische seines hermeneutischen „Entwurfs" hinweisen. *Sein „Entwurf" ist die erste, Altes und Neues Testament einbeziehende Hermeneutik.* Dahinter liegt die Absicht, die innere Strukturverwandtschaft beider Testamente zu erhellen, um so begründen zu können, daß *beide* allein nach den Regeln grammatisch-historischer Methode sachgemäß erklärt werden können. Dabei ist auf das ‚Sachgemäße' Gewicht zu legen, weil bei der genannten Auslegungsmethode die Sache selbst zur Geltung kommt. Die Texte werden durch die grammatisch-historische Methode auf ihren Sinn hin befragt. Diese innere Strukturverwandtschaft von Altem und Neuem Testament führt nun aber nicht – und darin liegt das Bedeutsame – zu einer Verschmelzung der beiden Testamente in *einer* Biblischen Theologie, sondern die konsequente Befolgung der grammatisch-historischen Methode läßt die Einsicht in die stufenweise Entwicklung niemals aus dem Blick (S. 117 ff.) und läßt darum die jeweilige Besonderheit der Testamente zur Geltung kommen, wie besonders die ‚Specielle Hermeneutik' des Neuen Testaments zeigt (S. 172 ff.). Was Bauer in seiner „Theologie des alten Testaments" (S. 2) ausführte, daß mit dem Kommen Jesu die entscheidende Wende, die entscheidende Stufe in der stufenweisen Entwicklung erreicht ist, ist sachlich in der Anordnung wie in den einzelnen hermeneutischen Regeln des „Entwurfs" berücksichtigt. Konnte einerseits gezeigt werden, daß Bauers alttestamentliche Theologie auf eine neutestamentliche Theologie hinzielt, so muß andererseits berücksichtigt werden, daß die „Theologie des alten Testaments", einschließlich der Apokryphen und Pseudepigraphen die *Voraussetzung* für die „Biblische Theologie des Neuen Testaments" ist (vgl. S. 119 f. 127 f. 172 ff.). Die konsequent grammatisch-historische Bearbeitung der biblischen Schriften verlangt darum sowohl die Trennung der beiden Testamente in der Behandlung der „Biblischen Theologie" wie ihre ständige Bezugnahme aufeinander.

[81] TS II, S. 194.

Daß Bauer nach dem Erscheinen seiner „Theologie des alten Testaments"
(1796) nicht sofort die schon damals intendierte „Biblische Theologie des Neuen
Testaments" (1800–1802) folgen läßt, sondern zwischen dem Erscheinen
der beiden Theologien sich zunächst hermeneutisch Rechenschaft ablegt und
seine eigene Position darlegt, macht den „Entwurf" auch für das Verständnis
seiner Konzeption der „Biblischen Theologie" zu einer seiner bedeutendsten
Veröffentlichungen.

Die Nachwirkung dieses Werkes war weitreichend, jedoch nicht sofort, und
zwar in doppelter Weise: a) Schon JOACHIM WACH hat mit Recht festgestellt,
daß zwischen K. A. G. KEILS „Programm" (1788 bzw. 1793) und seinem
„Lehrbuch der Hermeneutik des neuen Testaments nach Grundsätzen der
grammatisch-historischen Interpretation" Leipzig 1810, der „Entwurf" der
Hermeneutik Bauers steht[82], nachdem bereits der Schüler Keils, K.G. BRET-
SCHNEIDER, (1806) das entscheidende Anliegen Bauers für die zukünftige me-
thodologische Besinnung herausgestellt hatte[83]. GABLERS oben behandelte
Auseinandersetzung mit Keil über die nicht zureichende, alleinige grammatisch-
historische Interpretation[84] und ebenso Keils Kontroverse mit C.F. STÄUDLIN
darüber, ob die grammatisch-historische Interpretation allein hinreiche[85], sind
im weiteren als Nachwirkung von Bauers Ausführungen zu sehen. Inwieweit
sein Rationalismus als Methode historischen Verstehens auf die Darstellung
der Biblischen Theologie nachwirkte, ist unten zu zeigen[86]. Schließlich kann
darauf hingewiesen werden, daß Bauer als einer der richtungweisenden Vertreter der grammatisch-historischen Methode auch zu den ‚Vätern' von H.A.W.
MEYERS „kritischem und exegetischem Kommentar" gehört, dessen Grundsatz bei der Kommentierung der neutestamentlichen Schriften die grammatisch-
historische Methode ist[87].

[82] Vgl. J. WACH, Das Verstehen, II, 1929, S. 104 Anm. 3. Die Beurteilung von Bauers
Hermeneutik ist allerdings ganz unzureichend (vgl. auch HARTLICH-SACHS, S. 70f.). Zu
Keils Hermeneutik vgl. Wach, aaO, S. 98–113; W. DILTHEY, s. Anm. 9, S. 646ff.; zum
„Programm" Keils vgl. auch oben Anm. 22.
[83] Vgl. K. G. BRETSCHNEIDER, Die historisch-dogmatische Auslegung des Neuen Testaments, Leipzig 1806, S. 78–188, 206ff. u.ö. (dazu Bespr. in: JathL 3, 1807, S. 286–304); zu
Bretschneiders Hermeneutik vgl. J. WACH, aaO, II, S. 113ff.
[84] In: JathL 6, 1811, S. 160ff.; vgl. o. S. 94f.
[85] Vgl. C. (=K.) A. G. KEIL, Vertheidigung der grammatisch-historischen Interpretation
der Bücher des N. T. gegen die neuerlich wider sie erregten Zweifel und ihr gemachten Vorwürfe, in: Analekten für das Studium der exegetischen und systematischen Theologie,
hrsg. v. C. A. G. Keil u. H. G. Tzschirner, Bd. I, 1813 (= 1. Stück, 1812), S. 47ff., bes.
S. 55ff. Seine Ausführungen richten sich gegen C. F. STÄUDLIN, De Interpretatione librorum Noui Testamenti historica non vnice vera, Göttinger Pfingstprogramm 1807; vgl.
auch Stäudlins Erwiderung: Ueber die blos historische Auslegung der Bücher des Neuen
Testaments, in: Kritisches Journal der neuesten theologischen Literatur, hrsg. v. C. F.
Ammon u. L. Bertholdt, Bd. I, 1813, S. 321–348; II, 1814, S. 1–39, 113–148. Zu Stäudlin
vgl. J. WACH, aaO, II, S. 140ff. u. W. G. KÜMMEL, NT, S. 135ff.
[86] Vgl. unten S. 208ff.
[87] Vgl. zu Letzterem die Nachweise bei W. G. KÜMMEL, NT, S. 130ff.; ders., Das Erbe
des 19. Jahrhunderts für die neutestamentliche Wissenschaft von heute, in: Heilsgeschehen
und Geschichte 1965, S. 370f.

b) Bauers Zusammenfassung der Ausführungen der ‚mythischen Schule'
in hermeneutische Regeln, die er weit ausführlicher und nun auch unter voller
Einbeziehung des Neuen Testaments in seiner „Hebräische(n) Mythologie des
alten und neuen Testaments", I.II (1802) vorlegte[88], fand nicht nur den un-
geteilten Beifall Gablers[89], sondern ist bis heute die einzig umfassende und in
ihrer Art mustergültige Darstellung geblieben[90].

c) Zunächst aber fand – wenigstens in der „Litteratur-Zeitung Erlangen", 1800,
Nr. 119, Sp. 945–950 – Bauers „Entwurf" keinen Beifall. Der unbekannte Rezensent hält die Ablehnung der philosophischen Kritik für völlig unzureichend. Zwar
will er Bauer als einen „*liberalen* Denker" gelten lassen, aber wir „vermissen ...
doch besonders etwas an ihm, was freylich nur zu den strengeren Foderungen
(sic!) an einen Exegeten gehört, als Basis aller Auslegung und Erklärung. Zwar
wird mancher ein brauchbarer Exegest (sic!) *ohne* sie, wie dies z.B. Morus; aber soll
eine Hermenevtik noch höhern, als blos akademischen Vorlesungsbedürfnissen zu-
sagen; so ist Philosophie über die Sprache selbst, wodurch das Gebäude der Hermenevtik Ein Ganzes wird, ein wesentliches Erfoderniß" (sic!; Sp. 945f.). Im weiteren sucht der Rezensent zu zeigen, daß dort, wo die philosophische Kritik nicht
einen wesentlichen Bestandteil der Hermeneutik darstellt, auch die historische
Interpretation unzureichend erörtert sei (Sp. 945ff.). So kann er abschließend nur
den Wunsch äußern, „daß er nach einigen Jahren noch eine *tiefer gehende* Hermenevtik, von der Hand eines *philosophischen Philologen u. Historikers* anzuzeigen
im Stande sein möge!"
Diese Rezension zeigt, wie sehr man zu Bauers Zeit geneigt war, philosophische
Kritik und historische Interpretation zu vermischen und wie sehr darum auch
Bauer mißverstanden werden konnte. An einer Stelle allerdings macht der Rezensent einen wichtigen Einwand: Bauer hatte zwar angedeutet, daß es auch im
Neuen Testament Mythen gibt und seine hermeneutischen Regeln im Hinblick
auch auf diese verfaßt (S. 156ff.)[91], aber er hatte sie nicht ausdrücklich genannt,
so daß der Rezensent feststellen konnte: „warum aber vergißt er die *neutestamentliche* Mythologie? Um die Wiege einer jeden neugestifteten Religion stehen gewisse Mythen, die sich über die Geburt, Kindheit, Jugendzeit und Thaten des
Stifters dieser Religion verbreiten, da der große Haufen, der zu dieser neuen Religion übergeht, sich ungleich eher durch diese wundervollen Sagen, die sich *erst
dann* verbreiten, da der Held anfängt merkwürdig zu werden, oder wenn er bereits
schon wieder von der Erde abgetreten ist, bestechen und gewinnen läßt, als durch
den Geist und durch die Kraft der neuen Lehre. So hat auch das *Christenthum*
seine *Mythologie*, oder eine Sagengeschichte, die die späterhin lebenden Schriftsteller des N.T. in ihren Nachrichten aufnahmen, *theils* weil sie sehr weit bereits
verbreitet waren; *theils* weil sie dem Christenthume viele Anhänger gewannen;

---

[88] Vgl. Hebr. Mythologie I, S. 29ff.; II, S. 216ff. zur ntl. Mythologie.
[89] in: JathL 2, 1805/06, S. 39–59.
[90] Vgl. dazu Hartlich-Sachs, S. 79ff., bes. auch die angeführten Zitate von H. Gunkel
u. R. Bultmann, ebdt., S. 79f.; vgl. auch die sachliche Nachwirkung in den Artikeln:
Mythos und Mythologie III. Im AT (S. Mowinckel) und: Im NT (R. Bultmann-E. Fuchs),
RGG³, Bd. IV, 1960, Sp. 1274–1278, 1278–1282.
[91] Vgl. auch Hartlich-Sachs, S. 76.

theils, weil sie dieselbe vielleicht selbst glaubten. Zu diesen Mythen des N. T. würden
wir die Erzählung von den Weisen aus dem Morgenlande, die Engelserscheinungen
in den *beyden ersten* Kapiteln des Matthäus und Lukas, die Sage von dem Kinder-
morde zu Bethlehem, von den Hirten bey der Krippe, von der Bathkol bey der
Taufe und Verklärung, von der Versuchung in der Wüste, von dem Auferstehen der
Todten bey dem Todte Jesu und mehrere der historischen Sagen von der letzten
Zeit des Aufenthalts Jesu auf der Erde rechnen, von denen Johannes, der einzige
Augenzeuge *gänzlich* schweigt und der fabelhafte Lukas *so viel* zu erzählen weiß".
(Sp. 947f.) Die hier genannten neutestamentlichen Mythen sind im wesentlichen
diejenigen, die Bauer in seiner im selben Jahr wie diese Besprechung zu erscheinen
beginnenden „Biblischen Theologie des Neuen Testaments" erwägt und in seiner
„Hebr. Mythologie" (1802) als solche begründet. Daß die Frage nach den ntl.
Mythen sich nach der methodischen Erörterung der atl. Mythen zwangsläufig
ergab, zeigt diese Rezension. Bauer selbst hat in seinem „Entwurf" dieser Fragestellung vorgearbeitet.

5. Die „Biblische Theologie des Neuen Testaments"

Mit den Ausführungen im „Entwurf einer Hermeneutik Alten und Neuen
Testaments" ist chronologisch wie sachlich die Schwelle zur „Biblischen Theologie des Neuen Testaments", Bd. I–IV (1800–1802) erreicht. Ihre Grundsätze
darzustellen und zu erörtern heißt, das bisher Ausgeführte zusammenzufassen.
In methodischer Hinsicht bringt sie über das aus dem bisherigen Schrifttum
Bauers, besonders aus der „Theologie des alten Testaments" und dem „Entwurf" Entfaltete kaum Neues. Die methodischen Hinweise in der Biblischen
Theologie des Neuen Testaments sind teilweise wörtlich dem „Entwurf" entnommen[92], was nur bestätigt, daß dieser als Vorbereitung auf diese „Biblische
Theologie des Neuen Testaments" anzusehen ist. Es war, worauf Bauer selbst
hinweist (Vorrede, Bd. I, S. VIIIf.), methodisch geboten, den Ansatz und die
methodischen Voraussetzungen in seinen vorangegangenen Schriften aufzuzeigen. In seiner „Vorrede" und in einer „Vorerinnerung über biblische Theologie" im I. Bd. (S. III–X. 3–12) erläutert Bauer Anliegen und Anlage des
Werkes[93].

Die Biblische Theologie war bis in Bauers eigene Tage hinein in einer be-
dauernswerten Lage, ganz der Dogmatik der Zeit untergeordnet (S. 3ff.);
gerade in dem Augenblick aber, als man sie mit besseren exegetischen als auch
historisch-kritischen Einsichten zu bearbeiten begann (S. 6ff.), ist zu beklagen,
daß „der neueste Zustand der theologischen und philosophischen Litteratur",
ja „die christliche Religion gegenwärtig in einem bedenklichen Zustand ...,

---

[92] Vgl. „Entwurf", S. 119f.; Bibl. Theol. NT, I, S. 6; vgl. auch „Entwurf", S. 172ff. mit
S. 9ff.
[93] Im folgenden beziehen sich die ohne Bandzahl angegebenen Seitenzahlen des fortlaufenden Textes auf Bd. I der Bibl. Theol. NT. Bei Zitierungen aus Bd. II–IV ist die Bandzahl jeweils angegeben.

in einer Krise sich befindet" (S. I). Bauer bemüht sich, diesen beiden Gesichtspunkten in seinen Vorerwägungen Rechnung zu tragen.

Es soll diese neutestamentliche Theologie ein „Handbuch seyn für Studierende" (S. I), das sich sachlich und in der Methode an die „Theologie des alten Testaments" (1796) anschließt (S. VIIIf.): „An diese biblische Theologie des Alt. Test. schließt sich nun genau gegenwärtige Theologie des N. Test. oder Darstellung der rein-biblischen christlichen Religionstheorie an" (S. VIII). Durch diese Feststellung will Bauer, wie er weiter ausführt, von vornherein methodisch festgelegt haben, daß auch die neutestamentliche Theologie der historisch-kritischen – und noch genauer nach dem „Entwurf" – der grammatisch-historischen Interpretation verpflichtet ist (S. IXf.; vgl. S. VIIf.).

„Biblische Theologie soll seyn eine reine und von allen fremdartigen Vorstellungen gesäuberte Entwickelung der Religionstheorie der Juden vor Christo, und Jesu und seiner Apostel, nach den verschiedenen Zeitaltern und nach den verschiedenen Kenntnissen und Ansichten der heil. Schriftsteller, aus ihren Schriften hergeleitet" (S. 6). Dieser schon fast wörtlich im „Entwurf" stehende Satz (vgl. dort S. 119f.) besagt sachlich 1. „daß man absondern müsse a) biblische Theologie des alten und b) biblische Theologie des neuen Testaments" (S. 6), 2. daß die „Entwickelung der religiösen Begriffe der alten Hebräer" chronologisch nach den verschiedenen Epochen und Schriftstellern entfaltet werden muß (S. 6) und daß 3. die methodischen Erkenntnisse bei der ,Theologie des alten Testaments' wegweisend sein müssen für die Erstellung der neutestamentlichen Biblischen Theologie (S. 6). Diese aus den Schriften Bauers bereits bekannten Bemerkungen sind offenbar bewußt als Zusammenfassung verstanden, um daran die wichtigsten Hinweise anzuschließen, die – trotz Wiederholung – speziell für die Biblische Theologie Neuen Testaments gegeben werden müssen: Man muß „bey der christlich-biblischen Religionstheorie die Darstellung derselben, welche die verschiedenen Schriftsteller des neuen Testaments gegeben haben, unterscheiden, und nach der genauesten Erforschung ihrer Vorstellungsarten ausmitteln ..., was sie mit einander gemein haben, oder welche Ideen jedem eigentümlich sind" (S. 6f.).

Grundlegend für die Darstellung der ,Biblischen Theologie des Neuen Testaments' ist, *„wofür Jesus wolle gehalten werden, und aus welchen Gründen er verlange, daß man ihm glaube"* (S. V). Mit dem „Lehrbegriff Jesu" (S. 7) hat darum die neutestamentliche Theologie zu beginnen[94], was dazu führt, entsprechend dem „Entwurf" (S. 172ff.) – und in weitgehend wörtlicher Anlehnung daran – die einzelnen neutestamentlichen Schriftsteller, vorab die Augenzeugen, zu unterscheiden und daraufhin zu befragen, inwieweit sie diesen „Lehrbegriff Jesu" zur Geltung bringen (S. 7f.). Diese Unterscheidung der „verschiedenen Schriftsteller des neuen Testaments" (S. 7), die zu einer jeweils gesonderten Darstellung des einzelnen neutestamentlichen Zeugen führt, dient jedoch erst, ja nur dann der Biblischen Theologie, wenn mit ihr einhergeht und

[94] Vgl. Bibl. Theol. NT, I. II, S. 1–152.

durch sie herbeigeführt wird „eine reine von allen fremdartigen Vorstellungen gesäuberte Entwickelung der Religionstheorie" (S. 6). Denn „reine biblische Theologie" ist, „wenn die Lehrsätze Jesu und seiner Apostel aus den Schriften der letztern rein und ungemischt hergeleitet" sind (S. 10).

Darum muß man nach der Unterscheidung der verschiedenen neutestamentlichen Schriftsteller „sorgfältig absondern, was in dem Lehrbegriff Jesu Zeitbegriffe sind, nach welchen er sich bequemt hat, und was allgemeingültige Wahrheit für alle Zeiten und Orte ist" (S. 8). Man muß weiter berücksichtigen „Lehre und Beweis der Lehre", wobei der „Fassungskraft der Zuhörer" entsprechend zwischen „argumentum κατ'ανθρωπον" und „κατ'αληθειαν" zu unterscheiden ist (S. 8). Und ebenso notwendig sind der Apostel „eigne Vorstellungsarten, Philosopheme und Traditionen … von dem Lehrbegriff Jesu" zu „unterscheiden" (S. 8).

Diesen methodischen Forderungen für eine reine Biblische Theologie entsprechen die „hermenevtischen Grundsätze" (S. 9), die Bauer innerhalb der „Vorerinnerung" nennt und die denen des „Entwurfs" im Grundsätzlichen entsprechen:

Zunächst sind die „zu einer Materie gehörigen Stellen" zu sammeln, wobei die „kürzern aus den weitläuftigern, die dunklern aus den deutlichen" zu erheben sind. Sodann sind die „darinnen vorgetragenen Begriffe" „nach den Grundsätzen der historischen Interpretation" zu erläutern (S. 9), nämlich „aus den Begriffen der damaligen Zeit, und aus den Erörterungen, welche Jesus und die Apostel selbst darüber geben, und dadurch die Begriffe ihrer Zeitgenossen verbessern, veredeln und vervollkommnen" (S. 9f.). Dabei ist bei der Auslegung der Aussagen Jesu und seiner Apostel jeweils zwischen Lehrsatz und Beweis zu unterscheiden: „ersterer kann wahr, letzterer nicht streng beweisend, oder gar unrichtig seyn" (S. 10). Es sind nämlich bei den Lehrsätzen „Accommodationen" anzunehmen", d.i. Bequemung nach irrigen Volksbegriffen in nicht wesentlichen Puncten der Religion und Moral" (S. 10). Diese sind zu erkennen, a) „wenn Jesus und die Apostel gewisse Sätze an andern Orten selbst aufheben, und ihnen widersprechen", b) wenn sie an anderer Stelle deutlichere Erklärungen abgeben, c) „wenn solche Dinge vorgetragen werden, welchen alle Principien einer gesunden Vernunft, gegen welche die Verfasser der heiligen Schrift sonst nicht verstoßen haben, und der Erfahrung widerstreiten" (S. 10), oder d) wenn Anspielungen oder Beweise aus dem Alten Testament vorliegen. Es ist hier stets zunächst der „wahre Inhalt" der einzelnen Stelle im Alten Testament zu prüfen, und wenn die Verwendung im Neuen Testament einen anderen Sinn aufweist, „so rechnen wir auch diese Allegationsart zu der Auslegungsmethode" der Akkommodation, die „unter den Juden zur Zeit Christi gewöhnlich war" (S. 10f.). Die Klärung, ob ein Beweis κατ' ανθρωπον oder κατ' αληθειαν vorliegt (S. 8.11), ist nicht nur für die historische Interpretation der heiligen Schrift unerläßlich (S. 9.11.VI), weil sie allein es ermöglicht, „auf diese Weise Lehre und Lehrart zu trennen, und zwischen ungewissern Sagen und beglaubigten Nachrichten, auf welchen Dogmen beruhen, einen Unterschied zu machen" (S.IXf.) und so „die Lehre Jesu rein darzustellen" (S. 11), sondern diese Methode des Auslegens stellt die notwendige Verbindung mit den Regeln der Auslegung

profaner Texte her: „Ueberhaupt sollen und wollen wir nach solchen Auslegungsregeln und Auslegungsmethode verfahren, als man sonst anwendet, wenn man das
System eines alten Philosophen, Aristoteles, Plato, und anderer entwickeln will.
Man vergißt die Philosophie seiner Zeit, und wie Neuplatoniker und Scholastiker
ihr System angesehen, erweitert, mit Zusätzen bereichert, verdunkelt und ent-
stellt haben. Man erklärt sie aus sich selbst, durch Vergleichung ihrer Aussprüche
und Zusammenhaltung ihrer Ideen. So soll beym kirchlichen Dogmatismus kein
philosophisches Zeitsystem, keine vorgefaßte Meinung, keine allegorische und
moralische, sondern die allgemeine, bey allen Schriftstellern anwendbare Auslegungsart uns bey dem Versuche leiten, den wir machen, die Lehre Jesu rein darzustellen"
(S. 11).

Durch die folgerichtige historische Interpretation unter Anwendung der
genannten hermeneutischen Grundsätze ist es möglich, die „Religionstheorie
des neuen Testaments aufzustellen" (S. 8) und durch die Herausarbeitung der
reinen Biblischen Theologie (S. 10. 6. VI) zu „bestimmen, was allgemeingültiges
Christenthum sey" (S. 8). „Ich fürchte nicht, vielen Widerspruch zu erfahren,
wenn ich behaupte, daß wir noch keine *reine biblische Theologie* haben, durch
welche die Frage entschieden wäre: *was haben Jesus und die Apostel als
wesentliche, für alle Menschen und Zeiten geltende Religionswahrheiten gelehrt?"*
(S. VI). D.h. nach Bauer:

Dieses Ziel konnte nicht erreicht werden, da die historische Interpretation
und mit ihr die hermeneutischen Regeln noch unzureichend entwickelt waren
und man nicht die Notwendigkeit, die heilige Schrift aus den Begriffen ihrer
Zeit zu erklären, erkannte, sondern glaubte, „ihren Worten den Sinn kritischer
Moraltheologie unterschieben" zu müssen unter „Einmischung der neuesten
Philosophie" (S. VI; vgl. auch S. 3–5) und des kirchlichen Systems, „das so
lange mit reiner biblischer Theologie ist verwechselt worden" (S. 12).

Die reine biblische Theologie aber hat nichts gemein mit der „neuesten
Philosophie" und ihr Ziel ist nicht durch Zuhilfenahme der „Zeitphilosophie"
(S. 9) zu kennzeichnen, sondern Darstellung wie Ziel einer reinen biblischen
Theologie beruhen allein auf der historischen Interpretation und deren her-
meneutischen Grundsätzen: „Dann erst, wenn jenes geschehen ist", nämlich die
Darstellung wie Ermittlung des Ziels einer reinen biblischen Theologie auf der
Grundlage historischer Interpretation, „kann Religionsphilosophie angewendet
werden, d.i. eine bescheidene und sich nicht zuviel anmaßende, erleuchtete
Vernunft, die aber nicht von Secten- und Parteygeist eingenommen ist, und
nicht alles nach einer Zeitphilosophie richten will, über die Wahrheit und Göttlichkeit der Lehre Jesu ein unparteysches Urteil fällen, und ob sie verdiene,
allgemeine Weltreligion zu seyn und zu werden" (S. 8f.). Derselbe Sachverhalt
ist bereits in den ersten Sätzen der „Vorrede" genannt: „die Entscheidung der
großen Frage ..., *ob das Christenthum eine vernünftige und göttliche Religion
sey"*, ist „aus den *Urkunden der christlichen Religion*, den Schriften des Neuen
Testaments ... mit den Vorkenntnissen, die zum richtigen Verstehen derselben

erfordert werden, darzuthun" (S. IV f.). Erst wenn mit den Mitteln historischer
Interpretation (vgl. auch S. 6–11) dargelegt ist, „*was denn eigentlich die christliche Religionstheorie sey; wofür Jesus wolle gehalten werden, und aus welchen
Gründen er verlange, daß man ihm glaube*" (S. V), „wenn dieses redlich erforscht
ist", „nur erst dann" (S. V) kann entschieden werden über die Vernünftigkeit
der christlichen Religion, kann erörtert werden, ob „Wahrheit und Göttlichkeit
der Lehre Jesu" „zum Glück und Segen der Menschheit in die Welt sey eingeführt worden, und ob nicht blos das Volk, sondern auch der Weise und Aufgeklärte, der wahre Philosoph, sich nicht schämen dürfe, an sie zu glauben"
(S. 9; vgl. S. IVf.).

Überblickt man diese einleitenden Abschnitte der „Biblischen Theologie des
Neuen Testaments", dann lassen sich folgende Gesichtspunkte herausheben:

1. Deutlich erkennbar ist die methodische Rechtfertigung der rein historisch-
kritischen Interpretation und Darstellung der Biblischen Theologie, wobei
„reine" Biblische Theologie die „historisch-kritische" meint. Insoweit ist kein
Unterschied zu dem bisher Ausgeführten festzustellen.

2. In auffallend starkem Maße wird auf die Ermittlung allgemeingültiger
Vorstellungen des Neuen Testaments Gewicht gelegt (S. 7ff.), ohne daß Bauer
auch nur den Anschein erweckt, er benötige dazu eine doppelte Biblische
Theologie wie Gabler. Seine hermeneutischen Regeln zeigen, daß die *eine*
historisch-kritisch bearbeitete Biblische Theologie dazu voll ausreicht. Sein
Bemühen, sich gegen den Vorwurf abzusichern, eine „vernünftige und göttliche
Religion", „was allgemeingültiges Christenthum sey" (S. 8), anders als auf
historisch-kritischem Wege zu ermitteln, ist offenkundig. Es bleibt zu klären,
welches Anliegen dahintersteht:

Es ist das der stufenweisen Entwicklung, das er bereits in seiner „Theologie
des alten Testaments" auch für die „Biblische Theologie des Neuen Testaments"
entfaltet hat [95]. Sein Ergebnis ist dabei ein Doppeltes: Einerseits werden durch
die historisch-kritisch eruierte Stufenfolge die zentralen Vorstellungen des
Neuen Testaments ermittelt, die daraus resultieren, was die einzelnen neutestamentlichen Zeugen (je in ihrer Stufe) „gemeinsam" haben (S. 7). Das sind
zugleich die wesentlichen Religionswahrheiten, die Anspruch auf Allgemeingültigkeit haben, weil sie über die jeweils einzelne Stufe hinausreichen und –
das ist die entscheidende Prämisse – mit der Vernunft übereinstimmen. Da aber
andererseits in diesen wesentlichen Religionswahrheiten der Universalismus
des Neuen Testaments sich zeigt, der in der aufgeklärten Gegenwart Bauers
Anspruch auf Beachtung verdient (S. IIIff.), muß klargestellt werden, daß die
Gewinnung einer reinen historischen Biblischen Theologie des Neuen Testaments mit den Gesetzen der Vernunft nicht in Widerspruch steht. Dies geschieht, indem Bauer – wie schon in seinen früheren Schriften [96] – seinen

---

[95] Vgl. o. S. 157ff.
[96] S. vorige Anm.

Rationalismus als Methode historischen Verstehens entwickelt, die in der natürlichen Erklärung einen Beitrag zum Verständnis des jeweiligen neutestamentlichen Schriftstellers (und der ihm zugehörenden Entwicklungsstufe) sieht, ganz entsprechend wie in der „Theologie des alten Testaments" und in den „Beylagen" (1801) und wobei ebenfalls sowohl der Vergleich mit Profanschriftstellern wie der Vergleich der Vorstellungen innerhalb der neutestamentlichen Schriften die historische Verifizierbarkeit der natürlichen Erklärung stützen und vor Willkür in der Auslegung schützen soll.

3. Wie die alttestamentliche wird auch die neutestamentliche Theologie als Grundlage einer Dogmengeschichte angesehen: Unter der Überschrift „Was auf eine reine biblische Theologie folgen soll" (S. 12), wird zunächst noch einmal Bauers Programm zusammengefaßt und dann in die Dogmengeschichte hinein weiterverfolgt. „Wenn die Lehrsätze Jesu und seiner Apostel aus den Schriften der letztern rein und ungemischt hergeleitet, und ohne alle fremde Zusätze dargestellt sind: dann soll man eine Geschichte der Dogmen darauf folgen lassen" (S. 12). Auf der Grundlage der im Sinne Bauers verfaßten „Biblischen Theologie des Neuen Testaments" soll man „historisch richtig entwickeln, wie diese Lehren Jesu und seiner Apostel in den folgenden Zeiten, durch alle Jahrhunderte bis auf uns sind verstanden" worden (S. 12). Der Hinweis auf die Dogmengeschichte mit ihren einzelnen Epochen ist die konsequente Weiterführung der historisch-kritisch eruierten stufenweisen Entwicklung. Zwei grundlegende Einsichten sind damit verbunden:

a) Die reine Biblische Theologie des Neuen Testaments ist zwar die Grundlage und der Beginn der Dogmengeschichte, wie dies auch für die alttestamentliche Theologie gilt, aber im Gegensatz zur alttestamentlichen Grundlage, wo Apokryphen und Pseudepigraphen mit einbezogen werden, wird bei der neutestamentlichen der von der alten Kirche festgelegte Kanon des Neuen Testaments nicht aufgegeben, wie die Anlage der „Biblischen Theologie des Neuen Testaments" zeigt[97]. Insofern ist und bleibt die Dogmengeschichte von der Biblischen Theologie des Neuen Testaments getrennt, und insofern unterscheidet sich Bauer von WILHELM MÜNSCHER, auf dessen „Handbuch der christlichen Dogmengeschichte", Bd. I. II, Marburg 1797/98 er ausdrücklich verweist. Münscher selbst ist bemüht, die reine Lehre Jesu zu entwickeln, aber er meint dann doch, „daß die Scheidung der Lehre Jesu von fremdartigen Zusätzen auf dem historischen Wege zwar vorbereitet, aber nicht vollendet werden kann", und so wichtig ihm die einzelnen Epochen im Urchristentum sind, er bedarf der Dogmengeschichte und damit der sich im Verlauf der Dogmengeschichte ausweisenden Vernunft, um die Lehre Jesu und die Ansichten des Urchristentums zu verstehen[98].

[97] S. unten S. 184f. und Anm. 101.
[98] Vgl. Dogmengeschichte, Bd. I, S. 30, 39, 79–87 (Zitat, S. 39); vgl. o. Anm. 59. Gegen die dogmengeschichtlichen Ausführungen in Bauers Werk wendet sich ein unbekannter Rezensent in: JathL 1, 1804, S. 561f.

b) Hat man die reine Biblische Theologie „jetzt" in Bauers aufgeklärter
Gegenwart „bey besserer Exegese und historischen Recherchen" eruiert, so ist
damit ein Maßstab gegeben, an dem man abmessen kann, wie stark im Laufe
der Geschichte der Kirche diese Biblische Theologie ist „mit philosophischen
Systemen ... vermischt, verdreht, und mit vielen Zusätzen bereichert worden,
bis endlich das kirchliche System mit allen seinen Bestimmungen und Modificationen dastand, das so lange mit reiner Biblischer Theologie ist verwechselt
worden" (S. 12; vgl. S. Vf.). Dank „freyerm Vernunftgebrauch" (S. 12) in der
gegenwärtigen Entwicklungsstufe ist es möglich, wirklich historisch zu arbeiten und die reine Biblische Theologie zu erstellen. Vernunft und historisch-
kritische Arbeit gehören darum zusammen; historisches Verstehen schließt
die Vernunft ein. Eine Biblische Theologie ist darum auf historischem (= ver-
nünftigem) Wege zu gewinnen und die natürliche Erklärung vieler (in unserem
Fall) neutestamentlicher Sachverhalte ist hierbei gerechtfertigt. Es geht
m.a.W. erneut um Bauers Verständnis des Rationalismus als Methode
historischen Verstehens. Um dieses Anliegens willen ist offensichtlich der Abschnitt über die Biblische Theologie als Grundlage der Dogmengeschichte ein-
gefügt, der im Endergebnis besagt: Die christliche Religion ist eine vernünftige,
weil sie eine historisch-kritisch ermittelte (= vernünftige) Grundlage in der
Bibel hat und darum den Anspruch erheben kann, in der aufgeklärten Gegenwart gehört zu werden.

4. Eine nach den genannten Grundsätzen dargestellte reine Biblische Theologie hatte es bisher nicht gegeben, wie Bauer zutreffend feststellen kann (S. VI.
3–5)[99]. Und doch hat diese Darstellung darin ihre Grenze, daß sie sich von der
Schuldogmatik zwei Grundfragen zur Behandlung stellen läßt, wie es bereits
in der „Theologie des alten Testaments" nachgewiesen werden konnte[100]:
„Was lehrt rein die Bibel über Gott und sein Verhältniß zu den Menschen, und
das Verhältniß des Menschen zu Gott?" (S. 4). Unbeschadet des Neuen und
des wirklich historisch Bearbeiteten in dieser „Biblischen Theologie des
Neuen Testaments" ist diese Grenze zu sehen und bei dem jetzt zu gebenden
Überblick über die methodische Durchführung zu beachten.

Entsprechend seinem Vorhaben wird zuerst die „christliche Religionstheorie
nach den drey ersten Evangelisten" abgehandelt (Bd. I und II, S. 1–152). Es
schließt sich an die „christliche Religionstheorie nach dem Evangelium und
den Briefen des Johannis" (Bd. II, S. 153–390). Im III. Bd. folgt „Christlicher
Religionsbegriff 1) nach der Apocalypse, 2) nach Petrus, 3) nach dem zweyten
Brief Petri und dem Briefe Judä", und im IV. Bd. ist der „Lehrbegriff Pauli"

---

[99] Vgl. Allg. Lit. Ztg. Jena 1802, Nr. 41, Sp. 321 in der Bespr. von Bibl. Theol. NT I:
„Nicht ohne Grund sagt der Verf., daß wir noch keine reine biblische Theologie hätten";
vgl. auch K. W. STEIN, Über den Begriff und die Behandlungsart der biblischen Theologie des
N. T., Analekten [s. o. Anm. 85 dieses Kap.], III, 1816, S. 153f., 179 Anm.
[100] Vgl. o. S. 157ff.

dargestellt[101]. „Religionstheorie", „Religionsbegriff" und „Lehrbegriff" sind dabei von Bauer nicht unterschieden.[102]

Die Reihenfolge der Darstellung ergibt sich einmal, wie schon in der „Vorerinnerung" mitgeteilt, dadurch, daß am Anfang „über die Person und den Zweck Jesu" gehandelt werden muß, zum andern ist sie dadurch bestimmt, daß dies am zuverlässigsten durch die Augenzeugen geschieht, vorweg Matthäus, von dem die Nichtaugenzeugen Markus und Lukas abhängig sind[103]. Der zweite entscheidende Augenzeuge ist Johannes, der Verfasser des Evangeliums und der Briefe. Da dessen Abfassung auch der Apokalypse diskutiert wird, muß die Apokalypse im Anschluß an das Johannes-Evangelium und die Johannes-Briefe, jedoch sachlich gesondert, behandelt werden. Denn erst nach Behandlung der einzelnen Lehrbegriffe kann, wie Bauer methodisch feststellt, über ihren Zusammenhang mit den übrigen joh. Schriften entschieden werden[104]. Der I. Petrus-Brief hat ebenfalls einen Augenzeugen zum Verfasser, doch ist das vorhandene Material gering. Er ist darum als Augenzeuge *nach* der joh. Botschaft zu behandeln. Für den II. Petrus-Brief ist die petrinische Verfasserschaft umstritten, und „wenn es gleich scheint, daß die Gründe Für ein größeres Gewicht haben: so müssen doch die daraus abgeleiteten Sätze von dem unstreitigen Lehrbegriff Petri abgesondert werden, vorzüglich weil im zweyten Brief jüdische Legenden und Mythen genutzt sind, von welchen die übrigen Schriftsteller des N. Test. keinen Gebrauch machen; auch die künftige Revolution der Erde so beschrieben wird, wie sie sonst kein Apostel beschreibt" (Bd. III, S. 267f.). Verfasser- und Sachkritik führen zur besonderen Behandlung dieses Schreibens, das Bauer zusammen mit dem der gleichen Problematik unterliegenden und wegen seiner Kürze unergiebigen Judasbrief, der vom II. Petrus-Brief abhängig sei, behandelt (Bd. III, S. 267f.). Nach den Augenzeugen (und der Diskussion über diese) ist der entscheidende Nichtaugenzeuge Paulus darzustellen, dessen „Lehrbegriff" wegen des reichen Materials von 13 Briefen[105] am umfassendsten aufgezeigt werden kann.

Der Apostelgeschichte wird keine besondere Behandlung eingeräumt. Ihr „Lehrbegriff" wird beim I. Petrus-Brief hinsichtlich der Petrusreden und in den Paulus-Briefen hinsichtlich der Paulusreden mitbehandelt.

Der Stoff der Lehrbegriffe der einzelnen Zeugen des Neuen Testaments wird in die jeweils gleichen Abschnitte Christologie, Theologie („oder Lehre Jesu von dem Verhältniß Gottes zu den Menschen", Bd. II, S. 27), Anthropologie („oder Lehre von dem Menschen, und seinem Verhältniß zu Gott, und künftigen Schicksalen", Bd. II, S. 100) eingeteilt, und die einzelnen in den Unterab-

---

[101] Geplant waren noch der Lehrbegriff des Jakobusbriefes und des Hebräerbriefes, die als „Beylage" erscheinen sollten; vgl. Bibl. Theol. NT, Bd. IV, S. IV, aber nicht erschienen sind.

[102] Vgl. Bibl. Theol. NT, Bd. III, S. V., VII., 1f.; Bd. IV, S. IIIf.

[103] „Aber Lukas, Markus, Paulus haben nur dem Zeugniß anderer nachgeschrieben. Nach den Regeln der historischen Kritik sollte das Zeugniß Matthäi mehr gelten als der übrigen, von welchen noch dazu Lukas wol nur von Paulus abhängig ist" (Bibl. Theol. NT, IV, S. 146; vgl. ebdt., I, S. 283).

[104] Bibl. Theol. NT, III, S. 1f., 168–173.

[105] Lediglich am Eph. wird leichte Kritik geübt, die aber für die weitere Darstellung keine Konsequenzen hat; vgl. Bd. IV, S. 284f.

schnitten behandelten Loci entsprechen einander fast durchweg. Lediglich bei der Darstellung des Lehrbegriffs der Apokalypse fehlt die Anthropologie mit folgender Begründung: „Jetzt sollte noch drittens die Anthropologie folgen. Allein die Lehre von der Unsterblichkeit, Auferstehung, Himmel und Hölle, ist schon in der Christologie abgehandelt worden; und über die Lehre von dem ersten Zustand der Menschen, von der Sünde etc. ist in der Apokalypse nichts besonderes enthalten" (Bd. III, S. 167 f.). Bei der Behandlung der „Bruchstücke des christlichen Lehrbegriffs aus dem zweiten Brief Petri, und dem Brief Judä" (Bd. III, S. 267 ff.) ist auf die genannte Einteilung wegen des unzureichenden Materials ganz verzichtet.

Der Stoff wird in einzelnen Paragraphen abgehandelt, die formal sehr ähnlich aufgebaut sind, indem zunächst ein Lehrsatz und die wichtigsten Belegstellen genannt sind, die dann im einzelnen ausführlich und unter Heranziehung einiger Literatur erörtert werden. Auch methodische Fragen kommen zu ihrem Recht, doch wird in den Erläuterungen mehr eine Sammlung verschiedener Ansichten als des Verfassers eigene Meinung geboten[106], was Bauer in seiner „Vorrede" rechtfertigt: „Eigne Bemerkungen wird man mitunter finden. Mehr war es mir aber um die richtige Ansicht der Sachen durch eine *bescheidene* historische Interpretation zu thun, und zu bestimmen, wo man Accommodation erweisen kann oder nicht, um auf diese Weise Lehre und Lehrart zu trennen, und zwischen gewissern Sagen und beglaubigten Nachrichten, auf welchen Dogmen beruhen, einen Unterschied zu machen" (S. IX f.).

5. Es bleibt die entscheidende Frage, ob Bauer die methodisch zutreffend erkannte Aufgabe sachgemäß durchgeführt hat:

a) Wie schon zu Punkt 4 gezeigt wurde, gehören für Bauer die wichtigsten Einleitungsfragen in die Biblische Theologie herein. Die Einleitung ist die unerläßliche Voraussetzung auch für die „Biblische Theologie des Neuen Testaments", um historisch den jeweiligen Standort der einzelnen neutestamentlichen Schriftsteller zu fixieren, wobei die Tatsache, daß Bauer hier weitaus weniger kritisch zu Werke geht als in der „Einleitung ins Alte Testament" für die Methodik von keiner größeren Bedeutung ist.

b) Im Zentrum seiner Ausführungen steht die Darstellung der „Religionslehre Jesu", bei deren Untersuchung die Voraussetzung ist, „für wen er sich selbst ausgab, und für wen er von seinen Schüler ist gehalten worden; und dann, was er sich für einen Zweck vorgesetzt, was er eigentlich gewollt habe"[107]. Da aber der Zweck „natürlich Einfluß auf seine Lehre haben mußte, so achten wir es für schicklich, zuerst hievon zu handeln"[108]. Die Darstellung des „Zwekkes Jesu" nimmt darum den beherrschenden Teil der Christologie bei den drei ersten Evangelisten ein[109]. Die zahlreichen Erwägungen, ob sich Jesus akkom-

---

[106] Vgl. dazu Allg. Lit. Zeitung Jena 1802, Nr. 41, Sp. 323 und o. S. 151 Anm. 28.
[107] Bd. I, S. 13.
[108] Ebdt.
[109] Bd. I, S. 13–302, die der Person Jesu S. 303–381.

modiert habe oder bewußt ein natürliches Verständnis eines Wortes, einer Rede wie auch einer Handlung intendiert habe, zielen darauf ab zu zeigen, welche Ansichten wirklich Jesus selbst geäußert habe[110]. Aus der historisch eruierten und von der Ausgestaltung durch die Evangelisten befreiten Verkündigung Jesu[111] ergibt sich: „Der Inhalt aller seiner Volksreden ist das Reich Gottes"[112]. Jesus verkündigt dabei nicht nur die Nähe des Reiches Gottes, sondern es ist in seiner Person bereits gegenwärtig[113]. Eine natürliche Erklärung erfordert aber vornehmlich den Nachweis, daß Jesu Worte und Taten in seiner Zeit und Umwelt verstanden werden konnten[114]. Breit ausführende, eigentlich in Kommentare gehörende Erläuterungen hielt Bauer offenbar aus diesem Grunde für unerläßlich.

c) Die Frage nach dem Zweck und der Person Jesu, frei von der Übermalung gläubiger Verehrung durch die „Augenzeugen", frei von der Konzeption der einzelnen Evangelisten, ist eines von Bauers Zentralanliegen in der Biblischen Theologie des Neuen Testaments. Einerseits werden dabei die drei ersten Evangelisten so sehr als eine Größe angesehen, daß ihre Einzelanschauungen weniger zur Geltung kommen, als es der „Vorerinnerung" nach sein soll, andererseits aber werden gerade im Rahmen der Christologie die Ansichten der verschiedenen Evangelisten, einschließlich Johannes, verglichen und die „Lehrbegriffe" sorgfältig berücksichtigt und eruiert.

d) Für den wirklich historisch-kritischen Vergleich insgesamt aber ist es hinderlich, daß Bauer die Lehrbegriffe nach dem vorgegebenen Schema der Schuldogmatik bei jedem einzelnen neutestamentlichen Schriftsteller wiederholt bzw. voraussetzt und insofern auch Fragestellungen an die einzelnen Autoren heranträgt, für die diese keinen Anhaltspunkt bieten[115]. Dadurch ergibt sich, daß oftmals die angeführten „Lehrbegriffe" die innere Entwicklung des einzelnen Schriftstellers nicht voll zur Geltung bringen. Bauer selbst erkennt diese Schwierigkeit[116] und ist öfter bemüht, dieses unangemessene Schema durch ‚natürliche Erklärung' einsichtig zu machen und durch Vergleiche der Anschauungen das Ineinander der Lehrformen zu verdeutlichen. Besonders geglückt ist in dieser Hinsicht der IV. Band über den „Lehrbegriff Pauli". Hier konnte Bauer die bereits geäußerten kritischen Hinweise darauf, daß Programm und Durchführung nicht voll entsprechen, bei seiner Darstellung

---

[110] Vgl. etwa Bd. I, S. 24, 52ff., 109, 124f. u. ö.

[111] Vgl. Bd. I, S. 52ff.

[112] Bd. I, S. 33.

[113] Vgl. Bd. I, S. 87ff. Zu Lk. 17,20 zeigt Bauer, daß ἐντὸς ὑμῶν nicht „in euren Herzen" heißt, sondern inter vos entspricht. „Und dieser muß der einzige richtige Sinn seyn, weil sonst Jesus keine Antwort auf die Frage erteilte: ποτε ἔρχεται ἡ βασιλεια του θεου;" (Bd. I, S. 87f.).

[114] Bd. I, S. 24 u. ö.

[115] Vgl. Tübingische gelehrte Zeitung 1803, S. 122ff. u.ö.; s. auch W. G. Kümmel, NT, S. 125.

[116] Vgl. Bd. III, S. 167f., 267ff.

berücksichtigen[117]. Seine Ergebnisse, die ihn zu einem historisch-kritischen Vergleich zwischen dem „Lehrbegriff Pauli" und den der übrigen neutestamentlichen Schriftsteller veranlaßten und insbesondere das Problem ‚Jesus und Paulus' intendieren, dürfen nicht nur als inhaltlicher Höhepunkt des ganzen Werkes, sondern auch als sachgemäßeste Durchführung von Bauers Programm gelten[118]. So kann ein unbekannter Rezensent in den „Tübingischen gelehrten Anzeigen"[119] urteilen: „Grossentheils findet er denselben [den Lehrbegriff Pauli] nach seiner Ueberzeugung *historisch* richtiger, als in manch andern neuern Schriften angegeben, und er muß es sehr billigen, daß der Verf. den Grundsaz hat, unbekümmert um die Uebereinstimmung mit der Philosophie, nur nach Gesezen einer historisch-grammatischen Interpretation seine Resultate zu bestimmen".

6. Unbeschadet der Kritik an Einzelheiten[120] betonen die Rezensenten übereinstimmend, daß hier erstmals eine Biblische Theologie Neuen Testaments erschienen ist und daß Bauers Ansatz in Fortführung seiner bisherigen Veröffentlichungen als bahnbrechend anzusehen ist[121]. Das Besondere dieses Werkes ist, „daß man hier nicht ein System der christlichen Religionslehre zu suchen hat, wie es als Resultat der Vergleichung und Combinirung aller Schriften des N. T. zu Einem Ganzen sich ergäbe, sondern daß von der Voraussezung, daß alle diese Schriften dieselben Vorstellungen enthalten, so wie von der Richtigkeit der Bestimmungen irgend eines menschlichen, aus ihnen gezogenen Systems abstrahirt, und rein historisch untersucht werden sollte, welche Lehren und Vorstellungen über die Gegenstände der Religion jeder einzelne Schriftsteller des N. T. enthalte"[122]. Damit sind sowohl Vorzüge wie Nachteile dieses Werkes treffend gekennzeichnet. Selbst GABLER stellt im Rahmen einer Besprechung von C. F. AMMONS Biblischer Theologie (2. Aufl. 1801/1802) in einem kurzen Vergleich mit Bauer hinsichtlich der historischen Darstellung fest: „In dieser Hinsicht ist Hr. KR. BAUER der wahren Idee einer biblischen Theologie theils in seinen größern teutschen Handbüchern über die biblische

---

[117] Vgl. etwa die Bespr. in Allg. Lit. Zeitung Jena, Nr. 41, 1802, Sp. 322 ff.; in den folgenden Jahren erschienen Bespr. ebdt., Nr. 142, 1803, Sp. 398 ff.; Tübingische gel. Anzeigen 1803, S. 122 ff., 603 ff.; JathL 1, 1804, S. 554 ff., bes. 563 ff.

[118] Bd. IV, S. 459 ff.; vgl. auch JathL 1, 1804, S. 600.

[119] 1803, S. 653.

[120] In den Anm. 117 genannten Bespr. kritisieren die Rezensenten wesentlich Einzelheiten. Methodisch wird vor allem bemängelt, daß Bauer kein ‚Leben Jesu' verfaßte und darum den „Zweck Jesu" vor der „Person Jesu" behandelt, daß er in der Naherwartung ein zentrales Anliegen der Verkündigung Jesu sieht, daß er den historischen Wert des Joh. Ev. für die Person Jesu sehr gering einschätzt, die Apokalypse von den joh. Schriften trennt, mythische Vorstellungen im NT (z. B. I. Petr. 3, 19 ff.) betont und herausarbeitet, daß die Taufe Joh. d. T. nichts mit der Proselytentaufe zu tun habe. Bes. anstößig gilt sein Verständnis des joh. Logos (Bd. II, S. 260 ff.), weil man hier die rational-natürliche Erklärung im Rahmen grammatisch-historischer Interpretation in unerlaubter Weise überschritten sah (vgl. JathL 1, 1804, S. 580 ff.; siehe auch W. G. KÜMMEL, NT, S. 125).

[121] Vgl. Allg. Lit. Zeitung Jena 1802, Sp. 321 f.; Tübingische gel. Anzeigen 1803, S. 121 f.; JathL 1, 1804, S. 555 f.

[122] So Tübingische gel. Anzeigen 1803, S. 121 f.

Religion des Alten und Neuen Testaments, theils in seinem lateinischen Breuiarium theol. bibl. weit näher gekommen, als der Hr. Verf. [Ammon]". Freilich fährt er dann mit einer Feststellung fort, die in dieser Form in den erreichbaren Rezensionen keine Bestätigung findet: „Nur Schade, daß Hr. BAUER in keinen Gegenstand tief genug eingegangen ist, und dabei einer wahren biblischen Theologie mehr vorgearbeitet als sie selbst geliefert hat"[123]. Bezeichnenderweise wird Bauers Werk der ‚wahren biblischen Theologie' zugeordnet. Das ist sachgemäß, aber von Gablers Sicht her zugleich auch abwertend. – In den genannten Rezensionen dagegen wird – unabhängig von Einzelheiten – zwar eine gewisse Weitschweifigkeit getadelt, im übrigen aber gerade hervorgehoben, daß Bauer tiefer in den Gegenstand eingedrungen sei als andere.

Wenn auch mit Abstufungen im einzelnen, im Hinblick auf das Ganze läßt sich zusammenfassend feststellen.

a) Bauers Biblische Theologie des Neuen Testaments ist als ein wirklicher Fortschritt in der Bibelwissenschaft von seinen theologischen Zeitgenossen angesehen worden.

b) Darüberhinaus ist in den angeführten Rezensionen die Durchführung der Trennung der Biblischen Theologie in die alttestamentliche und in die neutestamentliche als Bauers wissenschaftliche Leistung voll gewürdigt worden.

c) Schließlich ist auch erkannt worden, daß es nicht hinreicht, nur die „Biblische Theologie des Neuen Testaments" zur Beurteilung von Bauers Verständnis der Biblischen Theologie heranzuziehen. Diese ist vielmehr nur der entscheidende Punkt einer Entwicklung. Die Einbeziehung der „Theologie des alten Testaments" bot sich unmittelbar an und ist auch nach den genannten Rezensionen dringend erforderlich. Daß darüberhinaus entscheidende Grundgedanken von Bauers frühesten Veröffentlichungen an berücksichtigt werden mußten und vor allem sein „Entwurf einer Einleitung in die Schriften des alten Testaments" (1794) und sein „Entwurf einer Hermeneutik des Alten und Neuen Testaments" (1799) wesentliche Beiträge zur Biblischen Theologie lieferten, konnte im einzelnen nachgewiesen werden.

6. Die ‚Vollendung' der Biblischen Theologie

Die „Biblische Theologie des Neuen Testaments" ist noch nicht Bauers abschließendes Wort zur Sache. Er hat vielmehr in seinen letzten Lebensjahren die Ausarbeitung der Biblischen Theologie weitergeführt nach drei Richtungen hin:

a) Noch während des Erscheinens der „Biblischen Theologie des Neuen Testaments" brachte Bauer im Jahre 1802 seine „Hebräische Mythologie des Alten und Neuen Testaments mit Parallelen aus der Mythologie anderer Völker,

---

[123] JathL 2, 1805/06, S. 405; vgl. auch GABLER(-NETTO), Bibl. Theol., S. 12f.: „Alles ist zu oberflächlich gearbeitet, obgleich nach einem guten Plan".

vornemlich der Griechen und Römer" heraus. Dieses die gesamte Mythenforschung von HEYNE, EICHHORN, GABLER, SCHELLING u. a. bis zu Bauers eigenen Forschungen[124] zusammenfassende Werk[125] ist in Fortsetzung seiner Arbeiten zur Biblischen Theologie zu sehen[126]. Es wird hier nicht nur die schon oben angeführte Mytheneinteilung Heynes begründet[127] und das in der „Theologie des alten Testaments" als auch das in der „Hermeneutica sacra Veteris Testamenti" und im „Entwurf einer Hermeneutik" über die Mythen des Alten Testaments Ausgeführte wiederholt, sondern es wird vor allem in § 5: „Giebt es auch im N. Test. Mythen?" (I, S. 29ff.)[128] die im bisherigen Schrifttum Bauers und auch in der „Biblischen Theologie des Neuen Testaments" nur mit äußerster Vorsicht bejahte Frage jetzt offen beantwortet und damit ein unmittelbarer Beitrag zur Biblischen Theologie des Neuen Testaments gegeben: Wenn im Neuen Testament auch nicht wie weithin im Alten Testament „mythische Geschichte" begegnet, so gibt es doch eine Anzahl von wichtigen Mythen in den neutestamentlichen Schriften.

Folgende Abschnitte werden als Mythen erwiesen und ausführlich behandelt: 1. „Uebernatürliche Empfängniß Christi" (I. S. 192c ff.); 2. „Ein Engel verkündigt die Geburt des Johannes" (II, S. 216ff.); 3. „Geburt Jesu" (II, S. 221ff.); 4. „Der Geist Gottes unter dem Bilde einer Taube, Stimme vom Himmel" (II, S. 225ff.); 5. „Verklärung Christi, eine Stimme aus der Wolke" (II, S. 232 ff.); 6. „Ein Engel vom Himmel stärkt den betenden Jesus" (II, S. 247ff.); 7. „Die Engel beym Grabe Jesu" (II, S. 252ff.); 8. „Der Engel, welcher den Teich Bethesda bewegt" (II, S. 261f.); 9. „Engelerscheinungen in der Apostelgeschichte" (II, S. 262ff.); 10. „Der himmlische Tempel und das himmlische Jerusalem" (II, S. 314ff.); 11. „Das Bild Gottes im Himmel" (II, S. 316ff.)[129].

Es handelt sich dabei fast nur um „historische" und „historisch-philosophische" Mythen (II, S. 216ff.), allein der von der „übernatürlichen Empfängniß" ist ein rein philosophischer. Diese Mythenbestimmung ist im Hinblick auf Bauers historisch-kritische Arbeit wichtig. Diesem „historisch-philosophischen" Mythos liegt nämlich die „Tendenz" zugrunde, „die Causalverbindung zu zeigen, und die Thatsachen aus ihren Ursachen herzuleiten" (I, S. 19f.). Das aber heißt: historisch-kritisch das reine Faktum von der je-

---

[124] Vgl. bes. seine Abhandlung „Ueber das Mythische in der frühern Lebensperiode Mosis" in: NthJ 1799 (= 13. Bd.), S. 225–241; zur Verfasserschaft Bauers vgl. Mythologie I, S. 264 u. J. PH. GABLER, in: JthL 1803 (= 22. Bd.), S. 479 Anm.

[125] Vgl. J. PH. GABLER, JathL 2, 1805/06, S. 39–59; HARTLICH-SACHS, S. 79–87.

[126] Vgl. GABLER, JathL 2, 1805/06, S. 39ff.

[127] S. o. S. 52ff. Bauer geht dabei insofern über Heyne hinaus, als er Mythen nicht allein im vorliterarischen, sondern – mit Eichhorn und Gabler – im literarischen Stadium in den einzelnen Schriften der Bibel annimmt: „Die Zeit war längst vorbey, wo man blos durch mündliche Sagen Begebenheiten der Nachwelt überlieferte. Die hebräische Nation war schon Jahrhunderte lang eine schriftstellerische, und die Lehre Jesu, welche die Apostel vortrugen, so beschaffen, daß sie nicht erst durch Mythen zu lehren nöthig hatte" (I, S. 30).

[128] Die Seitenzahlen im fortlaufenden Text beziehen sich auf dieses Werk.

[129] Hinzu kommen zahlreiche als mythisch erwiesene Vorstellungen, so z. B. in I. Petr. 3, 19ff. (I, S. 165); II. Petr. 3, 10 (I, S. 185ff.).

weiligen Einkleidung zu scheiden (I, S. 20. 35) und somit das historisch Wahre zu eruieren.

Daraus ergibt sich für die Biblische Theologie des Neuen Testaments: *a*) Das Vorhandensein von Mythen im Neuen Testament kann aufgrund mündlicher Tradition aus dem Alten Testament erfolgt sein, und Gesetze mündlicher Überlieferung gelten auch hier. Damit ist erneut die innere Strukturverwandtschaft beider Testamente erwiesen, und somit ist für Bauer der Nachweis erbracht, daß beide in gleicher Weise historisch-kritisch bearbeitet werden müssen. *β*) Eine zweite, ebenso bedeutsame Folgerung ist damit verbunden: Die eingehende historisch-kritische Erforschung der biblischen Schriften „zeigt, daß selbst der Begriff ihrer angeblichen Inspiration nur ein mythischer ist" (I, S. 23). Die konsequent historisch-kritische Bearbeitung der Mythen ist eine klare Absage an die bislang geübte Vermischung von Dogmatik und Exegese in der Schriftauslegung[130]. Mit Hilfe der Mythenerforschung wird eine allein historische Biblische Theologie gefordert, wofür ein dritter Schritt kennzeichnend ist: *γ*) Gelingt es, auf historisch-kritischem Wege die jeweilige Einkleidung abzustreifen, um an den Kern zu gelangen (I, S. 34), dann – so folgert Bauer – liegt dem historischen und historisch-kritischen Mythos ein auch der Vernunft einsehbares Geschehen zugrunde.

Die Einsicht in die stufenweise Entwicklung, deren Gesetze wesentlich durch die Mythenerforschung aufgedeckt werden (I, S. 22), erlaubt es, historisch-kritisch gewonnene Resultate *zugleich* als Ergebnis natürlicher Erklärung auszugeben, weil der Verstand sich stufenweise weiterentwickelt hat und darum in der Lage ist, die Einkleidung von der Sache selbst zu scheiden. Hier wird Rationalismus in der Weise zur Geltung gebracht, daß Mythenerklärung und natürliche Erklärung zusammenfallen (I, S. 30 ff.; II, S. 216 ff.. 239 f. u. ö.), wenngleich Bauer sich selbst abzusichern sucht durch den Vergleich mit den Mythen der griechisch-römischen Welt. Dieser Vergleich soll seine Methode als eine historische ausweisen. Ausdrücklich stellt er fest, „daß sich niemand an die Erklärung der Biblischen Mythen wagen sollte, der sich nicht vorher mit der richtigen Auslegungsart der griechischen und römischen Mythen bekannt gemacht, und studiret hat, wie sie anzusehen, und das Wahre vom Falschen, das reine Factum vom Zusatz könne geschieden werden. Heyne, dieser geschmackvolle Ausleger der Alten, hat das wahre Verdienst, die rechte Behandlung der verachteten und mit dem falschen Titel der Fabellehre herabgewürdigten Mythologie gezeigt, und die Bahn gebrochen zu haben, auf welcher man allein zum Ziel der Wahrheit kommen kann" (I, S. 34; vgl. I, S. 42 ff.). Die natürliche Erklärung der Mythen ist also seiner Meinung nach durch den religionsgeschichtlichen Vergleich vor Willkür geschützt, und in der Nachfolge Heynes stehend kann für ihn diese natürliche Erklärung nicht ohne die historisch-kritische Verifizierung bestehen. Trotz dieser Absicherung aber wird Bauers bisher im wesentlichen sachgemäß zum Ausdruck gebrachter Rationalismus

---

[130] Vgl. auch Hartlich-Sachs, S. 84 f.

als Methode historischen Verstehens mehrfach in unkontrollierbare Bahnen gelenkt, weil nicht immer deutlich ist, ob das historisch-kritisch gewonnene Ergebnis oder die natürliche, mit der Vernunft in Übereinstimmung stehende Erklärung sachlich den Vorrang hat. Diese Vermischung von Mythenerklärung und natürlicher Erklärung rief darum nicht nur in der Folgezeit berechtigte Kritik hervor[131], sondern sie impliziert auch eine Fehleinschätzung bei der Behandlung neutestamentlicher Mythen, indem Bauer behauptet, Jesus habe nur aus Gründen der Akkommodation mythische Vorstellungen verwendet, während seine Apostel noch ganz in diesen lebten (I, S. 33)[132]. Andererseits aber zeigt gerade diese Behauptung, in welches Neuland sich Bauer gewagt hat: Er bringt sie, ,,um alles Anstößige zu vermeiden" (I, S. 33).

Diese notwendigen Einwände schmälern jedoch nicht den Wert dieses Werkes, das auch für die Biblische Theologie des Neuen Testaments von großer Bedeutung ist. Es ergibt sich nämlich aus ihm aa) die methodisch gleiche Behandlung Alten und Neuen Testaments, und das heißt insbesondere bb) die Befreiung des Neuen Testaments von dem Zugriff der Dogmatik; cc) ist der religionsgeschichtliche Vergleich zur unaufgebbaren Aufgabe geworden; dd) ist die Erkenntnis, daß es auch im Neuen Testament Mythen gibt, von Bauer trotz der notwendigen Einwände methodisch dahingehend ausgewertet worden, daß man in der *einen* historisch-kritisch bearbeiteten Biblischen Theologie von der Einkleidung zur Sache selbst vorzustoßen vermag. Damit ist das Entscheidende gesagt: *Die historisch-kritisch bearbeitete Biblische Theologie erfüllt die ganze Aufgabe der Biblischen Theologie.*

b) Im Jahre 1803 erschien Bauers ,,Breviarium Theologiae Biblicae", das auf den ersten Blick die gewonnenen Erkenntnisse für die Bearbeitung einer Biblischen Theologie zunichte zu machen scheint. Denn hier wird eine Altes und Neues Testament umfassende Biblische Theologie vorgelegt. Aber schon die ,,Praefatio" (S. III f.) zeigt, daß Bauer keinen seiner Grundsätze aufgegeben hat, sondern eine Kurzfassung seiner alttestamentlichen und neutestamentlichen Biblischen Theologie bietet, freilich auf Grundlage der oben besprochenen, der Dogmatik entnommenen Loci. In einem ersten Kapitel der ,,Prolegomena" (§§ 1–7) stellt er fest: Die Biblische Theologie ist die historisch-kritisch entfaltete, in den Schriften Alten und Neuen Testaments enthaltene Lehre der offenbarten Religion (S. 1 ff.), sie ist von der Systematischen Theologie zu unterscheiden (S. 4 ff.), weil sie die Grundlage für die Dogmatik darstellt und durch die Einsicht in die stufenweise Entwicklung es unmöglich ist, zeitlich später liegende Lehren der Kirche in die Biblischen Schriften einzutragen. Wohl aber ist mit der Biblischen Theologie der Beginn der Dogmengeschichte gegeben (S. 6). Diese hinlänglich aus Bauers bereits behandelten Schriften be-

---

[131] Vgl. D. F. Strauss, Das Leben Jesu, kritisch bearbeitet I, 1835, S. 46 f. Allerdings urteilt Str. von einer weiterentwickelten Position der Mythenerforschung aus, vgl. Hart-lich-Sachs, S. 121 ff.

[132] Vgl. zur Kritik auch W. G. Kümmel, NT, Anm. 136.

kannten Gedanken werden in einem zweiten Kapitel der „Prolegomena"
(„Fontes Theologiae Biblicae", §§ 8–24) noch verdeutlicht, indem nunmehr das
jeweils Eigene der einzelnen Schriften und Schriftengruppen in je ihrer Periode
aufgezeigt wird, die stufenweise Entwicklung am Verhältnis Altes Testament –
Neues Testament beleuchtet wird und diese Entwicklung auch innerhalb des
Neuen Testaments in den Blick tritt (S. 10–23). – Nachdem Bauer seine Grundsätze entfaltet hat, bietet er im folgenden eine Zusammenfassung seiner alttestamentlichen wie neutestamentlichen Biblischen Theologie, die man als
Dicta Classica auf historisch-kritischer Grundlage bezeichnen kann. Es handelt
sich bei dem „Breviarium" um ein Hilfsbuch für Vorlesungen, sowohl für die
über Biblische Theologie wie für die über die Dicta Classica. Daraus erklärt
sich der Charakter dieses Buches, erklärt sich, warum Bauer auf die Unterscheidung von alt- und neutestamentlicher Biblischer Theologie verzichtet,
erklärt sich aber vor allem, weshalb der Verfasser 24 Druckseiten benötigt,
um sich gegen den Vorwurf abzusichern, er habe sein eigenes Programm preisgegeben.

c) In den Prolegomena des „Breviariums" stellt Bauer ausdrücklich fest,
daß in eine Biblische Theologie auch die Ethik gehört (S. 6 f.). Er greift damit
einen wesentlichen Gedanken aus der „Theologie des alten Testaments"
(1796) erneut auf, dem er aber in der Durchführung nicht weiter nachgeht.
Doch ist hier ein entscheidender Gesichtspunkt auch für das Neue Testament geltend gemacht, und es ist eine folgerichtige Weiterführung seiner
Werke über Biblische Theologie, wenn Bauer in den Jahren 1803–1805 zunächst eine „Biblische Moral des Alten Testaments" (Bd. I. II, 1803) und dann
eine entsprechende des Neuen Testaments (Bd. I. II, 1804/05) folgen läßt.

In einer „Vorrede" und einer „Einleitung", die für Altes und Neues Testament gelten (im ersten Band der Biblischen Moral d. AT), gibt Bauer sein
Programm:[133]

„Eine *biblische Moral* nach der Manier bearbeitet, wie man seit geraumer
Zeit die biblische Theologie bearbeitet hat, für *studirende Jünglinge* zum
Privatgebrauch beym Hören oder Studiren der systematischen theologischen
Moral, kenne ich meines Orts noch nicht.

Da ich mich seit mehrern Jahren mit der biblischen Theologie beschäfftiget
habe, und das Publikum meine Arbeiten hierin mit Güte und Nachsicht aufgenommen hat, so wage ich es, nun auch eine biblische Moral des A. T. in zwey
und des N. T. in eben so vielen Bänden, nach dem Plan meiner biblischen
Theologie, dem Publikum vorzulegen" (S. I).

Ziel dieser Werke ist es, „die stufenweise erfolgende Fortbildung der Moral
unter den Hebräern, nebst den Ursachen davon, in einer deutlichen Uebersicht kennen, und den Werth der Sittenlehre Jesu, ihres Geistes und ihrer
erhabenen Tendenz, wie ihren Ursprung richtig schätzen und beurtheilen zu

---

[133] Die Seitenzahlen im fortlaufenden Text beziehen sich auf den Bd. I der Bibl. Moral
des AT.

lernen" (S. II). Voraussetzung dafür ist die klare Scheidung zwischen theologischer und biblischer Moral. Die erstere nimmt zur Klärung der Sittenlehre die Vernunft zur Hilfe, ihr System und ihre Absicht ist eine weiter gespannte als die der biblischen Moral. Sie „trägt" „meist die Farbe der Zeitphilosophie" (S. 2f.). Dagegen gibt

„die biblische Moral ... nicht mehr und nicht weniger als genau das, was das alte und neue Testament von den Pflichten der Menschen lehrt, mit den ihr eigenthümlichen Principien und Beweggründen, mit allen Vollkommenheiten und Unvollkommenheiten, welche sie hat. Sie bemüht sich, die moralischen Begriffe, welche in der Bibel vorkommen, aufs getreueste darzustellen, und so wie sie nichts übergehet, was dahin gehört, so ist auch jeder Zusatz, jede weitere Zergliederung und Auseinandersetzung, ein fremder Schmuck, den sie nicht für den ihrigen erkennt. Am allerwenigsten duldet sie die Einmischung irgend einer Zeitphilosophie, ... So gut ein solches Ansinnen auch mit ihr gemeint seyn mag, so verbittet sie sich es doch alles Ernstes, und weiset es ab, weil sie dadurch mehr entstellt, als in ihrer wahren Gestalt erkannt wird, Wie weit waren moralische Begriffe in den ältesten Zeiten der Hebräer schon entwickelt, welche Fortschritte machte die Moral unter diesem Volke durch Moses und die Propheten, und durch seine Bekanntschaft mit den moralischen Begriffen fremder Nationen? Welche Moralgesetze haben Je|sus und seine Apostel gelehrt, worauf sie gegründet, wodurch ihnen Kraft und Eingang in die Herzen der Menschen zu verschaffen gesucht, und woraus haben sie selbst ihre moralischen Kenntnisse geschöpft? Das ist einzig der Gegenstand der biblischen Moral. Ihre Tendenz ist historisch, wie war die Moral der Propheten, Jesu und seiner Apostel, und wodurch wurde sie also?" (S. 4f.).

Wie bei der Biblischen Theologie ist auch bei der biblischen Moral nach dem zu fragen, was sich in dem Zeitraum, den die Schriften Alten und Neuen Testaments umgreifen, zugetragen hat (S. 5). Erst wenn dieses ermittelt ist, und hier kommt Bauers Sicht der Dogmengeschichte erneut zum Tragen, kann gefragt werden, inwieweit und ob überhaupt das historisch-kritische Ergebnis mit der Vernunft in Einklang gebracht werden kann (S. 5). Zeigt sich in dem bisher Ausgeführten bereits methodisch die Nähe zu den Werken über die Biblische Theologie, so berührt sich Bauer im folgenden noch stärker mit ihnen (S. 5ff.). Wieder werden die einzelnen biblischen Schriftsteller in je ihre Zeit eingeordnet, vor allem aber wird herausgestellt, daß die stufenweise Entwicklung der Moral die Unterscheidung einer „Moral des A. Test." und des Neuen Testaments verlangt (S. 6). Aber in dieser Unterscheidung wird zugleich ihre notwendige Bezogenheit aufeinander deutlich. Die ethischen Weisungen des Alten Testaments und der jüdischen Umwelt Jesu sind der Boden, auf dem die biblische Moral des Neuen Testaments aufbaut und sich abhebt (S. 7ff. 20f.)[134]. Wie für das Alte Testament gilt auch für das Neue Testament: „auch sollen und dürfen nicht alle Moralgesetze aus den verschiedenen Schriften in eins zusammengeworfen, und so ein Ganzes daraus gemacht werden" (S. 9). Entspre-

---

[134] In Bibl. Moral NT, Bd. I, S. 1–29 wird derselbe Sachverhalt durch eine vorangestellte Kurzfassung der Bibl. Moral des AT hervorgehoben.

chend der historischen Tendenz (S. 5) ist „genau das Verdienst eines jeden Einzelnen um die Moral zu bestimmen", es „muß erstens die Moral Jesu nach den drey in Verbindung stehenden Evangelisten, und nach Johannes, und dann einzeln die Moral Paulus, welche wegen seiner mehrern Schriften die vollständigste ist, des Petrus, Jakobus, Johannes, so weit ihre kurzen Schriften es gestatten, gründlich vorgetragen werden" (S. 9). Ist dies geschehen, dann wird man durch Vergleichen feststellen, in welchen Vorstellungen die einzelnen Schriftsteller übereinstimmen und worin sie von einander abweichen. Der entscheidende Maßstab ist wieder durch die Einsicht in die stufenweise Entwicklung gegeben. Sie nämlich ermöglicht es, das eigene Urteil zu trennen „von der Ansicht der Handlung zu jener Zeit, in welcher sie ausgeübt worden ist; denn es läßt sich denken, daß ein verschiedener Grad der Einsicht in die Moralität der Handlung Statt gefunden haben könne" (S. 12). Die historisch-kritische Arbeit läßt den zeitlichen Abstand des Exegeten von den biblischen Schriftstellern klar erkennen und damit – was für Bauer noch wichtiger ist – das Partikulare vom Universalen scheiden (S. 12f.). „Dieses ist zwar leicht gesagt, daß man das Temporelle und Lokale von den allgemein gültigen Vorschriften sorgfältig unterscheiden müsse, um den Geist der Sittenlehre Jesu und seine für eine Universalreligion berechnete Lehre recht kenntlich zu machen. Aber es ist schwer, dieses Lokale und Temporelle immer zu unterscheiden" (S. 14). Eine wirkliche Hilfe dabei ist die gründliche Untersuchung der Motivierungen der Ethik, denn an diesen kann ersehen werden, ob eine nur partikulare oder eine universale Weisung vorliegt (S. 14f.). Besonders aber bestärkt die historisch-kritische Arbeit darin, das eigene philosophische System zu vergessen und damit wirklich historisch zu erkennen, was die biblischen Schriftsteller in ihrer Zeit und Welt haben sagen wollen (S. 15f.). Dem entspricht, daß die gleichen hermeneutischen Regeln, wie in dem „Entwurf einer Hermeneutik des Alten und Neuen Testaments" (1799) angeführt und nun speziell auf die biblische Moral bezogen werden (S. 16ff.). Bauer geht dabei noch einen Schritt weiter: Durch die historische Erforschung, weil sie die stufenweise Entwicklung konsequent berücksichtigt, kann der Wert der Moral Jesu wie des Neuen Testaments überhaupt bestimmt werden (S. 23f.). Auch kann – wenigstens dem Postulat nach[135] – nur auf historischem Wege ausgemittelt werden, ob diese Moral mit der Vernunft übereinstimmt, indem man den Zeitabstand zwischen der Entstehung der biblischen Schriften und der aufgeklärten Gegenwart bedenkt (S. 23f.). Die Vernunft wird hier dem historischen Verstehen untergeordnet, und darum kann sich Bauer abschließend deutlich gegen die Vermischung von theologischer und biblischer Moral aussprechen (S. 24ff.).

Die von ihm entfalteten Grundsätze zur Behandlung der Biblischen Theologie sind der alleinige Maßstab zur Gewinnung einer biblischen Moral, denn diese ist nichts anderes als ein Teil der Biblischen Theologie selbst (S. 27). Bauers Werke über die biblische Moral des Alten und des Neuen Testaments

---

[135] Vgl. dazu unten S. 196f.

sind deshalb ein unmittelbarer Beitrag zur Biblischen Theologie. Erst diese
Bände runden die der Biblischen Theologie gewidmeten Veröffentlichungen ab.
   Diese Abrundung kommt auch noch auf andere Weise zur Geltung. Bauer
legt nämlich bei der Bearbeitung der einzelnen Schriften und Schriftengruppen
nicht mehr ein einheitliches, an die einzelnen Schriftsteller herangetragenes
Schema zugrunde, wie in den Werken zur Biblischen Theologie, sondern er geht
vom wirklich Vorgegebenen aus, wenngleich sich verschiedene Punkte häufig wiederholen (etwa: Pflichten gegenüber Gott). Dadurch aber gewinnt nicht nur der
einzelne Autor an Profil, sondern zugleich ist es nun möglich, die Anschauungen
der verschiedenen Zeugen zu vergleichen und zu untersuchen, inwieweit ähnliche oder von einander abweichende Anschauungen entweder aus der gleichen
Wurzel oder aus verschiedenem religionsgeschichtlichen oder historischen Ursprung sich erklären lassen[136]. Hier kommt das Ineinandergreifen von Biblischer Theologie und biblischer Moral auch inhaltlich voll zur Geltung, indem
es Bauer gelingt zu zeigen, daß die Wurzel der Ethik Jesu in seinem Gottesgedanken gegeben ist[137], und indem er das Verhältnis Jesus–Paulus zueinander
als unaufgebbare Fragestellung sowohl für die Biblische Theologie wie für die
biblische Moral herausarbeitet[138]. Das Wichtigste aber dürfte die sich darin
zeigende Unabhängigkeit von der Dogmatik sein. Je mehr die biblischen
Schriften *historisch* entwickelt und ihre Aussagen historisch-kritisch entfaltet
werden, umso mehr tritt die von der Dogmatik gegebene Fragestellung zurück.
   Die Werke zur biblischen Moral stellen in methodischer Hinsicht die reifste
Frucht historisch-kritischer Arbeit in Bauers Veröffentlichungen zur Biblischen
Theologie dar, jedoch mit einer Einschränkung: *Gelegentlich* wird diese histo-
rische Arbeit in der Weise verabsolutiert, daß die historisch-kritisch gewonnenen
Ergebnisse mit der Vernunft gleichgesetzt werden[139]. Fordert Bauer einerseits,
daß nur streng historisch ausgemittelt werden kann, was Jesus gelehrt hat[140],
so stellt er andererseits fest, daß Jesu Ethik nichts enthält, „was der Vernunft-
moral widerspreche"[141]. Gleichzeitig aber wendet er sich dagegen, philosophische
Ideen der Zeit in die biblischen Texte einzutragen[142], und die durchgängige
Auseinandersetzung mit der theologischen Moral, die zu Unrecht nicht von
der biblischen Moral geschieden werde, bestimmt weite Strecken seiner Ausführungen. Sein Rationalismus als Methode historischen Verstehens kommt

[136] Vgl. etwa Bibl. Moral NT, Bd. I, 1804, S. 31 ff., 252 ff., 304 ff.; Bd. II, 1805, S. 1 ff.,
257 ff., 265 ff., 307 ff., 348 ff.
[137] Vgl. Bibl. Moral NT, Bd. I, S. 31–250 passim, 387.
[138] Vgl. Bibl. Moral NT, Bd. II, S. 257 ff.
[139] Vgl. etwa Bibl. Moral NT, Bd. I, S. 116, 173, 179, 191, 199, 200, 208.
[140] Vgl. Bibl. Moral NT, Bd. I, S. 215 ff., 223.
[141] So Bibl. Moral NT, Bd. I, S. 208.
[142] In der Bespr. eines Unbekannten von Bibl. Moral NT, Bd. I, in: Neue Leipziger Lit.
Zeitung 1805, Sp. 1486 wird dazu treffend bemerkt: „Obgleich sich der Verf. für keinen
Philosophen von Profession ausgiebt; so hat er doch manchen philosophischen Satz, den
man in der neuern Zeit in das N.T. hineintrug, so richtig exegetisch beurtheilt, daß seine
Unstatthaftigkeit dadurch sonnenklar wird".

auch hier zur Geltung, aber es ist nicht immer klar erkennbar, ob die Vernunft dem auf historisch-kritischem Wege gewonnenen Ergebnis untergeordnet ist oder selbst ein Vorverständnis impliziert, dem dann zur Verifizierung die historisch-kritische Arbeit an den biblischen Texten folgt.

Trotz dieses Einwandes hat Bauer seine Aufgabe so sachgemäß angefaßt, daß hier erstmals von einer historisch-kritisch bearbeiteten biblischen Moral gesprochen werden kann[143] und daß hier zugleich die unaufgebbare Zusammengehörigkeit von Biblischer Theologie und biblischer Moral in einer Biblischen Theologie Alten oder Neuen Testaments methodisch begründet ist.

C. ZUSAMMENFASSUNG UND ABSCHLIESSENDE BEMERKUNGEN

Da im Verlaufe der Untersuchung über Bauers Beitrag zur Biblischen Theologie mehrfach Zusammenfassungen und Vergleiche mit Gablers Anschauungen gegeben wurden[144], kann auf eine Gesamtzusammenfassung zugunsten der Herausstellung einiger zentraler Gesichtspunkte verzichtet werden:

1. Es hat sich methodisch, wie auch bei Gabler, die Notwendigkeit ergeben, fast das gesamte wissenschaftliche Werk Bauers auf unsere Fragestellung hin zu durchmustern.

2. Die Analyse schon der frühesten, vor Gablers Antrittsrede von 1787 liegenden Veröffentlichungen ergibt wichtige Aufschlüsse für die Berührung, die Bauer mit Gabler hat: Bauer weiß sich wie Gabler der Schule C. G. Heynes verpflichtet, wobei die Verbindung zu Heyne zugleich auf der Berührung mit dessen Vorbild Lowth beruht.

---

[143] Vgl. auch die Bespr. der Bibl. Moral AT, Bd. I, in: Tübingische gel. Anzeigen 1803, S. 707–711: Es ist Bauers „Werk wirklich das erste dieser Art... Dieses will blos historisch, ohne alle Einmischung von Philosophie, und systematischem Zusammenhang die moralischen Lehren..., mit allen ihren Vollkommenheiten und Unvollkommenheiten, so darstellen, daß ihre successive Ausbildung nach den verschiedenen Perioden und Schriftstellern ins Licht gesetzt" wird (S. 708). – Eine Reihe methodischer Hinweise zur Bearbeitung einer biblischen Moral gab, allerdings unter anderem Gesichtspunkt, einige Jahre zuvor ein Schüler Gablers, der Nürnberger Pfarrer V. K. Veillodter in seinem Aufsatz: „Bemerkungen über die jetzige Bearbeitung der christlichen Sittenlehre" in: NthJ, 6. Bd., 1795, S. 967–1011, 1081–1107; ebdt., Bd. 7, 1796, S. 317–349. Zutreffend bemerkt er, aaO, S. 1011: „So glaubt ... der Verfasser, daß wir uns so lange keines befriedigenden Urtheils über Inhalt, Geist und Werth der Sittenlehre Jesu werden erfreuen dürfen, als uns noch eine reine, treue, allein auf Exegese gebaute Darstellung der Vorschriften Jesu und seiner Apostel, und gänzliche Freyheit von dogmatischen Fesseln fehlt". – Vgl. auch die Bespr. von Bauers Bibl. Moral AT in: Tübingische gel. Anzeigen 1804, S. 501–504; Neue Leipziger Lit. Zeitung 1803, Sp. 581; ebdt., 1804, Sp. 1297–1301; Allg. Lit. Zeitung Jena 1806, Nr. 295, Sp. 481–486. – Zur Bibl. Moral NT vgl.: Neue Leipziger Lit. Zeitung 1805, Sp. 1484–1486; ebdt., 1806, Sp. 2148–2152; Allg. Lit. Zeitung Jena 1805, Nr. 212, Sp. 273–276.

[144] Vgl. o. S. 163 ff.

3. In diesen frühen Veröffentlichungen zeigen sich bereits wesentliche methodische Gesichtspunkte, die zwar noch nicht auf eine Biblische Theologie hin ausgerichtet sind, aber für diese von größter Wichtigkeit werden sollten.

4. Besonders hervorzuheben ist der Gesichtspunkt, der „stufenweisen Entwicklung", der sein ganzes weiteres Werk durchzieht und den Bauer im Ansatz Gedanken von Lowth entnehmen konnte, den er aber mit den Erkenntnissen in der Mythenerforschung verband, hermeneutisch für die Grundlage einer rein historisch-kritischen Schriftauslegung auswertete und so die Möglichkeit gewann, mit dieser rein historischen Auffassung der „stufenweisen Entwicklung" die Notwendigkeit einer getrennt zu behandelnden alt- und neutestamentlichen Biblischen Theologie zu begründen, die den Ausgangspunkt für die Dogmengeschichte bildet.

5. Der hermeneutische Ansatz Bauers findet seine erste Entfaltung in dem „Entwurf einer Einleitung in die Schriften des alten Testaments" und seine Durchführung in der „Theologie des alten Testaments".

6. Spätestens in diesen Arbeiten ist Bauers Abneigung gegen philosophische und dogmatische Fragestellungen im Zusammenhang der Biblischen Theologie klar begründet und damit

7. aufgezeigt, daß eine Berührung mit Gablers Programm der Biblischen Theologie allein mit jener von Gabler als minder wichtig angesehenen historischen bzw. „wahren" Biblischen Theologie gegeben ist.

8. Denn in der Einleitung und der Theologie des alten Testaments ist Bauers Rationalismus als Methode historischen Verstehens voll ausgebildet. Diese Methode wird in den beiden hermeneutischen Werken vertieft, auf das Neue Testament übertragen und in der „Biblischen Theologie des Neuen Testaments" zusammenfassend mit Bauers bisheriger Arbeit an der Biblischen Theologie erörtert. Mit Hilfe dieser Methode gelingt es Bauer:

a) die rein historisch-kritische Methode zum Grundsatz der Auslegung zu machen,

b) das streng historische Verständnis der „stufenweisen Entwicklung" aufzuzeigen,

c) die innere Strukturverwandtschaft zwischen Altem und Neuem Testament zur Geltung zu bringen, die eine Verbindung beider Testamente zu *einer*, Altes und Neues Testament umfassenden Biblischen Theologie gerade ausschließt,

d) das Prinzip, einen Autor besser verstehen zu wollen als er sich selbst verstand, für das *historische* Verstehen antiker Texte als unhaltbar abzuweisen und damit

e) zu zeigen, daß die historisch-kritisch bearbeitete Biblische Theologie das ganze Geschäft der Biblischen Theologie erfüllt, weil die richtig angewandte historisch-kritische Methode sowohl das Temporelle und Partikulare wie das

Universale, Übergreifende und damit bleibend Gültige der Biblischen Theologie aufdeckt.

9. Mit diesen Ausführungen hat Bauer grundsätzlich aufgezeigt, daß er sich von Gabler nicht nur in der Ablehnung der Herausarbeitung zweier Biblischer Theologien, sondern auch von dessen hermeneutischem Ansatz in wesentlichen Punkten unterscheidet.

10. Die Abrundung der Biblischen Theologie geschieht bei Bauer durch die vollständige Einbeziehung des Neuen Testaments in die Mythenerforschung. Hatte er schon in seinen frühen Veröffentlichungen das Anliegen der ‚mythischen Schule‘ mit dem der ‚grammatisch-historischen Schule‘ verbunden, so wird jetzt mit Hilfe der Mythenerforschung nachgewiesen, daß die historisch-kritisch bearbeitete Biblische Theologie von der Einkleidung zur Sache selbst vorzustoßen vermag. Damit ist *erneut* erwiesen, daß die *eine*, historisch-kritisch eruierte Biblische Theologie ausreicht.

11. Mit der für unsere Fragestellung notwendigen Einbeziehung von Bauers Beitrag zur Mythenerforschung wird zugleich der in Bauers Schrifttum mit der historisch-kritischen Arbeit verbundene religionsgeschichtliche Vergleich als unaufgebbar für die Biblische Theologie abschließend betont.

12. Die schon in der „Theologie des alten Testaments" kurz begründete Einbeziehung der Moral in die Biblische Theologie findet in den Werken zur Biblischen Moral des Alten und Neuen Testaments ihre methodische Entfaltung und Begründung: Die Ethik ist integrierter Bestandteil der Biblischen Theologie.

Überblickt man Bauers Beitrag zur Biblischen Theologie im ganzen, so tritt *ein* beherrschender Zug hervor: Es ist die Entfaltung der historisch-kritischen Methode, die Bauer mit seinem Rationalismus als Methode historischen Verstehens begründet. Darin liegt Bauers Größe und Tragik zugleich:

Seine konsequent historische Fragestellung, mit der er an die Texte antiker Literatur herangeht, in deren Rahmen die biblischen Schriften nur einen Spezialfall darstellen, rechtfertigt es, sein Werk durchgängig als historisch-kritisch zu bezeichnen[145]. Sein Interesse ist auf historisches Verstehen in der Weise ausgerichtet, daß er ausmitteln will, wie Vorgänge in der Vergangenheit wirklich gewesen sind. Mit einem Wort: Seine Methode ist auf Rekonstruktion im weitesten Sinne bedacht. In einer Biblischen Theologie ist zu erheben, was die einzelnen biblischen Schriftsteller gesagt haben, und das von jedem Einzelnen historisch-kritisch Ermittelte ist als dessen „Lehrbegriffe" vorzutragen. Daß die Zusammenstellung dieser „Lehrbegriffe" unter Berücksichtigung der einzelnen Perioden und Zeiten, in denen die biblischen Schriftsteller lebten,

---

[145] Nach L. ZSCHARNACK, Art. Bauer, Georg Lorenz, RGG², Bd. I, 1927, Sp. 798, scheint der Ausdruck „historisch-kritisch" auf Bauer zurückzugehen. Ich wage dies für den Ausdruck nicht mit letzter Sicherheit zu behaupten, sondern nur für die damit verbundene Sache.

noch keine Biblische Theologie Alten oder Neuen Testaments ausmacht, hat Bauer erst im IV. Band der ,,Biblischen Theologie des Neuen Testaments'' und in den Werken zur Biblischen Moral voll erkannt. Es muß das Vergleichen und kritische Werten, das Herausarbeiten der zentralen biblischen Lehren hinzukommen. Das aber hieß für Bauer, einen weiteren Gesichtspunkt mit dem soeben Ausgeführten im Rahmen der Biblischen Theologie zu verbinden, der für ihn sicher von seinem ,,Entwurf einer Einleitung in die Schriften des alten Testaments'' und von seiner ,,Theologie des alten Testaments'' an bestimmend gewesen ist: Historische ist vernünftige und damit natürliche Erklärung, die durch den religionsgeschichtlichen Vergleich verifiziert und dadurch vor Willkür geschützt wird. In diesem Rationalismus als Methode des Verstehens aber liegt noch ein zweites, den Sachverhalt erst voll einsichtig machendes Moment beschlossen: Diese Methode des Verstehens soll ja zugleich das Temporelle und Lokale wie das bleibend Gültige ermitteln und so die zentrale Botschaft des Alten wie des Neuen Testaments darlegen. Mit dieser Methode tritt also zur Rekonstruktion die wertende Interpretation hinzu, und auch hier ist Bauer bemüht, der historischen Fragestellung vor der Vernunftentscheidung den maßgebenden Platz einzuräumen. Doch es läßt sich hier der Rationalist nicht verleugnen: Wo die historische Erklärung zur Rekonstruktion nicht ausreicht, führt die natürliche Auslegung zum Ziel. Wo Ausführungen Jesu und der Apostel für die Vernunft Ungereimtheiten enthalten, greift man zu Akkommodationen. Die Vernunft ist es, die erkennt, daß Jesus sich nur in ,unwesentlichen Religionswahrheiten' akkommodiert habe, während die Apostel sich dieser Methode noch weithin bedienten.

Als Bauers Berufung nach Heidelberg 1805 von JOHANN HEINRICH JUNG-STILLING hintertrieben wurde, verlangte der Großherzog KARL FRIEDRICH VON BADEN (1728–1811) von dem Berufenen Auskunft darüber, ob er Rationalist sei, und Bauer versicherte damals, *kein* Rationalist zu sein[146]. Das war richtig und falsch zugleich: Bauer war kein Rationalist in jenem platten und gewöhnlichen Sinne wie etwa W. F. HUFNAGEL und zahlreiche andere seiner theologischen Zeitgenossen. Er war vielmehr ein Rationalist, und vielleicht der erste unter ihnen, der über den Rationalismus als Methode historischen Verstehens reflektierte und so Rationalismus und historisch-kritische Arbeit zu einer sinnvollen Einheit zu verbinden suchte. Dieser Nachweis ist ihm vornehmlich in den Werken, die sich unmittelbar oder mittelbar mit der Biblischen Theologie befassen, gelungen. In anderen, die sich nicht auf unsere Themastellung beziehen, ist Bauer mehrfach weitaus stärker rationalistisch im üblichen Sinne[147]. Daß Bauers Veröffentlichungen dennoch in den folgenden Genera-

---

[146] Vgl. R. A. KELLER, Geschichte der Universität Heidelberg im ersten Jahrzehnt nach der Reorganisation durch Karl Friedrich (1803–1813), 1913, S. 170f.; dazu den Brief von G. L. BAUER in: AUA 92; s. auch K. LEDER, S. 324.

[147] Vgl. etwa G. L. BAUER, Handbuch der Geschichte der hebräischen Nation von ihrer Entstehung bis zur Zerstörung ihres Staates, Th. I, 1800; Th. II, 1804 (dazu Tübingische gelehrte Anzeigen 1805, S. 649–656, 661–663); ders., Beschreibung der gottesdienstlichen

tionen weithin als rationalistisch im gewöhnlichen Sinne angesehen wurden, gehört in doppeltem Sinne zur Tragik des Verfassers: a) Sein früher Tod[148] gab Bauer nicht die Gelegenheit, seine Methodik der Biblischen Theologie weiter auszugestalten und gegen Angriffe zu verteidigen; b) seine methodischen Einsichten wurden oft dadurch in ihrer Bedeutung geschmälert, daß Bauer in den meisten Fällen auf die Einzelaus- und -Durchführung in seinen Werken wenig Gewicht legte und unbedenklich rationalistische Ansichten von anderen übernahm. So ging er als Rationalist im gewöhnlichen Sinne in die Theologiegeschichte des 19. Jahrhunderts ein[149], wobei freilich auch zu berücksichtigen ist, daß man den Rationalismus als eine komplexe Größe verstand[150]. Man nahm die von Bauer zuerst durchgeführte getrennte Behandlung von Altem und Neuem Testament in der Biblischen Theologie und seine Berücksichtigung der einzelnen biblischen Schriftsteller zur Kenntnis, nicht aber seinen entscheidenden Beitrag zur historisch-kritischen Arbeit selbst.

Einer der wenigen, der hier tiefer sah, war JOHANN PHILIPP GABLER. In einem kurzen Nachruf[151] stellt er Bauers Bedeutung für die Schriftauslegung und die Hermeneutik heraus und betont, daß Bauer seine entscheidenden Erkenntnisse im ,,Entwurf einer Einleitung …", in seiner alttestamentlichen Theologie und in seiner Hermeneutik des Alten Testaments entfaltet habe, nachdem Gabler schon im gleichen Jahrgang seines Journals die überragende Bedeutung von Bauers Hebräischer Mythologie herausgestellt hatte[152]. Auch wird in dem angeführten Nachruf ausdrücklich hervorgehoben, daß Bauer zu stark seine weiterführenden Gedanken unter das Licht gestellt habe: ,,Und so konnte Niemand bescheidener von seinen Schriften urtheilen, als er, diese Bescheidenheit gränzte nicht selten in Unterredungen an *Ungerechtigkeit gegen sich selbst*". (S. 747).

Daß Gabler und Bauer hinsichtlich der Bearbeitung der Biblischen Theologie wie in wesentlichen hermeneutischen Fragestellungen nicht übereinstimmen, hat vorliegende Untersuchung ergeben. Bauer ist nicht der Schüler Gablers, wie ihn das wissenschaftliche Bild bis heute zeichnet[153]. Auch hierfür

---

Verfassung der alten Hebräer, Bd. 1. 2, 1805/06 (dazu Tübingische gelehrte Anzeigen 1805, S. 617–619; Jenaische Allg. Lit. Zeitung 1806, Nr. 52, Sp. 411–416).

[148] Bauer starb am 12. 1. 1806 im Alter von 50 Jahren.

[149] Vgl. etwa D. G. C. v. CÖLLN, Theol. I, S. 24f.; G. L. HAHN, Die Theol. d. NT, Bd. 1, 1854, S. 35, 43ff.; F. C. BAUR, Vorl. ntl. Theol., S. 8ff.; B. WEISS, Lehrbuch der Bibl. Theol. d. NT, ¹1868, S. 20f.; M. KÄHLER, Art. Bibl. Theol., RE³, Bd. 3, 1897, S. 193, wenngleich z.B. v. Cölln u. F.C.Baur tiefer sahen als andere.

[150] Vgl. D. F. STRAUSS, Das Leben Jesu, kritisch bearbeitet, Bd. I, ⁴1840, S. 16ff., wo von Eichhorn bis H. E. G. Paulus fast alle bekannten Theologen pauschal als Rationalisten bezeichnet werden; s. auch R. KÜBEL, Art. Rationalismus und Supranaturalismus, RE³, Bd.16, 1905, S. 447–467, bes. 452, wo Gabler u. Bauer völlig unterschiedslos als Rationalisten gelten. Zu dem noch immer strittigen Problem des Rationalismus vgl. jetzt den Überblick von H. HOHLWEIN, Art. Rationalismus II. Rationalismus und Supranaturalismus, kirchengeschichtlich, RGG³, Bd. V, 1961, Sp. 791–800.

[151] JathL 2, 1805/06, S. 746f.

[152] JathL 2, 1805/06, S. 39ff.

[153] Vgl. dazu o. S. 1 Anm. 2 u. 3; S. 143 Anm. 1.

trägt die unsachgemäße Sicht des Rationalismus im 19. Jahrhundert die Mit-
schuld, weil sie den Rationalismus nicht auf seine zahlreichen Entwicklungs-
strömungen und Einzelrichtungen hin zu analysieren vermochte und so auch
nicht in der Lage war, Gabler als Spätneologen und Bauer als historisch-
kritischen Rationalisten zu erkennen.

Will man die Differenz hinsichtlich unseres Themas auf einen kurzen Nenner
bringen, so wird man sagen müssen: Bauer strebte die historische Rekonstruktion des biblischen Zeugnisses in seiner Mannigfaltigkeit an, wobei die Interpretation im Rahmen seiner historisch-kritischen Arbeit zurücktritt, während
Gablers Interesse auf der Interpretation liegt, für die die Rekonstruktion von
geringerer Bedeutung ist. In beiden Methoden kommen sowohl Rekonstruktion
wie Interpretation zur Geltung, aber der entscheidende Unterschied liegt darin,
daß Gabler für diese beiden Bereiche zwei voneinander getrennte Biblische
Theologien benötigt, weil die Interpretation für ihn auf die Fundierung der
Dogmatik seiner Zeit zielt, während Bauer die Interpretation in den Gesamtrahmen der *einen* historisch-kritisch auf Rekonstruktion bedachten Biblischen
Theologie einbezieht. Weiter betonen beide Gelehrte die Gegenwartsbezogen-
heit ihrer methodischen Ansätze, indem Gabler – wie ausgeführt – der Dogmatik
seiner Zeit eine festere Grundlage gehen will, Bauer aber an der Vernünftigkeit
seiner historisch-kritischen Methode die Vernünftigkeit des Christentums selbst
aufzuweisen gedenkt. Beide Theologen zeigen sich damit in ihrer Bemühung
um die Methodik der Biblischen Theologie zugleich dem Denken ihrer Zeit verpflichtet wie auch ihrer Gegenwart verantwortlich.

Gabler und Bauer haben, einmal abgesehen von den Einzelheiten ihres jeweiligen Programms und von der Unzulänglichkeit der Durchführung im einzelnen, mit ihren methodischen Beiträgen zur Biblischen Theologie diese zur
selbständigen Disziplin werden lassen. Bei ihnen ist der Grund gelegt nicht nur
für die methodische Ausgestaltung, sondern zugleich für das in die Zukunft
weisende Grundproblem. Eine Bemerkung RUDOLF BULTMANNS, die der Bearbeitung der Neutestamentlichen Theologie in unseren Tagen gilt, trifft genau
auch für Gabler und Bauer zu: Die Arbeit an der Neutestamentlichen Theologie
,,kann nun von einem zweifachen Interesse geleitet sein, entweder von dem der
Rekonstruktion oder dem der Interpretation … Es gibt freilich nicht das eine
ohne das andere, und beides steht stets in Wechselwirkung: Aber es fragt sich,
welches von beiden im Dienst des anderen steht"[154]. Weil Gabler und Bauer
sowohl in ihrer sachlichen Berührung wie in ihren methodischen Differenzen
das Methodenproblem der Biblischen Theologie aufgedeckt haben, haben sie
die Fragestellungen der Orthodoxie, des Pietismus und auch der Aufklärung
zur Sache weithin überwunden und sind dadurch beide die Begründer der
Biblischen Theologie als eigenständiger Disziplin geworden, einer Disziplin,
die von beiden als nur auf dem Boden des Protestantismus möglich angese-

---

[154] Theol. d. NT, ⁵1965, S. 599.

hen wurde, und von der beide überzeugt waren, daß ihr Zukunft beschieden
sei.

Es ist darum in ihrem Sinne, wenn wir nunmehr in einem kurzen Abriß
untersuchen, ob und in welcher Weise ihre methodischen Einsichten sich ausgewirkt haben bzw. durch neue und bessere Erkenntnisse überholt wurden.

IV. KAPITEL

DIE AUSWIRKUNGEN GABLERS UND BAUERS AUF DIE „(BIBLISCHE) THEOLOGIE DES NEUEN TESTAMENTS"

A. VORBESINNUNG

Die bisherigen Ausführungen haben gezeigt, daß die von Gabler und Bauer geleisteten Beiträge zur Biblischen Theologie im Gesamtrahmen ihres Werkes zu würdigen sind. Alt- und neutestamentliche, hermeneutisch-systematische, religionsgeschichtliche, kirchen- und dogmengeschichtliche wie praktisch-theologische Gesichtspunkte waren zu berücksichtigen. Daraus ergibt sich, daß man von den verschiedensten Gesichtspunkten aus das Lebenswerk beider Theologen sachgemäß beurteilen kann[1]. Wird nun unsererseits nur eine Linie im folgenden weiter ausgezogen, so kann dafür geltend gemacht werden, daß für Gabler im Rahmen seiner Fragestellung die Biblische Theologie des Neuen Testaments wichtiger war als die des Alten Testaments und daß Bauers Beiträge zur Theologie des Alten Testaments auf die Biblische Theologie des Neuen Testaments zielen und er selbst der Neutestamentlichen Theologie das erste maßgebende Lehrbuch geliefert hat. Schließlich ist auch darauf hinzuweisen, daß Bauer die Strukturverwandtschaft Alten und Neuen Testaments stark betont hat, so daß man auch von daher berechtigt ist, der Methodenfrage der Theologie des Neuen Testaments allein nachzugehen, ohne daß so wesentliche Gesichtspunkte unberücksichtigt bleiben, daß von einer Verkürzung der Sachfrage in der Darstellung gesprochen werden müßte.

Im folgenden wird also versucht, in einem Überblick zu klären, inwieweit die zwar zentrale, aber doch spezielle Frage nach der Methode der Neutestamentlichen Theologie als „Erbe des 19. Jahrhunderts für die Neutestamentliche Wissenschaft von heute"[2] aufgrund der Arbeiten von Gabler und Bauer tragend und weiterwirkend sein konnte. Damit ist zugleich auch eine Beschränkung des Stoffes gegeben: Die Weitschichtigkeit dieser Methodenfrage soll nicht in die Vielfalt der mit ihr zusammenhängenden neutestamentlichen Fragestellungen vom 19. Jahrhundert an bis heute hinein entfaltet werden, sondern sie soll streng an der Thematik und das heißt an der seit Gabler und

---

[1] Es ist darum auch nicht verwunderlich, daß in Artikeln über Bauer und Gabler in den letzten 100 Jahren in RE³; ADB; NDB; RGG²; RGG³ Gabler niemals und Bauer nur *einmal* (H. STRATHMANN, NDB 1, 1953, S. 637f.) von einem Neutestamentler behandelt wird; vgl. im übrigen o. S. 2 Anm. 8.

[2] Vgl. den gleichnamigen Aufsatz von W. G. KÜMMEL, in: Heilsgeschehen u. Geschichte, 1965, S. 364ff., in dem die weiterführenden Fragestellungen des 19. Jhdt. für die ntl. Wissenschaft präzise dargestellt und erörtert werden, in deren Zusammenhang auch die „Neutestamentliche Theologie" zu sehen ist.

Bauer eigenständigen Disziplin der ,,(Biblischen) Theologie des Neuen Testaments" orientiert bleiben[3].

B. VON J. PH. GABLER UND G. L. BAUER ZU F. C. BAUR

1. Georg Lorenz Bauers unmittelbare Nachwirkung

Schon während Bauers ,,Biblische Theologie des Neuen Testaments" im Erscheinen begriffen war, regte seine dort begründete Methode zu weiteren Untersuchungen an. In verschiedenen Monographien wurde sein methodisches Vorgehen als hilfreich und weiterführend erkannt und fand entsprechende Nachahmung.

Besonders kennzeichnend dafür ist ein Aufsatz von GOTTLOB SAMUEL RITTER: ,,Entwurf der Grundsätze des theologischen Systems und der Lehrmethode des Apostels Paulus im Zusammenhang und nach ihren Eigenschaften entwickelt"[4]. Bevor Ritter die Theologie des Apostels Paulus entwickelt, formuliert er die Aufgabe der Biblischen Theologie ganz im Sinne Bauers. So wird im einzelnen (S. 244ff.) zur Bearbeitung einer Biblischen Theologie als ,,Pflicht für den biblischen Theologen" herausgestellt, daß er die Systeme der einzelnen biblischen Autoren ,,den historischen Urkunden gemäß" darstelle. Denn ,,wer, wie es gewöhnlich geschieht, die verschiedenen Systeme zu *einem* verbindet, begeht eine historische Unrichtigkeit, und täuscht sich selbst; *denn es ist … in den biblischen Schriften kein Schriftsteller vorhanden, dem ein solches System entsprechen würde*". Darum ist ,,die biblische Theologie … nichts anders, *als eine in sich selbst genau zusammenhängende historische Darstellung der verschiedensten Systeme der vorzüglichsten biblischen Schriftsteller*" (S. 246). Seiner Aufgabe wird der Verfasser einer Biblischen Theologie nur dann gerecht, wenn für ihn ,,die Gesetze des Geschichtsforschers" (S. 247) gelten und er dementsprechend eines jeden biblischen Autors Ansichten streng historisch entwickelt und darstellt (S. 247ff.).

Diese sich stark an Bauer anlehnenden methodischen Bemerkungen ausführlicher anzuführen, ist darum geboten, weil sich bereits hier zeigt, daß nicht Gablers Programm, sondern die wirklich durchgeführte und somit auch in

---

[3] Vgl. auch W. G. KÜMMEL, Art. Bibelwissenschaft II. Bibelwissenschaft des NT, RGG[3], Bd. I, 1957, Sp. 1251, wo die ,,Biblische Theologie des NT" als eigenständiges ,,Arbeitsgebiet" (Sp. 1250) innerhalb der Bibelwissenschaft gekennzeichnet wird; s. auch H. RIESENFELD, Biblische Theologie und biblische Religionsgeschichte II. NT, RGG[3], Bd. I, 1957, Sp. 1259ff.; A. VÖGTLE, Biblische Theologie II. Neues Testament, in: Sacramentum Mundi. Theologisches Lexikon für die Praxis, Bd. I, 1967, Sp. 589ff.

[4] In: Theologische Monatsschrift für das Jahr 1801, 2. Bd., hrsg. v. J. Chr. W. Augusti, S. 243–277. Die Seitenzahlen im fortlaufenden Text beziehen sich auf diesen Aufsatz.

ihrer methodischen Gestaltung einsichtigere Form der Lehrbücher Bauers auf die Zeitgenossen wirkte. Die strenge Scheidung der einzelnen biblischen Autoren und das sich damit verbindende Bewußtsein, daß die biblischen Schriften nicht eine einheitliche Größe darstellen, darf als das vordringliche methodische Anliegen im ersten Jahrzehnt nach Erscheinen von Bauers ,,Biblischer Theologie des Neuen Testaments" angesehen werden, wie G. L. BAUER selbst im Hinblick auf die durch seine Fragestellung beeinflußten Arbeiten feststellt[5]. Unter diesen Arbeiten, die sämtlich nicht unter dem Titel einer ,Biblischen Theologie" erschienen sind, aber das methodische Anliegen dieser Disziplin sichtbar machen, sind u. a. zu nennen: G. W. MEYER, Entwickelung des paulinischen Lehrbegriffs. Ein Beitrag zur Kritik des christlichen Religionssystem(s), Altona 1801; JOHANN GEORG FRIEDRICH LEUN, Reine Auffassung des Urchristenthums in den Paulinischen Briefen. Ein Seitenstück zur biblischen Theologie des Neuen Testaments, Leipzig 1803; ders., Grundriß der neutestamentlichen Christologie: oder das Urchristenthum nach den Aussprüchen seiner ersten Lehrer im neuen Testament, Leipzig 1804. Besonders diese letztgenannte Arbeit stellt, auf die Christologie beschränkt, methodisch ,nur' eine ,,*historische* biblische Theologie" dar, wie J. PH. GABLER im Nachtrag zu der Besprechung eines anderen kritisch feststellt[6], und entspricht darum besonders Bauers Anliegen, Weiter ist hinzuweisen auf K. H. L. PÖLITZ, Das Urchristenthum nach dem Geiste der sämtlichen neutestamentlichen Schriften entwickelt, ein Versuch in die Spezialhermeneutik des Neuen Testaments, 1. Theil: Die Evangelien des Matthäus, Marcus, Lucas und die Apostelgeschichte, Danzig 1804[7]; HERMANN HEIMART CLUDIUS, Uransichten des Christenthums nebst Untersuchungen über einige Bücher des neuen Testaments, Altona 1808[8].

Es ist in diesem Zusammenhang zweierlei bezeichnend: a) Die sich immer stärker durchsetzende Einsicht in die notwendige Trennung der verschiedenen biblischen Autoren fand überwiegend ihren Niederschlag in das Neue Testament betreffenden Werken; zugleich aber führte sie b) zu einer Überspitzung der Fragestellung. Das veranlaßte G. L. BAUER, in der Besprechung eines an sich unbedeutenden Werkes grundsätzlich dazu Stellung zu nehmen[9]: Die

---

[5] Vgl. Jenaische Allg. Lit. Ztg. 1805, Sp. 228 im Rahmen einer unten noch näher anzuführenden Besprechung; vgl. auch CHR. FR. SCHMID, Ueber das Interesse und den Stand der biblischen Theologie des Neuen Testaments in unserer Zeit, Tübinger Zeitschrift für Theologie 1838, Heft 4, S. 139.

[6] Vgl. Bespr. in: JathL 2, 1805/06, S. 647–654 (gez. ,,Ch" = Cannabich ?), Gablers Nachtrag ebdt., S. 654–658. Zu diesem Nachtrag vgl. auch o. S. 105, 107 f.

[7] Vgl. dazu auch M. F. A. LOSSIUS, Bibl. Theol. d. NT, 1825, S. 9; L. D. CRAMER, Vorl. über d. bibl. Theol. d. NT, 1830, S. 8 f.

[8] Zu Cludius s. auch W. G. KÜMMEL, NT, S. 101 f., 577, u. Anm. 108. 111; zu weiteren Werken der Zeit, die unsere Fragestellung berühren, vgl. die Anm. 7 Genannten.

[9] Vgl. Jenaische Allg. Lit. Ztg. 1805, Sp. 228–232 in Bespr. von: Sammlung abweichender Vorstellungen der neutestamentlichen Schriftsteller über einen und denselben Gegenstand. Ein freymüthiger exegetischer Beytrag, zur näheren Würdigung der christlichen Bibel, Th. I. II, Leipzig 1803 (Verf. anonym).

Herausarbeitung der Besonderheit eines jeden biblischen Schriftstellers darf nicht dazu führen, nunmehr die einzelnen Autoren bzw. deren Ansichten gegeneinander in der Weise auszuspielen, daß die einzelnen biblischen Schriften völlig isoliert innerhalb des Neuen Testaments stehen. Es geht vielmehr darum zu zeigen, wie der in sich selbständige einzelne Autor im Gesamtzusammenhang des Neuen Testaments zu sehen ist. Das heißt: Bauer macht in von ihm beeinflußten Arbeiten auf einen methodischen Fehler aufmerksam, dem er zunächst selbst erlegen war. Es kann nicht Aufgabe sein, das unverbundene, methodisch unzulässige Nebeneinanderstellen der einzelnen neutestamentlichen Anschauungen noch zu verstärken, indem man durch Vergleichen dieser Anschauungen das Nebeneinander allein betont und damit den einzelnen biblischen Autor völlig isoliert, sondern dieses Vergleichen soll dazu führen, die theologische Mitte des Neuen Testaments im vielfältigen Zeugnis der neutestamentlichen Schriften zu ermitteln.

Haben Bauers Fragestellungen offensichtlich unmittelbar gewirkt, und ist ihre weitschichtige Anwendungsmöglichkeit bis hin zur Erforschung des Urchristentums erprobt worden, so erschienen doch erst 1813 eine „Biblische Theologie" und eine „Biblische Dogmatik", an denen nunmehr die Methodenfrage zu prüfen ist.

2. Wilhelm Martin Leberecht de Wette und die „Biblische Dogmatik"

W. M. L. DE WETTES „Biblische Dogmatik Alten und Neuen Testaments. Oder kritische Darstellung der Religionslehre des Hebraismus, des Judenthums und Urchristenthums. Zum Gebrauch akademischer Vorlesungen", Berlin 1813, in unsere Untersuchung einzubeziehen, ist deshalb besonders reizvoll, weil hier erstmals ein Schüler J. Ph. Gablers zur Sache der Biblischen Theologie Stellung nimmt. Es liegt nahe, in diesem Werk Nachwirkungen des Lehrers in Zustimmung und Kritik zu finden. Eine Berührung mit Gabler scheint schon darin gegeben zu sein, daß es sich hier um den „1. Theil" eines „Lehrbuch(s) der christlichen Dogmatik in ihrer historischen Entwickelung dargestellt" handelt. Dadurch ist von vornherein angezeigt, daß dieser erste, der Theologie des Alten und Neuen Testaments geltende Band auf die Dogmatik hin ausgerichtet ist. Könnte schon dieser Sachverhalt ohne Schwierigkeit mit Gablers Anliegen im Zusammenhang der Biblischen Theologie in Verbindung gebracht werden, so tritt ein zweiter hinzu, der dies noch bestärkt. Denn de Wette verfolgt zwei Interessen in diesem Band: Einerseits ist er der historisch-kritischen Arbeit verpflichtet (S. 27f.), andererseits der Dogmatik (Vorrede, S. VII. 19f.). Beide Bereiche sucht er zu vereinen.

So kann er feststellen: „Daß wir den Gesetzen der historisch-kritischen Auslegung folgen, versteht sich von selbst. Dieselbe historische Genauigkeit fodert (sic!) aber auch, daß wir ins Detail der Eigenthümlichkeit eingehen, und uns nicht mit Allgemeinem begnügen. So muß das Alte und Neue Testament genau geschieden, jedoch auch wieder mit einander verglichen werden. Auch verschiedene Perioden und Individuen müssen wir trennen, aber nur nach festen großen Unterschieden, ohne Kleinlichkeit" (S. 27f.). Und in einer dazugehörigen Anmerkung heißt es ausdrücklich: „Die biblischen Theologen sind zu sehr ins Detail gegangen, und haben das Gemeinsame fast ganz aus den Augen verloren" (S. 28). Was er mit diesen Bemerkungen meint, wird darin sichtbar, daß er es ablehnt, allein die einzelnen biblischen Schriftsteller zu berücksichtigen. Es kommt ihm vielmehr darauf an, die biblischen Autoren in die einzelnen, historisch eruierbaren Perioden des Neuen Testaments einzuordnen (S. 222ff.). Und in der Tat ist es de Wettes Verdienst, eine Klassifizierung der neutestamentlichen Schriften in bestimmte historische Perioden vorgenommen zu haben[10], nachdem er bereits „Hebraismus" und „Judenthum" in bisher nicht gekannter Weise historisch unterschieden hatte (S. 34ff. 114ff.)[11]. De Wettes historisches Anliegen ist offenkundig: Er will – wie auch G. L. Bauer (!) – der völligen Vereinzelung der neutestamentlichen Schriftsteller entgegenwirken und durch die Herausarbeitung ihrer Zugehörigkeit zu bestimmten Perioden die großen Linien ihrer Gedanken historisch einordnen. Diese historische, Gablers und Bauers methodische Erwägungen weiterführende Argumentation im einzelnen[12] aber wird durch die Gesamtanlage des Werkes zunichte gemacht. Es lassen die historischen Ausführungen insgesamt keine konsequent geschichtliche Fragestellung erkennen, wofür insbesondere auch die Zusammenschau von Synoptikern und Johannesevangelium in der Darstellung der Lehre Jesu anzuführen ist (S. 194ff. 235ff., bes. 235 Anm. 1)[13]. Bedeutet schon dies einen deutlichen Rückfall hinter die kritische Position von G. L. Bauer, so ist jede historisch-kritische Fragestellung von vorneherein hintangestellt, weil de Wette dogmatisch ein Urteil auch über die historische Aufgabe einer Biblischen Dogmatik fällt: „Wichtiger, nicht bloß für die historische Forschung, sondern auch für die dogmatische Ansicht entscheidend, ist der Grundsatz, daß nur das, was nach philosophischem Begriffe zur Religion gehört, auch in der geschichtlichen oder dogmatischen Aufstellung der Lehren einer gegebenen Religion als Bestandtheil derselben anerkannt werde" (Vor-

[10] De Wette unterscheidet – zumindest in der Theorie – „drey Classen": „1) *Judenchristliche*, wohin die drey ersten Evangelien, die Apostelgeschichte, die Briefe Petri, Jacobi, Judä und die Apokalypse gehören... 2) *Alexandrinische* oder *Hellenistische*, wohin das Evangelium und die Briefe Johannis und der Brief an die Hebräer zu rechnen sind... 3) *Paulinische*, die Briefe Pauli und zum Theil die Apostelgeschichte" (S. 223f.).

[11] Vgl. dazu R. Smend, W. M. L. de Wettes Arbeit am Alten und am Neuen Testament, 1958, S. 72ff.

[12] Bauers methodische Ausführungen wirken auch in den Abschnitten nach, in denen de Wette ausdrücklich „Dogmatik" u. „Ethik" in der „Biblischen Dogmatik" verbindet; vgl. S. 238f. u. ö. Daß de Wette „als erster die Verkündigung Jesu von der apostolischen Lehre ... unterschieden habe" (so W. G. Kümmel, NT, S. 126), wird man aufgrund der oben geführten Nachweise bei Gabler und Bauer nicht mehr sagen können, sondern allenfalls, daß er das Problem noch tiefer gesehen habe (S. 252f.).

[13] Vgl. auch die weiterführende Kritik in: Kritisches Journal der neuesten theologischen Literatur, hrsg. v. L. Bertholdt, 7. Bd., 1818, S. 348f.

rede, S. VII); anerkannt werden als zur Biblischen Dogmatik gehörend darf nur, was dem Wesen der „ästhetischen Form" entspricht (S. 18 ff.). Das heißt: es muß der gesamtmythische Gehalt der Bibel auf seine „ästhetische Gestalt" hin gereinigt werden (S. 19 ff.), was nicht historisch-kritisch, sondern nach philosophischen Grundsätzen geschieht (S. VII u. ö.).

An diesem Ineinander von historischer Fragestellung und dogmatisch-philosophischer Vorentscheidung zerbricht de Wettes Biblische Dogmatik. Der Weg, der zu diesem Bruch führte, läßt sich nachzeichnen: Die von Gabler geforderten Biblischen Theologien verbindet de Wette, indem er mit Gablers ‚Biblischer Theologie im engeren Sinn' des Wortes die historisch eruierte in der Weise durchsetzt, daß er auf Grund seiner philosophisch-dogmatischen Vorentscheidung auf die „Verifizierung" historischer Sachverhalte in der Biblischen Theologie überhaupt verzichtet[14]. Die Vernachlässigung bzw. mindere Wertung der historischen Biblischen Theologie durch Gabler wird von de Wette radikalisiert, so daß es zur Preisgabe des Historischen überhaupt führt. Gabler gab also de Wette wesentliche Gesichtspunkte an die Hand, deren ausweisbare Gestalt bei de Wette auch deshalb folgerichtig ins Gegenteil umschlagen mußte, weil er zugleich das Anliegen der ‚Mythischen Schule' grundsätzlich preisgab und damit Gablers eigene Grundlagen nicht mehr gelten ließ[15].

Im ganzen ist also trotz einiger bedeutender, für die historisch-kritisch bearbeitete Biblische Theologie weiterführender Hinweise de Wettes Biblische Theologie ein Rückschlag für die Methode der Biblischen Theologie[16], und es ist in seinem Sinne nur folgerichtig, wenn er in späteren Auflagen der Biblischen Dogmatik, Bd. I, immer mehr auf historische Fragestellungen verzichtete[17]. De Wettes fraglos bedeutende dogmatisch-philosophische Leistung[18], die auch von den Kritikern der „Biblischen Dogmatik" voll gewürdigt wurde[19], war für die junge Disziplin der Biblischen Theologie zugleich gefährlich, denn die von de Wette vertretene Religionsphilosophie war in ihrem hermeneutischen Ansatz dazu angetan, Biblische Theologie und Dogmatik wieder zu vereinigen und damit

---

[14] Vgl. auch R. SMEND, Gabler, S. 357 passim; ders., s. Anm. 11, S. 22 ff., 49 ff., 167 f. u.ö.

[15] Vgl. die Nachweise bei HARTLICH-SACHS, S. 91 ff., 102 ff.; R. SMEND, s. Anm. 11, S. 11 ff., 19 ff. passim u.ö.

[16] Vgl. dazu die inhaltreiche Bespr. eines Unbekannten in: Kritisches Journal (s. Anm. 13), S. 163 ff., 251 ff., 346 ff., in der sachgemäß zwischen de Wettes Beitrag zur Bibl. Dogmatik und damit Bibl. Theol. und seiner bedeutenden dogmatisch-philosophischen Leistung geschieden wird; K.W. STEIN, Über den Begriff und die Behandlungsart der biblischen Theologie des N.T., in: Analecten für das Studium der exegetischen und systematischen Theologie, hrsg. v. C. A. G. Keil u. H. G. Tzschirner, Bd. III, 1816, S. 151 ff.; D. G. C. v. CÖLLN, Theol. I, S. 27 f.; CHR. FR. SCHMID, s. Anm. 5, S. 141 ff., 147 f.; F. C. BAUR, Vorl. ntl. Theol., S. 12 ff.; R. SMEND, s. Anm. 11, S. 86 ff.; ders., De Wette und das Verhältnis zwischen historischer Bibelkritik und philosophischem System im 19. Jahrhundert, ThZ 14, 1958, S. 107 ff. passim.

[17] Vgl. auch R. SMEND, s. Anm. 11, S. 166 ff., 177 ff.; L. PERLITT, Vatke und Wellhausen, 1965, S. 88 ff.

[18] Vgl. dazu zusammenfassend R. SMEND, ThZ 14, 1958, S. 107 ff.; H.-J. KRAUS, Geschichte der historisch-kritischen Erforschung des AT, ²1969, S. 174–187, bes. 184 ff.

[19] Vgl. Anm. 16.

grundlegende Einsichten von Gabler und Bauer in bedenklicher Weise preiszugeben[20].

Bezeichnenderweise haben in der zeitgenössischen Kritik[21] an de Wettes „Biblischer Dogmatik" die Argumentationen Gablers und Bauers bedeutenden Anteil. Besonders K. W. Steins im Rahmen einer Abhandlung „Ueber den Begriff und die Behandlungsart der biblischen Theologie des N. T."[22] geübte Kritik gibt in dieser Hinsicht reichen Aufschluß. Indem er de Wettes Methode als unhaltbar für die Gewinnung einer Biblischen Theologie herausstellt, fordert er seinerseits unter Berufung auf K. A. G. Keils Hermeneutik, Gablers Programm der Biblischen Theologie und Bauers Biblische Theologie des Neuen Testaments eine rein historisch gearbeitete Biblische Theologie. Darum gilt: „Der biblische Theolog, der keinen andern Zweck hat, als die Lehren des Christenthums historisch kennen zu lernen, muß diese Lehren auch historisch betrachten, d. h. mit Rücksicht auf die damaligen religiösen Vorstellungen ...; da er es indessen mit mehrern einzelnen Schriftstellern zu thun hat: so muß er jeden besonders betrachten, und ... sich sorgfältig hüten, nicht alle Schriftsteller unter eine Klasse zu bringen. Zu allen diesen Operationen ist aber eine genaue Kenntniß des individuellen Charakters des jedesmaligen Schriftstellers nöthig, um genau zu bestimmen, aus welchen Quellen er geschöpft habe, und wie viel für seine eigene wirkliche Ueberzeugung zu halten sey" (S. 165f.; im Orig. gesperrt). Zeigen schon diese Ausführungen deutlich Bauers Argumentation, so auch die abschließende Bemerkung: „Diese historisch-kritische Operation führt allein zu einer reinen und möglichst vollständigen biblischen Theologie" (S. 180), woraus sich gegenüber de Wette ergibt: „Die biblische Theologie hat weder in materieller noch in formeller Hinsicht etwas mit der Religionsphilosophie zu thun, da sie sich weder um die Vernunftmäßigkeit, noch um die unserer Philosophie gerade angemessene Systematik bekümmert" (S. 184). Steins Kritik an de Wette, für die er sich auf das reformatorische Schriftverständnis beruft (S. 173f.), war von nachhaltiger Wirkung[23]. Dazu trug u. a. bei, daß mit seiner Forderung nach einer streng auf historisch-kritischer Grundlage zu verfassenden Biblischen Theologie bei ihm hinsichtlich der „Biblischen Dogmatik" de Wettes erneut das schon von Gabler und Bauer diskutierte Problem in den Blick kam, ob ein moderner Autor, in diesem Falle de Wettes Religionsphilosophie, einen antiken Schriftsteller besser verstehen könne, als dieser sich selbst verstand. Indem Stein dies grundsätzlich verneint, bestreitet er auch, daß man dem Neuen Testament eine – ihm schon aufgrund

---

[20] Vgl. DE WETTE, Bibl. Dogmatik, S. 28f. u. ö; CHR. F. SCHMID, s. Anm. 5, S. 147f.

[21] Vgl. bes. Kritisches Journal; K. W. STEIN; CHR. FR. SCHMID (s. Anm. 16).

[22] S. Anm. 16. Die im fortlaufenden Text folgenden Seitenzahlen beziehen sich auf diese Abhandlung.

[23] Vgl. etwa D. L. CRAMER, Theol. NT (s. Anm. 7), S. 9: „Es war daher ein sehr guter Gedanke, daß Stein in einer besondern Abhandlung ... die Rechte der biblischen Theologie des N.T. gegen diese Verirrungen und Rückschritte zu verwahren versucht hat"; s. auch D. G. C. v. CÖLLN, Theol. I, S. 28; CHR. FR. SCHMID, s. Anm. 5, S. 146; D. SCHENKEL, Die Aufgabe der bibl. Theologie..., ThStKr 25,1, 1852, S. 53.

der verschiedenen Schriftsteller unwahrscheinliche – Systematik abgewinnen dürfe. Damit tritt ein Problem, das auch schon Bauer gesehen hatte, in den Vordergrund: Das Neue Testament bietet ein Fülle von Einzeltheologien, nicht aber *die* Theologie des Neuen Testaments. Von daher resultiert sein Vorschlag, die Lehre Jesu aus den Stücken, in denen die neutestamentlichen Autoren übereinstimmen, bestimmen zu wollen und damit in der Lehre Jesu die Mitte der neutestamentlichen Botschaft zu kennzeichnen (S. 189–204). Dadurch aber wird die zuvor geforderte rein historisch zu bearbeitende Biblische Theologie der Gefahr einer unsachgemäßen Systematisierung ausgesetzt. Dahinter steht freilich die Absicht, das Verbindende zwischen den einzelnen neutestamentlichen Schriften aufzudecken, um so über dem Einzelnen die Gesamtheit der Anschauungen des Neuen Testaments nicht aus den Augen zu verlieren[24].

Noch in einer anderen Hinsicht sind Steins Ausführungen von weitreichender Bedeutung: Er hat Gablers und Bauers Sicht der Biblischen Theologie so sehr als Einheit herausgestellt, so daß die Unterschiede beider nicht mehr zur Geltung kamen. Bei ihm ist, soweit ich sehe, sachlich die Wurzel für die These, Bauer sei Gablers Schüler gewesen.

3. Gottlob Philipp Christian Kaiser und die „Biblische Theologie"

Steins Kritik richtet sich neben de Wette auch noch gegen eine zweite, ebenfalls 1813 erschienene Biblische Theologie (S. 154 f.). Es handelt sich um: Gottlob Philipp Christian Kaiser, Die biblische Theologie, oder Judaismus und Christianismus nach der grammatisch-historischen Interpretation und nach einer freymütigen Stellung in die kritisch-vergleichende Universalgeschichte der Religionen, und die universale Religion. Erster oder theoretischer Theil, Erlangen 1813[25]. In diesem Werk setzt sich der Verfasser die Aufgabe, „die grammatisch-historische Interpretationsmethode" mit „dem Gesichtspunkte der philosophischen Universalgeschichte der Religion" zu verbinden (Vorrede, S. III). Er will „frey von allem Supernaturalismus, oder Rationalismus" rein nach den Gesetzen grammatisch-historischer Methode universalreligionsgeschichtlich die biblischen Aussagen einordnen, gleichzeitig aber diese durch religionsgeschichtliche Vergleiche in ihrem Vorstellungsgehalt bestimmen (Vorrede, S. IV ff. 147 f.). Es ist hier nicht auf Kaisers völliges Mißverstehen religionsgeschichtlichen Vergleichens einzugehen, das der Verfasser zudem selbst in Bd. II, 2 seines Werkes (1821) weitgehend preisgegeben hat[26],

---

[24] Steins Ausführungen weitergeführt hat nach D. G. C. v. Cölln, Theol. I, S. 28 in seinem (mir bisher nicht zugänglichen) Werk: August Gottlieb Ferdinand Schirmer, Die Biblische Dogmatik in ihrer Stellung und in ihrem Verhältnis zu dem Ganzen der Theologie, Breslau 1820.

[25] Theil II, 1 „Der Cultus", 1814; Theil II, 2 „Moral" (auch unter dem Titel „Biblische Moral"), 1821.

[26] Vgl. zur Kritik bes. D. G. C. v. Cölln, Theol. I, S. 26 f.; F. C. Baur, Rezension von Kaiser, Th. I, in: Bengels Archiv für Theologie und ihre neueste Literatur, Bd. 2, 1818, S. 656–717.

sondern es ist nur hervorzuheben, daß hier G. L. Bauers Beitrag zur Biblischen Theologie ganz unzureichend eingeschätzt wird. Obwohl Kaiser Bauer vorwirft, nur philologisch-historisch zu arbeiten und darum die grammatisch-historische Methode unzulänglich anzuwenden (Vorrede, S. VI), benutzt und zitiert er ihn fast durchgängig in seinem Werk. Denn von ihm übernimmt er offensichtlich den Gedanken der ,stufenweisen Entwicklung' (S. 124 u. Anm. u. ö.), den er seinerseits auf eine religionsgeschichtliche, aber entsprechend seinen Grundsätzen historisch nicht mehr verifizierbare Stufenfolge bezieht. Weiter übernimmt er wesentlich von Bauer die Einbeziehung der Moral in die Biblische Theologie und gewinnt aus der Gabler-Bauerschen Sicht seine eigene Unterscheidung von Partikularismus und Universalismus: Insgesamt aber werden Bauers Methoden zur Gewinnung einer historisch-kritisch eruierten Biblischen Theologie, bei denen das historische Verstehen durch religionsgeschichtlichen Vergleich vor Willkür geschützt werden soll[27], von Kaiser durch willkürliche Anwendung in Frage gestellt.

Es ist über Stein hinaus das Verdienst von FERDINAND CHRISTIAN BAUR, in seiner umfangreichen Besprechung[28] nicht nur die methodischen Schwächen dieses Werkes, das sich seiner Meinung nach zu Unrecht als ,,Biblische Theologie" bezeichnet, aufgezeigt zu haben, sondern vor allem nachgewiesen zu haben, daß Kaiser trotz eigener Bestreitung sachlich in starker Abhängigkeit von methodischen Einsichten des Rationalismus, gemeint sind Gabler und Bauer, steht, diese aber in ihren Anliegen völlig mißverstanden hat (S. 660ff. 674. 683. 708f.)[29]. Abgesehen von der Durchführung im einzelnen aber ist von Kaiser die – freilich von Bauer methodisch begründete – notwendige Zusammengehörigkeit von Biblischer Theologie und religionsgeschichtlicher Arbeit (erneut) gesehen worden, wie auch Baur betont (S. 656f. 681 u. ö.)[30].

Wichtiger als Kaisers Werk ist Baurs Besprechung desselben. Denn über die Kritik hinaus bestimmt Baur hier – wohl erstmalig innerhalb seines Schrifttums – methodisch die Biblische Theologie als eine konsequent historisch zu bearbeitende (S. 683. 708f. u. ö.)[31]. Wenn es in seinen nachgelassenen ,,Vor-

---

[27] Vgl. o. S. 160 u. ö.

[28] S. Anm. 26.

[29] BAURS häufige Berufung auf Rationalismus u. Supernaturalismus ergibt sich sachgemäß daraus, daß Kaiser diese beiden Richtungen ablehnt, Baur aber seine geistige Verwandtschaft mit ihnen nachweist. Man wird deshalb dieser Rezension *nicht nur* entnehmen können, daß sich B. zur Zeit der Abfassung dieser Bespr. diesen Richtungen verbunden wußte, anders z. T. GOTTH. MÜLLER, Identität und Immanenz, 1968, S. 179 ff.; W. GEIGER, s. Anm. 31; s. auch E. BARNIKOL, Das ideengeschichtliche Erbe HEGELS bei und seit STRAUSS und BAUR im 19. Jahrhundert, Wiss. Zeitschr. der Martin-Luther-Univ. Halle-Wittenberg, Gesellsch. u. sprachwiss. Reihe X, 1961, Heft 1, 1961, S. 287. – Zu Kaiser vgl. auch die vermutlich von J. PH. GABLER verfaßte Rezension in: Kritisches Journal der neuesten theologischen Literatur, hrsg. v. C. F. Ammon u. L. Bertholdt, Bd. 3, 1815, S. 92–98, die viele kritische Anfragen enthält. Für die Verfasserschaft Gablers spricht daß G. an dem Journal mitarbeitete und die Rezension mit seinem schon früher verwendeten Zeichen ,,G." unterzeichnet ist; D. SCHENKEL, s. Anm. 23, S. 48ff.

[30] Vgl. auch J. PH. GABLER (?), vor. Anm.

[31] Vgl. zu dieser Bespr. auch G. FRAEDRICH, Ferdinand Christian Baur..., 1909, S. 13ff.;

lesungen über neutestamentliche Theologie" heißt, daß weder Kaiser noch de Wette diesen konsequent historischen Standpunkt bei der Bearbeitung der Biblischen Theologie eingenommen haben[32], so ist die Grundlage der Beweisführung dafür in der genannten Rezension über Kaisers Werk gegeben.

4. Die Auswirkungen methodischer Unsicherheit

Waren durch die Werke von de Wette und Kaiser neue Fragestellungen sichtbar geworden und durch die Kritik an ihren Ausführungen methodische Grundfragen Gablers und Bauers zur Biblischen Theologie erneut zur Sprache gekommen, so vermochte die Diskussion doch zu keiner allseits überzeugenden Lösung zu führen. Die Ursache dafür ist vor allem erstens darin zu sehen, daß es den Vertretern einer rein historischen Biblischen Theologie nicht hinreichend gelang, methodisch den Zusammenhang von historisch-kritischer Arbeit und Interpretation im Rahmen der Biblischen Theologie einsichtig zu machen, und den Vertretern, die das Schwergewicht auf die Interpretation legten, es wiederum nicht möglich war, eine historisch-kritisch überzeugende Grundlage für diese zu liefern. Die schon bei Gabler und Bauer strittige Methodenfrage blieb als ungelöstes Problem, auch nachdem K. W. Stein beider Ansichten undifferenziert als Einheit dargestellt hatte. Dazu kommt ein Zweites: Die Unterscheidung der einzelnen Schriftsteller und ihrer Lehrbegriffe war zwar methodisch richtig erkannt, aber diese Lehrbegriffe wurden weithin doch nur nebeneinander gestellt, obwohl gerade Bauer von Band IV seiner „Biblischen Theologie des Neuen Testaments" an richtigere Ansichten vertrat und diese verteidigte. Aber diese Einzelheiten nahm man nicht zur Kenntnis. Drittens aber war – mit dem eben genannten Sachverhalt zusammenhängend – noch immer nicht hinreichend geklärt, wie sich die Unterschiede der einzelnen neutestamentlichen Schriftsteller und der von ihnen vorgetragenen Lehrbegriffe zur Einheit des Neuen Testaments verhalten.

Diese allgemeine methodische Unsicherheit führte zu einer rückläufigen Bewegung. Diese zunächst an ihren Hauptvertretern aufzuzeigen, ist berechtigt, weil dieses ‚negative' Nachwirken Gablers und Bauers in einem breiteren Strom die Situation der Neutestamentlichen Theologie bis zu F.C. Baur zeigt als die ‚positive' Weiterwirkung.

So konnten M.F.A. Lossius und D.L. Cramer in ihren Biblischen Theologien des Neuen Testaments[33] zwar in einem Abriß der Geschichte dieser Disziplin die wichtigsten methodischen Probleme mitteilen und selbst, soweit

---

H. Liebing, Historisch-kritische Theologie. Zum 100. Todestag von F. C. Baur am 2. Dez. 1960, ZThK 57, 1960, S. 306; W. Geiger, Spekulation und Kritik. Die Geschichtstheologie F.C.Baurs, 1964, S. 15.

[32] Vorl. ntl. Theol., S. 10f.

[33] S. Anm. 7. Beide Werke sind sehr ähnlich und beruhen auf der gleichen Grundlage. Lossius veröffentlichte die Nachschrift einer Vorlesung Cramers, während F.A.A.Näbe diese selbst herausgab.

es die „Formale Einleitung"[34] betrifft, sich in der Nachfolge G. L. Bauers stehend ausweisen, aber in der Durchführung sind sie einem rein an der Dogmatik ausgerichteten Schema erlegen. So heißt es einleitend bei Lossius: „Die biblische Theologie im weitesten Sinne des Worts ist die historische Darstellung und Entwickelung des in der Bibel enthaltenen Lehrbegriffs über das Verhältniss Gottes zu den Menschen und des Menschen zu Gott und begreift die biblische Anthropologie und Moral in sich" (S. 1)[35], und ebenso wie in dem Zitierten wird im weiteren Bauers Programm in wesentlichen Punkten genannt (S. 3). „Hauptsächlich aber ist die historische Interpretation" zu beachten, zu der im weiteren Sinne die psychologische und philosophische hinzugehört (S. 4). Auch hier bleibt insofern Bauers Anliegen gewahrt, als Lossius versucht, in der historisch-kritisch zu eruierenden Biblischen Theologie Rekonstruktion und Interpretation zu vereinen.

Besonders aufschlußreich sind die methodischen Konsequenzen, die er für seine eigene Darstellung daraus zieht. Es gibt nach Lossius grundsätzlich nur drei Möglichkeiten: Entweder man befolgt Bauers Methode, indem man jeden neutestamentlichen Schriftsteller für sich behandelt, oder man faßt die neutestamentlichen Lehrbegriffe zusammen und ordnet sie systematisch unter bestimmte Hauptpunkte, oder man verbindet beide Methoden (S. 11 f.). Diese dritte Methode aber ist keine andere als die ehedem angewendete: Die neutestamentlichen Lehrbegriffe sind einer etwas modifizierten Dogmatik untergeordnet, damit aber ist die in der Einleitung so betonte historische Darstellung völlig preisgegeben, bzw. – und darin liegt der methodisch weitaus schwerwiegendere Fehler – es wird die dogmatische Darstellung als historische ausgegeben! Das Eingehen auf Lossius wäre unberechtigt, wenn nicht seine (und Cramers) Biblische Theologie des Neuen Testaments eine weitreichende, das 19. Jahrhundert stark beeinflussende Bedeutung erlangt hätte[36].

Bevor darauf eingegangen wird, ist auf ein zweites, ebenfalls 1825 erschienenes Werk zu verweisen: L. J. RÜCKERTS Christliche Philosophie, Geschichte und Bibel nach ihren wahren Beziehungen zueinander dargestellt, Leipzig 1825, in dem im 2. Bd., S. 109 ff., die christliche Philosophie der „*Bibel*. D. h. systematische Darstellung der theologischen Ansichten des Neuen Testaments" geboten wird. Zwar ist dem Neuen Testament keine Systematik eigen (S. 124), aber die „Persönlichkeit" der neutestamentlichen Schriftsteller (S. 119. 125) und „die Erfahrung der Jahrhunderte" (S. 123) lehren, daß man „die Darstellung der Lehre des N. Ts. zwar systematisch anordnen, aber innerhalb dieser Anordnung genaue Rücksicht auf die Ansichten der einzelnen Verfasser nehmen" muß (S. 128). Aber es wird dann im Voraus dogmatisch festgelegt, daß die meisten neutestamentlichen Lehren eine Sonderung der einzelnen neutesta-

---

[34] Vgl. LOSSIUS, S. 1 ff.
[35] Vgl. dazu bis in die Formulierungen hinein G. L. BAUER, Bibl. Theol. NT, Bd. I, 1800, S. 4.
[36] Vgl. auch CHR. FR. SCHMID, s. Anm. 5, S. 143 ff.

mentlichen Schriftsteller nicht erforderlich mache (S. 128ff.), und es werden darum wie bei Lossius in einer etwas modifizierten dogmatischen Anordnung die neutestamentlichen Lehrbegriffe den dogmatischen Loci untergeordnet.

Nach dem Erscheinen von Lossius' Biblischer Theologie ist hier zunächst LUDWIG FRIEDRICH OTTO BAUMGARTEN-CRUSIUS zu nennen, dessen „Grundzüge der biblischen Theologie" (Jena 1828) den mit stärksten Rückschlag für die Disziplin bedeutete. Hier wird nicht nur Altes und Neues Testament wieder auf eine Ebene aufgetragen, sondern auch seine Unterscheidung von allgemeiner und besonderer biblischer Theologie lassen keinerlei historische Fragestellung erkennen, obwohl er eine historische biblische Theologie schon aufgrund der von ihm anerkannten grammatisch-historischen Schriftauslegung fordert (S. 5f.). Die Unterschiede zwischen den einzelnen Schriftstellern und ihren Lehrformen werden zwar gesehen, aber als unbedeutend nivelliert, weil es nicht auf das Einzelne, sondern auf das die Einzelheiten umschließende Ganze der Biblischen Theologie ankomme. Damit aber ist jeder geschichtlichen Fragestellung der Boden entzogen. Und wenn Baumgarten-Crusius sich für seine Arbeit u.a. auf KAISER, DE WETTE und LOSSIUS beruft (S. 10), so ist deutlich, wo die Urheber und die Ursachen dieses methodischen Rückfalls zu suchen sind[37].

Seit Lossius (und bis zu einem gewissen Grade Rückert) kann man von einem Auseinanderbrechen von methodischer Einleitung und Durchführung sprechen, das sich, abgesehen von Einzelheiten, in den sog. konservativen Biblischen Theologien von Baumgarten-Crusius an zeitlich bis zum Erscheinen von F.C. BAURS „Vorlesungen über neutestamentliche Theologie.., Leipzig 1864, nachweisen läßt.

Einen Fortschritt schien AUGUST NEANDER in seinem Werk „Geschichte der Pflanzung und Leitung der christlichen Kirche durch die Apostel als selbständiger Nachtrag zu der allgemeinen Geschichte der christlichen Religion und Kirche", Bd. I.II, Hamburg 1832/33 zu bringen. Nachdem der erste Band eine Geschichte der apostolischen Zeit auf biblischer Grundlage geboten hatte, bringt der zweite Band eine Unterscheidung der verschiedenen Apostel als Persönlichkeiten (S. 419–501) und anschließend die gesonderte Behandlung ihrer Lehrbegriffe (S. 501–711). Neander unterscheidet dabei „*drei eigenthümliche Grundrichtungen*": „die paulinische, die jakobische und zwischen beiden die petrinische als ein vermittelndes Glied, ... und die johanneische" (S. 502). Doch das Ergebnis liegt im Voraus fest: Diese „Verschiedenheit" soll nur dazu „dienen", die „Lehre Christi" „in der Mannigfaltigkeit" als „die *lebendige* Einheit" herauszustellen (S. 501f.). Damit ist die Unterscheidung der verschiedenen Lehrbegriffe als im Grunde überflüssig gekennzeichnet, sie miteinander zu vergleichen entfällt, denn ein Gegensatz in den Anschauungen kann ohne-

---

[37] Vgl. auch die umfassende Bespr. von D. G. C. v. CÖLLN, in: Allg. Lit. Ztg. (Jena) Halle, 1829, Nr. 21, Sp. 161–168; Nr. 22, Sp. 169–176; Nr. 23, Sp. 177–184; Nr. 24, Sp. 185–188; CHR. FR. SCHMID, s. Anm. 5, S. 144f.; F. C. BAUR, Vorl. ntl. Theol., S. 14ff.

hin nicht bestehen, und der einzige kurze Vergleich zwischen paulinischem und johanneischem Lehrbegriff vermag nur festzustellen, daß beide sich bestens ergänzen (S. 711), wenngleich Paulus der stärker Argumentierende ist. Neander weiß um die Unterscheidung der einzelnen Lehrbegriffe, aber Mannigfaltigkeit und Einheit sind bei ihm in sich völlig starre Begriffe, darum vermag er auch daraus keine Konsequenzen für eine historisch-kritisch zu bearbeitende Biblische Theologie zu ziehen[38]. Steht Neander auch auf der gleichen Linie mit den Vorgenannten und ist im Endergebnis seine Methode keine andere als die von Lossius, so hat er doch bei aller Unzulänglichkeit in der Durchführung zwei Punkte wesentlich hervorgehoben: a) Die biblischen Lehrbegriffe müssen im Zusammenhang der Geschichte des Urchristentums gesehen werden, und b) das seit G. L. Bauer gesehene, von K. W. Stein besonders hervorgehobene Problem des Zusammenhangs von Mannigfaltigkeit und Einheit innerhalb der neutestamentlichen Lehrbegriffe.

Zunächst aber sollte nur das letztgenannte Problem unmittelbar nachwirken als Ausdruck der oben gekennzeichneten methodischen Unsicherheit bei der Gewinnung einer Biblischen Theologie.

Das nächste hier zu berücksichtigende Werk: J. L. Samuel Lutz, Biblische Dogmatik, Pforzheim 1847, zeigt diese Unsicherheit schlagend schon bei der Definition der Aufgabe, „das *System* der biblischen Lehre hervortreten zu lassen": „da das Ganze in seiner Einheit und in seinem Zusammenhang erscheinen soll, so können wir nicht nach geschichtlichen Perioden den Stoff einteilen. Ohne der Rücksicht auf die Modification der Lehre in den verschiedenen Perioden uns ganz zu entschlagen, ordnen wir doch den Stoff vielmehr nach der Eigenthümlichkeit und Einheit seines idealen Inhaltes, um nicht über dem historischen Fleiße die Sache selbst zu verlieren" (S. 12). Die Einheit der biblischen Lehren aber ist im „Werke Christi" gegeben (S. 13). Und wenn der Verfasser auch nicht ganz auf historische Fragen verzichtet (z. B. S. 268 ff.) seine nach den dogmatischen Loci ausgerichtete Fragestellung kann keine ernsthaften Unterschiede bei den neutestamentlichen Autoren ermitteln, so daß alle Schriften des Neuen Testaments vermischt und je nach Bedarf zitiert werden. Zudem werden Altes und Neues Testament wieder, wie bei Baumgarten-Crusius, auf einer Ebene stehend angesehen.

Das Problem der Einheit und Mannigfaltigkeit in der Neutestamentlichen Theologie wird dann bei Chr. Fr. Schmid zur Zentralfrage. Hatte er schon in seinem mehrfach zitierten Aufsatz, „Ueber das Interesse und den Stand der biblischen Theologie des Neuen Testaments in unserer Zeit"[39], Neanders Werk als wesentlichen Fortschritt für die Biblische Theologie bezeichnet (S. 159), weil er hier seine eigene Definition dieser Disziplin „als historisch-genetische Darstellung des Christenthums, wie dieses in den kanonischen Schriften des N. T. gegeben ist" (S. 125f.), vorbereitet sah, so wird diese These in seinem

---

[38] Vgl. auch die Kritik bei F. C. Baur, Vorl. ntl. Theol., S. 26ff.
[39] S. o. Anm. 5.

Werk „Biblische Theologie des Neuen Testamentes", hrsg. v. C. Weizsäcker, B. I.II, Stuttgart 1853, verwirklicht. Sie findet freilich in der Weise Gestalt, daß von historisch-genetischer Darstellung keine Rede sein kann. Ist schon die Definition, wie F. C. Baur klar erkannte, unhaltbar, weil die Entstehung des Christentums nicht aus dem Neuen Testament als alleiniger Quelle aufgezeigt werden kann[40], so ist auch die ‚historisch-kritische' Darstellung überhaupt unhaltbar. Denn um der Einheit der neutestamentlichen Lehre willen müssen die Unterschiede der neutestamentlichen Schriften nivelliert werden (I, S. 7), auch müssen um der höheren Einheit willen die Synoptiker und das Johannes-Evangelium zur Darstellung des Lebens Jesu in gleicher Weise verwendet werden (I, S. 7.33 ff.). Und wenn auch im II. Bd. („Das apostolische Zeitalter oder: Leben und Lehren der Apostel") die einzelne Apostelpersönlichkeit und ihre Lehrbegriffe gesondert dargestellt werden und auch die Geschichte des Urchristentums bruchstückhaft skizziert wird (II, S. 30 ff. 62 ff.), so wird doch die Einheit ihrer Anschauungen untereinander und zugleich mit der Lehre Jesu so stark in den Vordergrund geschoben, daß die Unterscheidung der Lehrbegriffe für eine „historisch-genetische" Darstellung überhaupt nichts austrägt (II, S. 70 ff. 74 ff. 84 ff. 355 ff.). Denn alle apostolischen Schriftsteller „hatten das Christenthum sich angeeignet einheitlich und als lebendiges, organisches Ganzes", und darum wird in den verschiedenen Lehrbegriffen der Apostel „das charakteristische Wesen des Christenthums in's Licht gesetzt" (II, S. 218).

Dieselbe Fragestellung, in etwas andere Worte gefaßt, liegt auch der Arbeit von Georg Ludwig Hahn, Die Theologie des Neuen Testaments, Bd. I, Leipzig 1854, zugrunde. Seine Definition der Theologie des Neuen Testaments bringt den Grundgedanken, der im folgenden entfaltet wird: „Die Theologie des Neuen Testaments ist die treue und wissenschaftliche Beschreibung des religiös-sittlichen Bewusstseins der christlichen Kirche im apostolischen Zeitalter, wie dasselbe aus den heiligen Schriften des Neuen Testamentes erkennbar ist, oder es ist die Beschreibung des christlichen Bewusstseins, wie dieses sich in dem Kreise der Apostel und Apostelschüler gestaltete, im Gegensatz zu allen späteren Gestaltungen desselben" (S. 1). In der Betonung des „Bewusstseins" ist die Vorentscheidung für die Darstellung gefallen: Das „Bewusstsein" ist nämlich die „Grundanschauung" aller neutestamentlichen Schriftsteller (S. 64 ff.), und nur, wenn diese zuvor festgelegt ist (S. 75 ff.), d.h. wenn die Einheit der neutestamentlichen Lehre außer Frage steht (S. 66 ff.), dann kann auch die „Mannigfaltigkeit", die Erörterung der Einzelanschauungen der verschiedenen Schriftsteller in den Blick treten (S. 66 f.). Eine Diskussion darüber in der Einzeldurchführung jedoch entfällt, weil hier nach dem Schema einer modifizierten Dogmatik, von der „Lehre von Gott" angefangen alle neutestamentlichen Schriften vermischt werden. Eine Verschiedenheit der neutestamentlichen Lehrbegriffe tritt überhaupt nicht in den Blick, was nach

[40] Vorl. ntl. Theol., S. 29 ff.

einem einleitenden Überblick über die Biblische Theologie als Wissenschaft
von fast 60 Seiten umso mehr auffällt, weil hier den Bearbeitern der Disziplin
von GEORG LORENZ BAUER an unzureichende historische Fragestellung zum
Vorwurf gemacht wird. Die methodischen Mängel von LOSSIUS begegnen im
hohen Maße bei Hahn wieder[41], und auch hier ist es der schwerwiegendste
Irrtum, daß man historisch zu arbeiten meinte.

Denselben methodischen Fehlern unterliegt schließlich HERMANN MEßNER,
in: „Die Lehre der Apostel", Leipzig 1856. Zwar betont er stärker die Unterschiede der einzelnen apostolischen Lehrbegriffe, auch weist er darauf hin, daß
darin ein methodisches Anliegen von GEORG LORENZ BAUER zur Geltung
kommt (S. 49 ff.), aber auch nach Meßners Sicht, die weithin abhängig ist von
NEANDER und CHR. FR. SCHMID, steht eine nicht den Schriften des Neuen
Testaments entnommene Grundanschauung allen Lehrunterschieden voraus,
so daß es hier ebenfalls belanglos ist, diese Unterschiede herauszuarbeiten, weil
keinerlei historische Konsequenzen daraus gezogen werden[42].

Die im ganzen erstaunliche Ähnlichkeit in der Argumentation der Genannten
hat ihre Hauptursache in den oben angeführten, bislang nicht hinreichend
geklärten Fragestellungen zur Methodik der Biblischen Theologie[43]. Doch am
schwerwiegendsten war, daß man mit der Übernahme von Bauers Methode der
„Lehrbegriffe" zugleich meinte, nun auch historisch diese aufgedeckt zu haben.
Die Lehrbegriffe blieben letztlich an die kirchliche Lehre und damit an die
dogmatischen Loci gebunden. Der einzige Unterschied bestand darin, daß man
den neutestamentlichen Aussagen ein stärkeres Gewicht einräumte. Daß Bauer
mit der Herausarbeitung der Lehrbegriffe die Bearbeitung der historisch-
kritischen Biblischen Theologie verband, blieb weithin unklar. Man sah freilich
was Bauer geschaffen hatte, und man deckte unbeschadet der eigenen methodischen Unzulänglichkeit Schwächen bei ihm auf, aber man wußte diese nicht
zu überwinden. Das lag nicht zuletzt daran, daß man Bauers Programm und
dessen Durchführung nur unzureichend zur Kenntnis nahm. So kann z. B.
HAHN zutreffend feststellen: „Bauer ist der erste, welcher die Theologie des
N. T. als eine rein *historische* Wissenschaft durchzuführen den Versuch macht"
(S. 44) und gleichzeitig sein Werk insgesamt der Oberflächlichkeit zeihen,
denn seine Darstellung sei nicht historisch, sondern nur auf die Kritik am kirchlichen System seiner Zeit ausgerichtet, kurz: Bauer sei der Vertreter des
„Rationalismus vulgaris" (S. 43 ff.). Die Fehleinschätzung des Rationalismus
im 19. Jahrhundert hat zugleich zu einer Fehlentwicklung der Biblischen
Theologie geführt, bzw. ihr den Weg zu einer methodisch klaren Durchführung
erschwert.

Schließlich ist im Hinblick auf das Methodenproblem auffallend, daß nicht
Gabler, sondern Bauer diskutiert wird. Von Gabler nimmt man das Programm

[41] Vgl. zu Hahn auch F. C. BAUR, Vorl. ntl. Theol., S. 31 ff.
[42] Vgl. auch F. C. BAUR, Vorl. ntl. Theol., S. 31 ff.
[43] Vgl. o. S. 216 f.

der Antrittsrede als ,Urdatum' der Biblischen Theologie als eigenständiger Disziplin zur Kenntnis, doch Bauer wird diskutiert, weil er die entsprechenden Lehrbücher vorgelegt hat und in ihnen die Methode der Lehrbegriffe zur Anwendung brachte. Aber in einem, und vielleicht dem entscheidenden negativen Punkt, war offenbar Gabler – zumindest indirekt – der Verantwortliche: Indem die Genannten mit Hilfe der ,,Lehrbegriffe" letztlich eine Dogmatik auf neutestamentlicher Grundlage schufen[44], nicht aber eine Neutestamentliche Theologie.

Diese genannten Gesichtspunkte sind auch im folgenden zu berücksichtigen, wenn nunmehr der dornenreiche Weg zu einer wirklich historisch-kritischen Biblischen Theologie im 19. Jahrhundert kurz nachgezeichnet werden soll.

5. D. G. C. v. Cölln und die Biblische Theologie

Einzusetzen ist hier bei DANIEL G. C. v. CÖLLN, dem Doktoranden und Privatdozenten in der Philosophischen und a. o. Professor der Theologie in der Theologischen Fakultät der Universität Marburg[45], der als der letzte Bearbeiter einer Biblischen Theologie im Sinne des Rationalismus gilt[46].

Noch bevor sein posthum von D. Schulz herausgegebenes Werk ,,Biblische Theologie. Erster Band: Die biblische Theologie des alten Testaments; Zweiter Band: Die biblische Theologie des neuen Testaments", Leipzig 1836 erschien, hatte sich v. Cölln 1829 in einer Besprechung von BAUMGARTEN–CRUSIUS, Grundzüge der biblischen Theologie (1828)[47] aufgrund der völligen Ablehnung dieses Werkes grundsätzlich zur Methode der Biblischen Theologie geäußert. Mit eingehenden Verweisen auf J. PH. GABLER, G. L. BAUER und W. MÜNSCHER (Sp. 163.170) begründet er die Notwendigkeit einer rein historisch zu bearbeitenden Biblischen Theologie (Sp. 161 f.), deren Aufgabe es sei zu zeigen, daß ,,die Bibel ... nicht eine Religions*lehre*, sondern eine Religions*geschichte*" bieten und darum ,,weniger aus Begriffen, als aus der Verknüpfung der Thatsachen überzeugen" wolle (Sp. 161 f.). Das aber verlangt, streng historisch die Entwicklung innerhalb der Bibel aufzuzeigen, wobei die stärkere Herausstellung und Charakterisierung der Perioden, der die einzelnen biblischen Autoren zugehören, besonders hilfreich ist (Sp. 163 f.). Und da Vernunft und Offenbarung ,,niemals einen Gegensatz in der Bibel bilden" (Sp. 182), ist auch für v. Cölln der Rationalismus eine Methode historischen Verstehens.

Diese methodischen Erwägungen sind die Voraussetzung für das Verständnis

---

[44] Vgl. stellvertretend J. L. S. LUTZ, Bibl. Dogmatik, S. 12, wo auch ausdrücklich die Höherbewertung der ,,Sache" und damit der Interpretation gegenüber der historischen Verifizierung zur Geltung kommt. Allerdings wird z. St. weder auf Gabler verwiesen noch eine nähere Begründung gegeben; vgl. zu Lutz auch D. SCHENKEL, s. Anm. 23, S. 55 ff.

[45] Über v. CÖLLN vgl. Catalogus Professorum Academiae Marburgensis. Die akademischen Lehrer der Philipps-Universität in Marburg von 1527–1910, bearb. v. F. Gundlach, 1927, Nr. 89 (S. 58).

[46] Vgl. F. C. BAUR, Vorl. ntl. Theol., S. 16 ff.

[47] Vgl. o. Anm. 37.

von v. Cöllns Biblischer Theologie. Nachdem anhand der Geschichte der Disziplin (I, S. 18–29) die entscheidenden methodischen Mängel der bisherigen Bearbeitungen aufgedeckt sind (I, S. 29 f.) und festgestellt ist, „daß der Begriff
der biblischen Theologie als einer lediglich historischen Wissenschaft noch in
keiner der bisherigen Darstellungen streng aufgefaßt und richtig durchgeführt
sei" (I, S. 29), gibt v. Cölln sein eigenes Programm bekannt:

Fünf Gesichtspunkte sind zu berücksichtigen, wobei für alle als Voraussetzung
gilt, sich nur „von *historischen Principien* leiten [zu] lassen" (I, S. 30).

1. Man muß auf „sorgfältige Unterscheidung der Zeiten und Lehrer, sowie
der unmittelbaren und mittelbaren Darstellung und Lehre" achten (I, S. 30).
Das heißt: Es sind nicht nur Altes und Neues Testament voneinander zu scheiden, sondern auch historisch die „Stufen in der Entwickelung der religiösen
Cultur zu ermitteln und danach ihre Eintheilung des Stoffes nach Zeitab-
schnitten oder Perioden zu bilden" (I, S. 31). Das verlangt sowohl die Aufteilung in Hebraismus und Judaismus als auch die Unterscheidung der „*Evan-
gelische(n) Lehre* oder Darstellung der von Jesu selbst vorgetragenen religiösen
Ideen" von der „*apostolische(n) Lehre*" (I, S. 31). Voraussetzung dafür wiederum
ist die Untersuchung der Beschaffenheit der Quellen. Weiter sind „die äußeren
Verhältnisse des Volkes und der Lehrer in einem jeden Zeitabschnitt nach
ihren Veränderungen im Großen und inwiefern sie auf die Lehre einwirkten,
darzulegen" (I, S. 32), verbunden mit einem Überblick über die Geschichte
des Volkes Israel (Altes Testament) bzw. der apostolischen Zeit (Neues Testament). Diese umfangreichen, schon über die Biblische Theologie im eigentlichen Sinne hinausgehenden Untersuchungen sind deshalb notwendig, weil
nur so ermittelt werden kann, „welche allgemeine religiöse Absicht bei …
Allen" innerhalb eines Zeitabschnitts oder einer Periode „zu Grunde liegt"
(I, S. 32). Es kommt v. Cölln bei diesem ersten Punkt darauf an – und das ist
das Ziel seiner Ausführungen – historisch zu zeigen, worin bei aller Individualität
der einzelnen biblischen Autoren das Gemeinsame einer Epoche sich findet,
welche gleichen oder ähnlichen Motive und Anschauungen sich als tragend
erweisen. Doch zugleich warnt er vor einer falschen Systematisierung: es darf
„kein gleichförmiges Schema durch alle Abschnitte hindurch gewählt werden.
Bei der Darstellung eines jeden Religionsbegriffs aber fordern die Gesetze des
geschichtlichen Vortrags, daß die chronologische Succession, so weit sie sich
nur irgend durch kritische Forschung sichern läßt, festgehalten werde" (I, S. 32).

2. Wird „strenges Festhalten der Ansicht und Denkart der biblischen
Lehrer und Schriftsteller bei der Auffassung und Stellung ihrer Religionsbegriffe"
gefordert (I, S. 30). Diese Forderung ist gegen jedes kirchliche System und
jedes philosophische „Parteiinteresse" gerichtet. „Denn die geschichtliche
Darstellung der Religionsbegriffe eines Volkes soll sich darauf beschränken,
daß sie die religiösen Vorstellungen sowohl ihrem Inhalte als auch ihrer Verbindung nach genau so wieder gibt, wie sie in den ursprünglichen Zeugen sich
aussprechen" (I, S. 33).

3. Wird „Darlegung und Erläuterung der symbolisch-mythischen Ein-
kleidungsformen und des Verhältnisses derselben zu den reinen Begriffen
sowohl, als auch zu der Ueberzeugung des Lehrers" erörtert (I, S. 30). v. Cölln
versteht diesen Punkt als eine Entfaltung des vorigen, indem er einerseits der
Meinung ist, daß die biblischen Schriftsteller weitgehend in mythischer Sprache
und in Symbolen sich äußerten, aber daß sie gleichzeitig sich über die mythische
Einkleidung kraft eigenen Verstandes zu erheben wußten (I, S. 33f.; vgl. I,
S. 15f.).

Die 4. Forderung ist eine Präzisierung der ersten: „Erläuterung des Verhältnisses der Lehren und Lehrarten zu den jedesmaligen äußeren Zuständen des
Volkes, namentlich zu den Ort- und Zeitbedingungen, unter welchen sie sich
bildeten" (I, S. 30). Es geht hier um eine „kritische Uebersicht über die Geschichte des Volks", um zu zeigen, inwieweit diese Geschichte die „religiöse
Bildung" beeinflußt hat (I, S. 34).

Die 5. Forderung: „Nachweisung des Ursprungs der Begriffe in den ersten
Quellen"(I, S. 30), hängt damit unmittelbar zusammen. Hier wird, wie die Erläuterung zeigt, einmal gefordert, die einzelnen Begriffe auf ihre Entstehung zurückzuführen, andererseits wird der religionsgeschichtliche Vergleich angestrebt,
um zu zeigen, welche biblischen Vorstellungen religionsgeschichtlich abgeleitet
werden können. „Jedoch ist Behutsamkeit bei der Auswahl dieser Analogieen
zu empfehlen, da die Aehnlichkeit oft nur täuschend ist und die richtige Ansicht des biblischen Begriffs leicht durch eine schiefe Zusammenstellung mit
halbwahren Analogieen getrübt wird" (I, S. 35).

Diese ausführliche Behandlung des methodischen Ansatzes von v. Cölln ist
aus mehreren Gründen geboten. Es wird hier unmittelbar deutlich, daß G. L.
Bauers Programm der Biblischen Theologie weitgehend übernommen worden
ist. Schon die im Rahmen eines Überblickes über die Geschichte dieser Disziplin ungewöhnliche Anführung fast aller Arbeiten Bauers (I, S. 24f.) und die
ausdrückliche Feststellung, daß Bauer „das Verdienst gebührt, den historischen
Charakter der Wissenschaft [der Bibl. Theol.] wenigstens im Allgemeinen so
richtig erkannt als festgehalten zu haben" (I, S. 25) zeigt, daß v. Cölln gewillt
ist, diesem Ansatz zur vollen Geltung zu verhelfen. Das findet auch darin
seinen Ausdruck, daß er Bauers Anliegen bis in dessen jüngste Schriften hinein
verfolgt und dadurch in der Lage ist, das von Bauer erst relativ spät gesehene
Problem von Isolierung und Zusammengehörigkeit der biblischen Vorstellungen an methodisch zentrale Stelle zu rücken. Das zeigt sich weiter darin, daß
er Partikularismus und Universalismus in der historisch-kritisch bearbeiteten
Biblischen Theologie behandelt und in den Zusammenhang historischer Ent-
wicklungsstufen stellt (I, S. 121. 179. 357. 365. 472. 479, bes. 251ff. 284ff.).
Das Anliegen Bauers kommt schließlich darin zur Geltung, daß v. Cölln der
Mythenerforschung für die Biblische Theologie grundlegende Bedeutung beimißt. Auch werden historischer, als es etwa bei de Wette der Fall war, Jesu
Lehre von der der Apostel geschieden, werden innerhalb der „Lehre der

Apostel" der palästinische, der alexandrinische und der paulinische Lehrbegriff
von einander geschieden und so die Lehrbegriffe stärker in die Geschichte des
Urchristentums verankert, als dies bisher geschah[48]. Auch ist der Verfasser
bemüht, den dargebotenen Stoff und die daraus sich ergebenden Gesichtspunkte
allein aus den biblischen Schriften zu erheben[49]. Über diese Einzelheiten hinaus
aber zeigt sich vor allem darin die Berührung mit G.L. Bauer, daß v. Cölln sich
selbst als gemäßigten Rationalisten ausgab, der in seinem Rationalismus eine
Methode historischen Verstehens sah. Er ist nicht von ungefähr ein Schüler des
ebenfalls gemäßigten Rationalisten W. MÜNSCHER, dessen „Handbuch der
christlichen Dogmengeschichte" er in 3. Aufl. völlig neu bearbeitet und herausgegeben hat[50], des Mannes, der auch auf G.L. Bauer einen nicht unbedeutenden Einfluß ausübte. Und so ist es auch nicht verwunderlich, daß v. Cölln in der
Biblischen Theologie des Neuen Testaments den Beginn der Dogmengeschichte sah[51].

Und dennoch konnte dieser Biblischen Theologie kein voller Erfolg zuteil
werden, weil in die methodische Durchführung zu viel hereingepreßt wurde:
Die Herausarbeitung von Partikularismus und Universalismus wurde nämlich
in der Weise mit dem methodischen Problem von Rekonstruktion und Interpretation verbunden, daß v. Cölln gleichzeitig von mythisch-symbolischer wie
von mythisch-unsymbolischer Ausdrucksweise der biblischen Autoren sprach
und jeweils Lokales und Temporelles wie bleibend Gültiges entsprechend
gleichzeitig klären wollte (vgl. etwa II, S. 88.107 ff. 112 ff.). Dazu bedurfte es der
historisch nicht ausweisbaren Konstruktion, daß die einzelnen biblischen
Schriftsteller in jedem Augenblick wußten, ob sie bildlich = symbolisch oder
unbildlich = unsymbolisch, aber in beiden Fällen mythisch sprachen. Die Interpretation im Rahmen der historisch-kritischen Darstellung (und Rekonstruktion) der Biblischen Theologie vollzog sich nach v. Cölln durch die biblischen
Autoren selbst. Auch wenn damit einerseits aufgezeigt werden sollte, daß die
göttliche Offenbarung in den von Menschen verfaßten Urkunden sich stets auch
unter Lokalem und Temporellem verbirgt, aber sich zugleich als das durchge-
hend Bleibende und Gültige erweist, was nach v. Cölln den biblischen Autoren
ständig vor Augen steht, und wenn andererseits damit bewiesen werden sollte,
daß bei der Bearbeitung der historisch-kritischen Biblischen Theologie die
Aufgabe der Interpretation ebenfalls zur Geltung komme[52], so war damit doch
das Zeugnis des einzelnen biblischen Schriftstellers einer nicht mehr kon-
trollierbaren Willkür preisgegeben. Diese schlug sich in der Biblischen Theologie v. Cöllns in der Weise nieder, daß die aus den einzelnen Autoren gewonne-

---

[48] Vgl. auch F. C. BAUR, Vorl. ntl. Theol., S. 19.
[49] Dieser Sachverhalt wird noch in diesem Jahrhundert anerkennend hervorgehoben bei
H. WEINEL, Bibl. Theol. d. NT, ³1921, S. 3.
[50] Bd. I, Cassel 1832; Bd. II, Cassel 1834; vgl. auch D. Schulz in D. G. C. v. CÖLLN,
Theol. I, S. XV u. Anm. + ebdt.
[51] Vgl. zu Münscher o. S. 160 u. Anm. 43 ebdt.

nen Lehrbegriffe in nicht geringem Maße mit einer modifizierten Dogmatik übereinstimmten.

Die Ursache für diese die Durchführung der Biblischen Theologie belastende Konstruktion ist einmal in der Vermischung der Ansichten der ,mythischen Schule' mit einem nicht mit Sicherheit nachweisbaren Symbolbegriff gegeben, den an die biblischen Schriften heranzutragen kein für die Bearbeitung der Biblischen Theologie zu rechtfertigender Anlaß gegeben war und der weder für die Rekonstruktion noch für die Interpretation eine sachliche Hilfe bot[53]. Zum andern liegt die Ursache darin, daß v. Cölln Gablers *und* Bauers Anliegen voll verwirklichen wollte, beider Positionen aber undifferenziert addierte und meinte, nunmehr die historisch-kritische Biblische Theologie erstellt zu haben, statt die Unterschiede herauszuarbeiten und diese in der Durchführung kritisch zu berücksichtigen. Auch bei der methodischen Unzulänglichkeit der Durchführung – nicht im Ansatz – aber zeigt sich dennoch, daß hier erstmals Gablers und Bauers Programme der Biblischen Theologie in einer umfassenden Darstellung geboten wurden, die trotz ihrer Mängel an Gründlichkeit und Scharfsinn auf lange Zeit hin nicht überboten werden sollte.

6. F.C. Baur und die Neutestamentliche Theologie

Es muß als gewagt erscheinen, im Anschluß an D.G.C. von Cöllns Beitrag zur Biblischen Theologie FERDINAND CHRISTIAN BAURS Sicht dieser Disziplin zu behandeln. Und doch ist es gerade er, der in seiner wohl frühesten Veröffentlichung, unter dem Einfluß des Rationalismus stehend, die rein historisch-

---

[52] Das übersieht D. SCHENKEL, s. Anm. 23, S. 53 f., wenn er mit dem Hinweis auf W. VATKE, Die Religion des Alten Testamentes I, 1835, S. 13 (ff.) von Cölln den Vorwurf macht, er wolle eine rein historische Bibl. Theol. unter Ausscheidung der Interpretation. Diese für v. Cölln maßgebende Fragestellung übergeht H.-J. KRAUS, S. 60 ff. Sie kann bei ihm nicht in den Blick kommen, weil er die Bedeutung G. L. Bauers (u. Gablers) für dessen Werk nicht aufzeigt.

[53] Da der Herausgeber nur die wichtigsten zum Verständnis von v. CÖLLNS Bibl. Theol. notwendigen Literaturhinweise bietet, läßt sich anhand dieser wenigen Hinweise nur eine Vermutung äußern: Vermutlich hat v. Cölln G. L. BAUERS Werk über ,,Hebräische Mythologie…" (1802) mit GEORG FRIEDRICH CREUZERS Werk über ,,Symbolik und Mythologie der alten Völker, besonders der Griechen," Leipzig u. Darmstadt 1810–1812 verbunden, jedenfalls werden beide zitiert (I, S. 24 Anm. 24; S. 34). Creuzer, ein Schüler C. G. Heynes, verband seinerseits Ansichten der ,mythischen Schule' mit Gedanken der spekulativen Philosophie und Mythendeutung F. W. Schellings, unter dessen Einfluß er geraten war (vgl. dazu auch H. STEPHAN/M. SCHMIDT, Geschichte der deutschen evangelischen Theologie seit dem deutschen Idealismus, [2]1960, S. 75). Sein Werk über die Mythologie ist in sich ziemlich unsystematisch, ,,ohne irgendwann sich einmal über das Wesen des Symbols und des Mythos schlüssig zu werden" (zit. bei GOTTH. MÜLLER, s. Anm. 29, S. 186). – Daß v. Cölln gerade zu diesem Werke griff, legt sich deshalb nahe, weil er durch seine Marburger Zeit mit Creuzers weiterer Familie freundschaftlich verbunden war (vgl. auch D. Schulz in v. Cölln, Theol. I, S. VIII). Daß nicht F.C. BAURS Werk über ,,Symbolik und Mythologie" (1825) zugrunde liegt, läßt sich einmal daraus erschließen, daß es nicht bei v. Cölln zitiert ist, zum anderen daraus, daß sonst Baur in seiner Kritik an v. Cöllns Bibl. Theol. darauf hingewiesen hätte, wenn sein eigenes Werk mißverständlich verwendet worden wäre (Vorl. ntl. Theol., S. 16 ff.).

kritische Behandlung der Biblischen Theologie gefordert hatte[54]. Er ist es auch, der trotz seiner Hinwendung zu HEGEL[55] niemals das rationalistische Erbe völlig aufgegeben hat[56]. Und wenn sich Baur auch gegen den Rationalismus wenden konnte, weil dieser ungeschichtlich sei, so war er gelegentlich zu solchem Urteil gedrängt und weniger dem allgemeinen Urteil seiner Zeit über den Rationalismus erlegen, jedenfalls hat er selbst aus solchem Urteil weitreichende Konsequenzen nicht gezogen[57]. Seine den „Vorlesungen über neutestamentliche Theologie", Leipzig 1864, vorangestellte „Einleitung" ist dafür ein deutlicher Beweis: Hier wendet er sich einerseits gegen „die Subjectivität des Rationalismus", von der man keinen „reingeschichtlichen Gesichtspunkt" erwarten kann (S. 10f.), weil der „rationalistischen Geschichtsanschauung" ein „Eingehen in das concrete Leben der Geschichte" abgeht (S. 16). Andererseits aber übernimmt er einen wesentlichen rationalistischen Punkt, indem er feststellt, daß die neutestamentliche Theologie in einem „natürlichen Verwandtschafts-Verhältniss" zur Dogmengeschichte stehe und selbst „die christliche Dogmengeschichte in ihrem Verlauf innerhalb des neuen Testaments" biete (S. 30.33). Baur steht hier – zumindest in formaler Hinsicht – in der Nachfolge der Rationalisten G. L. BAUER, W. MÜNSCHER und D. G. C. v. CÖLLN[58], wenngleich er gegenüber den Genannten erhebliche methodische Einwände hat[59]. Gleichzeitig aber hat er des Rationalisten v. CÖLLN Biblische Theologie bis in Formulierungen hinein übernehmen können[60]. Es ergibt sich daraus für Baurs Neutestamentliche Theologie insgesamt, daß der Rationalismus zumindest eine der Grundlagen darstellt, die ihn mit den Begründern der Biblischen Theologie als Wissenschaft verbindet, freilich ein Rationalismus, den zu bestimmen nur im Zusammenhang mit Baurs Geschichtsverständnis selbst möglich ist.

Es ist hier nämlich in aller Kürze geltend zu machen, daß Baurs Neutestamentliche Theologie den Abschluß in seinem Gesamtwerk bildet, den Abschluß

---

[54] Vgl. o. Anm. 26 (Bespr. von Kaisers Bibl. Theol., S. 683, 708f. u. ö.).

[55] Vgl. dazu etwa G. FRAEDRICH, s. Anm. 31, S. 93ff.; K. BARTH, Die protestantische Theologie im 19. Jahrhundert, 1947, S. 450ff., 454ff.; CHR. SENFT, Wahrhaftigkeit und Wahrheit, 1956, S. 47ff.; H. LIEBING, Ferdinand Christian Baurs Kritik an Schleiermachers Glaubenslehre, ZThK 54, 1957, S. 225ff.; W. G. KÜMMEL, NT, S. 173; E. BARNIKOL, s. Anm. 29, S. 281ff.; W. GEIGER, s. Anm. 31 (im folgenden mit aaO zitiert), S. 42ff.; P. C. HODGSON, A Study of Ferdinand Christian Baur: The Formation of Historical Theology, 1966, S. 64ff. u. ö.; P. MEINHOLD, Geschichte der kirchlichen Historiographie II, 1967, S. 170ff.

[56] Vgl. die Nachweise bei W. G. KÜMMEL, NT, S. 162, 172 (mit Belegen); E. KÄSEMANN, Einführung in: F. C. BAUR, Ausgewählte Werke in Einzelausgaben, Bd. I, Historisch-kritische Untersuchungen zum Neuen Testament, hrsg. von K. Scholder, 1963, S. XV, XVII; E. BARNIKOL, Ferdinand Christian Baur als rationalistisch-kirchlicher Theologe, 1970, S. 6ff., 24ff. u. ö. (passim).

[57] Vgl. etwa F. C. BAUR, Kirchengeschichte des 19. Jahrhunderts, hrsg. v. E. Zeller, Tübingen 1862, S. 99ff.; weiter E. KÄSEMANN, aaO, S. XV, XVII (auch zum Folgenden); P. C. HODGSON, aaO, S. 153ff. (passim).

[58] Vgl. o. S. 160, 165f., 183, 225.

[59] Vgl. Vorl. ntl. Theol., S. 8ff., 16ff. (Bauer u. v. Cölln); zu Münscher s. die Nachweise bei G. FRAEDRICH, s. Anm. 31, S. 135.

[60] Vgl. o. S. 37 Anm. 5.

auch dafür, wie er im Bereich der neutestamentlichen Forschung ‚Geschichte' verstand. Der vom Rationalismus und Supranaturalismus (letzterer in württembergisch-pietistischer Prägung) herkommende Baur ist in seinem Geschichtsverständnis, wie neuere Forschungen gezeigt haben[61], sowohl von BARTHOLD GEORG NIEBUHR, LEOPOLD V. RANKE wie von GEORG WILHELM FRIEDRICH HEGEL beeinflußt, wobei es „zunächst gleichgültig" ist, „ob die geschichtliche Entwicklung genetisch, wie bei Niebuhr und – etwas vorsichtiger – auch bei Ranke, oder ob sie dialektisch, wie bei Hegel, verstanden wird", entscheidend ist, daß für Baur in der Nachfolge der Genannten „die Geschichte als Ganzes einen einheitlichen und sinnerfüllten Geschehenszusammenhang bildet, und daß dieser Zusammenhang die Voraussetzung des geschichtlichen Verstehens überhaupt darstellt"[62]. Daß Geschichte immer einen Geschehenszusammenhang verlangt, sich folglich nicht in einem Aneinanderreihen von Fakten vollzieht, ist die für unsere Fragestellung grundlegende Einsicht, die sich Baur aus den Erkenntnissen der Genannten ergibt. Damit sind sowohl für seine historischen Einzeluntersuchungen überhaupt wie auch für seine Neutestamentliche Theologie die Weichen gestellt. Immer geht es darum, bei der Einzeluntersuchung das Ganze zu sehen, folglich, auch die exegetischen Einzeluntersuchungen in einen historischen Zusammenhang zu stellen[63].

Folgerichtig[64] setzt der Kirchenhistoriker Baur bei Einzeluntersuchungen zu den paulinischen Briefen ein, den ältesten erreichbaren authentischen Zeugnissen, wie er später in seinem Werk „Paulus, der Apostel Jesu Christi", Stuttgart 1845, S. 5, rechtfertigt (vgl. auch ebdt., Vorrede, S. III ff.), um hier, noch ehe er mit Hegels dialektischer Geschichtsauffassung in Berührung kommt[65], exegetisch festzustellen, daß das Urchristentum keineswegs eine einheitliche Größe darstellt, sondern von Parteiungen und „Tendenzen" bestimmt wird. „Es galt, die jeweilige ‚Tendenz' … innerhalb des urchristlich-neutestamentlichen Spannungsfeldes zu ermitteln, so daß historische Kritik jetzt eine dogmengeschichtliche Tiefe in der Tendenzkritik erhielt"[66], in deren Folge es unabdingbar wurde, die einzelnen „Lehrbegriffe", aus den urchristlichen Auseinandersetzungen erwachsen, voll in die Geschichte der apostolischen Zeit hineinzustellen. Seit Baurs frühen exegetischen Arbeiten[67] ist der in seiner Theologie des Neuen Testaments abschließend zum Tragen kommende

---

[61] Vgl. H. LIEBING, Historisch-kritische Theologie (s. Anm. 31), S. 305 ff.; K. SCHOLDER, Ferdinand Christian Baur als Historiker, EvTh 21, 1961, S. 435 ff.

[62] So K. SCHOLDER, aaO, S. 442, 445.

[63] Vgl. auch E. KÄSEMANN, aaO, S. XI.

[64] Vgl. auch ST. NEILL, The Interpretation of the New Testament 1861–1961, 1964, S. 23.

[65] Vgl. auch W. G. KÜMMEL, NT, Anm. 170 mit Verweis auf P. C. HODGSON, aaO, S. 22, 196 Anm. 175.

[66] Vgl. E. KÄSEMANN, aaO, S. XI.

[67] Deren wichtigste sind jetzt zusammengestellt in am Anm. 55 ang. Ort, bes. „Die Christuspartei in der korinthischen Gemeinde, der Gegensatz des petrinischen und paulinischen Christenthums in der ältesten Kirche, der Apostel Petrus in Rom" (S. 1–146 im Nachdruck).

Gesichtspunkt beherrschend, daß es kein Nebeneinander, sondern nur ein aufgrund geschichtlichen Prozesses bedingtes Gegen- und Ineinander der Lehrbegriffe geben kann. Das der Generation vor und neben Baur hinsichtlich der
Biblischen Theologie eigene Problem, wie sich die Lehrbegriffe der einzelnen
neutestamentlichen Schriftsteller zum Ganzen der Lehre des Neuen Testaments
verhalten, ist für ihn historisch-kritisch dahingehend entschieden, daß sie in den
übergeordneten Geschehenszusammenhang des Urchristentums eingereiht
werden. Nicht die Einzelheiten und auch nicht, daß Baurs zunächst rein auf
exegetischem Weg gewonnene Einsichten von etwa 1835 an unter dem Einfluß Hegels die Grundlage seiner Geschichtskonstruktion darstellten, ist in
unserem Zusammenhang zu behandeln, sondern nur, inwieweit die historisch
(und philosophisch!) herausgearbeitete Tendenz[68], die sich in Thesis, Anti-
thesis und Synthesis, nämlich in Judenchristentum (petrinisch, ntl. Hauptwerk: Matthäus-Evangelium, Apokalypse), Heidenchristentum (paulinisch,
geprägt durch die 4 Paulusbriefe: Gal.; I.II. Kor.; Röm.; Lukas-Evangelium)
und ‚altkatholisch‘-ausgleichender Kirche (durch das Markus-Evangelium vorbereitet, im Joh.-Evangelium vermittelt, in der Apostelgeschichte durchgeführt)
niederschlug, unmittelbar etwas für die Neutestamentliche Theologie als Disziplin austrägt. D. h. es ist hier zunächst zu beachten, daß die Einzeluntersuchungen Baurs zum Neuen Testament, die, wie gezeigt, mit Arbeiten zu den
paulinischen Briefen beginnen, eine abschließende Gesamtschau in dem Werk
„Paulus, der Apostel Jesu Christi“ (1845) erhielt. In dem Untertitel ist nicht
nur dem Inhalt nach, sondern auch sachlich das Entscheidende gesagt: „Sein
Leben und Wirken, seine Briefe und seine Lehre. Ein Beitrag zu einer kritischen
Geschichte des Urchristenthums“. Die kritische Destruktion der Apostelgeschichte (S. 16 ff.), die überkritische Reduzierung der Paulusbriefe auf die
vier Hauptbriefe Gal.; I. II. Kor.; Röm. (S. 247 ff.), wird konstruktiv in die
Geschichte des Urchristentums eingegliedert, um auf dieser historisch-kritisch
eruierten Grundlage den „Lehrbegriff des Apostels“ zu rekonstruieren und ihn
historisch zu verankern (S. 507 ff.). Wird schon hier deutlich, in welch hohem
Maße Baurs neutestamentliche Arbeiten auf die ‚Rekonstruktion‘ hin ausgerichtet sind, so zeigt sich das auch in dem zweiten großen Komplex seiner
Veröffentlichungen zum Neuen Testament, die den Evangelisten gewidmet
sind. Nach dem Abschluß der Arbeiten zu Paulus, den „Primärquellen“ (vgl. Paulus, S. 5), bearbeitet er nach den gleichen Prinzipien die „Sekundärquellen“[69],
worunter als die größte Leistung die völlige Herauslösung des Johannes-
Evangeliums und seine Beurteilung als historisch minderwertige Quelle für
die Geschichte und Lehre Jesu anzusehen ist in: Ueber die Composition und
den Charakter des johanneischen Evangeliums, in: Theologische Jahrbücher
1844, S. 1–191. 397–471. 615–700. Dieser umfangreiche Aufsatz wie das 1847,
vor allem auch der Auseinandersetzung mit D. F. Strauß’s ‚Leben Jesu‘ (1835/36)

---

[68] Vgl. dazu jetzt H. Küng, Menschwerdung Gottes, 1970, S. 574.
[69] Vgl. auch K. Scholder, aaO, S. 446f.

geltend, erschienene Werk „Kritische Untersuchungen über die kanonischen Evangelien, ihr Verhältniß zueinander, ihren Charakter und Ursprung" (Tübingen) bilden, trotz der völlig unzureichenden Beurteilung der synoptischen Quellen in letzterem [70] die Grundlage für sein Verständnis der Person und der Lehre Jesu, indem die Tendenz der Synoptiker und die des Joh. Evangeliums deutlich von einander geschieden werden und gezeigt, wird, daß in der Sicht des 4. Evangeliums eine entwicklungsgeschichtlich fortgeschrittenere Tendenz sichtbar wird (vgl. etwa S. 73 ff. 108. 316 ff. 386 ff.) [71]. Diese Einsichten sind die Grundlage für die Bearbeitung der Neutestamentlichen Theologie, für deren Gestaltung insgesamt Baur in seinem Werk „Geschichte des Christenthums und der christlichen Kirche in den drei ersten Jahrhunderten", Tübingen 1853, feststellt, daß im Neuen Testament eine Gedanken*entwicklung* sichtbar wird, die besonders eindrücklich in der Christologie zur Geltung kommt: Die paulinische Christologie steht zwischen der synoptischen Christusanschauung und dem johanneischen Christusbild (S. 283 ff.) [72]. Dieser Gedankenentwicklung kann aber nur dann Rechnung getragen werden, wenn man die herkömmliche Einteilung der neutestamentlichen Schriften, beginnend mit den Evangelien, schließend mit der Apokalypse, preisgibt, sich also nicht an die seit der alten Kirche geltende Reihenfolge, sondern an eine diese Entwicklung zur Geltung bringende Periodisierung hält [73]. Damit ist, wenngleich auch nur an einem Punkte, gezeigt, daß der Bearbeitung der Neutestamentlichen Theologie die Klärung der „Einleitungs"-fragen vorausgehen muß, wie Baur in dem genannten, umfangreichen Aufsatz darlegt [74]. Denn „die Einleitung wird sich … öfters veranlaßt sehen, zur festern Begründung ihrer Resultate in das Gebiet der neutestamentlichen Theologie, deren Grundlage sie ist, hinüberzugreifen" [75].

Baurs nachgelassene „Vorlesungen über neutestamentliche Theologie" stellen insgesamt die Zusammenfassung seiner Arbeit am Neuen Testament dar, wie sein Sohn FERD. FRIEDR. BAUR zutreffend im Vorwort bemerkt (S. IV).

Die für das gesamte Werk kennzeichnendsten Abschnitte der Einleitung sind: „Strauss und die neuere Kritik" (S. 20 ff.), „Die Gestaltung der neutestamentlichen Theologie auf dem jetzigen Standpunkt der Wissenschaft" (S. 27 ff.) und „Eintheilung der neutestamentlichen Theologie. Ihre drei Perioden" (S. 38 ff.). Schon im Zusammenhang über ‚Begriff und Geschichte' der

---

[70] Vgl. W. G. KÜMMEL, NT, S. 171 f. Zur Auseinandersetzung mit D. F. Strauß vgl. lehrreich die von E. BARNIKOL, s. Anm. 29, S. 290 ff., 292 ff., 297 ff. mitgeteilten Briefe von D. F. STRAUSS, CHR. MÄRKLIN u. F. C. BAUR.

[71] Wichtigste Quellenauszüge bei W. G. KÜMMEL, NT, S. 169 ff.

[72] Vgl. auch W. G. KÜMMEL, NT, S. 174 ff.

[73] Vgl. F. C. BAUR, Die Einleitung in das Neue Testament als theologische Wissenschaft. Ihr Begriff und ihre Aufgabe, ihr Entwicklungsgang und ihr innerer Organismus, Theologische Jahrbücher 10, 1851, S. 317 f.; vgl. auch W. GEIGER, aaO, S. 184 ff., 192 ff.

[74] Vgl. vor. Anm., Bd. 9, 1850, S. 463–556; Bd. 10, 1851, S. 70–94, 222–253, 291–329. Zu dieser Abhandlung s. W. GEIGER, aaO (vor. Anm.); W. G. KÜMMEL, „Einleitung in das NT" als theologische Aufgabe, Heilsgeschehen u. Geschichte 1965, S. 343, 345, 349.

[75] So F. C. BAUR, ebdt., 10, 1851, S. 319; vgl. auch Vorl. ntl. Theol., S. 42.

Disziplin stellt Baur heraus, daß „die biblische Theologie eine rein geschichtliche Wissenschaft sein" sollte (S. 1). An diesem Maßstab werden nicht nur die bisher vorgelegten Biblischen Theologien gemessen (S. 2–19. 33 ff.), sondern er ist auch die Grundlage für Aufbau und Durchführung seiner eigenen Neutestamentlichen Theologie.

„Wenn man die neutestamentliche Theologie streng nach ihrem geschichtlichen Begriff behandelt, so ist es nicht genug, mehrere Lehrbegriffe zu unterscheiden …, sondern es muß auch ein Fortschritt der Entwicklung nachgewiesen werden, welcher um so bedeutender sein wird, je grösser der Zeitraum ist, auf welchen sich die neutestamentliche Theologie erstreckt" (S. 38). Damit fällt der Bearbeitung der neutestamentlichen Theologie einmal die entscheidende Aufgabe zu, sowohl den Zeitraum wie die einzelnen Perioden, denen die Autoren der neutestamentlichen Schriften zuzuordnen sind, genau abzugrenzen (S. 38 ff.), als auch den Entwicklungsgang selbst durch das Ineinander und Gegeneinander der Lehrbegriffe im geschichtlichen Prozeß aufzudecken. Es sind „drei Perioden mit verschiedenen Lehrbegriffen" zu unterscheiden: Die erste ist charakterisiert durch die Lehrbegriffe der vier paulinischen Hauptbriefe, Gal.[76]; I.II. Kor.; Röm., als den „am weitesten vom Judenthum" entfernten (S. 207) im Gegensatz zu dem der Apokalypse des Johannes, der sich „näher und unmittelbarer an das Judenthum" anschließt (S. 207). In die zweite Periode gehören der Hebr. und kleinere Paulusbriefe, I.II. Petr.- und Jakobusbrief, synopt. Evgln. und Apostelgeschichte mit ihren Lehrbegriffen, zum dritten schließlich die Pastoralbriefe und die joh. Briefe mit ihren Lehrbegriffen. Je weiter die einzelnen Perioden chronologisch auseinandergezogen werden können, desto auffälliger werden die Unterschiede in den jeweils ihnen zugrundeliegenden Lehrbegriffen. Darum ist es Baurs Bemühen, die Abfassung der neutestamentlichen Schriften auf einen möglichst großen Zeitraum zu verteilen, denn er will für die Periodisierung die Kanonsgrenze grundsätzlich nicht aufgeben: „Da nun die neutestamentliche Theologie ganz auf den in den Schriften des neuen Testaments gegebenen Quellen beruht, so kann der Zeitraum, welchen sie umfasst, nur nach der Zeit bestimmt werden, in welche die Abfassung der sie betreffenden Schriften fällt" (S. 38 ff.). Diese Periodisierung aber unterliegt einer von Baur klar erkannten Schwierigkeit: In ihr kommt die „Lehre Jesu" nicht zur Geltung, da die erste der drei Perioden mit den vier paulinischen Hauptbriefen, also mit „der nach dem Tode Jesu beginnenden Zeit" einsetzt (S. 39). Folglich muß der Lehre Jesu eine eigene, von den drei genannten Perioden unterschiedene zukommen, was Baur zugleich damit begründet, daß Jesu Lehre zeitlich und sachlich den „Quellenschriften" – gemeint sind die Synoptiker und das Johannesevangelium gemäß der oben genannten Wertung – voransteht. Es ist die ‚Periode', für die es keine „rein historische Relation" gibt (S. 21), weil ja keiner der Verfasser der neutestamentlichen Schriften

---

[76] Von Baur auch in seinen übrigen ntl. Untersuchungen stets vorangestellt.

„Augen"- oder „Ohrenzeuge" war. Entsprechend gilt, daß weder die Verfasser der Synoptiker, unter denen aufgrund der Quellenlage ,Matthäus' der zuverlässigste Berichterstatter sein soll, noch der Verfasser des Johannesevangeliums „blosse Referenten" sind (S. 21 ff.).

Aus dieser Feststellung ergibt sich ein Doppeltes:

1. Entfallen auch die Evangelisten als Berichterstatter für die Lehre und die Person Jesu, „um so mehr erhalten sie dagegen die Bedeutung von Schriftstellern, deren Schriften selbst wieder eine Quelle der neutestamentlichen Theologie sind". Denn „in jedem der vier Evangelien stellt sich das Bewusstsein der Zeit, welcher sie angehören, in einer neuen eigenthümlichen Gestalt dar, und je weiter wir sie nach der Verschiedenheit der Zeit ihrer Entstehung und der Individualität ihrer Verfasser auseinanderhalten müssen, um so wichtigere Urkunden werden sie für die Entwicklungsgeschichte der neutestamentlichen Theologie" (S. 24). Die Evangelien als literarische und theologische Produkte ihrer Verfasser werden also in den Prozeß geschichtlicher Entwicklung einbezogen, nicht aber die Lehre Jesu selbst. Das beweist noch deutlicher der zweite Gesichtspunkt:

2. In der Aufnahme seiner oben genannten Forschungen zum Johannesevangelium und zu den Synoptikern beweist Baur erneut, daß für die Lehre Jesu nur aus den drei ersten Evangelien Materialien zu gewinnen sind. Die aus ihnen eruierte Lehre ist der „Lehre der Apostel" voranzustellen, aber *nicht* als erste Periode in der Entwicklung der Lehrbegriffe. Denn „die Lehre Jesu ist das Principielle, zu welchem sich alles, was den eigentlichen Inhalt der neutestamentlichen Theologie ausmacht, nur als das Abgeleitete und Secundäre verhält, sie ist die Grundlage und Voraussetzung von allem, was in die Entwicklungsgeschichte des christlichen Bewusstseins gehört, sie ist ebendarum auch das über alle zeitliche Entwicklung Hinausliegende, ihr Vorangehende, Unmittelbare und Ursprüngliche, sie ist überhaupt nicht Theologie, sondern Religion" (S. 45; vgl. 127).

Diese Feststellung Baurs ist in ihren Konsequenzen nach zwei Seiten hin abschließend zu bedenken:

1. Die eine und eigentlich selbstverständliche Seite ist die, daß Baur seinen einleitenden Ausführungen entsprechend seine Theologie im einzelnen zur Darstellung bringt: Auf die Lehre Jesu folgen die drei genannten Perioden, nachdem in einem „Übergang" von der „Lehre Jesu" zur „Lehre der Apostel" der Glaube der Jünger an die Auferstehung als der *Beginn* der Theologie des Neuen Testaments skizziert wurde (S. 123 ff. 127)[77]. Abschließend wird der ausgleichende und in den Gegensätzen vermittelnde Charakter des Johannesevangeliums betont (S. 406).

---

[77] Vgl. auch K. SCHOLDER, aaO, S. 453 ff., bes. 456.

2. Wichtiger ist die andere Seite: Sie führt zu dem eingangs Ausgeführten zurück. Indem Baur die einmal aus den Synoptikern rekonstruierte Lehre Jesu dem geschichtlichen Prozeß der Periodisierung entnimmt, bekräftigt er zum einen die schon früher erörterte These, daß die Lehre und die Person Jesu kein Gegenstand der Dogmengeschichte seien[78]. Damit aber ist vorausgesetzt, daß in der Lehre Jesu „der unwandelbare Grund aller geschichtlichen Bewegung" gegeben ist[79]. Obwohl Baurs Verständnis der Dogmengeschichte nicht ohne den Einfluß Hegels denkbar ist[80], ist doch auch eine wichtige Berührung mit den Begründern der Biblischen Theologie feststellbar, ja es läßt sich an diesem Punkt im Zusammenhang der Biblischen Theologie wahrscheinlich machen, daß, wie auch sonst im Werk Baurs, der Einfluß Hegels nicht überbewertet werden darf[81].

Eine Reihe von Gesichtspunkten lassen sich dafür geltend machen:

Dem entspricht zunächst, daß Baur gerade in historisch-kritischer Hinsicht kein grundsätzlicher Neuerer sein wollte[82]. Vielmehr stellt er in seinem „Paulus" (1. Aufl.), S. IV selbst fest: „Meine Methode der historischen Kritik kann ich als bekannt voraussetzen. Hat man mir ja neuestens sogar die zweideutige Ehre erwiesen, mich den Stifter und Meister einer neuen kritischen Schule zu nennen ... Ich wüßte nicht, was ich mir unter der bisherigen Kritik denken sollte, wenn ich die von mir befolgten Grundsätze als neu betrachten müßte. Nicht die Grundsätze können es seyn, an deren Neuheit man Anstoß nimmt, sondern nur die Ergebnisse, auf welche ihre Anwendung führt".

Ein weiterer Anhaltspunkt ergibt sich daraus, daß er in seinem Abriß über die Geschichte der Biblischen Theologie weder Gablers noch G. L. Bauers Programm ablehnt, sondern allein feststellt, daß das bisher Geleistete noch nicht für eine rein historische Darstellung der Neutestamentlichen Theologie hinreiche[83], und seine Kritik an den bisherigen Darstellungen der Dogmengeschichte richtet sich nicht gegen diese als solche, sondern dagegen, daß sie seiner Meinung nach zu stark pragmatisch ausgerichtet und darum in sich nicht Ausdruck des in ihr notwendigerweise liegenden geschichtlichen Prozesses war[84].

Und weiter: Baur weiß um Gablers Bemühen, im Rahmen der Biblischen Theologie die unwandelbaren Grundlagen für die Dogmatik zu schaffen[85].

---

[78] So in: Lehrbuch der christlichen Dogmengeschichte (1847) [2]1858, S. 6 Anm.; vgl. dazu W. Geiger, aaO, S. 113f.

[79] Vgl. Lehrbuch der christl. Dogmengesch., S. 5 u. die Zitate und Nachweise bei W. Geiger, vor. Anm.

[80] Vgl. W. Geiger, aaO, S. 96ff., 110 Anm. 60, S. 113ff., 116 Anm. 78; H. Küng, s. Anm. 68, S. 574 u. ö.

[81] Zu Letzterem vgl. auch H. Liebing, s. Anm. 31, S. 310; W. Geiger, aaO, S. 43 u. ö.

[82] Vgl. auch W. Geiger, aaO, S. 225ff.

[83] Vorl. ntl. Theol., S. 8ff.

[84] Vgl. auch G. Fraedrich, s. Anm. 31, S. 135.

[85] Vorl. ntl. Theol., S. 8, wo er, wie vorher v. Cölln, außerhalb der Antrittsrede Gablers auf einige von dessen grundlegenden Ausführungen verweist.

Dieser Gesichtspunkt aber ist ihm im Hinblick auf die Dogmatik unbrauchbar, nicht aber im Hinblick auf eine allein historisch-kritisch eruierte Theologie des Neuen Testaments. Denn, anders als v. Cölln, verbindet auch er Gablers und Bauers Programm, indem er die ,Rekonstruktion' der Neutestamentlichen Theologie auf das bleibend Gültige, die Lehre Jesu, als unwandelbare Grundlage baut, wobei dieses bleibend Gültige schon deshalb nicht dogmatisch im Voraus festgelegt werden kann, weil die Fakten dieser Grundlage historisch-kritisch aus der bzw. den Quellen eruiert werden und so die Grundlage selbst die historisch-kritische Voraussetzung Neutestamentlicher Theologie ist. Das liegt in der Konsequenz des Baur'schen Ansatzes der Neutestamentlichen Theologie, die auf ,Rekonstruktion' ausgerichtet ist, ohne dabei auf die Interpretation ganz verzichten zu wollen[86].

Baur konnte die methodischen Schwächen und Mängel seiner Vorgänger in der Bearbeitung der Biblischen Theologie aber vor allem deshalb besser überwinden, weil er über das historisch-kritische Verstehen im Rationalismus eines G.L. Bauers und D.G.C. v. Cöllns hinaus historische Geschehenszusammenhänge zu sehen und zu verstehen gelernt hatte, die jenen noch verborgen waren. Dazu gehört vor allem auch, daß Baur in der Erforschung der Einleitungsfragen um die Mitte des 19. Jahrhunderts wesentlich weitreichendere Erkenntnisse gegeben waren, als dies um 1800 möglich war.

Und schließlich: Baur hat die Methode der Lehrbegriffe, die als erster G.L. Bauer umfassend zur Anwendung brachte, beibehalten, obwohl der andere große, von Hegel beeinflußte Theologe, Wilhelm Vatke, gerade aufgrund des Hegelschen Einflusses diese Methode für die Biblische Theologie des Alten Testaments zu Fall gebracht und damit für diesen Bereich der Bibelwissenschaft endgültig beseitigt hat[87]. Das besagt: Baur verbindet in der Theologie des Neuen Testaments Fragestellungen und Methodik Hegels mit denen der Begründer der Biblischen Theologie als Disziplin. Er sucht um der Sache der Neutestamentlichen Theologie willen einen Ausgleich zwischen der philosophisch-dialektischen und der historisch-kritischen Methode und bereichert damit Gablers und G.L. Bauers methodische Beiträge zur Biblischen Theologie durch neue Einsichten. Indem er deren Ansätze und Begründungen konsequent historisch-kritisch in der Weise auswertet, daß er die Lehrbegriffe der neutestamentlichen Schriftsteller in der von ihm rekonstruierten Geschichte des Urchristentums verankert, bringt er zugleich sein eigenes rationalistisches Erbe gereinigt, nutzbringend und weiterführend in die Bearbeitung der Neutestamentlichen Theologie ein. Die in der Rezension von Kaisers Biblischer

---

[86] Vgl. zu Letzterem E. Käsemann, aaO, S. XVIII; K. Scholder, aaO, S. 456ff.; R. Bultmann, Theol. d. NT, [5]1965, S. 592.

[87] Vgl. den umfassenden Nachweis in dessen: Die Religion des Alten Testamentes nach den kanonischen Büchern entwickelt, Erster Theil (= Die biblische Theologie wissenschaftlich dargestellt, Erster Band), 1835, S. 1–174, bes. 157ff. – Vgl. auch L. Perlitt, Vatke und Wellhausen, 1965, S. 86ff., bes. 93–104; R. Smend, s. Anm. 16, S. 118: „Hegelianer ist Baur weniger gewesen als Vatke" und der dort gegebene Nachweis.

Theologie erhobene Forderung, daß die Biblische Theologie rein historisch-
kritisch bearbeitet werden müsse, hat Baur nicht nur weit vor der Zeit seiner
Berührung mit Hegel erhoben, sondern auch nach seiner Beeinflussung durch
ihn stets beibehalten. Mit F. C. Baurs Bearbeitung der Neutestamentlichen
Theologie ist deshalb der End- und Höhepunkt in der von J. Ph. Gabler und
G. L. Bauer inaugurierten Disziplin erreicht.

Es ist darum zusammenfassend festzustellen:

a) Der Weg der historisch-kritischen Erforschung der Theologie des Neuen
Testaments als selbständige Disziplin führt von Gabler und G. L. Bauer –
abgesehen von einigen wichtigen Hinweisen de Wettes – über v. Cölln zu
F. C. Baur.

b) Das Schwergewicht in der Durchführung der Neutestamentlichen Theologie liegt bei Baur auf der ,Rekonstruktion', nicht auf der Interpretation.
Damit ist Baurs Neutestamentliche Theologie näher bei G. L. Bauers Darstellung stehend als bei Gablers Programm.

c) Von G. L. Bauer übernimmt mit großer Wahrscheinlichkeit F. C. Baur
auch die Kennzeichnung seiner Methode als „historisch-kritische"[88].

d) Weiter gibt die immerhin erstaunliche Ähnlichkeit im methodischen Vorgehen beider Anlaß zum Vergleich: G. L. Bauers „Biblische Theologie des Neuen
Testaments" bietet die Zusammenfassung seiner bisherigen methodischen Erwägungen zur Biblischen Theologie, und insbesondere führt sein Vorgehen von
der „Einleitung" zur Biblischen Theologie. Für Baur ist die Einleitungswissenschaft die Voraussetzung der Neutestamentlichen Theologie, und sein Werk
darüber ist ebenfalls eine Zusammenfassung, nämlich die seiner neutestamentlichen Arbeiten.

e) Beide halten darüberhinaus aus inneren und äußeren Gründen an der neutestamentlichen Kanonsgrenze in ihren Theologien des Neuen Testaments fest.

f) Hatte schon G. L. Bauer gefordert, die Lehre und Person Jesu frei von der
Konzeption der Evangelisten darzustellen, und hatte er deshalb die Verkündi-
gung Jesu aus den Synoptikern kritisch eruiert, so geschieht dies auch bei
Baur – wenngleich in einem fortgeschritteneren Stadium historischer Kritik,
denn zwischen beider Darstellungen der Botschaft Jesu liegt das Werk von
DAVID FRIEDRICH STRAUSS über „Das Leben Jesu" (1835/36)[89]. Und wenn

---

[88] Vgl. o. S. 199 Anm. 145; zu BAURS histor.-krit. Methode vgl. H. LIEBING, s. Anm. 31,
S. 305 ff.

[89] Zu dem im ganzen religiös-sittlichen Bild, das Baur von der Botschaft u. Person Jesu
entwirft, vgl. Das Christenthum und die christliche Kirche der drei ersten Jahrhunderte,
²1860, S. 23 ff., bes. 35 ff.; ders., Vorl. ntl. Theol., S. 45–121; vgl. zusammenfassend E.
HIRSCH, Geschichte der neuern evgl. Theol., V, ²1960, S. 543 ff.; W. GEIGER, aaO, S. 87 ff.,
91: „Die rationalistische Stilisierung des Jesusbildes bedeutet für ihn [Baur] letzten Endes
dessen Rettung"; P. C. HODGSON, aaO, S. 224 ff. u. ö. – Baur unterscheidet sich bes. darin
von G. L. Bauer, daß dieser stärker die eschatologische Verkündigung Jesu betont (s. o.
S. 187). Hier ist F. C. Baur rationalistischer als der Rationalist Bauer (vgl. auch kritische
Untersuchungen zu den kanonischen Evangelien, 1847, S. 604 u. W. G. KÜMMEL, NT,
S. 172).

sich auch Baur mit G.L. Bauer in der methodischen Eruierung der Worte und Taten Jesu in vielen Einzelheiten berührt und wenn auch er wie G. L. Bauer der Meinung ist, daß die uns vorliegenden Synoptiker nicht die Grundlage für die Darstellung eines ‚Leben Jesu' bieten können, so ist doch der eine entscheidende Unterschied maßgebend: Für Baur gehört der Jesusteil in die unaufgebbare und bleibend gültige *Vorgeschichte* der Neutestamentlichen Theologie, für G.L. Bauer aber ist er *grundlegender, konstitutiver Bestandteil derselben.* Aus diesem Grunde konnte Baur Gablers These von den unwandelbaren, einfürallemal historisch-kritisch eruierten Bestandteilen der Biblischen Theologie aufgreifen, um dann freilich diesen unwandelbaren Bestand auf den Jesusteil seiner eigenen Theologie des Neuen Testaments festzulegen, der für den Historiker Baur der Boden ist, auf dem das Leben und die Bewegung gründen, die Neutestamentliche Theologie als Dogmengeschichte in den dialektischen Prozeß der Geschichte einreihen. Für G.L. Bauer dagegen gehört bereits der Jesusteil in den Beginn der Dogmengeschichte, der mit den neutestamentlichen Lehren insgesamt gegeben ist, herein.

g) Gerade weil sich Baur in seiner Neutestamentlichen Theologie in wesentlichen Punkten mit den Begründern der Biblischen Theologie berührt, ist auch das andere zu sehen: Seit F.C. Baur kommt Gabler und G.L. Bauer im wesentlichen historische, forschungsgeschichtliche, nicht aber aktuelle Bedeutung in der Bearbeitung der Theologie des Neuen Testaments zu. Man weiß um sie als Begründer der Disziplin, aber da ihre methodischen Erwägungen bei F.C. Baur verwertet sind, verweist man kaum noch auf diese selbst, sondern man übernimmt in der Nachfolge und in der Anknüpfung an F.C. Baur ihre Gedanken und Einsichten unbewußt.

C. PROBLEME NEUTESTAMENTLICHER THEOLOGIE SEIT F. C. BAUR[90]

Mit dem zuletzt Ausgeführten ist bereits der Schritt in die ‚Neuzeit' der Biblischen Theologie vollzogen. Das darf deshalb für den Zeitabschnitt von 1860 bis heute behauptet werden, weil Baurs Forschungen zum Neuen Testament, deren Zusammenfassung die „Vorlesungen über neutestamentliche Theologie" darstellen, in dem genannten Zeitraum in Zustimmung wie Kritik nachgewirkt haben, auch dort, wo man meinte, wieder zeitlich vor Baurs Erkenntnissen anknüpfen zu können.

---

[90] Zur Berechtigung, von Baurs Tod (1860) bis zur Gegenwart theologische Probleme durchzuziehen, vgl. auch St. Neill, s. Anm. 64, passim.

1. Neutestamentliche Theologie seit F.C. Baur bis zum Beginn der „Dialektischen Theologie"

Baurs Vorlesungen über neutestamentliche Theologie vermochten freilich deshalb nicht sofort fruchtbringend zu wirken, weil wesentliche Erkenntnisse und Fragestellungen in seinen Forschungen zum Urchristentum von seinen eigenen Schülern bis hin zur Unverständlichkeit radikal weiterentwickelt wurden. Die Auseinandersetzung mit den Konstruktionen und Thesen der Tübinger Schule stand für lange Zeit im Vordergrund und wirkte sich nur am Rande auch auf die Neutestamentliche Theologie unmittelbar aus[91].

Doch sind zwei, die Theologie des Neuen Testaments in der zweiten Hälfte des 19. Jahrhunderts beherrschende Einsichten dieser Kritik hier zu nennen:

a) Schon zu Lebzeiten F.C. Baurs hatte ÉDOUARD REUSS mit der Kritik an dessen Verständnis des Urchristentums zugleich die Darstellung einer „Geschichte der christlichen Theologie im apostolischen Zeitalter" verbunden[92], in der er zeigt, daß die verschiedenen, im Gegensatz zueinander stehenden Richtungen in der Zeit des Urchristentums weitaus differenzierter sind, als Baur um seiner Konstruktion willen zuzugeben vermochte: Zwischen dem Judenchristentum und Paulus gab es noch eine dritte, auf Ausgleich bedachte und vermittelnde Gruppe, zu der die Urapostel gerechnet werden müssen. Die Ansichten dieser Gruppe aber kommen nicht erst im geschichtlichen Entwicklungsprozeß nacheinander zur Geltung, sondern sie haben von Anfang an gleichzeitig bestanden. Und darum kann man nicht mit Baur von nur vier als von Paulus verfaßten Briefen aus argumentieren, sondern man muß sämtliche Schriften des Neuen Testaments in der geschichtlichen Situation des Urchristentums verankern. Mit diesen Forschungen verband Reuß ausdrücklich die Feststellung: „La théologie biblique est donc une science essentiellement historique. Elle ne démontre pas, elle raconte. Elle est le premier chapitre d'une histoire du dogme chrétien" (I, S. 11). Entsprechend werden „Methode und Plan" des Werkes begründet (I, S. 28 ff.). In einem ersten Buch wird die jüdische Umwelt, in die Jesus eintrat, aufgezeigt, abschließend mit der Person und der Verkündigung Johannes des Täufers, der noch dem Alten Bunde zugerechnet wird (I, S. 43 ff. 144 ff.). Im zweiten Buch folgt die Verkündigung Jesu auf synoptischer Grundlage, im Anschluß und in der Nachfolge D.G.C. v. CÖLLNS (I, S. 155 ff. 165), wie Reuß ausdrücklich feststellt, Damit ist eines der entscheidenden Charakteristika dieses Werkes genannt: Reuß weiß sich hinsichtlich des Jesusteils v. Cölln verpflichtet und insofern auch G.L. BAUER, auf dessen Bedeutung er andernorts verweist (I, S. 23 u. Anm. 1. 2). Denn Reuß bringt im folgenden eine ausführliche Behandlung sowohl der Botschaft wie der Person Jesu und stellt beides als den unabdingbaren Beginn des christ-

---

[91] Vgl. dazu W. G. KÜMMEL, NT, S. 177 ff., 201 ff.

[92] Histoire de la Théologie chrétienne au siècle apostolique, Tom. I. II, Strasbourg/Paris 1852.

lichen Dogmas dar. Wie bei von Cölln, der hierin seinerseits von Bauer abhängig ist, ist damit der Jesusteil fest mit der Biblischen Theologie und der im
folgenden gebotenen Theologie der Apostel (3.–5. Buch) verbunden. Und dieser
Teil ist auch dadurch mit dem Apostelteil verknüpft, daß es Reuß gelingt nachzuweisen, daß bereits Jesus in der Auseinandersetzung mit den Juden stand
und insofern schon bei ihm der Gegensatz deutlich wird, der dann das apostolische Zeitalter bestimmt (z. B. I, S. 180ff. 192ff. 211ff. 265ff.). Völlig unzureichend dagegen hat Reuß die eschatologische Verkündigung eingeschätzt
und auch für die apostolische Zeit deren Bedeutung bestritten[93]. Hierin liegt,
gemessen an G. L. Bauer, ein deutlicher Rückschritt, der schon in ähnlicher
Weise bei F. C. Baur erkennbar war. Im dritten bis fünften Buch werden die
entscheidenden Richtungen der apostolischen Zeit (Judenchristentum: Apokalypse und Jakobusbrief, I, S. 313ff. 372ff.), die antijüdische Polemik (Paulus,
II, S. 3ff.), johanneische Schriften (II, S. 275ff.) herausgearbeitet, um dann
im sechsten Buch die Richtungskämpfe seit der frühesten apostolischen Zeit
aufzuzeigen, wobei Reuß die Kanonsgrenze, weil sachlich und historisch
geboten, bewußt überschreitet (II, S. 505ff.). Dieses Werk zeigt, wie neben
F. C. Baur, ja in bewußter Kritik an ihm, wesentliche Einsichten von G. L.
Bauer und v. Cölln in einer die Geschichte des Urchristentums voll einbeziehenden ‚Biblischen Theologie' dargestellt werden konnten. Reuß hat sein Werk
als ‚Biblische Theologie' verstanden und gezeigt, daß historische Rekonstruktion theologische Fragestellungen nicht ausschließt, vielmehr eine auf ‚Rekonstruktion' beruhende Biblische Theologie immer auch die ‚Interpretation'
einschließt[94].

b) Besonders aber die von ihm herausgearbeitete Bedeutung der Verkündigung und der Person Jesu im Gesamtzusammenhang der Biblischen Theologie
sollte auch von anderer Seite her geltend gemacht werden: Ebenfalls in Kritik
an F. C. Baur und seiner Schule, die diese Fragestellung völlig überging, bearbeitete HEINRICH JULIUS HOLTZMANN die ‚Zwei-Quellentheorie'[95] mit dem
(in unserem Zusammenhang allein wichtigen) Ergebnis, daß das Markus-
evangelium wie eine zweite Quelle, die im Lukasevangelium am besten erkennbar sein soll, Grundlage seien für die Darstellung eines historisch zuver-
lässigen Jesusbildes, freilich jenes psychologisierenden liberalen Jesusbildes,
das auf die Bearbeitungen der Neutestamentlichen Theologie von etwa 1865

[93] Zu weiteren Einzelheiten, insbesondere auch den „Einleitungsfragen" im Gesamtwerk
von Reuß vgl. W. G. KÜMMEL, NT, S. 191ff., der mit Recht die forschungsgeschichtliche
Bedeutung dieses weithin vergessenen Gelehrten betont und zeigt, daß R. bereits 1842 –
also vor Baur! – sehr ähnliche Ansichten wie dieser vertrat.

[94] Vgl. etwa I, S. 1ff., 13ff., 28ff. u. ö.

[95] Die synoptischen Evangelien. Ihr Ursprung und geschichtlicher Charakter, Leipzig
1863; zu Vorgängern, Einzelheiten und wichtigsten Belegen vgl. W. G. KÜMMEL, NT, S. 185ff.;
insbesondere ist darauf hinzuweisen, daß Holtzmann für Jesu Verkündigung ebenso die
Naherwartung bestreitet wie zuvor Reuß. Zur Entstehung und Methode dieses Werkes vgl.
auch W. BAUER, H. J. Holtzmann. Ein Lebensbild, in: Aufsätze und kleine Schriften,
1967, S. 298ff.

bis 1900 nachhaltig einwirken sollte[96]. Daß F.C. BAUR selbst zu diesem Bilde durch seine „religiös-sittliche" Auffassung Jesu[97] beigetragen hat, ist dabei ebensowenig zu übersehen als auch, daß seine Bestreitung der Naherwartung in der Botschaft Jesu nicht ohne Nachwirkung war, Und doch hat gerade die Kritik an Baur verhängnisvoll die weitere Entwicklung der Neutestamentlichen Theologie beeinflußt.

Zunächst ist das „Lehrbuch der Biblischen Theologie des Neuen Testaments" (1868; [7]1903) von BERNHARD WEISS[98] zu nennen, der in seiner, das ganze Werk durchziehenden Kritik an F.C. Baur (vgl. etwa S. 47) und seiner Schule doch immer wieder positiv sich auf Baur beruft: „Die NTliche Theologie erfüllt ... vollkommen die Aufgabe, welche Baur in seinen Vorlesungen darüber ... ihr stellt" (S. 3 Anm. 1). Auch erklärt B. Weiß die Disziplin der Neutestamentlichen Theologie mit Baur für eine historische Wissenschaft, aber er bestreitet, daß in einer Neutestamentlichen Theologie erst der geschichtliche Charakter des Neuen Testaments bewiesen werden müsse, und lehnt es darum ab, bereits im Neuen Testament den Beginn der Dogmengeschichte zu sehen (S. 2 ff.) oder mit ihrer Hilfe die Geschichte des Urchristentums zu erhellen, denn „die biblische Theologie ist keine historisch-kritische, sondern eine historisch beschreibende Disciplin" (S. 8). Dennoch aber erkennt er die „innere Entwicklung" „der beiden Hauptrichtungen" – nämlich die „urapostolische" und die „paulinische" (S. 9) – an, und mit Hilfe der Lehrbegriffmethode sucht er dieser Entwicklung in seiner Darstellung gerecht zu werden. Auf die Darstellung der „Lehre Jesu nach der ältesten Überlieferung" folgt ein zweiter Teil: „Der urapostolische Lehrtropus in der vorpaulinischen Zeit", wozu die Apostelgeschichte und die Briefe der Apostel Petrus (I. Petr.) und Jakobus gehören. Dann folgt „der Paulinismus", in dessen Darstellung alle 13 Paulusbriefe als von Paulus verfaßt gehören, aber es werden die vier großen Briefe, die Gefangenschaftsbriefe und die Pastoralbriefe gesondert angeführt. Ein vierter Teil ist das Gegenstück zum zweiten: „Der urapostolische Lehrtropus in der nachpaulinischen Zeit" (Hebr., II. Petr., Jud., Apk.). Abschließend wird die johanneische Theologie behandelt, deren strenge Scheidung von den Synoptikern B. Weiß betont. Dieses zu seiner Zeit einflußreiche Lehrbuch (7. Aufl. 1903!) hinterläßt einen zwiespältigen Eindruck: B. Weiß will in der Nachfolge von G.L. BAUER sein Werk verstanden wissen (S. 45 Anm. a) und doch kann er sich zu historischer Fragestellung im Sinne F.C. Baurs nicht eigentlich durchringen (S. 45)[99]. Die Folge davon ist sowohl die Zuflucht zu den „Lehrbegriffen", mit denen er zwar Sachverhalte beschreibt, aber kein von

---

[96] Vgl. A. SCHWEITZER, Geschichte der Leben-Jesu-Forschung, Siebenstern-Taschenbuch, Bd. 77/78, Bd. 1, 1966, S. 219 ff., der dieses Bild rücksichtslos zerstört hat.

[97] S. o. Anm. 89.

[98] Vgl. dazu auch W. G. KÜMMEL, NT, S. 215 f.; H.-J. KRAUS, S. 151 ff.

[99] „Baur (so ist laut Druckfehlerverzeichnis richtig zu stellen) ... hat die Lehre Jesu auf eine ganz allgemeine sittlich-religiöse Grundanschauung zu reduciren gesucht. Es bleibt daher noch die Aufgabe, dieselbe ... in ihrem innern Zusammenhang darzustellen" (S. 45).

geschichtlicher Lebendigkeit zeugendes Bild zu zeichnen vermag, als auch die
Hinwendung zur ‚liberalen' Jesusdarstellung, die zwar auf quellenkritischer
Grundlage von Holtzmann begründet, für ihn als Konservativen aber von
historischer Fragestellung ablenkt und rein beschreibend ist[100], obwohl er ver-
hängnisvollerweise diese Beschreibung als historisch eruiert ansieht (S. 45. 48 ff.).

Mit ähnlichen methodischen Problemen ist „Die Theologie des Neuen
Testaments", 1869, von J. J. van Oosterzee belastet, der im Sinne von G.L.
Bauer „die Theologie" Jesu Christi (S. 40 ff.) zunächst getrennt nach den
Synoptikern (S. 44 ff.) und anschließend nach dem Evangelium des Johannes
(S. 80 ff.) behandelt, dann aber abschließend die „höhere Einheit" beider
herausstellt (S. 108 ff.) und damit die historische Fragestellung wieder preis-
gibt zugunsten eines einheitlichen Bildes Jesu[101].

Wie bei van Oosterzee ist auch in Willibald Beyschlags Neutestamentlicher Theologie oder Geschichtliche Darstellung der Lehren Jesu und des
Urchristenthums nach den neutestamentlichen Quellen, Bd. 1.2, 1891/92 die
Lehre Jesu das Beherrschende in der Gesamtdarstellung. Man sieht dem Werk
an, daß es aus einer Christologie (1865) erwachsen ist (I, Vorrede, S. 1), der ein
ausführliches „Leben Jesu", Teil I. II, 1885/86 folgte. Auch Beyschlag bringt
die Lehrbegriffe Jesu nach den Synoptikern und nach dem Johannesevangelium getrennt (I, S. 26–211; 213–293), aber letztere nicht, wie bei B. Weiß,
an einer, eine spätere Stufe des Urchristentums kennzeichnenden Stelle[102].
Dagegen ist sein übriges Werk in stärkerer Anlehnung an B. Weiß' Biblische
Theologie zu sehen, was auch darin zum Ausdruck kommt, daß er, abgesehen
von dem Lehrbegriff Jesu, den Lehrbegriff der johanneischen Schriften als
abschließende Stufe der „urapostolischen Lehrweisen" behandelt (II, S. 402 ff.),
freilich mit der Feststellung, daß dieser sich von den sonstigen Lehrbegriffen
im Neuen Testament kaum unterscheidet (II, S. 409). Die gesamte Darstellung,
und das ist das Wichtigste, spiegelt Beyschlags Verständnis von Biblischer
Theologie. Er stellt heraus, daß dieser Name ein Unding sei, weil er „eine
Theologie" bezeichne, „welche die Bibel selber hat und darreicht, die in der
Bibel selbst vorliegende Theologie". Die Bibel aber „enthält keine ‚Theologie'
im strengen Sinne des Wortes, keine *wissenschaftliche* Lehre von göttlichen
Dingen: sie enthält *Religion* im Unterschiede von Theologie" (I. S, 1 f.). Weil
sie nur Religion enthält, kann nach Beyschlag die historische und damit
kritische Bearbeitung der Theologie des Neuen Testament entfallen. Und
wenn er dennoch auf den Namen „biblische Theologie" nicht verzichten will,

---

[100] Es ist bezeichnend, daß außer in seiner Bibl. Theologie B. Weiss das „Leben Jesu" in
zwei umfangreichen Bänden dargestellt hat: Bd. 1. 2, [1]1882; [2]1884; vgl. dazu A. Schweitzer,
aaO, S. 239 f. u. Anm. 20 ebdt.

[101] Vgl. dazu auch B. Weiss, Bibl. Theol., [7]1903, S. 38 Anm. 1.

[102] A. Schweitzer, aaO, S. 238 ff. zeigt, daß in Beyschlags Leben Jesu trotz dieser
Trennung die einheitliche Lehre Jesu aus Synoptikern *und* Joh. Evgl. sich ergibt. In wie
starkem Maße van Oosterzee u. Beyschlag entsprechen, hat er jedoch nicht zur Kenntnis
genommen.

dann nur, weil er „Theologie" in einem „weiteren Sinne" versteht als *„Lehre und Lehrgehalt religiös-sittlicher Art*, auch ohne alle wissenschaftliche Form" (I, S. 2 [Zitat]ff.). Aus dieser Sicht resultiert nicht nur Beyschlags liberale Leben-Jesu-Darstellung, es zeigt sich darin das liberale Verständnis Neutestamentlicher Theologie.

Ehe darauf anhand des eine Epoche abschließenden Werkes von H.J. HOLTZ-MANN über Neutestamentliche Theologie (1897) nochmals eingegangen wird, muß auf die „Theologie des Neuen Testaments" (Bern 1877) von A. IMMER hingewiesen werden. Denn er hat in seiner Darstellung Ferdinand Christian Baurs Anliegen mit den Fragestellungen von v. Cölln und É. Reuß verbunden in Abwehr gegen die „rückläufige und apologetische Bewegung" in der Neutestamentlichen Theologie (S. 9.6ff.10.14f.), um sowohl die Verschiedenheit der neutestamentlichen Lehrbegriffe und Richtungen in ihrem Neben- und Nacheinander und somit in einem *„Entwicklungsprocess"* zur Geltung zu bringen als ihre Einheit in den *„Voraussetzungen"* und ihren *„Hauptideen oder Lehren"* aufzuzeigen (S. 549ff.). Beides muß deshalb untrennbar zusammengehören, weil zur „streng geschichtlichen Betrachtung" nicht nur „die Darstellung der einzelnen Schriften ... nach ihrer historisch-kritisch ermittelten Zeit- und Stufenfolge" gehört, sondern darin zugleich sichtbar wird, „daß die heiligen Schriftsteller nicht *Metaphysik, sondern Religion* lehren wollen" (S. VIIf.). Je mehr man deshalb auf die „Intention des Verfassers" der jeweiligen neutestamentlichen Schriften achtet (S. VIIIf.), ist es möglich, in der historischen Darstellung des genannten Entwicklungsprozesses die „neutestamentliche Religion" als die *„unvergängliche* Religion" zu eruieren (S. 553ff. 13ff.). Letztere ist bestimmt durch die „Religion Jesu", von der die Theologie der Apostel zu trennen ist: Paulus ist zwar nicht der zweite Gründer des Christentums, wohl aber „der Gründer einer neuen Anschauung von Christus" (S. 549f. 205ff.), und die unvergängliche Religion im apostolischen Schrifttum kommt in den Lehrbegriffen zur Geltung, die in Übereinstimmung sowohl der apostolischen Schriften untereinander als auch mit den aus den Synoptikern eruierten Lehrbegriffen Jesu stehen. Bei A. Immer werden ‚Rekonstruktion' und ‚Interpretation' in gleicher Weise berücksichtigt, weil sich für ihn mit der historischen Fragestellung die hermeneutische verbindet (S. VIII), weil er in der historischen Erforschung zugleich die theologische Aufgabe sieht, die die Bearbeitung der Neutestamentlichen Theologie stellt.

Wenngleich hier wesentliche Gesichtspunkte von Gablers und G.L. Bauers Begründungen der Biblischen Theologie nachzuweisen sind und sich A. Immer auf diese Begründer wie besonders auf v. Cölln, Reuß, F.C. Baur beruft, so wird man doch nur eine mittelbare Berührung mit den Begründern der Disziplin konstatieren dürfen. Das gilt, obwohl der Verfasser auch das ihnen wichtige Problem von Partikularismus und Universalismus unmittelbar aufgreift (z.B. S. 73.81 u.ö.). Es verbindet sich ihm nämlich mit ihrer Sicht der Biblischen Theologie das religiöse Verständnis neutestamentlicher Schriften, das, wie er selbst betont, erst nach F.C. Baur in den 60iger Jahren des 19. Jahrhunderts klarer heraustritt (S. 12ff.). Immers Werk selbst aber fand offensichtlich deshalb nicht die gebührende Berücksichtigung, weil sein Verfasser es wagte, sich zur Neutestamentlichen Theologie F.C. Baurs, wenngleich in einer gemäßigteren Form, zu bekennen.

Eine die aufgezeigten Strömungen in der Bearbeitung der Neutestamentlichen Theologie nach F. C. Baur souverän zusammenfassende Darstellung gibt HEINRICH JULIUS HOLTZMANN in seinem „Lehrbuch der Neutestamentlichen Theologie", Bd. I. II, 1897, das, besonders in seiner 2. Aufl. 1911, bis heute „vorbildlich in seiner kritischen Gewissenhaftigkeit" und Gründlichkeit geblieben ist[103]. Er sieht seine Aufgabe in einer „wissenschaftlichen Darstellung der Religion des NT oder bestimmter des religiösen und, sofern alle ethischen Fragen hier religiös bedingt sind, auch des sittlichen Gehaltes der kanonischen Schriften des NT". Daraus ergibt sich ihm, daß Neutestamentliche Theologie „wissenschaftliche Reconstruction der … religiös-sittlichen Gedankenwelt" ist, „und zwar sowohl nach der principiell einheitlichen Seite, welche sie der Betrachtung darbietet, wie auch der durch Individualitäten und Zeitströmungen bedingten Mannigfaltigkeit, Verschiedenheit, ja Gegensätzlichkeit" (I, S. 22). Sie erfüllt ihre Aufgabe nur als eine „Exegese und Kritik verwerthende, geschichtliche Disciplin", gerade weil in ihr der „Niederschlag einer religiösen Evolution" darzustellen ist (I, S. 23). Und so kann Holtzmann in seinen methodologischen Erwägungen abschließend feststellen: Es bleibt „nur noch der geschichtliche, und zwar der speciell dogmengeschichtliche" „Standpunkt", „daneben auch der allgemein religionsgeschichtliche übrig" (I, S. 23f.). Daraus folgt für den „Umfang" des zu behandelnden Stoffes, daß man „genöthigt" ist, „über den durch die kanonischen Schriften des NT abgegrenzten Rahmen nach vorwärts wie nach rückwärts hinauszugehen". Darum „muss für den Uebergang von der alten zur neuen Behandlungsweise, von der neutest. Theologie zur spätjüd. und urchristl. Religionsgeschichte jetzt schon Bahn gebrochen, es kann das NT und seine Religionswelt unmöglich mehr zu einer ebenso einheitlichen wie isolirten Grösse gemacht werden" (I, S. 24f.). Dementsprechend behandelt das erste Kapitel „die religiöse und sittliche Gedankenwelt des gleichzeitigen Judenthums" (I, S. 28ff.). Dann aber folgt er in der sich jeweils aneinander anschließenden Bearbeitung zunächst der Verkündigung Jesu und der „theologischen Probleme des Urchristenthums" (Bd. I), dann der Darstellung des Paulinismus, des Deuteropaulinismus und der johanneischen Theologie (Bd. II) nach „Lehrbegriffen", wobei die geschichtliche Abfolge in der Darstellung letztlich nur ein unverbundenes Nebeneinanderstellen der einzelnen Anschauungen bedeutet und die religionsgeschichtliche Einordnung nur selten Berücksichtigung findet.

Im ganzen stellt Holtzmanns Neutestamentliche Theologie methodisch wie inhaltlich eine Zusammenfassung, nicht aber einen eigenen Entwurf dar. Das gilt für seine, allerdings von ihm selbst inaugurierte Darstellung der Lehre

---

[103] So R. BULTMANN, Theol. d. NT, [5]1965, S. 593; vgl. auch W. BAUER, s. Anm. 95, S. 319ff., 331ff., wo auch die Unterschiede in den Auflagen scharf herausgearbeitet werden; W. G. KÜMMEL, NT, S. 239ff.; ders., Die exegetische Erforschung des Neuen Testaments in diesem Jahrhundert, in: Bilanz der Theologie im 20. Jahrhundert, II, 1969, S. 351f. (= SBS, S. 123f.); H.-J. KRAUS, S. 156ff. (passim). – Die Zitate aus Holtzmanns Theol. beziehen sich, soweit nicht anders angegeben, auf die 1. Aufl.

Jesu, in der in abschließender Breite das liberale Leben-Jesu-Bild entfaltet wird. Das gilt ebenso für die paulinische Darstellung, in der in starker Anlehnung an Hermann Lüdemanns[104] herausgearbeiteter doppelter Ausrichtung der paulinischen Anthropologie nun zu fast jedem Lehrbegriff die „jüd. Grundgestimmtheit und griech. Ausstattung der Gedanken" nachgewiesen wird. Daraus resultiert, daß Paulus „der Pharisäer und Hellenist", dessen „Schwerpunkt bereits auf dem hellenistischen Factor" liegt, durch die von ihm vollzogene Hellenisierung des Christentums zum „secundären Religionsstifter" wurde, *weil* er es ermöglichte, die christliche Dogmengeschichte an die Verkündigung Jesu anzuschließen (vgl. II, S. 3. 15. 199. 203. 208ff.). Die Brüchigkeit dieser Darstellung Holtzmanns ist spätestens seit Albert Schweitzers Nachweis offenkundig[105] und braucht hier nicht wiederholt, sondern nur in einem Punkt konzentriert zu werden: „Aus dem Objektiven, das Paulus ausspricht, macht Holtzmann, um es irgendwie deuten zu können, immer erst ein Subjektives". – „Dieser methodische Fehler – er teilt ihn mit der nachbaurschen Forschung – zieht sich durch seine ganze Untersuchung hindurch"[106]. Diese ,Persönlichkeit' Paulus mit dem ihr zugeschriebenen rein individualistischen Verständnis des Heils vermag die ihr zugewiesene Aufgabe nicht zu erfüllen, der Begründer der Dogmengeschichte zu sein und somit Holtzmanns These, in der unmittelbaren Nachfolge von F.C. Baur und auch dessen Neutestamentlicher Theologie zu stehen (I, S. 20 Anm. 1 u.ö.), nicht zu legitimieren. Und doch offenbart gerade diese These die Gesamtproblematik des Werkes:

a) Für F.C. Baur verband sich mit der dogmengeschichtlichen Fragestellung eine Gesamtschau über das Neue Testament und das Urchristentum, für Holtzmann ist mit der Individualisierung des paulinischen Heilsverständnisses weder ein Zusammenhang mit der Botschaft Jesu erreicht, insbesondere nicht gezeigt, wie der Weg von Jesu Verkündigung zu Paulus führen konnte (oder mußte), noch sind die paulinischen Lehrbegriffe selbst in der Geschichte der Urchristenheit verankert.

b) Wie F. C. Baur sucht auch Holtzmann das Bleibende der neutestamentlichen Botschaft zu ermitteln. Er sieht es wie jener in der Verkündigung Jesu (I, S. 344ff.; II, S. 222ff.)[107]. Er müßte also, wenn er mit seiner dogmengeschichtlichen Sicht wirklich Baur folgt, auch wie jener Jesu Botschaft zur Voraussetzung der Neutestamentlichen Theologie, nicht aber als einen Teil derselben ansehen. Das aber ist ihm aufgrund seines liberalen Jesusbildes verwehrt. Es kann die hier gezeigte Problematik gar nicht zur Geltung kom-

---

[104] H. Lüdemann, Die Anthropologie des Apostels Paulus..., 1872.

[105] A. Schweitzer, Geschichte der paulinischen Forschung von der Reformation bis auf die Gegenwart, 1911, S. 79ff.

[106] Ebdt., S. 84.

[107] Vgl. auch: Der paulinische Lehrbegriff ist „der Sache nach selbst ein fast unmittelbares Echo der ersten Frohbotschaft... Und so wird man schliesslich sagen dürfen, daß im Paulinismus das Jüdische und Hellenistische zugleich das Vergängliche, dagegen das von Haus aus Christliche für das Christenthum auch das Bleibende sei" (II, S. 225).

men, weil F.C. Baur und Holtzmann unter bleibendem Christentum vom Ansatz her etwas Verschiedenes verstehen: Baurs oben skizzierter dogmengeschichtlicher Ansatz der Neutestamentlichen Theologie ist in seiner historisch-kritischen Ausrichtung mit Holtzmanns Sicht, nach der die „constanteste Grösse ... die Persönlichkeit Jesu selbst" (I, S. 348) ist und die von ihm vorgetragenen ‚religiös-sittlichen Wahrheiten' das Unvergängliche[108], unvereinbar, wenngleich in einzelnen Zügen Baur das liberale Leben-Jesu-Bild mitgeprägt hat. Die Unvereinbarkeit ist in den vierzig Jahren liberaler Theologie gegeben[109], die zwischen Baurs und Holtzmanns Werken liegen. Holtzmann ist nicht Baurs, sondern des theologischen Liberalismus Schüler seiner Zeit[110].

Da Holtzmann sein Werk als eine zweifellos historisch bearbeitete Neutestamentliche Theologie ansieht, die in der Herausarbeitung des bleibend Gültigen auch ihrer theologischen Aufgabe gerecht wird[111], stellt sich grundsätzlich die Frage, ob man um die Jahrhundertwende überhaupt noch auf der von J. Ph. Gabler und G. L. Bauer geschaffenen Grundlage steht. In mehreren, fast gleichzeitig erschienenen Abhandlungen wird dieser Frage nachgegangen:

In seiner Marburger Probevorlesung vom 9. August 1892 stellte (G). ADOLF DEISSMANN über das Thema „Zur Methode der biblischen Theologie des Neuen Testaments"[112] die Durchschnittsmeinung heraus: 100 Jahre nach Gabler sei der „*historische Charakter*" dieser Disziplin ebenso unbestritten wie der Sachverhalt, daß man nicht dogmatische Lehrbegriffe in das Neue Testament eintragen dürfe. Hinsichtlich des Urchristentums aber sei – und das ist sein eigener Beitrag – gerade um des historischen Charakters der Neutestamentlichen Theologie willen für die Bearbeitung dieser Disziplin die Kanonsgrenze „principiell" freizugeben, um 1. „den religiös-sittlichen Gedankengehalt des Zeitalters" der Entstehung des Urchristentums aufzuzeigen, 2. den „eigenthümlichen *Einzelgestaltungen des urchristlichen Bewußtseins*" und 3. seinem „*Gesammtcharakter*" Rechnung zu tragen (S. 126ff.). Das Schwergewicht der methodischen Erwägungen gilt der „*Reconstruktion der einzelnen Hauptformen*" der Vorstellungen der einzelnen neutestamentlichen Zeugen, um bei der „*Darstellung des urchristlichen Gesammtbewußtseins*" „in der Mannigfaltigkeit der klassischen Zeugnisse des Urchristenthums eine Einheit nachzuweisen. Freilich nicht eine Einerleiheit" (S. 137f.). Mit dieser Rekonstruktion aber verbindet Deißmann die Forderung der Interpretation: „der Forscher muß fähig sein, religiös-sittliches Leben in der Geschichte zu verstehen" (S. 139). In die

---

[108] Vgl. auch R. BULTMANN, Theol. d. NT, ⁵1965, S. 593.

[109] Vgl. dazu im Überblick: H. GRASS, Art. Liberalismus III. Theologischer und kirchlicher Liberalismus, RGG³, Bd. IV, 1960, Sp. 351ff.

[110] Vgl. auch A. SCHWEITZER, s. Anm. 105, S. 90: Über Holtzmann: „Er glaubt das Bleibende an dem Vermächtnis Baurs und seiner Schüler, zu denen er sich mit Stolz dem Geiste nach auch zählte, zu sichten und zu sichern. In Wirklichkeit ... leitet er den Bankrott ein, und dies gerade in dem gewaltigen ‚Rückblick und Ausblick' betitelten Schlußkapitel" (betr. II, S. 203ff.).

[111] Vgl. auch W. G. KÜMMEL, NT, S. 240.

[112] ZThK 3, 1893, S. 126ff.

Rekonstruktion aber wird die Interpretation deshalb bewußt einbezogen, weil es voraussetzungslose Wissenschaft nicht geben kann (ebdt.).

Wie Deißmann seine methodischen Erwägungen unter den Gesichtspunkt ‚100 Jahre nach Gabler' stellt, so ist Gabler auch der Ausgangspunkt der Darlegungen von BERNHARD STADE „Ueber die Aufgaben der biblischen Theologie des Alten Testamentes"[113]: Aus Gablers kurz charakterisiertem Programm ist die Folgerung zu ziehen, daß schon zu dessen eigener Zeit die Bezeichnung „Biblische Theologie" unsachgemäß gewesen sei. Die Erforschung der Theologie des Alten Testaments im 19. Jahrhundert habe in der Nachfolge Gablers als historische Disziplin zwingend erwiesen, daß die Kanonsgrenze aufgegeben und damit eine Alttestamentliche Religionsgeschichte gefordert werden müsse, die ihrer Aufgabe dann gerecht werde, wenn „als Abschluß der ganzen Entwicklung die Predigt Jesu" stehe. Denn „für die theologische Betrachtung ist die Predigt Jesu so gut der Schlußstein der alttestamentlichen Entwicklung, wie der Ausgangspunkt für die biblische Theologie des Neuen Testamentes, für die Kirchen- und Dogmengeschichte" (S. 49). Wenn freilich Stade für dieses Anliegen fordert, zu den „gesunden Principien" eines v. CÖLLN zurückzukehren (S. 48), wo dieser Sachverhalt klar vorliege (in der Bibl. Theol. d. AT), dann ist er gleich auf G. L. BAUER selbst zu verweisen, der diesen Sachverhalt in seiner „Theologie des alten Testaments" (1796)[114] deutlich herausgearbeitet hat und das Vorbild für v. Cölln ist. Die unbewußte Übernahme von Gedanken Bauers ist hier offenkundig.

Das ist auch im folgenden zu beobachten, als GUSTAV KRÜGER in seiner Abhandlung „Das Dogma vom Neuen Testament" (1896) die Fragestellung seines Fakultätskollegen Stade auf das Neue Testament anwandte und statt einer Biblischen Theologie des Neuen Testamentes eine urchristliche Religionsgeschichte forderte und entsprechend der Einleitung in das Neue Testament eine urchristliche Literaturgeschichte (S. 4. 11 ff. 32 ff.), und als aus diesem Programm WILLIAM WREDE in seinem Vortrag „Über Aufgabe und Methode der sogenannten Neutestamentlichen Theologie" (1897) die entscheidenden Folgerungen für die religionsgeschichtliche Bearbeitung dieser Disziplin zog[115]. Auch er setzt mit Gablers Programm ein, dessen Verwirklichung nach 100 Jahren er aber nicht so positiv einschätzt wie Deißmann (S. 7f.). Denn die Biblische Theologie ist „im strengen Sinne noch keine historische Disziplin" geworden (S. 80), weil man zwar – in der Nachfolge Gablers – die Inspirationslehre preisgab, aber „der dogmatische Begriff des Kanons" weithin „aufrecht erhalten" wurde (S. 11). Rein historisch, und zwar unter bewußter Absehung ihres „besondern theologischen Charakter(s)" (S. 10), wird diese Disziplin erst,

---

[113] ZThK 3, 1893, S. 31 ff.

[114] S. o. S. 157 ff.

[115] Vgl. zu Wredes Programm M. DIBELIUS, Art. Biblische Theologie und biblische Religionsgeschichte II. des NT, RGG², Bd. I, 1927, Sp. 1092 f.; W. G. KÜMMEL, NT, S. 388 ff.; ders., s. Anm. 103, S. 355 (= SBS, S. 127); G. STRECKER, William Wrede, ZThK 57, 1960, S. 68 ff.; H.-J. KRAUS, S. 163 ff.

wenn sie die „Geschichte der urchristlichen Religion und Theologie" darstellt
und dabei bewußt die Grenze des Kanons verläßt (S. 34f. 58ff.). Diese Forderung
zu verwirklichen heißt, die bisher geübte „*Methode der Lehrbegriffe*" preiszugeben und auf die Herausarbeitung der individuellen Lehrmeinungen wie
der dahinter stehenden Schriftsteller-„Persönlichkeiten" (S. 45)[116] zu verzichten (S. 17ff.). Denn schon die Bezeichnung „Lehrbegriff" ist ein Unding, weil
ihr „das Interesse an der Verwertbarkeit der biblischen Begriffe für die Dogmatik" oder zumindest die „stillschweigends wirkende Voraussetzung, diese
Begriffe müssten den Begriffen der Dogmatik in ihrer Art analog sein"
(S. 25), anhaftet. Ebenso unhaltbar aber ist die aufgrund dieser Methode
sich ergebende Aufgabe der Neutestamentlichen Theologie, diese Lehrbegriffe zu sammeln, zu vergleichen und aus der Mannigfaltigkeit die Einheit herauszuschälen (S. 26ff.). Nicht dieser „Kleinkram" (S.27), der „die
neutestamentliche Theologie mit einigem Rechte die Wissenschaft der Mi-
nutien und bedeutungslosen Nuancen …, eine dürre und langweilige Wissenschaft" werden ließ, führt hier weiter, sondern nur die „Lebensfrische"
der lebendigen urchristlichen Religion (S. 23f.), die in ihrer Entwicklung und
Entfaltung darzustellen ist (S. 44ff.). Wredes Programm einer konsequent
religionsgeschichtlichen Betrachtung der urchristlichen Literatur ist dementsprechend eine klare Absage an die seit F.C. Baur geübte Methode der Bearbeitung Neutestamentlicher Theologie. Es werden nicht nur die Lehrbücher
und Darstellungen von B. Weiß, Beyschlag und Holtzmann als unzureichend
kritisiert (S. 8f. 30ff. 44. 46 u.ö.), auch F.C. Baurs Konstruktion wird zurückgewiesen, weil sie der religionsgeschichtlichen Entwicklung im Urchristentum
nicht genügend Rechnung trage (S. 45). Vor allem aber wird implizit eines der
methodischen Grundanliegen der Begründer der Biblischen Theologie preisgegeben, das es ihnen ermöglichte, die Biblische Theologie von der Dogmatik
zu lösen. Es wird die Methode der Lehrbegriffe preisgegeben zugunsten religionsgeschichtlicher Forschung, deren methodische Bedeutung für die Biblische
Theologie besonders G.L. Bauer in der durch sie möglichen Verifizierung
historischer Sachverhalte innerhalb der Darstellung der Biblischen Theologie
sah. Beide Methoden bedingen bei Gabler und G.L. Bauer einander, bei Wrede
werden sie auseinandergerissen, weshalb ihm auch die Bezeichnung „biblische
Theologie" in ihren Bedeutungsnuancen „gleichgiltig sein" kann (S. 79).
Das aber ist keinesfalls so gleichgültig, wie Wrede meint, weil damit die aufgezeigten Probleme der Disziplin „Biblische Theologie" grundlegend zusammenhängen[117], vor allem auch deshalb, weil sich für Gabler und (wenn auch mit
etwas geringerer Betonung) für Bauer mit der auf den herkömmlichen Kanon

---

[116] Diese Kritik gilt vornehmlich der Auffassung in den Neutestamentlichen Theologien
der Zeit (bes. Holtzmann), denn gerade die Bedeutung der ntl. Schriftsteller für die redak-
tionsgeschichtliche und traditionsgeschichtliche Fragestellung hat Wrede deutlich betont
(S. 41); vgl. auch G. STRECKER, aaO.
[117] Vgl. auch G. EBELING, Was heißt „Bibl. Theol."?, in: Wort und Glaube, 1960, S. 70f.,
82ff.

festgelegten Biblischen Theologie des Neuen Testaments Gottes Offenbarung in menschlichen Urkunden widerspiegelt und beide die Konsequenzen daraus zogen, daß sich mit der Rekonstruktion die Interpretation, mit der historischen Eruierung die theologische Aufgabe verbinden müsse und sich unter diesem Gesichtspunkt die Beibehaltung der Kanonsgrenze als sachgemäß erweise.

Daß Wredes Programm methodische Fragen für die Behandlung offen ließ, zeigt das Lehrbuch der religionsgeschichtlichen Schule von HEINRICH WEINEL bereits im Titel: „Biblische Theologie des Neuen Testaments"[118]. Erst im Untertitel wird das Anliegen: „Die Religion Jesu und des Urchristentums" ([1]1911, [3]1921, [4]1928) formuliert, das sich als Wredes Fragestellung aufgreifend erst in den Abschnitten „Die Aufgabe" und „Religionsgeschichtliche Einführung" erweist (S. 1ff. 5ff. 13–38). Er stellt fest: „An die Stelle der biblischen Theologie des Neuen Testaments hat eine *Geschichte der Religion des ältesten Christentums* zu treten" (S. 3) und geht in seiner Durchführung über die neutestamentliche Kanonsgrenze hinaus und gibt auch die Lehrbegriff-Methode in seiner Darstellung bewußt auf[119]. Aber da das Schwergewicht auf der Darstellung der „Religion Jesu" und ihrer Entwicklung „unter psychologischen und allgemeingeschichtlichen Gesichtspunkten" steht, für die eine „religionsgeschichtliche Umrahmung" erforderlich ist (S. 5–8), und es das Ziel ist: „Die Vollendung der sittlichen Religion" aufzuzeigen, treten zu der von Wrede geforderten rein historisch zu bearbeitenden ‚Urchristlichen Religionsgeschichte' Fragestellungen hinzu, die nicht nur Wredes Programm relativieren, sondern auch implizit dessen Schwächen aufzeigen. Daß nämlich Weinel die „sittliche Erlösungsreligion" (S. 130ff.) in seinen Ausführungen als absolute Größe zu setzen vermag, beruht darauf, daß er die grundlegende Offenbarung Gottes in Jesus gesehen hat (S. 140ff.), – „die Erlöserpersönlichkeit", die von ihrem Sendungsbewußtsein erfüllt ist (S. 179ff. 183ff.) –, und hat zur Folge, daß alle religionsgeschichtlich nachweisbaren Parallelen und „Einflüsse auf das urchristliche Denken schon im voraus unter ein negatives Vorzeichen gestellt werden"[120]. Vor allem aber hat Weinel den „besondern theologischen Charakter", den Wrede bestritt (aaO, S. 10), wieder zur Geltung gebracht, wenngleich er ihn nicht nur auf das Neue Testament, sondern auf die Gesamtgeschichte des Urchristentums bezieht[121]. Diese theologische Fragestellung aber ist das Ergebnis des von Wrede nicht geklärten Verhältnisses von Urchristlicher Religionsgeschichte und Biblischer Theologie, genauer: das oben aufgezeigte von Rekonstruktion und Interpretation, was letztlich darauf beruht, „daß es an

---

[118] Vgl. dazu M. DIBELIUS, Aus der Werkstatt der neutestamentlichen Theologie, Christliche Welt, Bd. 27, 1913, Sp. 965; R. BULTMANN, Theol. d. NT, [5]1965, S. 594; W. G. KÜMMEL, NT, S. 392; ders., s. Anm. 103, S. 355f. (= SBS, S. 127ff.); R. SCHNACKENBURG, Ntl. Theol., [2]1965, S. 26f.; H.-J. KRAUS, S. 167ff.

[119] So besonders überzeugend im 3. Buch: „Das Christentum der werdenden Kirche", S. 383ff. Das S. 591ff. gegebene Register hat dann freilich die behandelten „Lehrbegriffe" notiert. Zitiert wird nach der 1. Aufl. 1911.

[120] Vgl. W. G. KÜMMEL, s. Anm. 103, S. 356 (= SBS, S. 129).

[121] Vgl. auch die Rechtfertigung dieses Vorgehens in der 4. Aufl. 1928, Vorrede.

einem klaren Begriff von Glauben und Religion fehlte"[122]. Diese theologische Fragestellung aber wirkt sich in Weinels Darstellung in der Weise aus, daß er die historisch zu eruierenden Epochen des Urchristentums an dieser theologischen, nicht aber an Wredes historischer Fragestellung mißt und so deren geschichtliche Entwicklung nur in Ansätzen voll zur Geltung kommen läßt.

Stärker als Weinels Lehrbuch ist darum als das klassische Werk der religionsgeschichtlichen, auf Wredes Programm fußenden Schule WILHELM BOUSSETS „Kyrios Christos" anzusehen (1913, [5]1965), das zwar keine Neutestamentliche Theologie sein will, aber, wie der Untertitel zeigt, sowohl „das zentrale Thema der neutestamentlichen Theologie" behandelt[123], als auch eines der Anliegen der religionsgeschichtlichen Schule klar zum Ausdruck bringt: „Die Geschichte des Christusglaubens von den Anfängen des Christentums bis Irenaeus". Hier wird die Kanonsgrenze bewußt aufgegeben, der religionsgeschichtliche Vergleich im Sinne Wredes voll durchgeführt und die Religion des Urchristentums bis Irenaeus aufgezeigt.

Gerade an diesem Werk konnte deshalb, abgesehen von den heute überholten Einzelheiten und nicht haltbaren Konstruktionen, die Bedeutung wie die Grenze der religionsgeschichtlichen Schule für die Darstellung der Neutestamentlichen Theologie erkannt werden, wie abschließend festzustellen ist: 1. Mit ihr ist die Lehrbegriffs-Methode in der Bearbeitung der Neutestamentlichen Theologie überwunden worden. „Insofern bedeutet die religionsgeschichtliche Schule einen entscheidenden Schritt zu einem besseren Verständnis des Neuen Testaments"[124]. 2. Und wenn an Stelle der Lehrbegriffe „nach der Religion gefragt wurde", wie Weinels Lehrbuch und Boussets Ausführungen zeigen, so wurde „im Grunde nach dem existentiellen Sinn der theologischen Aussagen des Neuen Testaments gefragt"[125]. Man wird, wie RUDOLF BULTMANN gezeigt hat, diese beiden Einsichten auch dann zu berücksichtigen haben, wenn man mit einigem Recht heute wieder „zu der alten Frage nach der *Theologie* des Neuen Testaments" zurückgekehrt ist[126].

Wrede hatte sich in seinem Programm nicht nur gegen die Lehrbegriff-Methode vor allem Holtzmanns, sondern in seiner Gleichgültigkeit hinsichtlich des Namens Biblische Theologie indirekt auch gegen MARTIN KÄHLER gewandt, der kurz zuvor festgestellt hatte: „In dem Maße, als ‚geschichtlich' nur Beiwort sein kann, muß hier ‚biblisch' das bestimmende Wort sein". „Die *biblische* Theologie" hat nicht „die Aufgabe …, die Theologie (d. h. die religiös-sittlichen Anschauungen) der Bibel zu kritisieren und an dem Maßstabe einer wissen-

---

[122] Vgl. R. BULTMANN, Theol. d. NT, S. 594.
[123] Vgl. R. BULTMANN, Geleitwort zur 5. Aufl. 1965, S. VI; vgl. auch die glänzende Charakterisierung des Zustandes der Bibl. Theol. als Voraussetzung für Boussets Hauptwerk bei H. GUNKEL, Gedächtnisrede auf Wilhelm Bousset, Evangelische Freiheit, Bd. 20, 1920, S. 143 ff.
[124] So R. BULTMANN, ebdt.
[125] So R. BULTMANN, ebdt.; ders., Theol. d. NT, S. 595.
[126] So R. BULTMANN, Geleitwort, S. VI.

schaftlich zu erwerbenden *wahrscheinlichen* Erfassung des Ursprünglichen zu beurteilen", so daß die ihr zukommende Aufgabe lauten kann: „Die bibl. Theologie soll das Wort Gottes *so*, wie die *Bibel es überliefert*, in wissenschaftlicher Bestimmtheit und Vollständigkeit erheben und dem Dienst am Wort übermitteln ..."[127]. Damit ist eine die Grenze des Kanons überschreitende Entwicklung der Religionsgeschichte aufzuzeigen untersagt, es wird allenfalls eine auf die Mitte der Schrift tendierende innere Kanonsgrenze gebilligt[128].

Die darin liegende Bestreitung einer konsequent historisch-kritischen Bearbeitung der Biblischen Theologie ist für das Verständnis der „Theologie des Neuen Testaments" von ADOLF SCHLATTER (Bd. I. II, 1909/10) zu beachten[129], dem unter den bisher Genannten eine Sonderstellung zukommt: Er versteht sein Werk als ein historisch bearbeitetes. Aber des Historikers Arbeit endet bei den vorliegenden, nicht weiter zu hinterfragenden Quellen des Neuen Testaments: „Über das hinaus, was die Quellen sichtbar machen, erstreckt sich das historische Denken nicht; sonst wird aus der Geschichtsforschung der Roman" (I, S. 11). Diese dem Historiker zukommende „Wahrnehmung", mit der er zugleich „die kausalen Prozesse" zu erfassen hat (I, S. 11), ergibt für die Neutestamentliche Theologie: Die aus Synoptikern und Johannesevangelium gewonnene Darstellung des Werkes und der Verkündigung Jesu (Bd. I), „die von den Gefährten Jesu vertretenen Überzeugungen", an die sich die „Lehre des Paulus" und dann die Darstellung der übrigen „Mitarbeiter des Apostels" anschließt (Bd. II). Den Abschluß bilden „Die in der Gemeinde wirksamen Überzeugungen", eine die Einheit des Neuen Testaments dokumentierende Darstellung (Bd. II). Es ist keine Frage: „Die ‚historische Aufgabe', die zu lösen sich Schlatter vorgenommen hatte, konnte auf *diese* Weise nicht gelöst werden"[130]. Wichtiger als die Einzeldurchführung sollte werden, daß sich Schlatter in seiner Darstellung gegen die Lehrbegriff-Methode wendet, wie er in der die 1. Auflage seiner Theologie des Neuen Testaments begleitenden Schrift „Die Theologie des Neuen Testaments und die Dogmatik" begründet (1909). Der Versuch, statistisch Jesu wie seiner Jünger Gedanken zu erfassen,

[127] Art. Bibl. Theol., RE³, 1897, S. 199; vgl. auch H.-J. KRAUS, S. 2ff.

[128] Ebdt., S. 198ff.

[129] Vgl. dazu M. DIBELIUS, s. Anm. 118, Sp. 939ff.; R. BULTMANN, Theol. d. NT, S. 597f.; W. G. KÜMMEL, s. Anm. 103, S. 352f. (= SBS, S. 124ff.); H.-J. KRAUS, S. 175ff. – Die zweite Auflage des Werkes erschien unter den Titeln: „Die Geschichte des Christus" (1923) und „Die Theologie der Apostel" (1922). Eine ‚Theol. d. NT' in nuce, die im wesentlichen historisch kritischer als seine spätere Ntl. Theologie ist, ist „Der Glaube im Neuen Testament" (1885, ⁴1927), ⁵1963.

[130] So W. G. KÜMMEL, s. Anm. 103, S. 353 (= SBS, S. 125). Vgl. auch den Brief von K. HOLL an A. SCHLATTER vom 23. 10. 1909 nach Empfang des 2. Bandes der ‚Theologie': „Sie meinen, das Buch sei mir vielleicht in vielem zu konservativ. Mag sein; aber ich denke daran gar nicht, während ich es lese. Denn ein solches Buch übt auf mich immer die – mich ganz erfreuende – Wirkung aus, daß mir die historischen Fragen so gut wie gleichgiltig werden ... ich fühle mich dabei jenseits von aller historischen Kritik. Doch ich muß Ihnen zur Einschränkung sagen, daß Sie mir die Einheit der neutestamentlichen Gedankenwelt ganz anders klar gemacht haben, als ich es bisher empfand" (vgl. R. Stupperich [Hrsg.], Briefe Karl Holls an Adolf Schlatter, ZThK 64, 1967, S. 201).

ist ein „Zerrbild" (S. 222 ff.)[131], das von der Orthodoxie her die Biblische Theologie noch immer beeinflußt, weil diese Methode nicht den Denk- und Willens-
akt derer, die die neutestamentlichen Zeugnisse überliefert haben, zum Ausdruck bringt. Die darum von Schlatter geforderte Zusammengehörigkeit von
Lebens- und Denkakt (S. 211 ff.) im Neuen Testament impliziert eine Absage
an die noch nachwirkende Orthodoxie wie an die Lehrbegriff-Methode des
Rationalismus, ist aber ebenso eine Absage an die Bearbeitungen der Theologie
des Neuen Testaments seiner Zeit wie an das Programm Wredes (S. 250f. u. ö.).
In der Einheit von Lebens- und Denkakt kommt Schlatters „existentielle Be-
troffenheit" gegenüber dem biblischen Text zur Geltung, aber es führt von
diesem „Vorverständnis" „kein Weg zu einer Existentialinterpretation des
NT"[132], wofür R. BULTMANN diesen Sachverhalt auswerten möchte[133]. Dennoch zeigt sich, daß der Akt der historischen „Wahrnehmung" auf eine theologische Interpretation in der Neutestamentlichen Theologie zielt, ja die Einheit
von Denk- und Lebensakt auf die letztere fixiert ist, so daß Schlatter einem
rein theologischen Verstehen Neutestamentlicher Theologie vorgearbeitet hat[134],
nämlich die Rekonstruktion zugunsten der Interpretation aufgegeben hat.

Ist sowohl mit dem Ansatz der religionsgeschichtlichen Fragestellung wie
mit Schlatters Sicht bereits die Problematik Neutestamentlicher Theologie in
der Gegenwart berührt, so muß zuvor auf PAUL FEINES „Theologie des Neuen
Testaments" ([1]1910, [8]1951) eingegangen werden, da dieses Werk mit am
stärksten in unsere Zeit hineingewirkt hat[135]. Man kann sie als eine zusammenfassende und die Durchschnittsmeinung wiedergebende, kritisch berichtende,
aber konservativ darstellende Theologie bezeichnen. „Mit den Mitteln der
heutigen historischen Methode" will der Verfasser darstellen (S. 1), um dann
zugleich zu bemerken: „Unser Glaube befähigt uns zu vollerer Erfassung der biblischen Theologie" (S. 10). Darum sieht er die biblische Überlieferung „in anderem
Licht als die kritische Theologie" und ist davon überzeugt, „daß das historische
Urteil nicht das letzte Wort spricht" (S. 10). Die Einzeldurchführung beginnt
mit der „Lehre Jesu nach den Synoptikern" (S. 13 ff.), wobei für die historische
wie theologische Aufgabe gilt: „Dringen wir aber zum Kern seiner [Jesu] Persönlichkeit und seiner Berufsaufgabe vor, so leuchtet uns sein Ewigskeits-
charakter entgegen" (S. 12). In dem diese Darstellung abschließenden 9. Ka-

---

[131] Hier und im folgenden zitiert nach dem Neudruck in: A. SCHLATTER, Zur Theologie
des Neuen Testaments und zur Dogmatik, hrsg. v. U. Luck, 1969, S. 201–225; vgl. zur
Sache auch U. LUCK, ebdt., S. 28f.
[132] Vgl. G. EGG, Adolf Schlatters kritische Position, gezeigt an seiner Matthäus-Inter-
pretation, 1968, S. 64ff., 70ff., 82ff. (Zitat S. 73); s. auch E. FUCHS, Hermeneutik, [2]1958,
S. 47f.
[133] Theol. d. NT, S. 597f.
[134] Vgl. schon M. DIBELIUS, s. Anm. 129; s. auch E. FUCHS, Das Neue Testament und
das hermeneutische Problem, in: Glaube und Erfahrung, Ges. Aufs. III, 1965, S. 136f.
(passim). Zur Hermeneutik Schlatters vgl. im einzelnen U. LUCK, Kerygma und Tradition
in der Hermeneutik Adolf Schlatters, 1955, S. 7ff., 36ff., 39ff.
[135] Vgl. dazu M. DIBELIUS, s. Anm. 118, Sp. 964f.; W. G. KÜMMEL, s. Anm. 103, S. 353ff.
(= SBS, S. 126f.); H.-J. KRAUS, S. 182ff.

pitel zeigt Feine, daß Jesus in das Evangelium hineingehört (S. 183 ff. 196) und seine Person und Verkündigung an den Anfang der Neutestamentlichen Theologie als das „Bleibende" gehören. – Der II. Teil behandelt die „Lehre des Urchristentums", deren 1. Abschnitt „die theologischen Gedanken der Urgemeinde" und deren 2. Abschnitt die „Theologie des Paulus" bringt. Paulus wird bewußt nicht als der selbständige, Jesus gegenüberstehende oder gar „secundär(n) Religionsstifter" (Holtzmann) gekennzeichnet. Denn „Paulus ist nicht derjenige, welcher das Christentum zur Universalreligion gemacht hat" (S. 186). Von der Darstellung der paulinischen Theologie werden die Pastoralbriefe abgesondert, die zwar von Paulus verfaßt, aber eine etwas spätere Entwicklung seines Denkens zeigen (S. 538 ff.). Der 3. Abschnitt des II. Teils bringt „die theologischen Anschauungen der nachpaulinischen Schriften" (S. 549 ff.; Hebr., I. Petr.; Judasbrief; II. Petr.; Mk.; Mtth.; lukanische Schriften – in dieser Reihenfolge als Aufweis ihrer Entwicklung). Der III. Teil bietet die „Lehre der johanneischen Schriften" (S. 594 ff.; beginnend mit der Apok., um dann Joh. Ev. und die joh. Briefe anzuschließen). In einem Vergleich zwischen synoptischem und johanneischem Christusbild wird zwar begründet, warum die joh. Darstellung am Ende der Theologie des Neuen Testaments zu entfalten ist, aber es wird dann doch festgestellt, daß nur eine Zusammenschau beider das „geschichtliche Charakterbild" Jesu ermittelt (S. 606 ff. 617 ff.). Das aber ist symptomatisch für Feines Gesamtdarstellung: Sie will die Entwicklung der Neutestamentlichen Theologie aufzeigen, aber diese ist nur in der Anordnung des Stoffes, nicht in der Durchführung gegeben [136].

Zusammenfassend ergibt sich:

Feine zeigt symptomatisch für die hier zu behandelnde Disziplin vor dem ersten Weltkrieg, und das allein rechtfertigt die ausführliche Charakterisierung seines Werkes, wie weit man sich in der Darstellung der Neutestamentlichen Theologie von F. C. Baur entfernt hat, obwohl man historisch-kritisch zu arbeiten und obwohl man die Entwicklung des Urchristentums darzustellen meinte. Der notwendige Abbau der Geschichtskonstruktion Baurs vermochte es nicht, eine wirklich geschichtliche Verankerung der Neutestamentlichen Theologie in der Geschichte des Urchristentums herbeizuführen. Auch konnte die Aufgabe der „Lehrbegriff-Methode" [137] durch Wrede nicht verhindern, daß die notwendige Darstellung der „Lehre" in der Verkündigung Jesu und der apostolischen Zeugen ebenso unvermittelt nebeneinandergestellt wurde, wie in der vermeintlich zu Fall gebrachten Methode. Insgesamt läßt sich feststellen:

---

[136] Entsprechendes gilt von P. Feines, offensichtlich unter dem Einfluß Weinels verfaßtem Werk „Die Religion des Neuen Testaments" (1921), obwohl es dort heißt: „Die *Biblische Theologie* muß in die Zusammenhänge einführen, innerhalb deren das Christentum als geschichtliche Erscheinung eintritt" (S. III).

[137] Das letzte Werk dieser Methode ist der „Grundriß der Neutestamentlichen Theologie" von Th. Zahn (1928); vgl. dazu H.-J. Kraus, S. 181 f. Die letzte im Sinne der religionsgeschichtlichen Schule verfaßte Ntl. Theologie ist die „Neutestamentliche Theologie. Im Abriß dargestellt" von J. Kaftan (1927); vgl. ebdt., S. 7 ff., 14 ff.; s. auch H.-J. Kraus, S. 178 ff.

Je stärker die ,Rekonstruktion' ihre historisch-kritische Tiefendimension in den ,liberalen' und in den apologetisch-konservativen Theologien des Neuen Testaments verlor, desto flacher wurde auch die ,Interpretation'. Die religionsgeschichtliche Schule (Wrede zunächst die ,Rekonstruktion' einseitig betonend) und Schlatter (die ,Interpretation' einseitig betonend) haben hier tiefer gesehen, an sie konnte darum bei der theologischen Besinnung auf das Neue Testament im Zusammenhang des theologischen Umbruchs nach dem ersten Weltkrieg auch am ehesten angeknüpft werden. Das von Gabler und G.L. Bauer einst erörterte Grundproblem Biblischer Theologie stand nach wie vor als eine im Hinblick auf das Neue Testament zu bewältigende Aufgabe im Raum. Das aber heißt: Das Grundproblem an Darstellungen Neutestamentlicher Theologien der Gegenwart aufzuzeigen, bleibt als abschließende Aufgabe.

2. Probleme Neutestamentlicher Theologie in der Gegenwart

Angesichts dieser skizzierten Lage ist es nicht verwunderlich, daß KARL BARTH erklärte: Bei einer Wahl zwischen historisch-kritischer Forschung und der „alten Inspirationslehre" werde er „entschlossen zu der letzteren greifen", um damit die Notwendigkeit der Interpretation, des theologischen Verstehens als vorrangig zu kennzeichnen[138]. Verwunderlich dagegen war, daß das theologische Verstehen seit dem Beginn der dialektischen Theologie nicht zur Bearbeitung einer Neutestamentlichen Theologie führte. Erst ein Menschenalter später erschien die „Theologie des Neuen Testaments" von RUDOLF BULTMANN (in Lieferungen 1948–1953).

Zwar hatte schon FRIEDRICH BÜCHSEL eine „Theologie des Neuen Testaments" vorgelegt (1935, [2]1937), die laut Untertitel eine „Geschichte des Wortes Gottes im Neuen Testament" sein will, aber die historisch und theologisch sein wollende Darstellung (S. 4 ff.) ist so kurz und zugleich so konservativ-apologetisch, daß sie nicht den Neuaufbruch in der theologischen Arbeit widerspiegelt[139]. Konnte „Büchsels Grundriß … angesichts seiner Dürftigkeit nicht einmal als Einführung für Anfänger genügen"[140], so unterliegt das zeitlich darauf folgende, imposante und eigenständige Werk von ETHELBERT STAUFFER, Die Theologie des Neuen Testaments (1941, [4]1948), methodisch schweren Mängeln[141]. Hier nämlich wird „der Werdegang der urchristlichen Theologie" bis hin zu Ignatius (S. 1–33) beherrscht von einer einheitlichen, heilsgeschicht-

---

[138] Vgl. K. BARTH, Der Römerbrief. Vorwort zur ersten Auflage von 1918, wieder abgedruckt im 3. Abdruck der neuen Bearbeitung, [4]1924, S. V. Zur Situation vgl. statt sonstiger Einzelhinweise jetzt H. GRASS, Karl Barth und Marburg, 1971, S. 4 ff.

[139] So werden etwa Synoptiker und Joh. Ev. in der Verkündigung Jesu getrennt, um dann in einer höheren Einheit wieder verbunden zu werden (S. 80f.).

[140] So W. G. KÜMMEL, ThLZ 75, 1950, Sp. 422.

[141] Vgl. W. G. KÜMMEL, ThLZ 75, 1950, Sp. 421–426; ders., s. Anm. 103, S. 358f. (= SBS, S. 132f.); R. BULTMANN, Theol. d. NT, S. 596; H. SCHLIER, Über Sinn und Aufgabe einer Theologie d. NT, in: Besinnung auf das Neue Testament, Ges. Aufs. II, 1964, S. 10, 13 u. ö. Stauffers Theol. wird zitiert nach der Ausgabe von 1945.

lich orientierten „christozentrischen Geschichtstheologie", in deren Bann
es keine Entwicklung urchristlicher Gedanken gibt, so daß keiner der neutestamentlichen Zeugen in seiner Besonderheit zur Geltung kommt. Und wenn
Stauffer damit zum Ausdruck bringen will, daß „Theologie" im strengen Sinn
des Wortes dem „immanenten Geschichtsvorgang der ‚Entwicklung' einer
Religion" immer schon *vorgeordnet* ist, dann wird ‚Geschichtstheologie' in
unkontrollierbare und darum historisch nicht mehr verifizierbare ‚Gnosis' aufgelöst[142]. Zudem ist die Kanonsgrenze sowohl zur altkatholischen Kirche wie
zum ‚Spätjudentum' hin offen (vgl. S. 29ff. 56ff.), ohne daß historisch oder
theologisch dafür eine Begründung gegeben wird. Auch wird die Existenz eines
hellenistischen Christentums grundlos bestritten. Trotz einzelner beachtlicher
Hinweise stellt darum das Werk im ganzen methodisch einen Rückschlag dar,
der hinter die Einsichten der religionsgeschichtlichen Schule zurückführt.

Es muß darum als unglücklich angesehen werden, daß OSCAR CULLMANN
in „Christus und die Zeit" (1946) [3]1962, einem Werk, das Grundfragen Neutestamentlicher Theologie hinsichtlich der „Zeit- und Geschichtsauffassung"
gewidmet ist, gerade in Stauffers heilsgeschichtlicher Konzeption „das bleibende Verdienst" des Verfassers sieht[143] und damit seine eigene beachtliche
Konzeption der Heilsgeschichte belastet. Er selbst nämlich zeigt durch Rekonstruktion des urchristlichen Zeitverständnisses und dessen Interpretation
als einer gefüllten Zeit die Spannung zwischen dem Schon-Erfüllt-Sein und
Noch-Nicht-Vollendet-Sein auf, das für Jesu Verkündigung wie für die einzelnen Zeugen des Neuen Testaments gilt[144].

Doch auch Cullmanns hier nicht näher zu diskutierende Arbeiten behandeln
nur Teilaspekte der Neutestamentlichen Theologie, obwohl sie auf eine solche
angelegt sind[145]. Es ist darum jetzt abschließend auf die Methodik der Gesamt-

---

[142] Vgl. Zitate und Nachweise bei H. SCHLIER, Über Sinn und Aufgabe einer Theol. d.
NT, S. 10, 13.

[143] Christus und die Zeit, [3]1962, S. 40 Anm. 2. Vgl. zu diesem Werk bes. W. G. KÜMMEL,
s. Anm. 103, S. 359ff. (= SBS, S. 133ff.); R. BULTMANN, Heilsgeschehen und Geschichte,
in: Exegetica, 1967, S. 356ff. (dieser Besprechung ist dort vornehmlich zuzustimmen, wo sie
implizit Stauffer trifft); K. FRÖHLICH, Die Mitte des Neuen Testaments: Oscar Cullmanns
Beitrag zur Theologie der Gegenwart, in: Oikonomia. Heilsgeschichte als Thema der Theologie, Festschrift O. Cullmann, 1967, S. 209ff.; H.-J. KRAUS, S. 185f.

[144] Vgl. O. CULLMANN, Heil als Geschichte, 1965, S. 51ff., 70–79, 117ff., 131ff., 166ff., 225ff.,
245ff.; s. dazu die Bespr. von E. SCHWEIZER, ThLZ 92, 1967, Sp. 904–909; K. FRÖHLICH,
aaO, S. 217f.; D. BRAUN, Heil als Geschichte, EvTh 27, 1967, S. 57ff.; W. G. KÜMMEL,
s. Anm. 103, S. 360 (= SBS, S. 134f.); H.-J. KRAUS, S. 186ff.; M. BOUTTIER, Théologie et
Philosophie du NT, Études Théologiques et Religieuses 45, 1970, S. 188f.; W. J. HARRING-
TON, New Testament Theology. Two Recent Approaches, Biblical Theology Bulletin I, 1971,
S. 184ff., die zu einer gerechteren Beurteilung des Anliegens von Cullmann kommen als
etwa E. GÜTTGEMANNS, Literatur zur Ntl. Theologie. Randglossen zu ausgewählten Neuerscheinungen, Verkündigung und Forschung (= Beihefte zur EvTh) 12. Jhrg., Heft 2,
1967, S. 44ff., 49.

[145] Vgl. etwa „Heil als Geschichte", S. Vf., 1f. (s. auch H.-J. KRAUS, S. 186 Anm. 76).
Bes. aber legt das Werk von O. CULLMANN, Die Christologie des Neuen Testaments, 1957,
den „Schluß... nahe, daß Cullmann mit seiner ‚Christologie' das Buch geschrieben hat,

darstellungen der Theologie des Neuen Testaments einzugehen, die die neutestamentliche Wissenschaft in der Gegenwart geprägt haben.

Voran steht RUDOLF BULTMANNS „Theologie des Neuen Testaments"
(¹1948–1953) ⁵1965¹⁴⁶, die zugleich auf weitere fast 15 Jahre in der protestantischen neutestamentlichen Forschung allein das Feld behaupten sollte.

Dieses Werk ist eine imponierende Zusammenfassung nicht nur von Bultmanns Forschungen in den seinem Erscheinen voraufgegangenen 30 Jahren,
sowohl der exegetischen als auch der systematisch-hermeneutischen Arbeiten,
sondern verarbeitet zugleich wesentliche Einsichten in der Erforschung der
Neutestamentlichen Theologie von den Begründern der Biblischen Theologie
über F.C. Baur und Wrede bis zu Bousset.

Schon der Aufbau vermittelt wichtige Einblicke: Unter „Voraussetzungen
und Motive der Neutestamentlichen Theologie" (als Erster Teil) wird 1. „Die
Verkündigung Jesu", 2. „Das Kerygma der Urgemeinde" und 3. „Das Kerygma
der hellenistischen Gemeinde vor und neben Paulus" behandelt. „*Die Verkündigung Jesu* gehört zu den Voraussetzungen der Theologie des NT und ist
nicht ein Teil dieser selbst" (S. 1), wie – so möchte man hinzufügen – es der
Forderung F.C. Baurs entspricht¹⁴⁷. Und wenn sich daran dann doch eine
geraffte Darstellung der Verkündigung Jesu aufgrund des in der „Geschichte
der synoptischen Tradition" (1921, ²1931) eruierten Materials anschließt, dann
entspricht auch dies den Grundsätzen des großen Tübingers¹⁴⁸. Schließlich
treffen Bultmann und F.C. Baur sich folgerichtig auch darin, daß erst bei
Paulus von „Theologie" gesprochen werden kann, wenngleich in der zwischen
Jesus und Paulus liegenden Gemeinde die Grundlagen dafür geschaffen wur-
den¹⁴⁹. So kann der Zweite Teil: „Die Theologie des Paulus und des Johannes"
umfassen. Die Bedeutung dieser Bezeichnung aber wird erst auf dem Hintergrund des Dritten Teils voll erkennbar, der „Die Entwicklung zur alten Kirche"
behandelt und wie in der religionsgeschichtlichen Schule die Grenze zur alten Kirche bewußt offen läßt¹⁵⁰. Die „Theologie" ist auf Paulus und Johannes im Neuen
Testament beschränkt und nicht auf die „Lehre", die in der „Entwicklung der

---

das andere unter dem Titel ‚Theologie des Neuen Testaments' verfassen"; so K. FRÖHLICH,
aaO, S. 213.

¹⁴⁶ Vgl. dazu etwa: H. LANGERBECK, Gnomon 23, 1951, S. 1–17; 26, 1954, S. 497–504;
H. BLUMENBERG, Marginalien zur theologischen Logik R. Bultmanns, Philosophische
Rundschau 2, 1954/55, S. 121–140; N. A. DAHL, ThR, N. F. 22, 1954, S. 21–49; P. BENOIT,
La pensée de R. Bultmann, in: Exégèse et Théologie I, 1961, S. 62ff., 70ff., 80ff.;
E. KÄSEMANN, Ntl. Fragen von heute, in: Exegetische Versuche und Besinnungen II,
1964, S. 15ff., 19ff.; R. SCHNACKENBURG, s. Anm. 118, S. 30ff.; H. SCHLIER, s. Anm. 141,
S. 12ff. u. ö.; W. G. KÜMMEL, s. Anm. 103, S. 361ff. (= SBS, S. 135ff.); CH. DEMKE, Die
Frage nach der Möglichkeit einer Theologie des Neuen Testaments, in: Theologische Ver-
suche II, hrsg. v. J. Rogge u. G. Schille, 1970, S. 130f., 136 Anm. 1; H.-J. KRAUS, S. 188ff.

¹⁴⁷ Vorl. ntl. Theol., S. 45.

¹⁴⁸ Ebdt., S. 45–121.

¹⁴⁹ F. C. BAUR, Vorl. ntl. Theol., S. 45, 122–127; R. BULTMANN, Theol. d. NT, S. 188.

¹⁵⁰ Zu Bultmanns Kanonsverständnis vgl. lehrreich W. SCHMITHALS, Die Theologie
Rudolf Bultmanns, 1966, S. 227ff.

Lehre" sich ausweist (S. 471 ff.). Damit ist das Kernproblem berührt: Theologie beruht in Bultmanns Werk auf der sachgemäßen Zuordnung von Rekonstruktion und Interpretation. „Christlichen Glauben ... gibt es erst, seit es ein christliches Kerygma gibt, d. h. ein Kerygma, das Jesus Christus als Gottes eschatologische Heilstat verkündigt, und zwar Jesus Christus, den Gekreuzigten und Auferstandenen" (S. 2). Da dies erst „im Kerygma der Urgemeinde" geschieht, muß folglich dieses Kerygma rekonstruiert werden (S. 34 ff.), und da die „geschichtliche Voraussetzung für die paulinische Theologie ... nicht einfach das Kerygma der Urgemeinde, vielmehr das der hellenistischen Gemeinde" ist, also die Theologie des Paulus, „schon eine gewisse Entwicklung des Urchristentums" voraussetzt (S. 66 ff. [Zitat S. 66]) und schließlich Paulus „durch das Kerygma der hellenistischen Gemeinde für den christlichen Glauben gewonnen" wurde (S. 188, im Orig. gesp.), so ist die Notwendigkeit dieser Rekonstruktion für die Theologie und damit für die Interpretation aufgezeigt. Denn Glaube „ist *Glaube an das Kerygma*" (S. 587). Und soll in der Neutestamentlichen Theologie der Glaube als „Ursprung der theologischen Aussagen" dargestellt werden, so muß in ihr „offenbar das Kerygma und das durch dieses erschlossene Selbstverständnis, in dem sich der Glaube expliziert", zur Darstellung kommen (S. 587). Denn „*theologische Sätze* – auch die des NT – können nie *Gegenstand* des Glaubens sein, sondern nur die *Explikation* des in ihm selbst angelegten Verstehens" (S. 586). Das heißt aber: Die Zuordnung von Rekonstruktion und Interpretation impliziert die Unterscheidung wie Zuordnung von Kerygma und Theologie und ermöglicht so die darin sich vollziehende, an dem genannten Selbstverständnis sich orientierende Sachkritik (S. 586 ff.). Denn dieser Sachkritik bedarf es, weil kerygmatische und theologische Aussagen sich nicht einfach decken und darum jenes Kerygma, das der Hörer „als anredendes Wort in seiner Situation verstehen kann", ermittelt werden muß, nämlich jenes Kerygma, in dem „das durch es geweckte Selbstverständnis als eine Möglichkeit menschlichen Selbstverständnisses verstanden wird und damit zum Ruf zur Entscheidung wird" (S. 588 f.).

Die Zuordnung von Rekonstruktion und Interpretation ist der Schlüssel zum Selbstverständnis dieser Neutestamentlichen Theologie. Und wenn Bultmann darauf hinweist, daß beide einander bedingen, er aber in seiner Darstellung der Interpretation den Vorrang einräumt, dann erhellt sich von daher auch der Gesamtaufbau: Es wird „in der Tradition der historisch-kritischen und religionsgeschichtlichen Forschung" die Rekonstruktion insoweit durchgeführt, als sie nicht zu der „Zerreißung von Denk- und Lebensakt" führt, d. h. insoweit sie der Interpretation dienstbar ist. Die Zuordnung von Rekonstruktion und Interpretation heißt darum für Bultmann als „Aufgabe einer Darstellung der neutest. Theologie": „Das glaubende Selbstverständnis in seinem Bezuge auf das Kerygma deutlich zu machen". Dies „geschieht direkt in der Analyse der paulinischen und johanneischen Theologie, indirekt in der kritischen Darstellung der Entwicklung zur alten Kirche, weil in dieser die

Problematik des glaubenden Selbstverständnisses, sowie die Problematik der durch dasselbe bedingten kerygmatischen Formulierungen sichtbar wird" (S. 598f.).

Es ist hier nicht auf Bultmanns im einzelnen anfechtbare Rekonstruktion des Urchristentums einzugehen, sondern nur auf das methodische Vorgehen: diese Rekonstruktion steht im Dienste der Interpretation, sie ist ausgerichtet an der Explikation des glaubenden Selbstverständnisses und vermag darum als die entscheidende Mitte der „Theologie des Neuen Testaments" die Theologie des Paulus und des Johannes, und zwar unmittelbar einander anschließend, herauszustellen, ist aber nur zweitrangig an der Verankerung der Theologie in der Geschichte des Urchristentums interessiert. Das zeigt sich auch darin, daß Bultmann bei der Rekonstruktion des Kerygma in der hellenistischen Gemeinde durchaus auch auf Quellen des 2. Jahrhunderts zurückgreift, also einer Periode, in der weitaus fortgeschritteneres Denken sichtbar wird, als in der Zeit vor und neben Paulus. Das wird zum andern darin sichtbar, daß die Rekonstruktion der Entwicklung hin zur alten Kirche zu einem nicht geringen Teil auf Quellen beruht, die in einer genetisch dargestellten, die theologischen Anschauungen einordnenden Geschichte des Urchristentums zeitlich zwischen Paulus und Johannes gehören. Diese auf Interpretation hin angelegte Rekonstruktion des Urchristentums aber hat, wofür Bultmann selbst Hinweise gibt, dort ihre Wurzel, wo die Zuordnung von ‚Rekonstruktion‘ und ‚Interpretation‘ das entscheidende Methodenproblem Biblischer Theologie wurde, bei den Begründern Neutestamentlicher Theologie als Disziplin (S. 590f. 599).

Jener Anliegen und Diskussion über die Methodik hat er prägnant charakterisiert, wenn er schreibt: „Entweder können die Schriften des NT als die ‚Quellen‘ befragt werden, die der Historiker interpretiert, um aus ihnen das Bild des Urchristentums als eines Phänomens geschichtlicher Vergangenheit zu rekonstruieren; oder die Rekonstruktion steht im Dienste der Interpretation der Schriften des NT unter der Voraussetzung, daß diese der Gegenwart etwas zu sagen haben" (S. 599). Es ist der Methodenstreit zwischen Bauer und Gabler, der seit 150 Jahren nachwirkt und dessen Einfluß auf die Darstellung der Neutestamentlichen Theologie zwar unverkennbar war, aber in unseren Tagen erneut aktuelle Bedeutung erlangt hat. Und wenn Bultmann fortfährt: „Diesem letzteren Interesse [der Interpretation] ist in der hier gegebenen Darstellung die historische Arbeit dienstbar gemacht worden" (S. 599), und gleichzeitig feststellt, daß die Interpretation nicht auf die Rekonstruktion verzichten kann, so hat er sich deutlich auf die Seite Gablers geschlagen[151], des Theologen, der im Rahmen der Bearbeitung der Biblischen Theologie gezeigt hatte, daß es voraussetzungslose Exegese nicht geben kann und darum das Vorverständnis des Interpreten dazu berechtige, auch die

---

[151] Vgl. nur die verblüffende Parallele der Ausführungen bei GABLER(-NETTO), Bibl. Theol., S. 79 (s. o. S. 134).

biblischen Schriftsteller besser zu verstehen als sie sich selbst verstanden[152]. Daß Gablers und Bauers methodische Einsichten auf die Bearbeitung der Neutestamentlichen Theologie erneut unmittelbaren Einfluß gewannen, aber läßt sich auch von daher erklären, daß sie im Zusammenhang der Entmythologisierungsdebatte neu entdeckt wurden[153]. Waren sie es doch, denen im Rahmen der Mythenerforschung der Durchbruch zur Biblischen Theologie als eigenständiger Disziplin gelungen war.

Indem Bultmann seine Theologie des Neuen Testaments, die auf seiner hermeneutischen und in dem Programm der Entmythologisierung zur Geltung kommenden Fragestellung beruht, in das Methodenproblem zwischen Gabler und Bauer einbezieht, werden zwei Sachverhalte, die abschließend zu erwähnen sind, transparent:

a) Bultmanns implizite Entscheidung für Gabler im Zusammenhang seiner Sicht des Urchristentums: In der Rekonstruktion des Urchristentums hat sie eine Abwendung von F. C. Baur in der Weise zur Folge, daß nicht die urchristliche Geschichte als historisches Phänomen der Vergangenheit rekonstruiert wird (vgl. auch S. 599). Das wäre im Sinne Gablers das Lokale und Temporelle, das zwar Wichtige, aber nicht die Interpretation Fördernde. Sondern es wird im Sinn der religionsgeschichtlichen Schule, soweit sie Denk- und Lebensakt zu vereinigen vermochte (S. 593f.) die auf das Kerygma ausgerichtete, im Dienste der Interpretation stehende Rekonstruktion vorgenommen.

b) Bultmanns implizite Entscheidung [nicht mit Gabler, aber] gegen G.L. Bauer hinsichtlich der Verkündigung Jesu: Bultmann trifft sich, wie gezeigt, mit F.C. Baur in der Vorordnung der Verkündigung Jesu vor den Beginn der Neutestamentlichen Theologie. Für F.C. Baur liegt darin im Rahmen der ‚Rekonstruktion' die Festlegung des dogmengeschichtlichen Ansatzes innerhalb des Neuen Testaments, in dem er sich von G. L. Bauer unterscheidet. Für Bultmann geschieht dies im Rahmen der ‚Interpretation', soweit es die Neutestamentliche Theologie betrifft. Denn im Hinblick auf die Interpretation erfolgt die Herausarbeitung, die geschichtliche Verankerung im Urchristentum und damit verbunden die Absolutsetzung des Kerygma (vgl. S. 1f. 587 u.ö.). Daß damit nur ein, allerdings im Rahmen der Neutestamentlichen Theologie relevanter Gesichtspunkt für Bultmanns Ablehnung der Rückfrage hinter das Kerygma, der Frage nach dem historischen Jesus charakterisiert ist, dürfte selbstverständlich sein[154].

Die Bedeutung, die man Bultmanns Theologie des Neuen Testaments mit

---

[152] Vgl. o. S. 91 ff.; zur Sachfrage auch R. BULTMANN, Ist voraussetzungslose Exegese möglich?, in: Glauben und Verstehen, Bd. III, 1960, S. 142 ff.

[153] Vgl. die umfassenden Nachweise von HARTLICH-SACHS; s. auch o. S. 52 ff., 189 ff.; W. MAURER, in: Gelehrte der Universität Altdorf, hrsg. v. H.C. Recktenwald, 1966, S. 56 f.

[154] Vgl. zur Diskussion R. BULTMANN, Das Verhältnis der urchristlichen Christusbotschaft zum historischen Jesus, in: Exegetica, 1967, S. 445 ff.; W. G. KÜMMEL, Das Problem des historischen Jesus in der gegenwärtigen Diskussion, in: Heilsgeschehen und Geschichte, 1965, S. 417 ff.; H. GRASS, Zur Begründung des Osterglaubens, in: Theologie und Kritik,

Recht in der Gegenwart beimißt[155], ist neben der Darstellung der paulinischen und johanneischen Theologie vor allem in der klaren Einsicht in das Methodenproblem zu sehen.

Es darf für die nach Bultmanns Werk erschienenen Entwürfe und Darstellungen als bezeichnend gelten, daß sie die gleichen methodischen, von den Begründern der Biblischen Theologie kommenden Fragestellungen widerspiegeln.

Das gilt auch für den Entwurf von HERBERT BRAUN, „Die Problematik einer Theologie des Neuen Testaments", der Bultmanns Darstellung einseitig auf die Anthropologie hin als die Konstante in der Vielzahl disparater Vorstellungen innerhalb des Neuen Testaments radikalisiert. Die Wurzel dafür liegt darin, daß in seinem Entwurf die Zuordnung von Rekonstruktion und Interpretation zwar gesehen (S. 334 ff. 341), aber preisgegeben ist zugunsten einer allein am menschlichen Selbstverständnis sich orientierenden Interpretation. Daß hier von „*Theo*"logie nicht mehr gesprochen werden kann, wenn Gott heißt „das Woher meines Umgetriebenseins" und er im anthropologischen Koordinatensystem von „Ich darf" und „Ich soll" als Produkt der „Mitmenschlichkeit" realisiert wird (S. 341), dürfte auf der Hand liegen[156].

Im besten Sinn dagegen wird Bultmanns Theologie des Neuen Testaments weitergeführt von HANS CONZELMANN in seinem „Grundriß der Theologie des Neuen Testaments" (1967)[157]. Von diesem Werk kann, ohne daß Conzelmanns Leistung geschmälert werden soll, gesagt werden, daß es Bultmanns Theologie in ein adäquates Lehrbuch umsetzt. Kritisch und stärker an der Geschichte des Urchristentums orientiert ist der Aufbau: Zunächst wird ein religionsgeschichtlicher Überblick gegeben. Es schließen sich fünf Teile an: I. „Das Kerygma der Urgemeinde und der hellenistischen Gemeinde", II. Die Lehre Jesu, wie sie die synoptische Tradition bietet, III. „Die begriffliche Ausarbeitung des Kerygmas: Paulus", IV. „Die Entwicklung nach Paulus", wobei

---

1969, S. 180 ff.; J. ROLOFF, Das Kerygma und der historische Jesus, 1970, S. 9 ff., 18 ff., 26 ff.

[155] Vgl. o. Anm. 146.

[156] Zu H. BRAUN, Die Problematik einer Theologie des Neuen Testaments, in: Gesammelte Studien zum Neuen Testament und seiner Umwelt, 1962, S. 325–341 (s. auch ebdt., [2]1967, S. 352) vgl. etwa H. GOLLWITZER, Die Existenz Gottes im Bekenntnis des Glaubens, 1963, bes. S. 63 ff.; U. WILCKENS, ThLZ 89, 1964, Sp. 663 ff., bes. Sp. 667; s. auch E. GÜTTGEMANNS, s. Anm. 144, S. 39. Zu den Konsequenzen dieses Ansatzes vgl. P. STUHLMACHER, Zum gegenwärtigen Stand der Frage nach Jesus, in: Fides et Communicatio, Festschrift für M. Doerne, 1970, S. 351 ff.; M. HENGEL, Ntl. Wege und Holzwege, Evangelische Kommentare 3, 1970, S. 112f. („Wenn Gott nur in meiner – aufweisbaren – Mitmenschlichkeit ‚geschieht', dann hätte für meinen Teil die Tod-Gottes-Theologie wirklich recht" [S. 113]); L. GOPPELT, ThLZ 95, 1970, Sp. 744 ff., bes. Sp. 746f. (jeweils Bespr. von H. BRAUN, Jesus. Der Mann aus Nazareth und seine Zeit. Themen der Theologie, hrsg. v. H. J. Schultz, Bd. 1, 1969).

[157] Vgl. dazu W. G. KÜMMEL, s. Anm. 103, S. 366f. (= SBS, S. 143f.); P. STUHLMACHER, Neues vom Neuen Testament, Pastoraltheologie 58, 1969, S. 424f.; H. KÜNG, Menschwerdung Gottes, 1970, S. 588; E. GÜTTGEMANNS, 1970, S. 47 ff.; M. BOUTTIER, s. Anm. 144, S. 189 ff.; W. J. HARRINGTON, s. Anm. 144, S. 173–184.

sachlich begründet einzelne Linien bis in die alte Kirche hinein durchgezogen werden. V. „Die begriffliche Ausarbeitung der Überlieferung von Jesus: Johannes" (S. 25). Auch hier wird, wie bei Bultmann, die Theologie an der Herausarbeitung und Entfaltung des Kerygma orientiert, aber Conzelmann bietet eine gegenüber der Interpretation selbständigere Rekonstruktion des Kerygma (vgl. S. 45 ff.), so daß nunmehr sowohl eine Geschichte des Urchristentums anhand der Entfaltung des Kerygma gegeben wird, als auch die begriffliche Explikation der theologischen Anschauungen, die zentral in der Theologie des Paulus und bei Johannes vorliegen. Die sachliche Zuordnung von Rekonstruktion und Interpretation führt auch bei Conzelmann dazu, die Verkündigung Jesu nicht in die Darstellung der Theologie des Neuen Testaments aufzunehmen (S. 15 f.). Daß dann doch wichtigste Stücke der Botschaft Jesu aus den Synoptikern rekonstruiert werden, erscheint darum nicht ganz konsequent [158]. Wichtiger ist in der Gesamtdarstellung, daß die genannte Zuordnung zu zahlreichen Gegenüberstellungen führt: „Gesagt ist" = ‚zu rekonstruieren ist', „gemeint ist aber" = ‚zu interpretieren ist' [159]. In historischer Gewissenhaftigkeit und systematischer Strenge wird hier unbewußt-bewußt das entscheidende methodische Problem der Neutestamentlichen Theologie zur Geltung gebracht.

Kann Conzelmann schreiben: „Das Grundproblem der Neutestamentlichen Theologie ist nicht: Wie wurde aus dem Verkündiger Jesus von Nazareth der verkündigte Messias, Gottessohn, Herr?" (S. 16), so ist es gerade das methodische Anliegen von WERNER GEORG KÜMMEL, in seinem Werk „Die Theologie des Neuen Testaments nach seinen Hauptzeugen" (1969), die „Verkündigung Jesu nach den drei ersten Evangelien" kritisch zu eruieren und zu rekonstruieren, Jesu Botschaft bewußt an den Beginn der Theologie des Neuen Testaments zu stellen und so zu zeigen, wie aus dem Verkündiger der Verkündigte werden konnte [160]. An den Teil über die Botschaft Jesu schließt sich deshalb der Abschnitt über „Der Glaube der Urgemeinde" an, der durch den Osterglauben geprägt wesentliche Gesichtspunkte der Botschaft Jesu in neuem Licht sieht. Der „Glaube der Urgemeinde" aber ist die Voraussetzung der

---

[158] Vgl. W. G. KÜMMEL, s. Anm. 103, S. 367 (= SBS, S. 143 f.).

[159] Vgl. dazu unter anderer Fragestellung auch P. STUHLMACHER, s. Anm. 157, S. 425.

[160] Vgl. auch die Bespr. von E. GRÄSSER, Deutsches Pfarrerblatt 70, 1970, S. 254 f.; W. SCHMITHALS, Reformierte Kirchenzeitung Nr. 17/18, 111. Jhrg., 1970, S. 2 f.; M. HENGEL, Theorie und Praxis im Neuen Testament?, Evangelische Kommentare 3, 1970, S. 744 f.; E. GÜTTGEMANNS, 1970, S. 44 ff.; G. HAUFE, ThLZ 96, 1971, Sp. 108 ff. Während Gräßer, Hengel, Haufe, Güttgemanns und H. KÜNG, Menschwerdung Gottes, S. 588, 591 Kümmels Anliegen, daß die Verkündigung Jesu in die „Theologie des Neuen Testaments" notwendigerweise einbezogen werden muß, sachgemäß interpretieren, ist Schmithals' lehrreiche Rezension in dieser Hinsicht durch einen dogmatischen Vorbehalt belastet. Zur anstehenden Sachfrage innerhalb der „Theologie des Neuen Testaments" vgl. aufschlußreich W. BEILNER, Ntl. Theologie, in: Dienst an der Lehre. Studien zur heutigen Philosophie und Theologie, Wiener Beiträge zur Theologie X, 1965, S. 159 ff. – Nicht auf den Autor zurück geht die unglückliche Verteilung von „Theologie" und „Ethik" des Neuen Testaments auf zwei verschiedene Bände der NTD Ergänzungsreihe.

Theologie des Paulus. In deren letztem Kapitel „Paulus und Jesus" wird die Kontinuität wie die „verschiedene geschichtliche und heilsgeschichtliche Situation" (S. 220) beider dargestellt (S. 218–226) und so gezeigt, daß Paulus der sachgemäße Zeuge und Interpret der Botschaft Jesu ist. Wenn an die Theologie des Paulus sofort „Die Christusbotschaft des vierten Evangeliums und der Johannesbriefe" angeschlossen wird, so liegt das an dem Verlagsplan, nach dem nur die „Hauptzeugen" dargestellt werden sollen, nicht aber die Theologie des Neuen Testaments im ganzen in der Geschichte des Urchristentums verankert aufgezeigt werden soll. Die sich hier ergebende äußere Berührung mit Bultmanns Aufbau hat keine sachlichen Gründe (vgl. S. 14f.). Besonders wichtig ist, daß über die Darstellung der einzelnen Zeugen hinaus abschließend nach der „Mitte des Neuen Testaments" gefragt wird (S. 286 ff.), um in der Verschiedenheit der Theologie der einzelnen Zeugen das allen Gemeinsame zur Geltung zu bringen. Mit dieser reformatorischen Fragestellung, die so prägnant in keiner der neueren Darstellungen der Theologie des Neuen Testaments zur Sprache kommt, aber wird eines der Grundanliegen von G. L. Bauer sichtbar, der im Rahmen der Rekonstruktion der Lehrbegriffe der einzelnen Schriftsteller zugleich nach der sie untereinander verbindenden Einheit fragte[161]. Damit ist der Kern berührt. W. G. Kümmels Darstellung ist ebenfalls der Zuordnung von Rekonstruktion und Interpretation verpflichtet, wobei aber gegenüber Bultmann und Conzelmann die Interpretation der Rekonstruktion zugeordnet ist, sofern Rekonstruktion heißt, die neutestamentlichen Schriften „als die ,Quellen'" zu befragen, „die der Historiker interpretiert"[162]. Denn es gilt, „daß wir uns die Aussagen der antiken Verfasser" dieser Schriften „verständlich zu machen suchen, so wie sie ihre zeitgenössischen Leser oder Hörer verstehen konnten und mußten". Folglich gibt es „keinen andern Zugang zum Verstehen der neutestamentlichen Schriften als die für *alle* Schriften des Altertums gültige Methode historischer Forschung". Und mit

---

[161] Vgl. etwa zu dieser bis heute nicht überholten Fragestellung, auf die hier nicht im einzelnen eingegangen werden kann, B. REICKE, Einheitlichkeit oder verschiedene „Lehrbegriffe" in der ntl. Theologie?, ThZ 9, 1953, S. 401 ff.; A. M. HUNTER, Die Einheit des Neuen Testaments, 1952, S. 7 ff.; ders., Modern Trends in New Testament Theology (s. Anm. 169), S. 140ff.; F. MUSSNER, Die Mitte des Evangeliums in ntl. Sicht, Catholica 15, 1961, S. 271 ff.; ders., ,Evangelium' und ,Mitte des Evangeliums'. Ein Beitrag zur Kontroverstheologie, in: Praesentia salutis. Ges. Studien zu Fragen und Themen des Neuen Testamentes, 1967, S. 159 ff., bes. S. 171 ff.; H. SCHLIER, s. Anm. 141, S. 8 ff.; H. CONZELMANN, Fragen an Gerhard von Rad, EvTh 24, 1964, S. 113f.; N. ALEXANDER, The United Character of the New Testament Witness to the Christ-Event (s. Anm. 171), S. 1 ff., bes. S. 30; W. NEIL, The Unity of the Bible (s. Anm. 171), bes. S. 251ff.; K. STENDAHL, s. Anm. 171, S. 196ff., 202ff. (passim); A. DULLES, s. Anm. 171, S. 212; W. G. KÜMMEL, „Mitte des Neuen Testaments", in: L'Évangile, hier et aujourd'hui, Mélanges F.-J. Leenhardt, 1968, S. 71 ff.; F. LANG, Christuszeugnis und Biblische Theologie Alten und Neuen Testaments in der Sicht heutiger Exegese, EvTh 29, 1969, S. 530. Vgl. auch die wichtigen, vielfach das NT betreffenden Hinweise zur Sache bei R. SMEND, Mitte, S. 46 f. (u. passim). Die Bemerkung von H.-J. KRAUS, S. 383: „Aber hat denn das Neue Testament eine ,Mitte'?", trifft nicht, sofern sie grundsätzlich gemeint ist.

[162] So R. BULTMANN, Theol. d. NT, S. 599.

dieser Methode, der Rekonstruktion, aber verbindet sich die Interpretation, denn „es kommt freilich sehr viel darauf an, ob man solche Forschung als Unbeteiligter und in bewußter Distanz oder als innerlich Beteiligter und darum als mit letzter Aufgeschlossenheit Hörender betreibt" und darum „nach dem Gedankengehalt und der Anrede" fragt, indem man sich müht, „auf dem umständlichen Wege der wissenschaftlichen Erhellung des antiken Textes zu einem persönlichen Hören zu gelangen" (S. 14). Man wird Kümmels Darstellung mehr auf die Seite von G.L. Bauer als auf die Gablers zu stellen haben, worauf Kümmel selbst indirekt in seiner Einführung hinweist (S. 12ff.), und wofür vor allem auch die von G.L. Bauer methodisch begründete Einbeziehung der Verkündigung Jesu als konstitutiven Teil der Theologie des Neuen Testaments spricht. Auch ist es G.L. Bauer gewesen, der die Fragestellung des Vergleichs Paulus-Jesus als eine sachlich notwendige herausgestellt hat.

Noch stärker als Kümmels Darstellung ist die jüngst im Erscheinen begriffene „Neutestamentliche Theologie" von JOACHIM JEREMIAS, deren „Erster Teil" „die Verkündigung Jesu" enthält (1971), von der Frage nach der Rekonstruktion beherrscht. Schon in „Kapitel I: Zur Frage nach der Zuverlässigkeit der Überlieferung der Worte Jesu" (S. 13ff.) ergibt sich die Notwendigkeit, methodische Kriterien für die Rekonstruktion „der vorösterlichen Überlieferung" zu erheben (vgl. auch S. 245.242 Anm. 9; S. 255): Es ist einmal die „religionsvergleichende Methode", die „eine Aussage bzw. ein Motiv" daraufhin prüft, ob es „weder auf das antike Judentum noch auf die Urkirche" zurückgeführt werden kann (S. 14). Dieses Kriterium aber muß ergänzt werden durch die Fragestellung, in welchen Fällen Jesus an „vorgegebenes Material" anknüpfen konnte (S. 14). Erst auf diese Weise wird der „historische Tatbestand" wirklich faßbar (S. 21). Das zweite „Hilfsmittel" für die Rekonstruktion ist die Ermittlung „sprachlich-stilistische(r) Tatbestände" (S. 14; vgl. S. 19ff.)[163]. Durch beide Methoden meint der Verfasser, einen relativ gesicherten Bestand der „ipsissima vox" Jesu ausweisen zu können (S. 38ff.)[164], um dann Sendung (Kap. II, S. 50ff.) und Verkündigung Jesu (Kap. III–IV, S. 81ff. 124ff.) darzustellen. Da die Verkündigung Jesu „den persönlichen Anruf" einschließt, der im Glauben sich ausweist und im neuen Gottesvolk Gestalt findet (Kap. V, S. 157ff.), ist auch „Die Sammlung der Heilsgemeinde" (S. 164ff.) rekonstruierend darzustellen und die „Gelebte Jüngerschaft" (S. 197ff.) als Entfaltung der ethischen Weisungen Jesu zu charakterisieren. Die volle methodische Bewährung bietet Jeremias das VI. Kapitel (S. 239ff.): „Das Hoheitsbewußtsein Jesu", weil hier die genannten Kriterien für die Rekonstruktion die Feststellung erlauben, „daß Jesus sich als Heilbringer wußte" (S. 239), dessen Weg bis zum Kreuz rekonstruierbar ist (S. 263ff.).

---

[163] Vgl. dazu zusammenfassend W. G. KÜMMEL, Jesusforschung seit 1950, ThR, N.F. 31, 1965/66, S. 42f. u. S. 43 Anm. 1.
[164] Vgl. auch J. JEREMIAS, Kennzeichen der ipsissima vox Jesu, in: Abba. Studien zur Ntl. Theologie und Zeitgeschichte, 1966, S. 145ff.; ders., Die Gleichnisse Jesu, ⁶1962, S. 7ff., 19ff.

Es ist im Rahmen unserer Fragestellung beeindruckend zu sehen, wie hier implizit ein wesentliches Anliegen von G. L. Bauer in unseren Tagen erneut Bedeutung gewinnt: Mit Hilfe der religionsvergleichenden Methode die Rekonstruktion der Biblischen Theologie vorzunehmen und auf diese Weise Wirken und Verkündigung Jesu zu dem *grund*legenden Teil der Neutestamentlichen Theologie werden zu lassen[165]. Wie bei G. L. Bauer tritt dabei auch bei J. Jeremias die grundsätzlich anerkannte Unterscheidung der einzelnen Evangelisten zugunsten der Rekonstruktion der Gestalt und der Botschaft Jesu völlig zurück (S. 45 ff.). Der Interpretation aber wird nur innerhalb *dieser* Rekonstruktion Raum gewährt: Denn die Interpretation erweist sich in der Systematisierung der durch die Rekonstruktion ermittelten Verkündigung Jesu (vgl. bes. S. 197–222)[166].

Kann an den gegenwärtig führenden Theologien des Neuen Testaments im Bereich der protestantischen Forschung im deutschen Sprachbereich bestätigt werden, daß die entscheidenden Fragestellungen der Begründer der Disziplin ihre Gültigkeit behalten haben, so trifft sich dies mit der dargestellten Methodenfrage in der wechselvollen Geschichte dieser Disziplin.[167]

Ehe dazu einige abschließende Bemerkungen gemacht werden, sind noch zwei weitere Sachverhalte hervorzuheben:

---

[165] Vgl. etwa o. S. 178 ff.

[166] Daß in dem ungewöhnlich starken Zurücktreten (nicht aber der Preisgabe!) der Interpretation die *Gefahr* liegt, erneut ein ‚Leben Jesu' darzustellen, zeigt schon E. Käsemanns Auseinandersetzung mit J. Jeremias (vgl. J. JEREMIAS, Der gegenwärtige Stand der Debatte um das Problem des historischen Jesus, in: Der historische Jesus und der kerygmatische Christus, hrsg. von H. Ristow und K. Matthiae, 1960, S. 12 ff.; E. KÄSEMANN, Sackgassen im Streit um den historischen Jesus, in: Exegetische Versuche und Besinnungen II, 1964, S. 32 ff.).

[167] Einen völlig anderen Weg dagegen schlägt M. ALBERTZ, Die Botschaft des Neuen Testamentes, Bd. I, 1–II, 2 (1946–1957) ein: In Verkennung des Ansatzes von J. PH. GABLER stellt er fest: „Von Anfang an [sc. von Gablers Antrittsrede an] bis zu Rudolf Bultmann hat die Theologie dieser zwei Jahrhunderte in den Aussagen der Bibel theologische Schulmeinungen gesehen und infolgedessen die Botschaft des Neuen Testaments theologisch verzeichnet" (II, 1, S. 15). Er räumt irrtümlich der theologia biblica in Gablers Rede die Stellung der theologia dogmatica ein und prangert die daraus für die Ntl. Theologie entstehenden Verzerrungen an (vgl. auch M. ALBERTZ, Die Krisis der sog. ntl. Theologie, Zeichen der Zeit 8, 1954, S. 370–376). Unter diesem Gesichtspunkt ist das als sehr selbständig und eigenwillig zu bezeichnende Gesamtwerk zu sehen, das in Bd. I, 1.2 eine Art ‚Einleitung', die „Entstehung der Botschaft des Neuen Testamentes" bietet, in der der Verf. unter formgeschichtlicher Betrachtung „bei der Erfassung des Gehaltes des Neuen Testaments den historisch kritischen und literarischen Kategorien zu entfliehen" sucht (von M. Albertz aus einer Rezension in Bd. II, 2, S. 17 zitiert; vgl. auch die Kritik von W. G. KÜMMEL, ThZ 10, 1954, S. 55 ff.; E. FASCHER, Eine Neuordnung der ntl. Fachdisziplin? Bemerkungen zum Werk von M. Albertz, Die Botschaft des Neuen Testamentes, ThLZ 83, 1958, Sp. 609 ff., bes. Sp. 612 ff.). Es geht Albertz um die rein darstellende Erfassung auch der Entstehung der ntl. Botschaft: „Die Geschichte des Neuen Testaments verfolgen wir nicht, nur scheint es uns im Interesse einer vollen Aufklärung der Entstehung, wenn wir uns die Folgen vergegenwärtigen, die die Schaffung des Neuen Testaments und seiner Vorstufen für die Kirche bedeutet hat" (Bd. I, 1, S. 14). Auf dieser Basis beruht „Die Entfaltung der Botschaft" (Bd. II, 1.2), in der nach A. zu zeigen ist, daß sowohl die „philosophische", die „*lehrbegriffliche* Verzeichnung" (Bd. II, 1, S. 16), die A. fälschlich „im Laufe des 19. Jahrhunderts" entstanden sieht (Bd. II, 1, S. 15 f.), als auch

a) Anders verlief die Entwicklung im *angelsächsischen Sprachbereich*, die im folgenden vornehmlich am protestantischen Beitrag zur Erforschung der Theologie des Neuen Testaments skizziert werden soll:

Auch hier ist J. Ph. GABLERS Beitrag zur Biblischen Theologie zwar bekannt, aber man nimmt ihn nur theologiegeschichtlich zur Kenntnis, während G. L. BAUERS Werk offenbar völlig unbekannt ist[168]. Man weiß um die Forschungsgeschichte der Biblischen Theologie und um den gegenwärtigen Stand der Forschung[169], aber das starke, jedoch theologisch sehr differenzierte, vom rein konservativen bis hin zu historisch-kritischer Forschung reichende Interesse an „Biblischer Theologie" ist nicht auf das seit Gabler und Bauer diskutierte Methodenproblem unmittelbar oder auch mittelbar ausgerichtet[170]. Kennzeichnend dafür ist die weithin vorherrschende, auch von historisch-kritisch Geschulten angewandte „deskriptive Methode", die in einer systematischen Zusammenstellung der biblischen Aussagen bereits die Aufgabe Biblischer Theologie erfüllt sieht[171]. So kann z. B. N. ALEXANDER[172] feststellen: „we can speak not merely of ‚John's faith' or ‚Paul's faith' or ‚Petrine Christianity'. There is such a reality as ‚the faith of the Early Church' and ‚New Testament Christianity'" (S. 30). Das biblische Zeugnis Alten und Neuen Testa-

die „religionspsychologische", die „religionsgeschichtliche", „weltanschauliche" (Bd. II, 1, S. 16ff.) preiszugeben sind. „Allen diesen Verzeichnungen gegenüber erweist es sich als notwendig, den Gedanken der neutestamentlichen Theologie, der vom Rationalismus herkommt, endgültig fallen zu lassen und an seine Stelle die Darstellung der Botschaft des Neuen Testaments zu setzen" (Bd. II, 1, S. 21). Abgesehen davon, daß A. weder auf die „Voraussetzungen der Botschaft" und damit auf den *auch* religionsgeschichtlichen „Rahmen der Botschaft" verzichten kann (Bd. II, 1, S. 22–64) und daß er auch „Einheit und Verschiedenheit der Botschaft" konstatieren muß (Bd. II, 1, S. 133–154), ist hier ein Werk vorgelegt, das *im Verzicht auf Rekonstruktion und Interpretation* in der polemischen Gegenüberstellung von „Theologie" und „Botschaft" lediglich tiefsinnige und oft in Einzelheiten treffliche Meditationen unter systematischen Gesichtspunkten bietet, ohne die ntl. Botschaft in ihrer Einmaligkeit voll zum Reden zu bringen (vgl. kritisch auch E. FASCHER, aaO, bes. Sp. 616ff.; R. BULTMANN, Theol. d. NT, ⁵1965, S. 619f.; H.-J. KRAUS, S. 188 Anm. 87).

[168] Vgl. etwa C. T. CRAIG, Biblical Theology and the Rise of Historicism, JBL 42, 1943, S. 281 ff.; A. N. WILDER, New Testament Theology in Transition, in: The Study of the Bible Today and Tomorrow, ed. H. R. Willoughby, 1947, S. 419ff.; E. L. ALLEN, The Limits of Biblical Theology, JBR 25, 1957, S. 13; D. H. WALLACE, Historicism and Biblical Theology, Studia Evangelica, Vol. III [= TU 88], 1964, S. 223ff.

[169] Vgl. etwa O. BETZ, Art. History of Biblical Theology, in: Interpreters Dictionary of the Bible I, 1962, S. 432–437; O. A. PIPER, Biblical Theology and Systematic Theology, JBR 25, 1957, S. 106ff.; A. M. HUNTER, Modern Trends in New Testament Theology, in: The New Testament in Historical and Contemporary Perspective, Essays in Memory of G. H. C. Macgregor, 1965, S. 133ff., bes. 142ff.; N. PERRIN, The Challenge of New Testament Theology Today, in: New Testament Issues, ed. by R. Batey, 1970, S. 15ff.

[170] Vgl. außer den Vorgenannten etwa H. G. WOOD, The Present Position of New Testament Theology: Retrospect and Prospect, NTSt 4, 1957/58, S. 170ff. und den zusammenfassenden Überblick von G. E. LADD, The Search for Perspective, Interpretation 25, 1971, S. 41ff.

[171] Vgl. auch K. STENDAHL, Method in the Study of Biblical Theology, in: The Bible in Modern Scholarship, ed. J. Ph. Hyatt, 1965, S. 196ff.; A. DULLES, Response to Krister Stendahls „Method in the Study of Biblical Theology", ebdt., S. 210ff.; G. E. LADD, aaO; N. ALEXANDER, The United Character of the New Testament Witness of the Christ-Event, in: The New Testament in Historical and Contemporary Perspective, Essays in Memory of G. H. C. Macgregor, 1965, S. 1ff., bes. S. 30ff.; W. NEIL, The Unity of the Bible, ebdt., S. 237ff., bes. S. 251ff.

[172] aaO (s. Anm. 171).

ments ist eine beschreibbare, aber nicht näher zu differenzierende Einheit. – Dieser kritische Einzelforschungen zu zahlreichen biblischen Einzelthemen im Rahmen unserer Fragestellung nicht berücksichtigende Überblick[173] will nur den Hintergrund aufdecken und zum Verständnis der hier zu berücksichtigenden Theologien des Neuen Testaments beitragen.

Kennzeichnend sind noch immer die drei um die Jahrhundertwende erschienenen Werke von F. WEIDNER, Biblical Theology of the New Testament (1891); G.B. STEVENS, The Theology of the New Testament (1899); E.P. GOULD, The Biblical Theology of the New Testament (1900), in denen in systematischer Zusammenordnung, theologisch etwa den Werken von Messner, Schmid, teilweise auch B.Weiß vergleichbar[174], die neutestamentliche Basis für den christlichen Glauben entfaltet wird[175]. Dabei ist das bis in die Gegenwart durch mehrere Auflagen nachwirkende Werk von G.B. Stevens bezeichnenderweise von einem Systematiker verfaßt[176]. Dagegen fand ein, einer Theologie des Neuen Testaments vergleichbares, in seiner Methode historisch-kritisches Werk, das der stufenweisen Entwicklung in kritischer Sichtung Rechnung trägt, nicht die gebührende Beachtung: ORELLO CONE, The Gospel and its earliest interpretations, a study of the teaching of Jesus and its doctrinal transformations in the New Testament (1893). Hier wird, soweit ich sehe, erstmals im angelsächsischen Sprachbereich der Versuch unternommen, die Verkündigung Jesu, wie sie sich aus den Synoptikern erheben läßt, in ihrer weiteren Fortentwicklung aufzuzeigen. Sachgemäß werden dabei die judenchristliche (und auch heidenchristliche) Entwicklung durch die Schriftengruppen des Neuen Testaments verfolgt, was den Verfasser zu einer deutlichen Abgrenzung etwa des paulinischen, deuteropaulinischen und johanneischen Schrifttums veranlaßt[177].

Da fast ein halbes Jahrhundert hindurch keine Theologie des Neuen Testaments

---

[173] Vgl. dazu etwa A. C. PURDY, Das Neue Testament in der amerikanischen Theologie, ThR, N.F. 3, 1931, S. 367 ff.; W. GUTBROD, Aus der neueren englischen Literatur zum Neuen Testament, ThR, N.F. 11, 1939, S. 263 ff.; A. M. HUNTER, Interpreting New Testament 1900–1951, 1951; ST. NEILL, The Interpretation of the New Testament 1861–1961, 1964.

[174] Vgl. o. S. 219 ff., 239 f.

[175] Zu Stevens ‚Theol.' vgl. auch H. J. HOLTZMANN, Lehrbuch der Ntl. Theologie, Bd. I, [2]1911, S. 15; A. C. PURDY, aaO, S. 381.

[176] Vgl. R. E. KNUDSEN, Theology in the New Testament, 1964, S. 63, 98, 255 u. ö.

[177] Vgl. auch H. J. HOLTZMANN, s. Anm. 175, S. 15. Entsprechend unberücksichtigt blieb aus neuerer Zeit E. F. SCOTT, The Varieties of New Testament Religion (1947). Hier wird sachgemäß aufgezeigt, daß die verschiedenen Schriftsteller und ihre jeweilige Periode von einander getrennt werden müssen (S. 2 f.) und die „historische Methode" (S. 9) es verlangt, eine ‚uniforme' Deskription preiszugeben (S. 15 ff.). Es gilt, das *eine* Evangelium in der Vielzahl seiner historisch und theologisch bedingten Ausprägungen zur Geltung zu bringen (S. 19 ff.). Dementsprechend werden, vom ältesten uns erreichbaren Kerygma ausgehend (S. 31 ff.), das hellenistische Christentum (S. 58 ff.), „the Religion of Paul" (S. 91 ff.), die Gegner des Paulus (S. 123 ff.), das „apokalyptische Christentum" (S. 159 ff. = wesentlich Entfaltung der Synoptiker), „the moralists" (S. 190 ff. = wesentlich Deuteropaulinen, Pastoralbriefe, Jakobusbrief), „Western Christianity" (S. 220 ff. = wesentlich Hebräerbrief), schließlich „the Johannine Teaching" (S. 251 ff.) behandelt, um abschließend Erwägungen über „The Rise of a Common Religion" (S. 283 ff.) anzustellen. Dieses Werk, das keine ‚Theologie des NT' ist, sondern eher eine Theologiegeschichte in ntl. Zeit mit der besonderern Fagestellung nach „Difference and Unity in the New Testament" (S. 1 ff.), dürfte methodisch eines der interessantesten Veröffentlichungen im Hinblick auf eine ‚Theologie des NT' im angelsächsischen Forschungsbereich sein.

im angelsächsischen Bereich erschienen war, konnte ein Werk, das selbst *keine*
Neutestamentliche Theologie sein will (S. 43), wie ein Neueinsatz wirken: F.C.
GRANT, An Introduction to New Testament Thought (1950). Hier wird zunächst
in einem Geschichte und Problematik der Biblischen Theologie charakterisierenden
Abschnitt klargestellt, daß die Trennung in eine Theologie des Alten Testaments
und eine Theologie des Neuen Testaments nicht zur systematischen, sondern zur
historisch-genetischen Darstellung der Disziplin führe (S. 18ff., bes. S. 20ff.).
Die historisch-kritische Exegese ist nur die unerläßliche Voraussetzung der Interpretation (S. 24.26ff.49). Sie vermag das Wachsen der Tradition und die Verschiedenartigkeit der Anschauungen (Theologien) innerhalb des Neuen Testaments
aufzudecken (S. 29ff.44ff.), aber jeder ‚Rekonstruktion' sind erhebliche Grenzen
gesetzt (S. 60f.), was im Sachanliegen der Neutestamentlichen Theologie begründet
ist (S. 49ff.): „New Testament theology was the theology of the growing Christian
Church, as reflected in the New Testament, not a finished product but a theology in
process" (S. 60). Nicht die auf ‚Rekonstruktion' bedachte, sondern die ‚deskriptive
Methode', die als „interpretation" zu definieren ist, vermag Neutestamentliche
Theologie als „theology in process" und damit als Basis für den christlichen Glau-
ben zu entfalten (S. 43ff. 49ff. 52ff. 60ff.; vgl. auch S. 92ff. 199ff.). Da aber der
Glaube der frühen Christenheit insgesamt mehr ist als die Theologien, die im
Neuen Testament ihren Niederschlag gefunden haben, ist „An Introduction to
New Testament Thought" ein besserer Ausdruck für die zu interpretierende ‚Basis'
als die Bezeichnung „Einführung in die Neutestamentliche Theologie" (Vorwort;
S. 61f. u. ö.). Gemäß diesen methodischen Erwägungen werden dann vom Verfasser
ausgewählte, für den christlichen Glauben entscheidende Themen auf ihre neu-
testamentliche Grundlage hin untersucht (vgl. Kap. V: Revelation and Scripture;
VI: The Doctrine of God; VII: Miracles; VIII: The Doctrine of Man; IX: The
Doctrine of Christ; X: The Doctrine of Salvation; XI: The Doctrine of the Church;
XII: New Testament Ethics). Dabei kommt die angewandte ‚deskriptive Methode'
in der Weise zum Tragen, daß die einzelnen neutestamentlichen Zeugen als Einheit
behandelt werden und nur selten auf die grundsätzlich anerkannten verschiedenen
Theologien innerhalb des Neuen Testaments Bezug genommen wird (bes. in der
Christologie, S. 194ff.). Diese ‚deskriptive Methode' aber gewinnt ihren beherrschenden Akzent durch die Frage nach der Einheit des Neuen Testaments (S. 43ff.). –
Dieses sehr sorgfältig gearbeitete und in Einzelerkenntnissen reiche Buch, das
weithin Anerkennung fand[178], ist hinsichtlich unserer Fragestellung deshalb so
lehrreich, weil hier sowohl umfangreiche methodische Erwägungen zur Rekonstruktion wie zur Interpretation angestellt werden. Daß diese Unterscheidung für Grant
nicht ohne Kenntnis der Forschung zu Ende des 18. Jahrhunderts und in der Folgezeit von F. C. Baur – R. Bultmann erfolgt ist, läßt der Verfasser klar erkennen. Auch
werden die ersten Einflüsse von R. Bultmanns „Theologie des Neuen Testaments"
in der Darstellung unmittelbar sichtbar (vgl. z.B. S. 202). Besonders bedeutend
aber ist, daß der Verfasser die ‚deskriptive Methode' der Interpretation zuordnet
und so einem Verständnis dieser im angelsächsischen Raum beherrschenden Methode Bahn bricht, deren Unzulänglichkeit zugleich auch bei ihm offenkundig wird:
Es ist das *Auseinanderbrechen von Rekonstruktion und Interpretation*. Die Folge
dieses Auseinanderbrechens ist die ‚deskriptive Methode'. Und da die ihr zugrunde

---

[178] Vgl. etwa M. BURROWS, JBL 70, 1951, S. 49ff.

liegende Interpretation als ‚Deskription‘ der Basis christlichen Glaubens ohne die ‚Rekonstruktion‘ auskommt, wird mit dieser Methode ein Durchschnittsbild des christlichen Glaubens in seiner Anfangszeit gezeichnet, das in dieser Form nicht ‚rekonstruierbar‘ ist, weil es historisch nie existiert hat.

Dieses methodische Problem blieb, obwohl F. C. Grants Werk keinen beherrschenden Einfluß ausübte und obwohl deutschsprachige Werke zur Neutestamentlichen Theologie in die englische Sprache übersetzt wurden[179] und man sich deren Verfassern in verschiedener Hinsicht verbunden wußte. Das Problem aber blieb vor allem, weil man die Frage nach der Einheit des Neuen Testaments mit der nach der einheitlichen Basis christlichen Glaubens methodisch in eins setzte.

Eine wirkliche Ausnahme bildet das mehr populäre Büchlein von A. M. Hunter, Introducing New Testament Theology (1957). Hier wird die Neutestamentliche Theologie in einen nach konservativem Verständnis streng historischen Ablauf eingeordnet gesehen. Sie beginnt mit dem Jesusteil nach den Synoptikern („The Fact of Christ“) und läßt nach der „Auferstehung“ das Kerygma der Apg. folgen, um dann anschließend „The Interpreters of the Fact“, Paulus, Petrus (I. Petr.!), Hebr., Johannes in ihren theologischen Aussagen zu behandeln. Diese der Geschichte des Urchristentums folgende, im ganzen gemäßigt kritische, keine wirklich geschichtliche Entwicklung, sondern mehr ein Nebeneinander der einzelnen neutestamentlichen Zeugen sichtbar werden lassende Darstellung schließt mit der ausdrücklichen Feststellung, daß hier eine Geschichte der Interpretation aufgrund der *ersten* Interpreten geboten sei: „But the process of interpretation did not stop with St. John. It went on“ (S. 152).

Die skizzierte Problematik wird vollends sichtbar bei A. Richardson, An Introduction to the Theology of the New Testament (1958). In diesem Werk soll aufgezeigt werden, „that the apostolic Church possessed a common theology and that it can be reconstructed from the New Testament Literature“ (S. 9; vgl. S. 9 ff.), was aufgrund zweier Voraussetzungen geschieht: „Jesus himself is the author of the brilliant re-interpretation of the Old Testament scheme (‚Old Testament theology‘) which is found in the New Testament“, und: „the events of the life, ‚signs‘, passion and resurrection of Jesus, as attested by the apostolic witness, can account for the ‚data‘ of the New Testament better than any other hypothesis current today“ (S. 12). Die Entfaltung dieser Konzeption bedarf nicht der ‚Rekonstruktion‘, sondern der Interpretation, beginnend mit „the basic conception of *faith*“ (S. 12 ff. [Zitat S. 12]. 19 ff.), sich fortsetzend in einer Darstellung des Handelns Gottes, der Christologie, Erlösung, Kirche (einschließlich auch der Ämter der Kirche!), Taufe und Abendmahl. Es wird nicht eine historische, sondern eine stark subjektiv gefärbte, rein systematische Darstellung (mit zahlreichen Willkürlichkeiten[180]) geboten. Dabei wird eine ‚deskriptive Methode‘ angewandt, in der weder die einzelnen Schriftsteller noch ihre jeweiligen Anschauungen zur Geltung kommen. Es werden völlig unhistorisch Ansichten aneinandergereiht, die ein einheitliches Bild neutestamentlicher Anschauungen zeichnen, das, wenn es auf dem Wege der ‚Rekonstruktion‘ gewonnen wäre, in sich selbst zusammenfällt. Der Zusammenhang von

---

[179] So R. Bultmann, Bd. I, 1951; Bd. II, 1955; E. Stauffer, 1955; O. Cullmann, Christus und die Zeit, 1950 (vgl. dazu P. S. Minear, JBL 70, 1951, S. 51 ff.).

[180] Es fehlen wichtige Themenkreise: Schöpfung, Anthropologie, Gesetz; der Gedanke der Sukzession wird aus dem I. Klemensbrief eingetragen.

‚Rekonstruktion' und ‚Interpretation' ist in diesem Werk, obwohl er gesehen wurde (S. 9–15), vollends preisgegeben zugunsten einer Durchschnittsbasis christlichen Glaubens auf neutestamentlicher Grundlage[181]. Die angelsächsische Situation aber wird besonders dadurch erhellt, daß gerade dieses Werk nahezu enthusiastisch aufgenommen wurde[182].

In methodisch gleicher Weise geht auch F. STAGG in seinem Werk „New Testament Theology" (1962) vor: Er weiß zwar um die Verschiedenartigkeit der Theologien innerhalb des Neuen Testaments, aber um der Entfaltung der „Basis" für den christlichen Glauben ist der „‚unity in diversity'" unter bewußter Hintanstellung der ‚Rekonstruktion' der Vorzug zu geben (S. IXf.). Seine bewußt nur neutestamentlichen Vorstellungen Rechnung tragende, am Ordo Salutis ausgerichtete Darstellung führt zu einer so stark additiven Zusammenschau der Ansichten, daß ein zwar ‚einheitliches', nicht aber ein jemals in dieser Form geschichtlich existierendes Bild Neutestamentlicher Theologie entsteht[183]. Und wenn auch gelegentlich zwischen den Anschauungen einzelner neutestamentlicher Zeugen geschieden wird (z.B. S. 82ff. 212ff.), so doch nicht, um die Abfolge im Wandel begriffener Vorstellungen nachzuzeichnen, sondern um den Stoff ‚deskriptiv' zu systematisieren.

Die selben kritischen Bemerkungen sind gegenüber dem Werk von R. E. KNUDSEN, Theology in the New Testament (1964) geltend zu machen. Hier wird bereits im Untertitel das Anliegen verdeutlicht: „A Basis For Christian Faith". Zwar ist der Verfasser überzeugt, daß „the New Testament must be subjected to critical and thorough study in an attempt to discover its essential meaning" und daß erst auf dieser Grundlage eine „interpretation" möglich ist (S. 16), aber sein Werk gilt – laut Vorwort – allein der Interpretation, wie auch die Einzeldurchführung zeigt. Diese ist an einer systematischen Durchdringung des christlichen Glaubens aufgrund des neutestamentlichen Zeugnisses interessiert, beginnend mit „Revelation and Inspiration", abschließend mit „Eschatology". Besonders charakteristisch ist dabei das Kapitel „The Trinity (S. 189ff.). Gelegentliche Unterscheidung der einzelnen neutestamentlichen Zeugen läßt zwar erkennen, daß der Verfasser die historisch-kritische Befragung des Neuen Testaments nicht völlig aus dem Blick verlieren will (S. 244ff. 379ff.), vorherrschend aber bleibt die ‚deskriptive Methode', in der die neutestamentlichen Anschauungen weithin um der „Basis For Christian Faith" willen ungeschichtlich addiert werden (verbunden mit mancher willkürlichen Eintragung, systematischer Fragestellungen in das Neue Testament)[184].

Es ist abschließend zu zeigen, daß die Anwendung der ‚deskriptiven Methode' nicht die Folge methodischer Unsicherheit ist, sondern gegenwärtig ein bestimmtes Ziel verfolgt: Sie soll das Neue Testament als Basis für den christlichen Glauben *in der Gegenwart* ausweisen, denn „for many of us biblical theology has become a juggling of concepts and a word game in a word which has no contact with

---

[181] Vgl. auch sehr kritisch W. G. KÜMMEL, ThLZ 85, 1960, Sp. 921ff.; ders., s. Anm. 103, S. 364f. (= SBS, S. 140f.).

[182] Vgl. die Bespr. von V. TAYLOR, ExpT 70, 1958/59, S. 167f.; J. C. SWAIM, Interpretation 13, 1959, S. 465ff.; G. JOHNSTON, JBL 78, 1959, S. 272ff. (mit teilweiser Kritik); C. F. D. MOULE, JThSt, N. S. 10, 1959, S. 373ff. (mit leichter Kritik).

[183] Vgl. auch W. G. KÜMMEL, a. Anm. 103, S. 365 (= SBS, S. 141f.).

[184] Von ‚Ntl. Theologien' sind bes. BULTMANNS und STAUFFERS benutzt, dazu O. CULLMANN, ‚Christus u. die Zeit' und die ‚Christologie', vorwiegend aber systematische Werke.

ours"[185]. Damit aber ist die ‚deskriptive Methode' als solche dem Spiel der Willkür preisgegeben, weil sich mit ihr unter „Biblischer Theologie" auch jeder in das Neue Testament hereingelesene Gedanke subsumieren läßt. In den letzten Jahren hat man zunehmend die Gefahr des methodischen Entgleitens[186] einer solchen Biblischen Theologie gesehen, was etwa K. STENDAHL in einem allerdings etwas anders gefaßten Zusammenhang zu der harten, aber verständlichen Forderung veranlaßt, „to rescue the church from the arrogant imperialism of biblical theology"[187]. Die anstehende Frage zu lösen aber heißt, methodisch den bereits im Neuen Testament gegebenen Zusammenhang von „history and interpretation" in der Bearbeitung der Neutestamentlichen Theologie zur Geltung kommen zu lassen[188]. Die von J. Ph. Gabler und G. L. Bauer inaugurierte Fragestellung beginnt, auch hier im Raum zu stehen.

b) Gabler hatte seinerzeit erklärt, die Biblische Theologie sei eine protestantische Wissenschaft und nur auf dem Boden der Reformation möglich. Die Entwicklung der Theologie des Neuen Testaments im Bereich der röm.-kath. Forschung, die Hand in Hand geht mit der Hinwendung zur kritischen Schriftauslegung[189], bestätigt dies: Erst 1950 erschien das erste Werk, das diesen Namen verdient: MAX MEINERTZ, Theologie des Neuen Testaments, Bd. I. II (1950).

Zwar hatte schon JOH. ANT. BERNH. LUTTERBECK 1852 ein Handbuch vorgelegt: „Die Neutestamentlichen Lehrbegriffe oder Untersuchungen über das Zeitalter der Religionswende, die Vorstufen des Christenthums und die erste Gestaltung desselben" (Bd. I.II) und darin Berührungen mit der damals neuesten protestantischen Forschung von C. F. v. Ammon und G. L. Bauer bis F. C. Baur gezeigt (vgl. II, S. 156f.) und Lehrbegriffe der einzelnen neutestamentlichen Autoren teils gesondert behandelt und auch Parteienprobleme im Urchristentum gesehen, doch sein Werk blieb ohne Bedeutung. – Die „Theologie des Neuen Testaments" von O. KUSS (1936; [2]1937) dagegen ist lediglich eine sehr sorgfältig gearbeitete Bibelkunde unter Berücksichtigung der verschiedenen neutestamentlichen Epochen.

So ist tatsächlich Meinertz Werk die erste moderne wissenschaftliche katholische Theologie des Neuen Testaments. Die Darstellung beginnt mit der

---

[185] Vgl. J. C. BEKER, Reflections on Biblical Theology, Interpretation 24, 1970, S. 306.
[186] Als besonders gravierende Entgleitung ist auch J. W. BOWMAN, Prophetic Realism and the Gospel. A Preface to Biblical Theology, 1955, zu nennen; vgl. „Part. I. The Three Current Positions in Biblical Theology" (S. 20ff.), wo von Einsteins Relativitätstheorie bis zu Problemen der Hindus (S. 21, 25) die moderne Geistesgeschichte unter dem Gesichtspunkt der „Biblischen Theologie" abgehandelt wird.
[187] Vgl. K. STENDAHL, s. Anm. 171, S. 204; vgl. auch ebdt., S. 202ff.; O. A. PIPER, s. Anm. 169, S. 106ff., 109f.; E. L. ALLEN, s. Anm. 168, S. 13ff.; in ihrer Weise auch A. DULLES, s. Anm. 171, S. 210ff. u. J. C. BEKER, aaO, S. 303ff., 307ff., 311ff. passim.
[188] Vgl. auch G. E. LADD, s. Anm. 170, S. 41ff., 62.
[189] Vgl. dazu etwa R. SCHNACKENBURG, Der Weg der katholischen Exegese, in: Schriften zum Neuen Testament, 1971, S. 15ff.; O. KUSS, Exegese als theologische Aufgabe, BZ, N.F. 5, 1961, S. 161ff.; ders., Exegese und Theologie des Neuen Testaments als Basis und Ärgernis jeder nachneutestamentlichen Theologie, MThZ 21, 1970, S. 181ff.; H. SCHLIER, Was heißt Auslegung der Heiligen Schrift?, in: Besinnung auf das Neue Testament, 1964, S. 35ff.; A. VÖGTLE, Was heißt „Auslegung der Heiligen Schrift"? Exegetische Aspekte, in: Was heißt Auslegung der Heiligen Schrift?, 1966, S. 29ff.

Person und Verkündigung Jesu als festem Bestandteil neutestamentlicher Theologie. Es folgt die Darstellung der Urgemeinde. Doch werden darin als entscheidende Zeugen Petrus, Jakobus und Judas mit ihren Briefen behandelt, so daß der ungeschichtliche Gesamtaufbau des Werkes offenkundig wird, was sich im Anschluß an die Behandlung der paulinischen Theologie noch einmal deutlich bei Johannes zeigt, der die synoptische Lehre noch deutlicher hervorhebe (II, S. 315ff.). Der Verfasser der Apokalypse ist der Apostel Johannes, wobei es als nicht konsequent erscheint, daß Joh. Ev. und Joh. Briefe von der Apokalypse in der Behandlung getrennt werden. – Meinertz Werk hat also nur gezeigt, daß man die theologischen Gedanken der einzelnen Verfasser neutestamentlicher Schriften getrennt darzustellen habe, eine geschichtliche Entwicklung ihrer Gedanken ist jedoch in der Darstellung noch nicht erreicht[190].

Eine wirklich weiterführende, weil neuartige „Theologie des Neuen Testaments" hat erst KARL HERMANN SCHELKLE (Bd. I, 1968; Bd. III, 1970) vorgelegt. Wie schon J. PH. GABLER erwog und (G.) A. DEISSMANN 1893 als Möglichkeit vorschlug, wählt Schelkle – ohne Kenntnis dieser ‚Vorläufer' – die großen Themen Neutestamentlicher Theologie aus und verfolgt diese von ihrer Vorgeschichte im Alten Testament an in einem Längsschnitt durch die Schriften der verschiedenen neutestamentlichen Zeugen. Der erste Band behandelt ‚Schöpfung, Welt-Zeit-Geschichte' und zeigt, daß jeweils eine historisch-kritische, die chronologische Entstehungsfolge im wesentlichen beachtende theologische Begriffsentfaltung gegeben wird[191]. Entsprechendes läßt sich in Bd. III: „Ethos" nur gelegentlich feststellen. Hier überwiegt deutlich das am Neuen Testament orientierte systematische Interesse. Da Schelkle zugleich in diesem Werk ein Gespräch mit der katholischen Dogmatik führt, wie noch eindrücklicher als Bd. I der dritte Band zeigt, in dem Erwägungen zur Moraltheologie weiter Raum gewährt wird (vgl. etwa S. 31ff.), bleibt bis zum Erscheinen der noch ausstehenden Bände abzuwarten, inwieweit sich dies auf

---

[190] Vgl. auch M. MEINERTZ, Randglossen zu meiner Theologie des NT, TQ 132, 1952, S. 411ff.; ders., Sinn und Bedeutung der ntl. Theologie, MThZ 5, 1954, S. 159ff., wo die Aufgabe der ntl. Theologie schon wesentlich klarer erkannt ist. Ganz ähnlich wie Meinertz ist im Aufbau und der theologischen Haltung J. BONSIRVEN, Théologie du Nouveau Testament, 1951. Es werden jedoch synoptische und johanneische Texte beliebig vermischt, um die Verkündigung Jesu zu zeichnen. – Methodisch von Meinertz und Bonsirven überholt ist dagegen das Werk, das als erstes im röm.-kath. Bereich den Titel ‚Ntl. Theologie' trägt: R. P. LEMONNYER, Théologie du Nouveau Testament, 1928 (Neuausgabe 1963 durch L. CERFAUX). Hier ist zwar die Verschiedenartigkeit der ntl. Schriftengruppen gesehen, aber sie kommt sachlich wegen der ihr übergeordneten systematischen Anordnung nicht zum Tragen (vgl. Ausgabe 1928, z.B. S. 10ff., 17ff., 77ff., 150ff., bes. S. 185ff. („La trinité divine"). Zur neueren kath. ‚Ntl. Theologie' vgl. auch W. G. KÜMMEL, s. Anm. 103, S. 363f. (= SBS, S. 138ff.); C. SPICQ, Nouvelles Réflexions sur la théologie biblique, RScPhTh 42, 1958, S. 209ff.

[191] Vgl. dazu W. G. KÜMMEL, s. Anm. 103, S. 367f. (= SBS, S. 144f.); P. STUHLMACHER, s. Anm. 157, S. 425f.; G. HAUFE, ThLZ, 94, 1969, Sp. 909f.; K. H. SCHELKLE selbst begründet seine Methode in: „Was bedeutet ‚Theologie des Neuen Testaments'"?, in: Evangelienforschung, hrsg. von J. Bauer, 1968, S. 299ff., 311f. (leicht modifiziert im Wiederabdruck: Theol. d. NT, Bd. III, 1970, S. 11ff., 27f.).

die neutestamentlichen Fragestellungen insgesamt auswirkt[192]. An den vorliegenden Bänden läßt sich erkennen, daß der Verfasser in der von ihm befolgten Längsschnittmethode deutlich der Interpretation vor der Rekonstruktion den Vorzug gibt, aber auch, daß diese Interpretation der Rekonstruktion als ihrer Voraussetzung bedarf. Denn es gilt, „der historischen Entwicklung von Kerygma und Reflexion innerhalb des Neuen Testaments" Rechnung zu tragen (Vorwort, Bd. I, S. 7 9ff.).

Die nächste Berührung mit der protestantischen Forschung zeigt RUDOLF SCHNACKENBURGS Forschungsbericht über die „Neutestamentliche Theologie" (1963; ²1965), dem deshalb besonders Bedeutung zukommt, weil hier nach der Erörterung des Kerygma und der Theologie der Urkirche (S. 44ff.) die „Botschaft und Lehre Jesu nach den Synoptikern, dann die „Theologie der einzelnen Synoptiker" und anschließend die des Paulus, Johannes und die der übrigen Schriften geboten wird. Abschließend werden zentrale Probleme nach Themen geordnet behandelt. Hier zeigt sich deshalb eine so weitgehende Berührung mit den oben besprochenen neueren protestantischen Theologien des Neuen Testaments, weil sowohl chronologisch als auch theologisch die Anschauungen der einzelnen Schriften in der Geschichte des Urchristentums verankert werden und auch die heute grundsätzlich anerkannte methodische Durchführung der Darstellung charakterisiert als auch gezeigt wird, daß es dazu der Rekonstruktion wie der Interpretation bedarf (S. 11ff. 25ff. 44ff. 54ff.).

D. ABSCHLIESSENDE BEMERKUNGEN

In der vorliegenden Untersuchung ging es um die methodischen Begründungen der Biblischen Theologie durch Gabler und G. L. Bauer. Indem ihre historisch-kritischen wie hermeneutischen Erkenntnisse dargestellt und erörtert wurden, traten die Probleme historisch-kritischer Erforschung des Neuen Testaments unmittelbar in den Blickpunkt. Es zeigte sich dabei, daß die beiden Begründer der Biblischen Theologie zwar am gleichen Strang zogen und beide der historisch-kritischen Forschung verpflichtet sind, aber selbst nicht unerhebliche Unterschiede in Wertung und Zielsetzung historisch-kritischer wie hermeneutischer Grundsätze in der Bearbeitung der von ihnen inaugurierten Disziplin zeigen. Auswirkung und Nachwirkung ihrer Programme in eineinhalb Jahrhunderten haben ihren methodisch bis heute nicht überholten Ansatz bestätigt. Diese Nachwirkung aber beruht nicht auf der Repristination von Fragestellungen, die nur aus der Situation ihrer eigenen Zeit sich ergeben und darum zwar theologiegeschichtliche, nicht aber bleibende Bedeutung haben,

---

[192] Die noch ausstehenden Teile sind: „Teil 2 (Offenbarung in Christus) und Teil 4 (Reich, Kirche, Vollendung)", vgl. Vorwort zu ‚Theol. d. NT', Bd. III.

sondern auf Einsichten, die teilweise schon von ihren Zeitgenossen als überragend und weiterwirkend gewürdigt wurden.

Es sind dies vornehmlich:

a) Die Unaufgebbarkeit historisch-kritischer Erforschung der biblischen Schriften;

b) die damit verbundene Herauslösung der Biblischen Theologie aus der Umklammerung durch die Dogmatik;

c) die getrennte Bearbeitung der Theologie des Alten und des Neuen Testaments[193];

d) die historisch-kritisch eruierte, genetische Darstellung und Entfaltung der biblischen Gedanken sowohl des Alten als auch des Neuen Testaments, die Herausarbeitung der einzelnen Schriftsteller und ihrer „Lehrbegriffe", die Frage nach der „Einheit", der Mitte insbesondere des Neuen Testaments in der Vielzahl seiner „Theologien", der Einbezug der Ethik in die alt- und neutestamentliche Theologie und schließlich die methodisch begründete Notwendigkeit, von der „Einleitungswissenschaft" zur Bearbeitung der „Theologie" weiterzuschreiten. Hat, was die Einzeldurchführung betrifft, vor allem G. L. Bauer nachgewirkt, weil er selbst in seinen zahlreichen Lehrbüchern die methodische Durchführung bot, so ist

e) das hermeneutische Grundproblem in voller Schärfe durch die Diskussion zwischen Gabler und G. L. Bauer in seiner bleibenden Bedeutung ausgewiesen. Es ist das Problem der Zuordnung von ‚Rekonstruktion' und ‚Interpretation'. Nur in dem unaufgebbaren Ineinander beider Methoden ist historisch-kritische Arbeit als „Theologie des Neuen Testaments" möglich, und weiter: Nur, wo beide Methoden einander bedingen, ist historisch-kritische Forschung im Vollzug. Damit gewinnt die Diskussion zwischen Gabler und Bauer über die Methodenfrage der Biblischen Theologie hinaus grundsätzliche Bedeutung, ist sie selbst zu ihrem Teil ein Beitrag zum Methodenstreit unserer Tage[194].

---

[193] Bei dieser Fragestellung ist jüngst eine rückläufige, die Erkenntnisse Gablers und G. L. Bauers weithin preisgebende Tendenz sichtbar, auf die hier nur anmerkungsweise verwiesen werden kann: Die Forderung nach einer Altes und Neues Testament umschließenden „Biblischen Theologie". Vgl. zu diesem mehr auf systematischem als auf historisch-kritisch-exegetischem Wege gewonnenen Postulat bes. G. v. RAD, Theologie des Alten Testaments, Bd. II, ⁴1965, S. 380 ff., 437 ff.; F. LANG, s. Anm. 161, S. 523 ff., 534 (ebdt., S. 523 Anm. Lit.); H.-J. KRAUS, Die Biblische Theologie. Ihre Geschichte und Problematik, 1970. Demgegenüber vgl. hilfreich die kritisch-weiterführenden Erwägungen bei G. EBELING, Was heißt „Biblische Theologie"?, in: Wort und Glaube, 1960, S. 88 f.; C. H. RATSCHOW, Der angefochtene Glaube. Anfangs- und Grundprobleme der Dogmatik, ²1960, S. 67 ff., 72 ff., 88 ff.; C. SPICQ, s. Anm. 190, S. 218 f., H. CONZELMANN, s. Anm. 161, S. 113 ff.; W. BEILNER, s. Anm. 160, S. 151 ff.; E. HAENCHEN, Das alte ‚Neue Testament' und das neue ‚Alte Testament', in: Die Bibel und wir, Ges. Aufs., Bd. II, 1968, S. 13 ff.; R. SMEND, Mitte, S. 22 ff., 57 ff. u. ö.; H. GESE, Erwägungen zur Einheit der biblischen Theologie, ZThK 67, 1970, S. 417 ff., bes. S. 419 ff., 434 ff.; J. HARVEY, The New Diachronical Biblical Theology of the Old Testament (1960–1970), Biblical Theology Bulletin I, 1971, S. 5 ff., bes. S. 15 ff., 23 ff.; P. STUHLMACHER, Neues Testament und Hermeneutik. Versuch einer Bestandsaufnahme, ZThK 68, 1971, S. 121 ff., bes. S. 154 ff.

[194] Vgl. zu diesem jetzt statt vieler Einzelhinweise: E. KÄSEMANN, Vom theologischen

Die Neutestamentliche Wissenschaft ist um ihrer historisch-kritischen Methode willen heute *erneut* herausgefordert, es wird dabei leicht übersehen, daß Gablers und Bauers Begründung und Herausarbeitung der Biblischen Theologie eine revolutionäre Tat in ihrer Zeit war und darum die von ihnen entwickelte Methode dauernden Angriffen ausgesetzt war. – Wir sind in der entscheidenden methodischen Fragestellung trotz vieler neuer Einsichten nicht über Gabler und Bauer hinausgekommen[195], und das liegt in der Sache begründet: In dem unaufgebbaren Ineinander von ,Rekonstruktion' und ,Interpretation' liegt nicht nur das Moment der Beharrung, bei der historisch-kritischen Forschung zu bleiben, sondern zugleich das des Aufbruchs. Jede Generation, das hat die Geschichte der Bearbeitung der Neutestamentlichen Theologie gezeigt, hat über dieses Ineinander neu zu reflektieren und diese Zuordnung neu zu bestimmen. Damit aber erweist sich diese Methode im Dienste der ihr vorgegebenen Sache: zu bezeugen, daß Gottes Offenbarung in Zeit und Geschichte, in dem Menschen Jesus von Nazareth sich vollzogen hat und dieses Zeugnis sich in den von Menschen aufgezeichneten Urkunden, im Neuen Testament niedergeschlagen hat, die darum in jeder Generation neu rekonstruiert und interpretiert werden müssen. Die historisch-kritische Erforschung der biblischen Schriften, wie sie auch in der Bearbeitung der „Theologie des Neuen Testaments" zur Geltung kommt, steht darum im Dienste der Theologie und trägt dazu bei, daß diese ihren Auftrag an der Kirche und an der Welt in sachgerechter Weise erfüllen kann.

Recht historisch-kritischer Exegese, ZThK 64, 1967, S. 259 ff.; G. SAUTER, Vor einem neuen Methodenstreit in der Theologie ?, ThExh 164, 1970, S. 15 ff., 22 ff., 29 ff., 88 ff.; ders., in: FERD. HAHN – G. SAUTER, Verantwortung für das Evangelium in der Welt, ThExh 167, 1970, S. 62 ff., bes. S. 64 Anm. 11; W. SCHMITHALS, Das Christuszeugnis in der heutigen Gesellschaft, Evangelische Zeitstimmen 53, 1970, S. 43 ff., 51 ff.

[195] Vgl. dazu in größerem Zusammenhang und ebenfalls statt vieler Einzelhinweise: G. EBELING, Die Bedeutung der historisch-kritischen Methode für die protestantische Theologie und Kirche, in: Wort und Glaube, 1960, S. 1 ff., bes. S. 46 ff.; H. GRASS, Historisch-kritische Forschung und Dogmatik, in: Theologie und Kritik, 1969, S. 9 ff.; ders., Theologie und Kritik, ebdt., S. 52 ff.; U. WILCKENS, Über die Bedeutung historischer Kritik in der modernen Bibelexegese, in: Was heißt Auslegung der Heiligen Schrift ?, 1966, S. 85 ff., bes. 96 ff.; R. PESCH, Neuere Exegese. Verlust oder Gewinn ?, 1968, S. 12 ff. u. ö.; E. SCHWEIZER, Scripture-Tradition-Modern Interpretation, in: Neotestamentica, 1963, S. 203 ff.; H. SCHLIER, Biblische und dogmatische Theologie, in: Besinnung auf das Neue Testament, Ges. Aufs. II, 1964, S. 25 ff. (passim); J. D. SMART, Hermeneutische Probleme der Schriftauslegung, 1965, S. 219 ff.; E. GRÄSSER, Wort Gottes in der Krise ?, 1969, S. 9 ff., 34 ff; P. STUHLMACHER, s. Anm. 193, S. 121 ff., bes. S. 131 ff., 136 ff. – Vgl. auch G. KLEIN, der seine Aufsätze zur Exegese und Theologie des Neuen Testaments unter das Thema „Rekonstruktion und Interpretation" (1969) gestellt hat und damit unbewußt-bewußt der bis heute anstehenden Methodenfrage beredten Ausdruck gibt.

Anlage I

JOHANN PHILIPP GABLERS ANTRITTSREDE IN ALTDORF VOM 30. 3. 1787[1]

Von der richtigen Unterscheidung der biblischen und der dogmatischen Theologie und der rechten Bestimmung ihrer beider Ziele

Daß die heiligen Bücher, besonders des Neuen Testaments, jene einzige und leuchtendste Quelle sind, || aus der jede wahre und sichere Erkenntnis der christlichen Religion zu schöpfen ist, und jenes heilige Palladium, zu dem wir bei der so großen Zweifelhaftigkeit und Wechselhaftigkeit der menschlichen Wissenschaft einzig unsere Zuflucht nehmen müssen, wenn wir nach einer festen Einsicht in das göttliche Wesen streben und wenn wir eine sichere und zuverlässige Hoffnung auf das Heil annehmen wollen: Das freilich, hochangesehene Zuhörer, bekennen alle einstimmig, die zu der heiligen Gemeinde der Christen gezählt werden. – Aber woher kommen bei dieser Übereinstimmung die so zahlreichen Meinungsverschiedenheiten in der Religion selbst? Woher die so unseligen Abspaltungen von Gruppen? Freilich geht diese Uneinigkeit aus von der Dunkelheit, die an etlichen Stellen der heiligen Schrift selbst herrscht; freilich von jener schlimmen Angewohnheit, seine eigenen Ansichten und Urteile in diese Bücher hineinzulegen, oder sogar von der sklavischen Methode, sie zu interpretieren [gemeint ist wohl: die von der Dogmatik versklavte Methode der Interpretation]; freilich daher, daß man nicht auf den Unterschied zwischen Religion und Theologie achtet; schließlich daher, daß die Einfachheit und Leichtigkeit der biblischen Theologie schlecht vermischt ist mit dem Scharfsinn und der Strenge der dogmatischen Theologie.

In der Tat, daß die heilige Schrift an vielen Stellen, ob wir nun den Text kritisch betrachten oder den Inhalt selbst, nicht selten von größtem Dunkel bedeckt wird, das freilich brauche ich nicht mit vielen Worten zu zeigen; denn es

---

[1] Übersetzung nach TS II, S. 179–198. Für freundliche philologische Beratung danke ich Frau Assistentin Dr. phil. Bärbel Krebber vom Institut für Altertumskunde an der Universität Köln; vgl. auch oben Kap. Gabler, Anm. 2. Obwohl sich nur S. 179–194 mit der theologischen Fragestellung befassen, wird eine Übersetzung der ganzen Rede gegeben, da es sich um die erste Gesamtübersetzung handelt. Es wird eine möglichst wörtliche Übersetzung gegeben, bei der Satzkonstruktionen und Zeichensetzung weitgehend beibehalten werden. Sperrungen werden, außer bei Eigennamen, nicht berücksichtigt. Im folgenden werden die Anmerkungen der Rede durchnumeriert. Die ursprünglichen Seitenzahlen sind oben am inneren Rand in [] angegeben.

spricht die Sache selbst, und auch so viele erfolglose Arbeiten der Interpreten
schreien zum Himmel. Dafür gibt es mehrere Gründe, bald vom Wesen und der
natürlichen Beschaffenheit der Dinge her, die in diesen Büchern überliefert
sind, bald von der Ungewöhnlichkeit der Wörter und dem allgemeinen Redestil
her, bald von der Art und Weise der Zeiten und Sitten her, die von denen der
unseren sehr verschieden sind, bald schließlich aus der Unfähigkeit vieler, diese
Bücher, sei es aus der alten Gewohnheit im ganzen, sei es aus dem für jeden
Schriftsteller charakteristischen Sprachgebrauch heraus richtig zu interpretieren. // Diese Gründe aber alle im einzelnen anzuführen, darauf kommt es an
dieser Stelle allerdings nicht an, da es ja sowieso offenbar ist, daß aus dieser
Dunkelheit der heiligen Schrift, woher jene auch immer gekommen sein mag,
unbedingt eine große Zahl verschiedener Meinungen entstehen mußte. – Dieses
unglückliche Schicksal unserer Religion förderte auch noch jenes unheilbrin-
gende Unternehmen vieler, den Verfassern der heiligen Schrift selbst leicht-
fertig jeweils ihre eigenen, selbst die unwichtigsten Meinungen unterzuschieben.
Natürlich bemühen diese Leute sich, ihre leichtfertigen Ansichten durch die
Autorität der Verfasser der heiligen Schrift zu stützen: Es ist ja überhaupt
von Wichtigkeit, den eigenen menschlichen Hirngespinsten gewissermaßen
einen Heiligenschein umzulegen. Doch nicht nur von denen darf man annehmen, daß sie der heiligen Schrift in dieser Weise Gewalt antun, von denen wir
wissen, daß sie von der Fähigkeit, richtig zu interpretieren, völlig verlassen
sind, sondern wir merken ja auch, daß oft die scharfsinnigsten, in diesen Dingen
erfahrensten Exegeten daran scheitern, daß sie die Gesetze richtiger Interpretation außer acht lassen und zu sehr ihren eigenen Einsichten nachgeben.
Wir meinen aber auch nicht, daß schließlich diejenigen in angemessener und
rechter Weise aus der heiligen Schrift ihre eigenen Lehren ermitteln, die die
Worte der heiligen Schrift selbst verwenden: Es geschieht nämlich häufig,
daß sie, wenn sie bei den Wörtern stehenbleiben und nicht den Sprachgebrauch,
der den Verfassern der heiligen Schrift zu eigen ist, beachten, eher irgendeine
andere als die richtige Meinung der Verfasser wiedergeben. Denn wenn sie,
um dieses eine Beispiel zu bringen, Metaphern mit einem Stäubchen abschnip-
pen, wo die Sache auf allgemeine Begriffe zurückzuführen ist, dann freilich
bringen dieselben Leute, die überzeugt sind, einen Sinn aus der heiligen Schrift
herauszulesen, eben diesen erst hinein[2].

// Ein anderer, und zwar gewichtiger Grund für die Uneinigkeit liegt in der
Nichtbeachtung des Unterschieds zwischen Religion und Theologie; denn wenn
das, was in den Bereich der Theologie gehört, andere auf die Religion selbst
beziehen, erkennen wir leicht, daß hier ein für schärfste Meinungsverschieden-

---

[2] Dazu verdient, besonders gelesen zu werden, was der selige ERNESTI, ein unsterblicher
Mann, in seiner Abhandlung „Pro grammatica interpretatione librorum sacrorum" und in:
„De vanitate philosophantium in interpretatione librorum sacrorum", Opusc. Philolog.,
ed. II, S. 219 ff. und MORUS, ein sehr bedeutender Mann, im Vorwort zu :„De discrimine
sensus et significationis in interpretando", Lipsiae 1777, wahrhaft und gelehrt beobachtet
haben.

heiten sehr geräumiges Gebiet ist, wobei diese umso unheilvoller sind, je unwilliger jeder das, was er auf die Religion selbst bezieht, sich entreißen läßt. Daß aber zwischen Religion und Theologie ein großer Unterschied besteht, hat nach ERNESTI, SEMLER, TELLER, SPALDING, TÖLLNER und anderen jüngst TITTMANN[3] hervorragend gezeigt, ein verehrungswürdiger Mann. Es ist nämlich, um mit den Worten des hocherhabenen Herrn zu reden, die Religion eine göttliche Lehre, die schriftlich überliefert ist; sie lehrt, was jeder Christ wissen, glauben und tun muß, um in diesem und im zukünftigen Leben Seligkeit zu besitzen. Die Religion ist also eine gewöhnliche und einleuchtende (durchschaubare) Wissenschaft; aber die Theologie ist eine subtile, ausgeformte, mit vielen anderen Wissenschaften in Verbindung stehend, und zwar ist sie nicht nur aus der heiligen Schrift, sondern auch anderswoher, aus dem Umkreis der Philosophie besonders und der Geschichte, entnommen: Und sie ist daher eine durch menschliche Fähigkeit und Verstand ausgebildete Disziplin, // aus sorgfältiger und ständiger Beobachtung entstanden, die vielfache Wechselbeziehungen mit den übrigen Disziplinen erfahren hat: Denn sie behandelt nicht nur Dinge, die in den Bereich der christlichen Religion gehören, sondern setzt auch alles, was immer in irgendeiner Weise damit verbunden ist, recht sorgfältig und auch recht ausführlich auseinander, und schließlich schafft sie Raum für dialektische Gründlichkeit und Strenge. Aber diese große Fülle an Literatur und Geschichte umfaßt die Volkstümlichkeit der Religion nicht.

Diese betrüblichen Meinungsverschiedenheiten nährte schließlich und wird leider noch länger nähren jenes unselige Bemühen, völlig verschiedene Dinge zu vermischen, zum Beispiel die Einfachheit der sogenannten Biblischen Theologie mit dem Scharfsinn der Dogmatischen Theologie, obwohl man doch wie mir scheint, die eine von der anderen genauer, als es freilich bis heute von den meisten zu geschehen pflegt, unterscheiden muß. – Welcher notwendige Grundsatz freilich für diese Unterscheidung festzulegen ist oder welche Verfahrensweise einzuhalten ist: Das eben ist es, was ich bei mir beschlossen habe, ganz kurz in dieser meiner Rede auseinanderzusetzen, soweit es mit meinen schwachen Kräften möglich ist und wenn es überhaupt geschehen kann. – Ich bitte also heftig um Ihre Gnade, A. O. O. H., und bitte inständigst Sie alle einzeln mit der gebührenden Hochachtung, so wie ich es mehr von Herzen überhaupt nicht könnte, daß Sie mir, während ich rede, Ohren und Sinn gewogen zeigen und mir, der ich allzu zaghaft wichtige Dinge entwerfe, durch Ihre freundliche Geneigtheit Mut einflößen.

Die biblische Theologie besitzt historischen Charakter, überliefernd, was die heiligen Schriftsteller über die göttlichen Dinge gedacht haben; die Dogmatische Theologie dagegen // besitzt didaktischen Charakter, lehrend, was jeder Theologe kraft seiner Fähigkeit oder gemäß dem Zeitumstand, dem Zeitalter, dem Orte, der Sekte, der Schule und anderen ähnlichen Dingen dieser Art über die

---

[3] Progr(amm) de discrimine theologiae et religionis, Vitembergiae 1782.

göttlichen Dinge philosophierte. Jene, da sie historisch argumentiert, ist, für sich betrachtet, sich immer gleich (obwohl sie selbst, je nach dem Lehrsystem, nach dem sie ausgearbeitet wurde, von den einen so, von den anderen anders dargestellt wird): Diese jedoch ist zusammen mit den übrigen menschlichen Disziplinen vielfältiger Veränderung unterworfen: Was ständige und fortlaufende Beobachtung so vieler Jahrhunderte übergenug beweist. Denn wie sehr unterscheiden sich die Kirchen der Gelehrten schon von den ersten Anfängen der christlichen Religion, wie viele Systeme nennen die Kirchenväter, je nach der Verschiedenheit von Zeit und Landschaft (Himmel)! Denn die Geschichte der Theologie lehrt auch, daß sowohl Chronologie als auch Geographie zu ihr gehören. Wie groß ist die Diskrepanz der scholastischen Theologie des Mittelalters, das von dichtem Dunkel der Barbarei bedeckt ist, von dieser alten Disziplin! Aber auch nachdem das Licht der Lehre des Heils aus dieser Dunkelheit aufgetaucht war, war die ganze Diskrepanz in der theologischen Disziplin nicht völlig aufgehoben, nicht einmal in der gereinigten Kirche selbst, um die Parteien der Sozinianer und Arminianer zu übergehen. Denn, um in der lutherischen Kirche zu bleiben, die Lehre eines Chemnitz und Gerhard ist eine, eine andere die von Calov, eine andere die von Musäus und von Baier, eine andere die von Buddeus, eine andere die von Pfaff und von Mosheim, eine andere die von Baumgarten, eine andere die von Carpov, eine andere die von Michaelis und Heilmann, eine andere die von Ernesti und Zachariä, eine andere die von Teller, eine andere die von Walch und Carpzov, eine andere die von Semler, eine andere schließlich von Döderlein. Aber die heiligen Schriftsteller sind wirklich nicht so wandlungsfähig, daß dieselben diese verschiedene Gestalt und Form der theologischen Disziplin anziehen könnten. Das freilich soll von mir nicht so gemeint sein, // daß alles in der Theologie für unsicher und zweifelhaft gehalten werden soll oder daß alles bloß dem menschlichen Willen erlaubt sein soll; sondern nur so viel möchten diese Worte ausrichten, daß wir das Göttliche vom Menschlichen sorgfältig unterscheiden, daß wir eine gewisse Unterscheidung der Biblischen und der Dogmatischen Theologie festsetzen und nach Ausscheidung von dem, was in den heiligen Schriften allernächst an jene Zeiten und jene Menschen gerichtet ist, nur diese reinen Vorstellungen unserer philosophischen Betrachtung über die Religion zugrundelegen, welche die göttliche Vorsehung an allen Orten und Zeiten gelten lassen wollte, und so die Bereiche der göttlichen und menschlichen Weisheit sorgfältiger bezeichnen. So endlich wird unsere Theologie sicherer und fester, und so wird sie selbst vom heftigsten Angriff der Feinde nichts weiter zu fürchten haben. Diesen Bereich hat freilich mit Erfolg ein Buch des verstorbenen (seligen) Zachariä[4] behandelt: Wie viel es aber ist, was er anderen zum Verbessern, richtiger Definieren und Erweitern überlassen hat, brauche ich kaum zu erwähnen. Die ganze Sache aber läuft darauf zurück, daß wir teils in richtiger Weise ein rechtes Maß bei vor-

---

[4] In dem sehr bekannten Buch, das von ihm betitelt wurde: Biblische Theologie.

sichtiger Darstellung der Vorstellungen der heiligen Autoren einhalten, teils deren dogmatischen Gebrauch und deren Grenzen richtig festsetzen.

Das erste also ist in dieser außerordentlich wichtigen Sache, daß wir die heiligen Vorstellungen sorgfältig sammeln, und, wenn sie in der heiligen Schrift nicht ausdrücklich genannt sind, dann muß man sie selbst aus miteinander verglichenen Stellen entsprechend zusammenfügen. Damit dies umso erfolgreicher vonstatten geht und nicht irgendetwas aufs Geratewohl oder nach Belieben getan wird, ist freilich vielfache Vorsicht // und Umsicht nötig. Vor allem wird folgendes zu beachten sein: In diesen heiligen Büchern sind nicht die Ansichten eines einzigen Mannes enthalten und auch nicht die desselben Zeitalters oder derselben Religion. Die heiligen Schriftsteller sind freilich alle heilige Männer und durch göttliche Autorität geschützt; aber sie beziehen sich nicht alle auf dieselbe Form der Religion: Die einen sind Lehrer der alten und als solchen grundlegenden Lehrform, die Paulus selbst mit der Bezeichnung πτωχὰ στοιχεῖα bezeichnet; die anderen sind Lehrer der neueren und besseren christlichen Lehrform. Deshalb können die heiligen Schriftsteller, wie sehr sie auch mit gleicher Achtung wegen der göttlichen Autorität, die ihren eigenen Schriften eingedrückt ist, von uns zu verehren sind, doch nicht alle, wenn wir auf den dogmatischen Gebrauch achten, auf dieselbe Stufe gestellt werden. Aber daß überhaupt die Theopneustie in jedem heiligen Mann die eigene Kraft des Verstandes und das Maß der natürlichen Einsicht in die Dinge nicht zerstört hat, das bedarf gar nicht vieler Worte. Schließlich da, jedenfalls an dieser Stelle, nur das untersucht werden soll, welche Ansicht jeder dieser Männer über die göttlichen Dinge gehabt hat, und da dies ohne Rücksicht auf die göttliche Autorität aus ihren Büchern selbst erkannt werden kann, möchte ich freilich meinen, es sei, damit wir nicht den Anschein erwecken, etwas, das irgendeiner Beweisführung bedarf, wie schon Anerkanntes anzunehmen, in dieser ersten Untersuchung, wo es nicht wichtig ist, mit welcher Autorität die Männer geschrieben haben, sondern was für eine Ansicht sie vertreten haben, überhaupt besser, diesen Punkt der göttlichen Inspiration völlig zu übergehen und ihn erst dann wieder zu behandeln, wo über den dogmatischen Gebrauch der biblischen Vorstellungen gehandelt wird. – Unter diesen Umständen müssen wir, wenn wir nicht erfolglos arbeiten wollen, die einzelnen Perioden der alten und neuen Religion, die einzelnen Autoren und schließlich die einzelnen Redeformen, // die jeder je nach Zeit und Ort gebraucht hat, trennen; ob es das historische, didaktische oder poetische Genus ist. Wenn wir diesen geraden, wenn auch beschwerlichen und zu wenig angenehmen Weg verlassen, irren wir notwendigerweise irgendwie in unsichere Abwege ab. Man muß folglich sorgfältig die Vorstellungen der einzelnen Schriftsteller eifrig sammeln und jeweils an ihrem Ort einordnen: Die der Patriarchen, die des Mose, David und Salomo, der Propheten, und zwar jedes einzelnen, Jesaja, Jeremia, Ezechiel, Daniel, Hosea, Sacharja, Haggai, Maleachi und der übrigen; und aus vielen Gründen dürfen die apokryphen Bücher zur Benutzung nicht verachtet werden: Danach aus der Epoche des Neuen Testaments die Vorstellungen Jesu, des Paulus, des Petrus, des Johannes und des Jakobus. Diese Aufgabe wird vor allem in zwei Teilen [Arbeitsgängen] gelöst: Der eine besteht in der richtigen Interpretation der Stellen, die sich hierauf beziehen; der andere im sorgfältigen Vergleich der Vorstellungen aller heiligen Autoren untereinander.

Der erstere Teil freilich enthält die meisten Schwierigkeiten[5]. Denn man muß dabei nicht nur Rücksicht nehmen auf den Sprachgebrauch, bald auf den allgemeinen, der im Neuen Testament sowohl Hebräisch-Griechisch als auch die griechische Volkssprache jener Zeit ist, bald aber auf den, der jedem Schriftsteller eigen ist, und besonders auf eine Bezeichnung, die an einer bestimmten Stelle allein vorkommt, sei es, daß sie // ausführlicher ist, sei es, daß sie knapper ist, wobei zugleich die Rücksicht auf diese Verschiedenheit hinzukommt und, wenn es möglich ist, jene allgemeine Vorstellung erklärt wird, in der mehrere Bedeutungen desselben Wortes zusammenkommen[6]: Aber auch die Bedeutung und der Sinn eines Satzes selbst muß erfaßt werden; auch, welches die Grundbedeutung eines Wortes ist und welche ihm nur angefügt wurde. Denn die Vorsicht des Übersetzers darf nicht innehalten bei der ersten Bedeutung, die einem Worte zugrundeliegt, sondern er muß auch zur Sekundärbedeutung weitergehen, die von dem Zeitalter, von der Auffassung oder vom Sachgebiet her mit dem Wort verbunden ist und aus eben diesem Grunde zu den wichtigeren Begriffen zu ziehen ist. – Ferner muß man den eigentlichen oder nicht eigentlichen Gebrauch eines Wortes beachten; darin allerdings werden vor allem Fehler gemacht: Daß wir bei den Topoi hängenbleiben und so neue Dogmen aufstellen, an die nicht einmal die Autoren gedacht haben. Das kommt oft vor, nicht nur bei den poetischen oder prophetischen Büchern, sondern auch in den Schriften der Apostel, wo dieser uneigentliche Gebrauch der Wörter zurückzuführen ist auf die Fülle des Talents oder auf die gewöhnliche Ausdrucksweise der Gegner oder auf den für die ersten Leser vertrauten Gebrauch eines Wortes[7]. Das macht hier sehr viel aus, wenn wir mehrere Gedanken ein und desselben Autors, z. B. des Paulus, sorgfältig miteinander vergleichen und beim Vergleich des Inhalts und der Wörter viele Stellen, die denselben Sinn haben, der verschieden ausgedrückt ist, // auf diese eine Vorstellung und Sache zurückführen: Was jüngst hervorragend bewiesen und gezeigt hat Morus[8], dessen Name eine Aussage ist [wohl: für sich selbst spricht]. – Endlich muß man gut unterscheiden, ob der Apostel mit seinen eigenen oder mit den Worten

[5] Darauf hat in hervorragender Weise hingewiesen der selige Ernesti in: Commentt. de difficultatibus N.T. recte interpretandi; und in: De difficultate interpretationis N.T., Opusc. philol., ed. II., S. 198 ff. und S. 252 ff.

[6] Welche Vorsicht bei dieser Untersuchung der Erkenntnis der Bedeutungen eines und desselben Wortes jedenfalls anzuwenden ist, hat der hochbedeutende Morus im Vorwort zu: De nexu significationum eiusdem verbi, Lipsiae 1776, gelehrt.

[7] f. disp. de discernenda propria et tropica dictione praes. s. v. Noesselt, Hallae 1763.

[8] Dies hat der bedeutende Mann sowohl in der Abhandlung: „De notionibus universis in Theologia" als auch in: „Progr. de utilitate notionum universarum in Theologia", Lipsiae 1782, behandelt.

anderer spricht; ob er vorhat, irgendeine These nur aufzuzeigen oder aber zu beweisen; und wenn er das will, ob er den Beweis aus der inneren Natur und Beschaffenheit der Heilslehre selbst zieht oder aus den Aussprüchen der Bücher der alten Lehrform (= des Alten Testaments), und zwar angepaßt an das Verständnis der ersten Leser. Denn obgleich die Sätze der Apostel unser Vertrauen so verdienen, daß wir leicht irgendeinen Beweis ihrer selbst entbehren könnten, so verlangten doch die ersten Leser Beweise, und zwar ihrem Verständnis und Urteil angepaßt. Es liegt also viel daran, ob der Apostel irgendeine Meinung vorlegt wie einen Teil der christlichen Lehre oder ob vielmehr jene an die Bedürfnisse jener Zeit angeglichen und anstelle der Prämissen, wie die Logiker sagen, anzusehen sind. Wenn wir uns aber richtig an dieses alles halten, dann erst werden wir die wahren heiligen Vorstellungen, die jedem Autor vertraut waren, herausholen; freilich nicht alle (dafür wäre in den Büchern, die auf uns gekommen sind, kein Platz), sondern nur jene, die die Gelegenheit oder das Bedürfnis zu schreiben aus den Herzen der Autoren selbst herausgepreßt hatte, nichtsdestoweniger aber genügend viele, und zwar // nicht selten von der Art, daß die übrigen, die übergangen worden sind, nicht schwer von da gesammelt werden können, wenn sie ein einzigartiges, deutlich gezeigtes Prinzip der Meinungen aufstellen oder wenn sie durch irgendeine notwendige Konsequenz mit ihnen verbunden sind: Diese Sache jedoch erfordert viel Vorsicht.

Danach muß ich nun schließlich zum anderen Teil meiner Aufgabe übergehen, nämlich zu einem sorgfältigen und nüchternen Vergleich der verschiedenen Teile, die jedem der beiden (Lehr)Formen (= Altes und Neues Testament) zugesprochen werden, miteinander. Deshalb müssen wir die einzelnen Meinungen – wobei MORUS, der bedeutende Mann, die Fackel voranträgt – den allgemeinen Vorstellungen unterordnen, besonders denen, die, an der oder jener Stelle der heiligen Schrift ausgedrückt, gelesen werden, doch unter der Bedingung, daß für je ihr Zeitalter, je ihre religiöse (Lehr) Form, je ihre Provinz (Gebiet) und für jeden Geist jeweils die Vorstellungen feststehen; und es soll nicht miteinander vermischt werden, was aus irgendeinem Grunde voneinander getrennt ist. Wenn diese Vorsichtsmaßregel außer acht gelassen wird, muß notwendigerweise der Vorteil (der Verwendung) von allgemeinen Vorstellungen zum größten Schaden für die Wahrheit werden und die ganze Mühe beim genauen Herausarbeiten der Meinungen der einzelnen Autoren, die vorher aufgewendet worden ist, unnütz machen und zerstören. Wenn aber dieser Vergleich mit Hilfe der allgemeinen Vorstellungen so vollzogen wird, daß jedem das Seine unangetastet bleibt und deutlich auf der Hand liegt, in welchem Punkt die einzelnen gut zusammenpassen oder sich wiederum unterscheiden, dann endlich wird die Gestalt der reinen, nicht mit anderen vermischten Biblischen Theologie erfreulich sein, und dann endlich werden wir ein solches System der Biblischen Theologie haben, wie es TIEDEMANN mit Erfolg von der stoischen Philosophie geschaffen hat.

Nachdem also diese Meinungen der göttlichen Männer // aus den heiligen
Schriften sorgfältig gesammelt, passend geordnet, vorsichtig auf Allgemeinbegriffe (= allgemeine Vorstellungen) zurückgeführt und genau miteinander
verglichen sind, dann kann mit Nutzen eine Untersuchung über ihren dogmatischen Gebrauch und über die richtige Bestimmung der Grenzen der beiden
Theologien, der Biblischen und der Dogmatischen, angestellt werden. Bei dieser
Bezeichnung ist besonders zu untersuchen, welche Meinungen sich auf die
bleibende Form der christlichen Lehre beziehen und so uns selbst angehen;
und welche nur für die Menschen eines bestimmten Zeitalters oder einer bestimmten Lehrform gesagt sind. Es steht nämlich bei allen fest, daß nicht der
gesamte Inhalt der heiligen Schriften für Menschen jeder Art bestimmt ist;
sondern daß ein großer Teil von ihnen eher für ein bestimmtes Zeitalter, einen
bestimmten Ort und eine bestimmte Art von Menschen nach dem Ratschluß
Gottes selbst verbindlich gemacht worden ist. Wer, frage ich, bezieht wohl die
mosaischen Riten, die schon von Christus abgeschafft worden sind, wer die
Weisungen des Paulus, daß die Frauen sich in der heiligen Gemeindeversamm-
lung verhüllen sollen, auf unsere Zeit? Die Vorstellungen der mosaischen Lehrform also, die weder von Jesus und seinen Aposteln noch von der Vernunft
selbst her bestätigt werden, können von keinem dogmatischen Nutzen sein.
Mit gleicher Methode muß man eifrig untersuchen, was in den Büchern des
Neuen Testaments den Vorstellungen und Notwendigkeiten der ersten christlichen Welt gesagt ist und was auf die bleibende Heilslehre zu beziehen ist; was
in den Aussprüchen der Apostel wahrhaft göttlich und was zufällig und rein
menschlich ist. – Und an dieser Stelle schließlich greift sehr gelegen die Untersuchung nach Art und Weise der Theopneustie ein. Dieser Sachverhalt, der
allerdings sehr schwierig ist, wird, jedenfalls nach meiner Meinung, weniger
richtig aus den Worten der Apostel gelehrt, in denen sie einen gewissen göttlichen Hauch erwähnen, weil nicht nur diese einzelnen Stellen viel Dunkelheit //
und Doppeldeutigkeit an sich haben, sondern weil wir uns auch davor hüten
müssen, wenn wir uns mit Vernunft, weder voreilig noch begierig, mit diesen
Dingen beschäftigen wollen, daß wir diese Meinungen der Apostel nicht über
die zulässigen Grenzen hinaustragen, besonders weil nur die Wirkungen, nicht
die Ursachen der Dinge mit den Sinnen wahrgenommen werden. Aber nach
meinem Urteil allerdings muß die ganze Sache allein aus exegetischer Beobachtung durchgeführt werden, und zwar aus ständiger und sorgfältiger, und
dieselbe muß dabei verglichen werden mit den deutlichen Versprechen unseres
Retters für diese Angelegenheit: Dadurch wird endlich mit Sicherheit festgestellt, ob überhaupt alle Meinungen der Apostel, welcher Art und Weise sie
auch immer sind, wahrhaft göttlich sind, oder ob eher einige, die sich jedenfalls in keiner Weise auf das Heil beziehen, von deren Geist selbst hinterlassen
werden.

Sobald alle diese Dinge zugleich richtig beobachtet und sorgfältig festgelegt
sein werden, so werden endlich jene Stellen der heiligen Schrift ausgesondert und

durchsichtig sein, die – zugleich auch von nicht zweifelhafter Lesart – sich auf
die christliche Religion aller Zeiten beziehen und mit deutlichen Worten eine
wirklich göttliche Form des Glaubens ausdrücken, „dicta classica" im wahren
Sinn des Wortes, die als Fundament einer gründlichen dogmatischen Untersuchung zugrunde gelegt werden können. Aus diesen allein nämlich können
ohne Zweifel jene sicheren und unzweifelhaften allgemeinen Vorstellungen
eruiert werden, die allein in der Dogmatischen Theologie Verwendung finden. –
Wenn diese allgemeinen Vorstellungen durch sachgerechte Interpretation aus
jenen „dicta classica" herausgearbeitet werden, herausgearbeitet sorgfältig
miteinander verglichen werden, verglichen jeweils an ihrem Ort treffend so
eingeordnet werden, daß eine brauchbare und taugliche Verknüpfung und
Ordnung der wahrhaft göttlichen Lehren zustande kommt, dann ist wahrhaft
das Resultat die „Biblische Theologie im engeren Sinn des Wortgebrauchs"
// als der, wie wir wissen, der verstorbene (selige) Zachariä bei der Bearbeitung
seines sehr bemerkenswerten Werkes gefolgt ist. Und nachdem diese sicheren
Grundlagen der Biblischen Theologie, in diesem engeren Sinn verstanden, auf
die Art und Weise, die wir bisher beschrieben haben, gelegt sind, muß endlich
die Dogmatische Theologie, wenn wir keinen unsicheren Methoden folgen wollen, aufgebaut werden, und zwar eine unseren Zeiten angemessene. Die Vernunft unseres Jahrhunderts erfordert nämlich, daß wir bald die Übereinstimmung der göttlichen Dogmen mit den Entscheidungen der menschlichen Vernunft genau lehren, bald, daß wir mit möglichst großer Kunst und Geschicklich-
keit die einzelnen Kapitel der Lehre so ausarbeiten, daß weder Gründlichkeit,
sei es bei der richtigen Einordnung der Stellen, sei es bei richtiger Beweisführung, noch Eleganz in der allgemeinen Gestalt und Form, noch reiche Kenntnisse hinsichtlich menschlicher Weisheit, besonders auch der Geschichtsphilosophie in irgendeinem Teil vermißt werden. – Deshalb soll das System und die
Gestalt der Dogmatischen Theologie, da sie ja eigentlich eine „philosophia
christiana"[9] ist, verschiedenartig sein im Verhältnis zu der Vielfalt sowohl
der Philosophie als auch überhaupt der menschlichen Meinungen von dem, was
scharfsinnig, gebildet, geeignet und nützlich, schließlich elegant und anmutig
ist: Wobei sie jedoch gleichzeitig in dem so großen Wandel der Wissenschaften
selbst Biblische Theologie bleibt, soweit sie natürlich nur behandelt, was die
göttlichen Männer über die Dinge, die die Religion betreffen, gedacht haben
und was nicht für unsere Meinungen erdacht ist.

Da dies sich so verhält, erkennen wir, A.O.O.H., // wie viel wir bei der Vollendung theologischer Disziplinen, jedenfalls wenn wir eine sichere Lehrform
anstreben, bis dahin noch tun müssen; aber wir brauchen ja nur den richtigen,
sicheren Weg und die richtige, sichere Methode bei deren Ausbildung einzuhalten, die zu dem hohen Gipfel der Vollendung führen, zu dem sie einen em-
portragen können. Und diesen, wir mir scheint, besseren Weg richtig zu weisen
und die geeignete Art, diese Dinge zu behandeln, sorgfältiger zu beschreiben,

---

[9] Vgl. Toellner, Theologische Untersuchungen, St. 1, S. 264 ff.

das war es freilich, was ich mir für meine heutige Rede vornehmen wollte: Mit
welchem Erfolg ich dies schließlich getan habe, urteilen Sie jetzt selbst. – Wie
Sie gesehen haben, habe ich bei den Dingen selbst nichts zu bestimmen gewagt;
und ich werde auch, außer nach Erfahrung (Nutzen) und Beobachtung vieler
Jahre, nichts dabei bestimmen: Denn dies ist nicht Aufgabe der Anfänger, sondern der Alterfahrenen. Vielmehr zielte die ganze Rede allein auf die Methode,
die Biblische Theologie sicherer und vorsichtiger zu fassen und ihre Grenzen
richtiger zu bestimmen: Und ich wollte für andere, die sich eben in diesen Dingen besser auskennen, ein Gewährsmann und Ratgeber sein, damit sie wenigstens
den Weg, der von mir beschrieben wurde, einhalten und so vollenden, wozu
ich selbst mich nicht gewachsen fühle; sofern nur dies mit Demut und Ehr-
furcht gegen Gott, die Religion und die heiligen Schriften und ohne unüberlegte
Begier und Eile, Neues zu bringen, geschieht. Man muß allerdings wegen der
Reinheit und Heiligkeit der Religion selbst bitten, daß die theologische Wissenschaft, sowohl die biblische als auch die dogmatische, von Tag zu Tag erfreu-
licher gedeihe!

Es bleibt nun noch, daß ich dem hochzuverehrenden Mann, der dem irdischen
Leben schon entrissen ist, dem hochverdienten Theologen dieser Hochschule
(Akademie) und Gemeinde, D. Johann August DIETELMAIER, meine Verehrung
und Dankbarkeit bezeuge, ich, der ich durch die einzigartige Gunst der sehr illu-
stren Herren // Kuratoren unserer Hochschule (Akademie) aus den entferntesten
Landstrichen Deutschlands zur öffentlichen Professur der Theologie an dieser
berühmten Universität der schönen Wissenschaften berufen und mit so vielen
so großen Wohltaten überhäuft wurde. Ich wünsche also nichts mehr, als daß
unter der gnädigsten Regierung des hocherhabenen Kaisers JOSEPH II. die
berühmte Stadt Nürnberg von Tag zu Tag wachse und gedeihe. – Der höchste
Gott sei mit seiner vorausschauenden Fürsorge bei dem hochedlen Senat dieser
berühmten Republik, damit der Ausgang der außerordentlich klugen Beratungen
höchst erfolgreich sei und daß alle Ratschläge sich zum Heil der hochillustren
Herren selbst und zur Erhaltung der hochedlen Geschlechter wenden. – Es
erleuchte die göttliche Gnade besonders die hochillustren Kuratoren dieser
Universität, meine allergnädigsten Herren, die nicht weniger durch ihren Ruhm
als durch den Glanz ihrer Abkunft angesehen sind, die nicht nur dadurch, daß
sie mir eine so außerordentlich bedeutende Stelle in der ehrenwerten Theologischen Fakultät gnädig überlassen haben, sondern auch durch die gewaltige
Anhäufung von anderen Wohltaten, ebenso wie die hochillustren Landesherren
sich mich so sehr verpflichtet haben, daß ich mich mein ganzes Leben lang der
Vergeltung dieser Dankesschuld nicht gewachsen fühle. Es erstatte also Gott
O. M. das, was ich selbst jedenfalls nicht zu erstatten vermag, und er lasse
jenen Herren das höchste und am meisten erwünschte Glück in allen Dingen
zukommen. Er mache ferner, daß alle Pläne, die sie im Hinblick auf das Wohl-
ergehen unserer Hochschule (Akademie) gefaßt haben, zu einem bei weitem

sehr glücklichen Ausgang gelangen. Darauf werde ich in der Tat eifrig hinarbei-
ten, wobei ich nach Kräften, sofern mir Gott [ein so langes] Leben zugestanden
haben wird, die einzelnen Bereiche (Teile) meines Amtes verwalten werde, //
daß die hochillustren Herren nicht meinen, sie hätten ihre Wohltaten einem
Undankbaren erwiesen.

Jetzt wende ich mich an Sie, Magnifizenz, Rektor der Hochschule (Akademie)[10].
So groß sind in der Tat Ihre Verdienste mir gegenüber, so große und so einzigartige Zeichen Ihrer besonderen Gunst und Ihres besonderen Wohlwollens
haben Sie mir zuteil werden lassen, daß das Andenken an Ihren verehrungs-
würdigen Namen mir immer besonders heilig sein wird. Einen würdigen Dank
freilich für diese so große Gunst, die ich schon in Dortmund erfahren habe,
kann Ich ihnen, Magnifizenz, nicht abstatten; wenn aber etwas in mir ist, das
mich für die Zukunft auf irgendeine Weise Ihnen empfehlen könnte, so ist dies
in der Tat mein frommer Sinn, mit dem ich Sie verehre, der niemals aufhören
wird, den höchsten Gott mit heißesten Gebeten anzuflehen, er möge die Wünsche, die er für sie ausgesprochen hat, erfüllt sein lassen: Gott, der Beste und
Größte möge Sie, die besondere Zierde und Schmuck unserer Hochschule
(Akademie) und meinen besten Gönner, bis in die späten Lebensjahre hinein
gesund und unversehrt erhalten und Sie immer mit solch großem Glück beschenken, das mir und allen Gutgesinnten nur reichlichsten Anlaß liefern kann
zur Freude und der ganzen Universität zum Dank.

// Möge es erlaubt sein, den anwesenden erhabenen Prokanzler dieser Hochschule (Akademie) zu verehren, einen Mann, der sich sowohl um die gesamte
Wissenschaft als auch besonders um diese Universität der Wissenschaften bei
weitem sehr verdient gemacht hat. Gott gebe, daß er sein Land zum Vorteil
der öffentlichen und der wissenschaftlichen Angelegenheiten so lange wie
möglich ziert und daß er reichlichste Frucht seiner so hervorragenden Bemüh-
hung um die Angelegenheiten des Vaterlandes ernte.

Dasselbe erbitte ich für Sie, edelster Herr, Präfekt dieser Stadt und des Landes, bei dem ich nicht weiß, ob ich die Bildung des Geistes oder die Würde des
Amtes mehr verehren soll. Sie haben mich, als ich ankam, ja mit so großem
Wohlwollen aufgenommen, als ob ich mich schon lange um die Hochschule
(Akademie) und Gemeinde gut verdient gemacht hätte, und bis hierher mit
so großer Gunst umfangen, daß Sie mich Ihnen eng verpflichtet haben. Gott
bewahre Sie mit Ihrem hochedlen Geschlecht so lange wie möglich, und Er
überhäufe Sie mit jeder beliebigen Art von Segen.

An Sie wendet sich schließlich meine Rede, hervorragendste und hoch-
berühmte Professoren aller Fakultäten, hochverehrte, hochwillkommene Gön-

---

[10] Das Szepter der Hochschule (Akademie) hält zur Zeit der außerordentlich hervor-
ragende und hochbedeutende GEORG ANDREAS WILL in Händen, ein sehr berühmter Mann,
der sich um diese Hochschule (Akademie) als auch um die Angelegenheiten der Stadt
Nürnberg überhaupt im höchsten Maße verdient gemacht hat, und der mein bester Förderer
ist.

ner und Kollegen; und besonders an Sie, meine am höchsten zu verehrenden
Herren, die Sie der ehrenwerten Theologischen Fakultät angehören. Seit ich
hierher gekommen bin, haben Sie mich mit so großer Freundlichkeit empfangen
und sich mir so wohlwollend und kollegial gezeigt, daß ich dieses besonders an-
genehme Band, das mich mit Ihnen verbunden hat, zum höchsten Glück meines Lebens zähle. Glauben Sie mir bitte, daß ich, wie ich niemals Ihre Wohltaten vergessen werde, ebenso mich außerordentlich glücklich schätzen werde,
// wenn ich, bei welcher Art meiner Aufgabe auch immer, Ihre Freundschaft
auch in Zukunft verdienen und die verdiente Freundschaft bewahren könnte.
Gott segne, das bitte ich inständig, Ihre privaten und öffentlichen Angelegenheiten: Er bewahre und stärke Ihre Kräfte über eine sehr lange Reihe von Jahren hin, damit sich diese Hochschule (Akademie) so lange wie möglich zu solchen Männern beglückwünschen kann, die durch Ruf und Verdienst sehr ge-
feiert sind.

Ihnen schließlich, sehr verehrte Kommilitonen, bekenne ich meine dank-
barste Gesinnung für Ihre so große Liebe zu mir, die Sie mir so oft bewiesen
haben, und biete Ihnen jede beliebige Art der Aufgaben und Studien gern und
dankbar an. Gott unterstütze Ihre wissenschaftlichen Studien, daß Sie,
jetzt Hoffnung des Vaterlandes, einst als seine Zierde und Schmuck erstrah-
len mögen.

Der höchste Gott gebe, daß diese ganze Universität mehr und mehr blühe
und gedeihe!

Ich habe gesprochen.

Anlage II

Am* unverkennbarsten offenbart sich der gesammte Geist der Theologie
GABLERS in seiner biblischen Theologie, zu welcher, wie zur Dogmatik, er schon
im J. 1816 die Prolegomenen für den Druck auszuarbeiten angefangen hatte.[1]
Sie handeln 1) von den Vorkenntnissen zur || biblischen Theologie; 2) von den
eigentlichen Quellen der bibl. Theologie, und 3) von der richtigen Behandlung||
der Bibelstellen zum dogmatischen Gebrauche: theologische Hermeneutik. –

* Aus: W. S, Erinnerungen an D. Johann Philipp Gabler..., Jena 1827

[1] „Hoffentlich – schreibt KEIL in einem Briefe vom genannten J. an ihn – haben wir uns
nun mit dem bevorstehenden Pfingstfeste wieder einer neuen exegetischen Abhandlung
von Ihnen zu erfreuen, der ich mit eben so vielem Verlangen entgegen sehe, als den übrigen
theologischen Schriften, mit denen Sie uns, Ihrem Briefe zufolge, noch beschenken wollen.
Eine theologische Encyklopädie und Literatur habe ich selbst anstatt einer neuen Auflage
meines früheren literarischen Handbuchs bearbeiten wollen, und habe auch wirklich schon
daran angefangen und bereits einen beträchtlichen Theil der Prolegomenen vollendet, bin
aber leider! durch andere Arbeiten wieder davon abgerufen worden, und dürfte es nun
wahrscheinlich auch auf längere Zeit bleiben. Um so mehr wünschte ich daher, daß Ew.
Hochwürden recht bald Zeit zur Ausführung dieses Vorhabens gewinnen möchten, da es
uns wirklich an einem zweckmäßigen Compendium hierzu fehlt, und das **sche gar zu
viel eignes hat. Aber auch Ihren übrigen literarischen Projecten wünschte ich eine recht
baldige und glückliche Ausführung, vorzüglich den Prolegomenen zur Dogmatik und
biblischen Theologie, die unstreitig der Wissenschaft selbst noch größeren Gewinn verschaffen würden, als jenes Compendium, das mehr der akademische Gebrauch zum Bedürfniß macht. Allein ein solches Werk, wie diese Prolegomenen höchst wahrscheinlich
seyn würden, ist für unser gegenwärtiges Zeitalter dringendes Bedürfniß, da ich durchaus
nicht absehe, was aus unserer Theologie werden soll, wenn man so fortfährt, zu mysticiren
und zu symbolisiren, oder sein einziges Heil in der Rückkehr zu der alten kirchlichen
Dogmatik zu finden, so daß selbst solche Männer, wie unser ** in der neuesten Ausgabe
seiner Dogmatik nicht undeutlich gethan hat, angefangen, zum Rückzuge zu blasen, und
man daher allen so mühsam ausgefegten Unrath wieder in die Dogmatik zurückzubringen
anfängt, was ein Scheibler durch sein unverschämtes Schmähen und Lästern gern be-
wirken möchte. Auch ** wird sich nicht lange mehr bei seinem vermeintlich bloß biblischen
Systeme behaupten können, sondern sich vielmehr noch ganz der kirchlichen Orthodoxie
ergeben müssen, wenn er bei solchen passionirten Freunden und Vertheidigern derselben,
wie z.B. ** ist, Beifall finden will, da ihn bereits die Anfechtung des Herrn ** gelehrt
haben, daß er auf diesem Wege immer noch nicht ohne Streit fortkommt. Doch ist er demselben bereits sich selbst unbewußt ungetreu geworden; wenigstens beherrscht, wie sein
letztes Programm nicht undeutlich lehrt, das dogmatische System, das er sich nun einmal
gebildet zu haben scheint, offenbar seine ganze Exegese, und wenn ihm daher die natürlichste Erklärung einer Stelle ein solches Resultat an die Hand geben würde, was sich mit
jenem Systeme nicht vertrüge, so nimmt er seine Zuflucht zu dem alten, in dergleichen
Fällen schon oft benutzten Mittel, die Stelle tropisch zu erklären, und spricht von Seiten
derer, die vielmehr jener Erklärung getreu bleiben zu müssen glauben, sogleich von einem
abusu interpretationis historicae, der aber doch wohl auf andere Art nachgewiesen werden
müßte, als daß man bloß dieses durch die Erklärung hervorgehende Resultat bestreitet und
anficht."

Es sey erlaubt, für den vorhin genannten Zweck und zur Beherzigung für manche neueste Bibelausleger Folgendes aus dem angegebenen 3ten Theile der theologischen Hermeneutik der Bibel anzuführen:

Hermeneutik und Logik der Apostel

„Bei Beurtheilung der von den Aposteln geführten Beweise muß man sowohl auf ihre Materie, als auch auf ihre Form sehen. Einige Beweise sind für alle Christen, andere, und zwar die meisten, für die damaligen, besonders griechischen Juden. Die Beweise für diese sind aus dem A. T. entlehnt, und die jüdische Hermeneutik und Logik, die von der unsrigen sehr weit abweicht, gab ihnen die Form. Daher citirten die Apostel die Stellen des A. T. aus der Alexandrinischen Uebersetzung, nicht selten, wo diese ganz unrichtig, oder von Abschreibern corrumpirt war. Sie führten ferner zum Beweise solche Stellen an, welche die Juden von Messias erklärten, und zwar ganz nach den damals angenommenen hermeneutischen Grundsätzen, außer allem Zusammenhange, aus dem zugegebenen Wortverstande u. s. w. Ueberhaupt waren sie gewohnt, nach jüdischer Art den eigentlichen Wortsinn geistlich zu deuten und zu allegorisiren, und setzten überall jüdische Erklärungen und Vorstellungen voraus. Doch muß man bei solchen Beweisarten der Apostel bloße An‖spielungen, Accommodationen und eigentliche Allegationen wohl unterscheiden, und auf die Consequenz der Argumente hauptsächlich achten. – Gebraucht man sorgfältig alle hier anzuwendenden Hülfsmittel, so wird man freilich einsehen, daß solche Beweise der Apostel aus dem A. T. keine beweisende Kraft mehr für uns haben, und daß man um dieser Anführungen willen, worinnen die Apostel noch überdieß sehr variiren, nicht berechtigt ist, solche Stellen des A. T. für wirkliche Beweise zu halten. Allein man wird auch so billig seyn, und die Apostel keines zusätzlichen Betrugs beschuldigen, wo sie in aller Unschuld, nach ihrer Ueberzeugung und den damaligen jüdischen Grundsätzen gemäß, das A. T. interpretirten und auf jüdische Art daraus argumentirten. Auf diesem historischen Wege lernt man freilich manche irrige Vorstellungen der Apostel kennen; allein meistens betreffen sie bloß außerwesentliche Dinge, worin die Apostel aus sehr begreiflichen Ursachen irren konnten, ohne ihr wahres und wohlgegründetes Ansehn bei Unparteiischen zu verlieren. Ueberhaupt ist die wichtigste Seite der Bibel, besonders des N. T., nicht zu übersehen, nämlich: die religiöse. Die Bibel ist das religiöse Buch der Welt, und wahre Religionsurkunde. Von dieser Seite verliert das N. T. durchaus nichts durch solche historische Entdeckungen, welche bloß die Theologie allein, aber durchaus nicht die Religion betreffen. Darum sollte auch neben der historischen Interpretation die religiöse ein Hauptstudium des Religionslehrers seyn, um den religiösen Schatz des N. T. selbst kennen zu lernen, und auch andere damit bekannt zu machen, um in sich und in anderen dadurch den religiösen Sinn zu bewahren und zu nähren, und in sich und in anderen die hohe Achtung gegen diese heiligen Urkunden immer mehr zu befestigen."

Die moralische Bibelauslegung Kants

„Kant sagt in seinem Buche: die Religion innerhalb || der Grenzen der Vernunft: „die Bibel müsse durchgängig zu einem Sinne gedeutet werden, der mit den allgemeinen praktischen Regeln einer Vernunftreligion zusammenstimme. Eine solche moralische Auslegung müsse, wenn sie noch so gezwungen scheine, oder auch wirklich wäre, dennoch einer buchstäblichen vorgezogen werden, die entweder ganz und gar nichts für die Moral in sich enthält, oder den Triebfedern derselben wohl gar entgegen wirkt." – Nur in drei Fällen könnte diese Kantische Hermeneutik Statt finden, 1) wenn die Urkunden einer positiven Religion, dem Wortsinne nach, durchaus unvernünftig wären, und doch noch bei besseren Religionseinsichten zum Unterrichte beibehalten werden sollten, wie dieß bei den Griechen und Römern der Fall war. Wenn also die Bibel von der Art wäre und sollte noch die Basis des Christenthums bleiben, so müßte sie natürlich symbolisch-allegorisch-moralisch erklärt werden, um aus dem Unvernünftigen etwas Vernünftiges zu deuten; 2) wenn solche Urkunden durchaus eine wahre göttliche Offenbarung, die doch als solche mit der moralischen Religion nicht im Widerspruche stehen könnte, enthielten, und gleichwohl ihr historischer Sinn erweislich der moralischen Religion widerspräche; 3) wenn zwar die Urkunden dem Wortsinne nach nicht durchaus unvernünftig wären, aber doch Manches enthielten, was mit den moralischen Religionsprincipien nicht vereinbar wäre, und dennoch durchaus in allen ihren Theilen der besseren Religion als Introduction zur Basis dienen sollte; woran wohl Kant gedacht hat. – Diese moralische Exegese ist 1) *unmoralisch*. Sie besteht nicht mit der Redlichkeit eines Religionslehrers, welcher der Ausleger der Bibel seyn soll. Was thut er aber, wenn er nach Kant verfährt? Er täuscht das Volk und folgt dem jesuitischen Grundsatze: der Zweck heiligt die Mittel; 2) untauglich. Sie kann leicht die entgegengesetzte Wirkung hervorbringen. Man will doch durch diese Auslegung die wahre Religion erhalten. Nun || aber ist es ganz natürlich, daß das Bestreben, Alles unmoralisch zu deuten, viele künstliche und dunkle Erklärungen herbeiführen muß, welche die Nachdenkenden als solche erkennen, während das Volk sie nicht versteht. In beiden aber verliert sich das Zutrauen. 3) Läßt sich die Absicht dieser moralischen Exegese auf eine andere Weise leichter erreichen. Man darf nur die bloß kirchlichen Dogmen von den rein biblischen absondern, und das Wesentliche von dem Unwesentlichen unterscheiden, bei historischen Stellen die Grundideen herausheben, und immer nur das Wesentliche im Religionsunterrichte aufzufassen suchen. Die praktische Vernunft ist hier die einzige Leiterin. KANT verwechselt offenbar Bibelauslegung und Religionsgebrauch der Bibel, Bibel und kirchliche Dogmatik, Offenbarung und Offenbarungsurkunde mit einander".

„SCHELLING trägt seine Erklärungen idealisch und symbolisch in die Bibel."

Resultate über den Gebrauch der Bibel nach den verschiedenen Arten der
Bibl. Theologie

„Nach allen bisherigen Untersuchungen bleibt es bei dem Resultate, daß
man bei der Behandlung der christlichen Urkunden die historische Interpretation und den religiösen Gebrauch derselben, nach unseren religiösen und
moralischen Einsichten und Bedürfnissen, sorgfältig unterscheiden müssen.
Denn bei jeder biblischen Stelle lassen sich zwei Hauptoperationen des Theologen unterscheiden, 1) die historische Darstellung des Sinnes nach den Regeln
einer richtigen grammatischen Interpretation, wobei man aber noch den Sinn
des Referenten und Redenden nicht selten unterscheiden kann; 2) die philosophische Kritik über den religiösen und moralischen Inhalt und Werth einer
Stelle, nach den entschiedenen Grundsätzen der praktischen Vernunft. Re-
ligiöse Moralität ist also das Princip des religiösen Gebrauchs der Bibel, nicht ||
aber die Auslegung derselben. – Aus den beiden Hauptoperationen bei der
theologischen Behandlung der Bibel gehen die beiden Arten der bibl. Theologie hervor. Aus der ersten, die bibl. Theologie im weiteren Sinne, welche bloß
historischer Art ist, und nur die verschiedenen Religionsbegriffe der verschiedenen Zeiten und biblischen Schriftsteller historisch und grammatisch richtig
mit aller Unbefangenheit darlegt, wobei aber doch die absichtliche oder un-
absichtliche, bewußte oder unbewußte Symbolik nicht zu übersehen ist. Aus
der zweiten entsteht die bibl. Theologie im engeren Sinne, welche kritischer Art
ist, und vermittelst der historischen und philosophischen Kritik die religiös-
moralischen Grundbegriffe der Bibel zur festen Basis eines bleibenden Systems
des reinen Christenthums aussucht. Da beide Arten der bibl. Theologie für den
Theologen als Schriftgelehrten und als moralischen Religionslehrer wichtig sind,
so muß er auch beide Hauptoperationen bei der Untersuchung des bibl. Lehrbegriffs mit einander verbinden, so daß die erste immer vorangeht, und die
zweite immer nachfolgt. Ohne die erste ist die zweite grundlos, und liefert in
den aufgestellten moralischen Wahrheiten, in *so fern* sie aus der Bibel geschöpft werden, bloß erbauliche Einfälle, die für die Theologie, als solche,
keinen Werth haben können, weil sie nichts begründen und nichts beweisen.“

LITERATUR-VERZEICHNIS

Handschriftliche Quellen:

1. Archiv der Universität Altdorf in der Universitäts-Bibliothek Erlangen (= AUA)
2. Stadtbibliothek Nürnberg (= NStBibl)
3. Universitäts-Bibliothek Jena:
GABLER, J. PH., Einleitung in's Neue Testament. Nachschrift von E. F. C. A. H. NETTO, Jena 1815/16; 626 gez. S.
GABLER, J. PH., Biblische Theologie, vorgetragen von D. Joh. Phil. Gabler nach Bauer, Breviar. Theol. Bibl. Nachschrift von E. F. C. A. H. NETTO, Jena 1816; 423 gez. S.
GABLER, J. PH., Dogmatik, vorgetragen von D. Joh. Phil. Gabler nach Ammon, Summa Th. Chr. Nachschrift von E. F. C. A. H. NETTO, Bd. I. II, Jena 1816; 1042 gez. S. u. 6 S. Register (nicht numeriert).
Allgemeine Literatur. Bei den einzelnen Autoren wird nach Möglichkeit chronologisch geordnet.
ALAND, K. (Hrsg.), Pietismus und Bibel, Arbeiten zur Geschichte des Pietismus Bd. 9, Witten 1970.
ALBERTZ, M., Die Botschaft des Neuen Testamentes, Bd. I, 1 (Berlin) 1946; Bd. I, 2; II, 1.2, Zollikon-Zürich 1952. 1954. 1957.
— Die Krisis der sog. neutestamentlichen Theologie, Zeichen der Zeit 8, 1954, S. 370–376.
ALEXANDER, N., The United Character of the New Testament Witness of the Christ-Event, in: The New Testament in Historical and Contemporary Perspective, Essays in Memory of G. H. C. Macgregor, 1965, S. 1–33.
ALLEN, E. L., The Limits of Biblical Theology, JBR 25, 1957, S. 13–18.
Allgemeine Literatur-Zeitung Jena vom Jahre 1786. 1787. 1802. 1803. 1805. 1806.
AMMON, C.F. (v.), Entwurf einer reinen biblischen Theologie, Erlangen 1792.
— Entwurf einer Christologie des alten Testamentes. Ein Beitrag zur endlichen Beilegung der Streitigkeiten über meßianische Weissagungen und zur biblischen Theologie des Verfassers, Erlangen 1794.
— Adscensus Jesu Christi in coelum historia biblica, Gottingae 1800.
— De prologi Johannis Evangelistae fontibus et sensu, Gottingae 1800.
— Biblische Theologie, Bd. I–III, Erlangen ²1801/02.
— Summa Theologiae Christianae, Gottingae 1803.
— Inbegriff der evangelischen Glaubenslehre. Nach dem lateinischen, zu akademischen Vorlesungen bestimmten Lehrbuche von dem Verfasser selbst bearbeitet, Göttingen 1805.
ANER, K., Die Theologie der Lessingzeit, Halle 1929.
ANZ, W., Art. Aufklärung I. Geistesgeschichtlich, RGG³, Bd. I, 1957, Sp. 703–716.
BAHRDT, C. F., Versuch eines biblischen Systems der Dogmatik, 2 Theile, Gotha u. Leipzig 1769/70.
BAIER, J. W., Analysis et vindicatio illustrium scripturae dictorum sinceram fidei doctrinam asserentium secundum seriem locorum theologicorum, ad mentem ac methodum b. Joh. Musaei instituta a Joh. Guil. Baiero, Pars I. II., Altorfii 1716–1719.
BARNIKOL, E., Das ideengeschichtliche Erbe HEGELS bei und seit STRAUSS und BAUR im 19. Jahrhundert, Wissenschaftl. Zeitschrift der Martin-Luther-Universität Halle-Wittenberg, Gesellschafts- und sprachwissenschaftl. Reihe X, 1961, Heft 1, 1961, S. 281–328.

– Ferdinand Christian Baur als rationalistisch-kirchlicher Theologe. Mit den Nachrufen und der Gedenkvorlesung für Ernst Barnikol von G. Wallis, E. Peschke u. W. Gericke, Aufsätze und Vorträge zur Theologie und Religionswissenschaft, Heft 49, Berlin 1970.

BARTH, K., Der Römerbrief, München ⁴1924.

– Die protestantische Theologie im 19. Jahrhundert. Ihre Vorgeschichte und ihre Geschichte, Zollikon/Zürich 1947.

BAUER, G. L., Was hielt Mohammed von der christlichen Religion und ihrem Stifter ? Aus der Urkunde beantwortet, Nürnberg 1782.

– Sammlung und Erklärung der parabolischen Erzählungen unsers Herrn, Leipzig 1782.

– Gespräche eines Lehrers mit seinem erwachsenen Eleven über die Wahrheiten der christlichen Religion für die studierende Jugend und andere Freunde des Christenthums, Nürnberg 1785.

– Die kleinen Propheten übersetzt und mit Commentarien erläutert, Theil I. II, Leipzig 1786. 1790.

– Joh. Christ, Frid. Schulzii Scholia in Vetus Testamentum, continuata a. G. L. B., Vol. IV–X, Nürnberg 1790–1795.

– Chrestomathia e Paraphrasibus Chaldaicis et Talmude delecta notis brevibus et indice verborum difficiliorum illustrata, Ed. G. L. B., Nürnberg u. Altdorf 1792.

– Entwurf einer Einleitung in die Schriften des alten Testaments, zum Gebrauche seiner Vorlesungen, Nürnberg-Altdorf 1794.

– Salomonis Glassii Philologia Sacra his temporibus accommodata. Post primum volumen Dathiis opera in lucem emissum nunc continuata et in noui plane operis formam redacta a Ge. L. Bauero, Tomus secundus. Sectio prior. Critica sacra, Lipsiae 1795.

– Theologie des alten Testaments oder Abriß der religiösen Begriffe der alten Hebräer. Von den ältesten Zeiten bis auf den Anfang der christlichen Epoche. Zum Gebrauch akademischer Vorlesungen, Leipzig 1796.

– Hermeneutica sacra Veteris Testamenti, Lipsiae 1797.

– Dicta classica Veteris Testamenti notis perpetuis illustrata, Sect. I. II, Lipsiae 1798/99.

– Entwurf einer Hermeneutik des Alten und Neuen Testaments, Leipzig 1799.

– Ueber das Mythische in der frühern Lebensperiode Mosis, NthJ 1799 (= 13. Bd.), S. 225–241.

– Biblische Theologie des Neuen Testaments, Bd. I–IV, Leipzig 1800–1802.

– Handbuch der Geschichte der hebräischen Nation von ihrer Entstehung bis zur Zerstörung ihres Staates, Th. I. II, Nürnberg u. Altdorf 1800. 1804.

– Beylagen zur Theologie des alten Testaments enthaltend die Begriffe von Gott und Vorsehung nach den verschiedenen Büchern und Zeitperioden entwickelt. – Kann als zweyter Theil der Theologie des alten Testaments angesehen werden, Leipzig 1801.

– Entwurf einer historisch-kritischen Einleitung in die Schriften des Alten Testaments, 2. verb. u. ganz umgearb. Aufl., Nürnberg 1801.

– Hebräische Mythologie des alten und neuen Testaments, mit Parallelen aus der Mythologie anderer Völker vornemlich der Griechen und Römer, Bd. 1.2, Leipzig 1802.

– Biblische Moral des Alten Testaments, Theil 1.2, Leipzig 1803.

– Breviarium Theologiae Biblicae, Lipsiae 1803.

– Biblische Moral des Neuen Testaments, Theil 1.2, Leipzig 1804/05.

– Rezension von „Sammlung abweichender Vorstellungen...“ (s. u.), Leipzig 1803, in: Jenaische Allgemeine Literatur-Zeitung 1805, Sp. 228–232.

– Beschreibung der gottesdienstlichen Verfassung der alten Hebräer. Als erläuternder Commentar über den dritten Abschnitt der hebräischen Archäologie, Bd. 1.2, Leipzig 1805/06.

– Entwurf einer historisch-kritischen Einleitung in die Schriften des Alten Testaments, 3. verb. Aufl., Nürnberg 1806.

BAUER, W., Heinrich Julius Holtzmann (geb. 17. Mai 1832). Ein Lebensbild, in: Aufsätze und kleine Schriften, hrsg. v. G. Strecker, Tübingen 1967, S. 285–341.

BAUMGARTEN-CRUSIUS, L. F. O., Grundzüge der biblischen Theologie, Jena 1828.

BAUR, F. C., Ausgewählte Werke in Einzelausgaben, hrsg. v. K. Scholder, Erster Band: Historisch-kritische Untersuchungen zum Neuen Testament, mit einer Einführung von E. Käsemann, Stuttgart-Bad Cannstadt 1963.

– Rezension von G. Ph. Chr. Kaiser, Die biblisch Theologie (s. u.), Bd. I. II, 1, Erlangen 1813. 1814, in: Bengels Archiv für die Theologie und ihre neueste Literatur, Bd. 2, 1818, S. 656–717.

— Ueber die Composition und den Charakter des johanneischen Evangeliums, Theologische Jahrbücher 3, 1844, S. 1–191, 397–475, 615–700.

— Paulus, der Apostel Jesu Christi. Sein Leben und Wirken, seine Briefe und seine Lehre. Ein Beitrag zu einer kritischen Geschichte des Urchristenthums, Stuttgart 1845.

— Kritische Untersuchungen über die kanonischen Evangelien, ihr Verhältnis zueinander, ihren Charakter und Ursprung, Tübingen 1847.

— Lehrbuch der christlichen Dogmengeschichte, Stuttgart (1847) ²1858.

— Die Einleitung in das Neue Testament als theologische Wissenschaft. Ihr Begriff und ihre Aufgabe, ihr Entwicklungsgang und ihr innerer Organismus, Theologische Jahrbücher 9, 1850, S. 463–556; 10, 1851, S. 70–94, 222–253, 291–329.

— Die Epochen der kirchlichen Geschichtsschreibung, Tübingen 1852.

— Geschichte des Christenthums und der christlichen Kirche in den drei ersten Jahrhunderten, Tübingen 1853; 2. Aufl. 1860 unter dem Titel: Das Christentum und die christliche Kirche der drei ersten Jahrhunderte.

— Kirchengeschichte des neunzehnten Jahrhunderts, hrsg. v. E. Zeller, Tübingen 1862.

— Vorlesungen über Neutestamentliche Theologie, hrsg. v. Ferd. Fried. Baur, Leipzig 1864 .(= Vorl. ntl. Theol.)

BEILNER, W., Neutestamentliche Theologie, in: Dienst an der Lehre. Studien zur heutigen Philosophie und Theologie, Wiener Beiträge zur Theologie X, 1965, S. 145–165.

BEISSER, F., Claritas scripturae bei Martin Luther, Forschungen zur Kirchen- und Dogmengeschichte Bd. 18, Göttingen 1966.

BEKER, J. C., Reflections on Biblical Theology, Interpretation 24, 1970, S. 303–320.

BENOIT, P., La pensée de R. Bultmann, in: Exégèse et Théologie, Tom. I, 1961, S. 62–93.

BENZ, E., Schelling. Werden und Wirken seines Denkens, Albae Vigiliae, N. F. Heft XV, Zürich 1955.

— Schellings theologische Geistesahnen, Abhandl. der Akademie der Wissenschaften und Literatur Mainz, Geistes- und Sozialwissenschaftl. Klasse, Jhrg. 1955, Nr. 3, Mainz/Wiesbaden 1955, S. 231–306 (Sonderausgabe S. 1–76).

Berlinische Monatsschrift, Bd. 5, 1785; Bd. 6, 1785; Bd. 7, 1786.

BERTHOLDT, L. (Hrsg.), Kritisches Journal der neuesten theologischen Literatur, Bd. 7, Sulzbach 1818.

BETZ, O., Art. History of Biblical Theology, in: Interpreters Dictionary of the Bible, Vol. I, 1962, S. 432–437.

BEYSCHLAG, W., Neutestamentliche Theologie oder Geschichtliche Darstellung der Lehren Jesu und des Urchristenthums nach den neutestamentlichen Quellen, Bd. I. II., Halle 1891/92.

BLUDAU, A., Die beiden ersten Erasmus-Ausgaben des Neuen Testaments und ihre Gegner, Freiburg i. Br. 1902.

BLUMENBERG, H., Marginalien zur theologischen Logik Rudolf Bultmanns, Philosophische Rundschau 2. Jhrg., 1954/55, S. 121–140.

BOHATEC, J., Die Religionsphilosophie Kants in der „Religion innerhalb der Grenzen der bloßen Vernunft". Mit besonderer Berücksichtigung ihrer theologisch-dogmatischen Quellen, Hamburg 1938.

BONSIRVEN, J., Théologie du Nouveau Testament, Paris 1951.

BORKOWSKI, H., Die Bibel Immanuel Kants, Veröffentlichungen aus der Staats- und Univ. Bibl. zu Königsberg/Pr., Nr. 4, Königsberg 1937.

BOUSSET, W., Kyrios Christos. Geschichte des Christusglaubens von den Anfängen des Christentums bis Irenaeus, mit einem Geleitwort von R. Bultmann zur 5. Aufl., Göttingen ⁵1965.

BOUTTIER, M., Théologie et Philosophie du NT, Études Théologiques et Religieuses 45, 1970, S. 188–194.

BOWMAN, J. W., Prophetic Realism and the Gospel. A Preface to Biblical Theology, Philadelphia 1955.

BRAUN, D., Heil als Geschichte. Zu Oscar Cullmanns neuem Buch, EvTh 27, 1967, S. 57–76.

BRAUN, H., Die Problematik einer Theologie des Neuen Testaments, in: Gesammelte Studien zum Neuen Testament und seiner Umwelt, Tübingen 1962, S. 325–341; u. ebdt., ²1967, S. 352.

— Jesus. Der Mann aus Nazareth und seine Zeit, Themen der Theologie, hrsg. von H. J. Schultz, Bd. 1, Stuttgart-Berlin 1969.

BRETSCHNEIDER, K. G., Die historisch-dogmatische Auslegung des Neuen Testaments. Nach ihren Prinzipien, Quellen und Hülfsmitteln dargestellt von K. G. B., Leipzig 1806.

BÜCHSEL, F., Theologie des Neuen Testaments. Geschichte des Wortes Gottes im Neuen Testament, Gütersloh 1935.

BÜSCHING, A. F., Dissertatio inauguralis exhibens epitomen theologiae e solis literis sacris concinnatae, Gottingae 1756.

— Epitome Theologiae e solis literis sacris concinnatae, una cum specimine Theologiae problematicae, Lemgoviae 1757.

— Gedanken von der Beschaffenheit und dem Vorzug der biblisch-dogmatischen Theologie vor der scholastischen, Lemgo 1758.

BULTMANN, R., Theologie des Neuen Testaments, Tübingen (1948–1953) ⁵1965.

— Ist voraussetzungslose Exegese möglich ?, in: Glauben und Verstehen, Bd. III, 1960, S. 142–150.

— Exegetica, hrsg. von E. Dinkler, Tübingen 1967, daraus die Aufsätze: Heilsgeschichte und Geschichte (S. 356–368); Das Verhältnis der urchristlichen Christusbotschaft zum historischen Jesus (S. 445–469).

— (-E. FUCHS), Art. Mythos und Mythologie IV. Im NT, RGG³, Bd. IV, 1960, Sp. 1278–1282.

BURROWS, M., Bespr. von F. C. Grant, An Introduction to New Testament, 1950, JBL 70, 1951, S. 49–51.

CALOV, A., Systema locorum theologicorum, Bd. I, Wittenbergae 1655.

CATALOGUS Professorum Academiae Marburgensis. Die akademischen Lehrer der Philipps-Universität in Marburg 1527 bis 1910, bearb. von Fr. Gundlach, Veröffentlichungen der Historischen Kommission für Hessen und Waldeck Bd. XV, Marburg 1927.

CLUDIUS, H. H., Uransichten des Christenthums nebst Untersuchungen über einige Bücher des neuen Testaments, Altona 1808.

CÖLLN, D. G. C. v., Rezension von L. F. O. Baumgarten-Crusius (s. o.) in: Allgemeine Literatur-Zeitung Halle, 1829, Nr. 21, Sp. 161–168; Nr. 22, Sp. 169–176; Nr. 23, Sp. 177–184; Nr. 24, Sp. 185–188.

— Biblische Theologie, mit einer Nachricht über des Verfassers Leben und Wirken, hrsg. von D. Schulz, I. Bd.: Die biblische Theologie des alten Testaments; II. Bd.: Die biblische Theologie des neuen Testaments, Leipzig 1836. (= v. Cölln, Theol. I. II, 1836).

CONE, O., The Gospel and its earliest interpretations, a study of Jesus and its doctrinal transformations in the New Testament, New York/London 1893.

CONZELMANN, H., Fragen an Gerhard von Rad, EvTh 24, 1964, S. 113–125.

— Grundriß der Theologie des Neuen Testaments, Einführung in die evangelische Theologie Bd. 2, München 1967.

CRAIG, C. T., Biblical Theology and the Rise of Historicism, JBL 62, 1943, S. 281–294.

CRAMER, L. D., Vorlesungen über biblische Theologie des neuen Testaments, hrsg. von F. A. A. Näbe, Leipzig 1830.

CULLMANN, O., Die Christologie des Neuen Testaments, Tübingen 1957.

— Christus und die Zeit. Die urchristliche Zeit- und Geschichtsauffassung, Zürich ³1962.

— Heil als Geschichte. Heilsgeschichtliche Existenz im Neuen Testament, Tübingen 1965.

DAHL, N. A., Die Theologie des Neuen Testaments (= Bespr. von R. Bultmann, Theol. d. NT, 1. Aufl.), ThR, N. F. 22, 1954, S. 21–49.

DEISSMANN, (G.) A., Zur Methode der biblischen Theologie des Neuen Testamentes, ZThK 3, 1893, S. 126–139.

DEMKE, CH., Die Frage nach der Möglichkeit einer Theologie des Neuen Testaments, in: Theologische Versuche II, hrsg. von J. Rogge u. G. Schille, 1970, S. 129–139.

DE WETTE, W. M. L., Biblische Dogmatik Alten und Neuen Testaments. Oder kritische Darstellung der Religionslehre des Hebraismus, des Judenthums und Urchristenthums. Zum Gebrauch akademischer Vorlesungen (= Lehrbuch der christlichen Dogmatik in ihrer historischen Entwickelung dargestellt, Erster Theil), Berlin 1813.

DIBELIUS, M., Aus der Werkstatt der neutestamentlichen Theologie, Christliche Welt, Bd. 27, 1913, Sp. 938–941, 964–967.

— Art. Biblische Theologie und biblische Religionsgeschichte: II. des NT, RGG², Bd. I, 1927, Sp. 1091–1094.

Henricus A DIEST, Theologia biblica, Praeter succinctam Locorum communium delineationem exhibens Testimonia Scripturae, Ad singulos locos, locorumque singula capita, capitumque singula membra, pertinentia, Daventri MDCXLIII (1643).

DIESTEL, L., Geschichte des Alten Testaments in der christlichen Kirche, Jena 1869. (= L. Diestel)

DILTHEY, W., Leben Schleiermachers, Bd. II, 2: Schleiermachers System als Philosophie und Theologie. Aus dem Nachlaß vor Wilhelm Dilthey mit einer Einleitung herausgegeben von M. Redeker, Berlin 1966.

DOBSCHÜTZ, E. v., Vom vierfachen Schriftsinn. Die Geschichte einer Theorie, Harnack-Ehrung, 1921, S. 1–13.

DULLES, A., Response to Krister Stendahl's „Method in the Study of Biblical Theology", in: The Bible in Modern Scholarship, ed. J. Ph. Hyatt, 1965, S. 210–216.

EBELING, G., Evangelische Evangelienauslegung. Eine Untersuchung zu Luthers Hermeneutik, Darmstadt (1942) ²1962.
— Art. Geist und Buchstabe, RGG³, Bd. II, 1958, Sp. 1290–1296.
— Art. Hermeneutik, RGG³, Bd. III, 1959, Sp. 242–262.
— Art. Luther II. Theologie, RGG³, Bd. IV, 1960, Sp. 495–520.
— Wort und Glaube, Tübingen 1960,
  daraus die Aufsätze:
  Die Bedeutung der historisch-kritischen Methode für die protestantische Theologie und Kirche (S. 1–49); Was heißt „Biblische Theologie" ? (S. 69–89).
— Art. Theologie I. Begriffsgeschichtlich, RGG³, Bd. VI, 1962, Sp. 754–769.
— Luther. Einführung in sein Denken, Tübingen 1964.

EGG, G., Adolf Schlatters kritische Position, gezeigt an seiner Matthäusinterpretation, Arbeiten zur Theologie, II. Reihe, Bd. 14, Stuttgart 1968.

EICHHORN, J. G., Urgeschichte. Ein Versuch, Erster Theil. Zweyter Theil, in: Repertorium für Biblische und Morgenländische Litteratur IV, 1779, S. 129–256.
— Allgemeine Bibliothek der biblischen Litteratur, Bd. I–X, Leipzig 1787–1800 (passim).
— Einleitung ins Alte Testament, Leipzig ²1787.
— Ueber die Engels-Erscheinungen in der Apostelgeschichte (Apostelgesch. XII, 3–11), AB III, 1791, S. 381–408.
— Einleitung in das Neue Testament, Bd. 1–5, Leipzig 1804–1827 (passim).

EICHSTADIUS (Eichstädt), H. C. A. (ed.), Annales Academiae Jenensis, Bd. I, Jenae 1823.

Desiderius ERASMUS Roterdamus, Ausgewählte Werke, in Gemeinschaft mit A. Holborn hrsg. von H. Holborn, München 1933.

ERDMANN, Art. Georg Lorenz Bauer, ADB 2, 1875, S. 143–145.

Erlangische gelehrte Nachrichten: 37, 1782; 41, 1786; 42, 1787; 1793 (ohne Bandzählung).

Litteratur-Zeitung Erlangen, Jahrgang 1800.

ERNESTI, J. A., Institutio interpretis Novi Testamenti. Editionem quintam suis observationibus auctam curavit Chr. F. Ammon, Lipsiae 1809.

FASCHER, E., Eine Neuordnung der neutestamentlichen Fachdisziplin ? Bemerkungen zum Werk von M. Albertz, Die Botschaft des Neuen Testamentes, ThLZ 83, 1958, Sp. 609–618.

FEINE, P., Theologie des Neuen Testaments, Leipzig 1910.
— Die Religion des Neuen Testaments, Leipzig 1921.

(FLÜGGE, C. W.), Versuch einer historisch-kritischen Darstellung des bisherigen Einflusses der kantischen Philosophie auf alle Zweige der wissenschaftlichen und praktischen Theologie, Hannover 1796; Bd. II: Zweiter Theil oder Erste Fortsetzung, Hannover 1798.

FRAEDRICH, G., Ferdinand Christian Baur, der Begründer der Tübinger Schule als Theologe, Schriftsteller und Charakter, Gotha 1909.

FRÖHLICH, K., Die Mitte des Neuen Testaments. Oscar Cullmanns Beitrag zur Theologie der Gegenwart, in: Oikonomia. Heilsgeschichte als Thema der Theologie, Festschrift O. Cullmann, 1967, S. 203–219.

FUCHS, E., Hermeneutik (mit. Erg. Heft), Bad Cannstadt ²1958.
— Das Neue Testament und das hermeneutische Problem, in: Glaube und Erfahrung, Ges. Aufs. III, Tübingen 1965, S. 136–173.

GABLER, J. PH., Kleinere theologische Schriften, hrsg. von Th. A. Gabler u. J. G. Gabler, Bd. I. II, Ulm 1831. (= TS I. II).
— Dissertatio exegetica ad illustrem locum Hebr. III, 3–6, Jena 1778.
— Dissertatio theologia inauguralis de Jacobo epistulae eidem adscriptae auctore, Altdorf 1787.

– Prolusio exegetica in locum difficilem Gal. III. 20 qua ad orationem aditialem invitat J. Ph. G., Altdorf 1787.
– Sammlung einiger Predigten, Nürnberg/Altdorf 1789.
– J. G. Eichhorns Urgeschichte, hrsg. mit Einleitung und Anmerkungen von J. Ph. G., Bd. I, 1790; II, 1, 1792; II, 2, 1793, Altdorf/Nürnberg 1790–1793.
– Wie ein rechtschaffener christlicher Lehrer nach dem Muster Jesu seine Religionsvorträge einzurichten habe. Eine Abschiedspredigt gehalten in der Stadtkirche zu Altdorf am Trinitatisfeste, Altdorf 1804.
– Neues theologisches Journal, Nürnberg 1798–1800.
– Journal für theologische Literatur, Nürnberg 1801–1803.
– Journal für auserlesene theologische Literatur, Nürnberg 1804–1811.
GEIGER, W., Spekulation und Kritik. Die Geschichtstheologie Ferdinand ChristianBaurs, Forschungen zur Geschichte und Lehre des Protestantismus 10. Reihe, Bd. XXVIII, München 1964.
GESE, H., Erwägungen zur Einheit der biblischen Theologie, ZThK 67, 1970, S. 417–436.
GOLLWITZER, H., Die Existenz Gottes im Bekenntnis des Glaubens, BevTh 34, München 1964.
GOPPELT, L., Bespr. von H. Braun, Jesus (s. o.), ThLZ 95, 1970, Sp. 744–747.
GOULD, E. P., The Biblical Theology of the New Testament, New York 1900.
GRÄSSER, E., Wort Gottes in der Krise ?, Gütersloh 1969.
– Bespr. von W. G. Kümmel, Die Theol. d. NT (s. u.), Deutsches Pfarrerblatt 70, 1970, S. 254–255.
GRANT, F. C., An Introduction to New Testament Thought, New York/Nashville 1950.
GRASS, H., Art. Liberalismus III. Theologischer und kirchlicher Liberalismus, RGG³, Bd. IV, 1960, Sp. 351–355.
– Theologie und Kritik. Ges. Aufs. u. Vorträge, Göttingen 1969,
daraus:
Historisch-kritische Forschung und Dogmatik (S. 9–27);
Theologie und Kritik (S. 52–70);
Zur Begründung des Osterglaubens (S. 180–194).
– Karl Barth und Marburg, Rede zur Eröffnung der Karl-Barth-Ausstellung am 9. 1. 1971, Marburg 1971.
GÜTTGEMANNS, E., Literatur zur Neutestamentlichen Theologie. Randglossen zu ausgewählten Neuerscheinungen, Verkündigung und Forschung (= Beihefte zur EvTh) 12. Jhrg. Heft 2, 1967, S. 38–87.
– Literatur zur Neutestamentlichen Theologie. Überblick über Fortgang und Ziele der Forschung, Verkündigung und Forschung (Beihefte zur EvTh) 15. Jhrg. Heft 2, 1970, S. 41–75. (= E. Güttgemanns, 1970).
GUNKEL, H., Gedächtnisrede auf Wilhelm Bousset, Evangelische Freiheit, Bd. 20, 1920, S. 141–162.
GUTBROD, W., Aus der neueren englischen Literatur zum Neuen Testament, ThR, N. F. 11, 1939, S. 263–277.
HAACKER, K., Einheit und Vielfalt in der Theologie des Neuen Testaments. Ein methodenkritischer Beitrag, in: Beiträge zur hermeneutischen Diskussion, hrsg. von W. Böld, Wuppertal 1968, S. 78–102.
HAENCHEN, E., Das alte ‚Neue Testament‘ und das neue ‚alte Testament‘, in: Die Bibel und wir. Gesammelte Aufsätze, Bd. II, Tübingen 1968, S. 13–27.
HÄNLEIN, H. C. A., Handbuch der Einleitung in die Schriften des Neuen Testaments, Erlangen 1794–1796.
– u. C. F. AMMON, Neues theologisches Journal, Nürnberg 1793–1798.
HAHN, G. L., Die Theologie des Neuen Testaments, Bd. I, Leipzig 1854.
HARRINGTON, W. J., New Testament Theology. Two Recent Approaches, Biblical Theology Bulletin I, 1971, S. 171–189.
HARTLICH, CHR.-W. SACHS, Der Ursprung des Mythosbegriffes in der modernen Bibelwissenschaft, Schriften der Studiengemeinschaft der evangelischen Akademien 2, Tübingen 1952. (= Hartlich-Sachs).
HARVEY, J., The New Testament Diachronical Biblical Theology of the Old Testament (1960–1970), Biblical Theology Bulletin I, 1971, S. 5–29.
HAUFE, G., Bespr. von K. H. Schelkle, Theol. d. NT, Bd. I (s. u.), ThLZ 94, 1969, Sp. 909–910.

— Bespr. von W. G. Kümmel, Die Theol. d. NT (s. u.), ThLZ 96, 1971, Sp. 108–111.

HAYMANN, C., Biblische Theologie, Leipzig 1708.

HENGEL, M., Neutestamentliche Wege und Holzwege, Evangelische Kommentare 3, 1970, S. 112–114.

— Theorie und Praxis im Neuen Testament?, Evangelische Kommentare, 3, 1970, S. 744–745.

HENNIG, G., Cajetan und Luther, Arbeiten zur Theologie, II. Reihe, Heft 7, Stuttgart 1966.

HEUSSI, K., Geschichte der Theologischen Fakultät zu Jena, Weimar 1954.

HEYNE, C. G., Commentatio de Apollodori bibliotheca – sumulque universe de litteratura mythica, Göttingen [1]1783. [2]1803.

HIRSCH, E., Hilfsbuch zum Studium der Dogmatik. Die Dogmatik der Reformatoren und der altevangelischen Lehrer quellenmäßig belegt und verdeutscht, Berlin u. Leipzig (Neudruck) 1951.

— Geschichte der neuern evangelischen Theologie im Zusammenhang mit den allgemeinen Bewegungen europäischen Denkens, Bd. IV, Gütersloh [2]1960; Bd. V, Gütersloh 1954.

HODGSON, P. C., A Study of Ferdinand Christian Baur: The Formation of Historical Theology, New York 1966.

HOFFMANN, H., Die Frage nach dem Wesen des Christentums in der Aufklärungstheologie, Harnack-Ehrung, 1921, S. 352–365.

HOFMANN, J. G., Oratio de Theologiae praestantia, Altdorfii 1770.

HOHLWEIN, H., Art. S. F. N. Morus, RGG[3], Bd. IV, 1960, Sp. 1142.

— Art. Rationalismus II. Rationalismus und Supranaturalismus, kirchengeschichtlich, RGG[3], Bd. V, 1961, Sp. 791–800.

HOLL, K., Luthers Bedeutung für den Fortschritt der Auslegungskunst, in: Ges. Aufs. zur Kirchengeschichte I: Luther, Tübingen [6]1932, S. 544–582.

HOLTZMANN, H. J., Die synoptischen Evangelien. Ihr Ursprung und geschichtlicher Charakter, Leipzig 1863.

— Lehrbuch der Neutestamentlichen Theologie, Bd. I. II, Freiburg-Leipzig 1897; Tübingen [2]1911 (hrsg. von A. Jülicher u. W. Bauer).

HORNIG, G., Die Anfänge der historisch-kritischen Theologie. Johann Salomo Semlers Schriftverständnis und seine Stellung zu Luther, Forschungen zur Systematischen Theologie und Religionsphilosophie Bd. 8, Göttingen 1961.

HÜLSEMANN, J., Vindiciae Sanctae Scripturae per loca classica systematis theologici, in: Opera posthuma, ed. J. A. Scherzer, Lipsiae 1679.

HUFNAGEL, W. F., Handbuch der biblischen Theologie, Bd. 1.2, 1. Abth., Erlangen 1785. 1789.

HUG, J. L., Einleitung in die Schriften des Neuen Testaments, Basel 1797.

HUNTER, A. M., Interpreting New Testament 1900–1951, London 1951.

— Die Einheit des Neuen Testaments, BerTh 17, München 1952.

— Introducing New Testament Theology, London 1957.

— Modern Trends in New Testament Theology, in: The New Testament in Historical and Contemporary Perspective, Essays in Memory of G. H. C. Macgregor, 1965, S. 133–148.

IMMER, A., Theologie des Neuen Testaments, Bern 1877.

JEREMIAS, J., Der gegenwärtige Stand der Debatte um das Problem des historischen Jesus in: Der historische Jesus und der kerygmatische Christus, hrsg. von H. Ristow u. K. Matthiae, 1960, S. 12–25.

— Die Gleichnisse Jesu, Göttingen [6]1962.

— Kennzeichen der ipsissima vox Jesu, in: Abba. Studien zur neutestamentlichen Theologie und Zeitgeschichte, Göttingen 1966, S. 145–152.

— Neutestamentliche Theologie. Erster Teil. Die Verkündigung Jesu, Gütersloh 1971.

JOHNSTON, G., Bespr. von A. Richardson, An Introduction (s. u.), JBL 78, 1959, S. 272–277.

Journal für Prediger, Bd. 12, Halle 1781.

JÜLICHER, A., Die Gleichnisreden Jesu, I. Teil: Die Gleichnisreden Jesu im Allgemeinen, Tübingen (Nachdruck der 2. Aufl.) 1910.

KÄHLER, M., Art. Biblische Theologie, RE[3], Bd. 3, S. 192–200.

KÄSEMANN, E., Exegetische Versuche und Besinnungen, Bd. II, Göttingen 1964.
    daraus die Aufsätze:
    Neutestamentliche Fragen von heute (S. 11–31);
    Sackgassen im Streit um den historischen Jesus (S. 31–68).

— Vom theologischen Recht historisch-kritischer Exegese, ZThK 64, 1967, S. 259–281.

KAFTAN, J., Neutestamentliche Theologie. Im Abriß dargestellt, Berlin 1927.

KAISER, G. PH. CHR., Die biblische Theologie oder Judaismus und Christianismus nach der grammatisch-historischen Interpretation und nach einer freymüthigen Stellung in die kritisch-vergleichende Universalgeschichte der Religion und die universale Religion, Theil I. II, 1.2, Erlangen 1813. 1814. 1821.

KAISER, O., Eichhorn und Kant. Ein Beitrag zur Geschichte der Hermeneutik, in: Das ferne und das nahe Wort, Festschr. L. Rost, BZAW 105, Berlin 1967, S. 114–123.

— Kants Anweisung zur Auslegung der Bibel. Ein Beitrag zur Geschichte der Hermeneutik, NZSTh 11, 1969, S. 125–138.

KANTS *gesammelte Schriften*, hrsg. von der Königlich-Preußischen Akademie der Wissenschaften, Bd. XI, Zweite Abteilung: Briefwechsel 2. Bd., Berlin 1900; ebdt., Bd. XIII, 1922.

KANT, I., Mutmaßlicher Anfang der Menschengeschichte in: Kleinere Schriften zur Geschichtsphilosophie, Ethik und Politik, hrsg. von K. Vorländer, PhB 47, 1, Hamburg (1913) 1959.

— Die Religion innerhalb der Grenzen der bloßen Vernunft, hrsg. von K. Vorländer. Mit einer Einleitung: Die Religionsphilosophie im Gesamtwerk Kants, von H. Noack, PhB 45, Hamburg ⁷1966.

— Der Streit der Fakultäten. Auf Grund des Textes der Berliner Akademie-Ausgabe mit einer Einleitung und Registern neu hrsg. von K. Reich, PhB 252, Hamburg 1959.

KANTZENBACH, F. W., Die Erlanger Theologie. Grundlinien ihrer Entwicklung im Rahmen der Geschichte der Theologischen Fakultät 1743–1877, München 1960.

KARPP, H., Der Beitrag Keplers und Galileis zum neuzeitlichen Schriftverständnis, ZThK 67, 1970, S. 40–55.

KEIL, K. A. G., Ueber die historische Erklärungsart der heiligen Schrift, aus dem Lateinischen übersetzt von C. A. Hempel, Leipzig 1793.

— Lehrbuch der Hermeneutik des neuen Testaments nach Grundsätzen der grammatisch-historischen Interpretation, Leipzig 1810.

— Vertheidigung der grammatisch-historischen Interpretation der Bücher des N. T. gegen die neuerlich wider sie erregten Zweifel und ihr gemachten Vorwürfe, Analekten für das Studium der exegetischen und systematischen Theologie, hrsg. von C. A. Keil u. H. G. Tzschirner, Bd. I, 1813 (= 1. St., 1812), S. 47–85.

— (C. A. Th.), Opuscula Academica ad Novi Testamenti Interpretationem Grammatico-Historicam et Theologiae Christianae Origines pertinentia, collegit et edidit J. D. Goldhorn, Leipzig 1831. (= Keil, O. A.).

KELLER, R. A., Geschichte der Universität Heidelberg im ersten Jahrzehnt nach der Reorganisation durch Karl Friedrich (1803–1813), Heidelberg 1913.

KIMMERLE, H., Typologie der Grundformen des Verstehens von der Reformation bis zu Schleiermacher, ZThK 67, 1970, S. 162–182.

KLEIN, G., Rekonstruktion und Interpretation. Gesammelte Aufsätze zum Neuen Testament, BevTh 50, München 1969.

KLOSTERMANN, E., Kant als Bibelerklärer, in: Festschrift Reinhold Seeberg, Bd. II, 1929, S. 13–26.

KNUDSEN, R. E., Theology in the New Testament. A Basis for Christian Faith, Chicago/Los Angeles 1964.

KÖNIG, G., Vindiciae sacrae, Norimbergae 1651.

KOHLS, E.-W., Die Theologie des Erasmus, Bd. I. II, Basel 1966.

— Die theologische Lebensaufgabe des Erasmus und die oberrheinischen Reformatoren. Zur Durchdringung von Humanismus und Reformation, Arbeiten zur Theologie, I. Reihe, Heft 39, Stuttgart 1969.

— Einen Autor besser verstehen, als er sich selbst verstanden hat. Zur Problematik der neueren Hermeneutik und Methodik am Beispiel von Wilhelm Dilthey, Adolf von Harnack und Ernst Troeltsch, ThZ 26, 1970, S. 321–337.

KOLDE, TH., Die Loci Communes Philipp Melanchthons in ihrer Urgestalt nach G. L. Plitt von neuem herausgegeben und erläutert von Th. K., Leipzig-Erlangen ⁴1925.

KRAUS, H.-J., Geschichte der historisch-kritischen Erforschung des Alten Testaments von der Reformation bis zur Gegenwart, Neukirchen ¹1956. ²1969.

— Die Biblische Theologie. Ihre Geschichte und Problematik, Neukirchen-Vluyn 1970. (= H.-J. Kraus).

KRAUSE, R., Die Predigt der späten deutschen Aufklärung (1770–1805), Arbeiten zur Theologie II. Reihe Bd. 5, Stuttgart 1965.

KRÜGER, G., Das Dogma vom Neuen Testament, Programm der Universität Gießen, Gießen 1896.

KÜBEL, R., Art. Rationalismus und Supranaturalismus, RE[3], Bd. 16, 1905, S. 447–467.

KÜMMEL, W. G., Bespr. von E. Stauffer, Theol. d. NT (s. u.), ThLZ 75, 1950, Sp. 421–426.

— Bespr. von M. Albertz, Die Botschaft d. NT, Bd. I, 2 (s. o.); ThZ 10, 1954, S. 55–60.

— Art. Bibelwissenschaft II. Bibelwissenschaft NT, RGG[3], Bd. I, 1957, Sp. 1236–1251.

— Bespr. von A. Richardson, An Introduction (s. u.), ThLZ 85, 1960, Sp. 921–925.

— Heilsgeschehen und Geschichte. Ges. Aufs. 1933–1964, Marburger Theologische Studien Bd. III, Marburg 1965, daraus:
„Einleitung in das Neue Testament" als theologische Aufgabe (S. 340–350);
Das Erbe des 19. Jahrhunderts für die neutestamentliche Wissenschaft von heute (S. 364–381);
Das Problem des historischen Jesus in der gegenwärtigen Diskussion (S. 417–428).

— Jesusforschung seit 1950, ThR, N. F. 31, 1965/66, S. 15–46.

— Luther und das Neue Testament, in: Reformation und Gegenwart, hrsg. von H. Graß u. W. G. Kümmel, Marburger Theologische Studien, Bd. VI, Marburg 1968, S. 1–11.

— Luthers Vorreden zum Neuen Testament, in: Reformation und Gegenwart (s. o.), S. 12–23.

— „Mitte des Neuen Testaments", in: L'Évangile hier et aujourd'hui, Melanges offerts au F.-J. Leenhardt, 1968, S. 71–85.

— Die Theologie des Neuen Testaments nach seinen Hauptzeugen, Grundrisse zum Neuen Testament, NTD Ergänzungsreihe, Bd. 3, Göttingen 1969.

— Die exegetische Erforschung des Neuen Testaments in diesem Jahrhundert, in: Bilanz der Theologie im 20. Jahrhundert. Perspektiven, Strömungen, Motive in der christlichen und nichtchristlichen Welt, Bd. II, 1969, S. 279–371. – Gleichzeitig zitiert nach der Sonderausgabe unter dem Titel: Das Neue Testament im 20. Jahrhundert. Ein Forschungsbericht, Stuttgart Bibelstudien 50, Stuttgart 1970. (= SBS).

— Das Neue Testament. Geschichte der Erforschung seiner Probleme, Orbis Academicus III, 3, Freiburg/München [2]1970. (= NT).

KÜNG, H., Menschwerdung Gottes. Eine Einführung in Hegels theologisches Denken als Prolegomena zu einer künftigen Christologie, Oekumenische Forschungen, II. Abt. Bd. 1, Freiburg/Basel/Wien 1970.

KUHL, C., Art. Bibelwissenschaft I. Bibelwissenschaft des AT, RGG[3], Bd. I, 1957, Sp. 1227–1236.

KUSS, O., Theologie des Neuen Testaments, Regensburg (1936) [2]1937.

— Exegese als theologische Aufgabe, BZ, N.F. 5, 1961, S. 161–185.

— Exegese und Theologie des Neuen Testaments als Basis und Ärgernis jeder nachneutestamentlichen Theologie, MThZ 21, 1970, S. 181–215.

KUTSCH, E., Art. J. D. Michaelis, RGG[3], Bd. IV, 1960, Sp. 934–935.

— Art. Johann Philipp Gabler, NDB 6, 1964, S. 8.

LADD, G. E., The Search for Perspective, Interpretation 25, 1971, S. 41–62.

LANG, F., Christuszeugnis und Biblische Theologie. Erwägungen zur Frage einer Biblischen Theologie Alten und Neuen Testaments in der Sicht heutiger Exegese, EvTh 29, 1969, S. 523–534.

LANGE, S. G., System der theologischen Moral, Leipzig u. Rostock 1803.

LANGERBECK, H., Bespr. von R. Bultmann, Theol. d. NT, 1. Aufl. (s. o.), Gnomon 23, 1951, S. 1–17; 26, 1954, S. 497–504.

LAU, F., Art. Orthodoxie, altprotestantische, RGG[3], Bd. IV, 1960, Sp. 1719–1730.

LEDER, K., Universität Altdorf. Zur Theologie der Aufklärung in Franken. Die Theologische Fakultät in Altdorf, Schriften der Altnürnberger Landschaft Bd. XIV, Nürnberg 1965. (= K. Leder).

LEIPOLDT, J., Geschichte des neutestamentlichen Kanons, Zweiter Teil: Mittelalter und Neuzeit, Leipzig 1908.

Neue *Leipziger* Literaturzeitung: 1804. 1805. 1806.

LEMONNYER, R. P., Théologie du Nouveau Testament, Paris 1928.

LEMONNYER, R. P. – L. CERFAUX, Théologie du Nouveau Testament, Paris [2]1963.

Leun, J. G. Fr., Reine Auffassung des Urchristenthums in den Paulinischen Briefen. Ein Seitenstück zur biblischen Theologie des Neuen Testaments, Leipzig 1803.

— Grundriß der neutestamentlichen Christologie: oder das Urchristenthum nach den Aussprüchen seiner ersten Lehrer im neuen Testament, Leipzig 1804.

Liebing, H., Ferdinand Christian Baurs Kritik an Schleiermachers Glaubenslehre, ZThK 54, 1957, S. 225–243.

— Historisch-kritische Theologie. Zum 100. Todestag Ferdinand Christian Baurs am 2. Dezember 1960, ZThK 57, 1960, S. 302–317.

— Art. Schriftauslegung IV B. Humanismus, Reformation und Neuzeit, RGG³, Bd. V, 1961, Sp. 1528–1534.

Lilje, H., Luthers Geschichtsdeutung, Berlin 1932.

Lipenius, M., Bibliotheca realis theologica omnium materiarum, rerum et titulorum in universo sacrosanctae theologiae studio concurrentium, Tom. I, Frankfurt 1685.

Lösch, E., Gotthold Emanuel Friedrich Seidel ... nach seinem Leben und Wirken. Nach einer biographischen Skizze des Verstorbenen dargestellt von E. L., Nürnberg 1838.

Lossius, M. F. A., Biblische Theologie des Neuen Testaments oder die Lehren des Christenthums aus den einzelnen Schriften des N.T. entwickelt, Leipzig 1825.

Lowth, R., De sacra poesi Hebraeorum praelectiones academicae Oxonii habitae: subjicitur metriae Harianae brevis confutatio et creatio Grewiana. Notes adjecit Johann David Michaelis, Gottingae 1770.

Luck, U., Kerygma und Tradition in der Hermeneutik Adolf Schlatters, Arbeitsgemeinschaft für Forschung des Landes Nordrhein-Westfalen, Geisteswissenschaften Heft 45, Köln u. Opladen 1955.

Lüdemann, H., Die Anthropologie des Apostels Paulus und ihre Stellung innerhalb seiner Heilslehre. Nach den vier Hauptbriefen dargestellt, Kiel 1872.

Luther, M., D. Martin Luthers Werke (Weimarer Ausgabe), Weimar 1883ff. (vgl. zu den entsprechenden Anmerkungen).

Lutterbeck, J. A. B., Die Neutestamentlichen Lehrbegriffe oder Untersuchungen über das Zeitalter der Religionswende, die Vorstufen des Christenthums und die erste Gestaltung desselben. Ein Handbuch für älteste Dogmengeschichte und systematische Exegese des neuen Testamentes, Bd. I. II, Mainz 1852.

Lutz, J. L. S., Biblische Dogmatik, hrsg. von R. Rüetschi, mit einem Vorwort von Prof. Dr. Schneckenburger, Pforzheim 1847.

Mahlmann, Th., Bespr. von K. Scholder, Urspr. u. Probl. d. Bibelkr. (s. u.), ThLZ 94, 1969, Sp. 193–197.

Maius, J. H., Synopsis theologicae judaicae veteris et novae, Gießen 1698.

Maurer, W., Aufklärung, Idealismus und Restauration. Studien zur Kirchen- und Geistesgeschichte in besonderer Beziehung auf Kurhessen 1780–1850, Bd. I: Der Ausgang der Aufklärung; Bd. II: Idealismus und Restauration, Studien zur Geschichte des neueren Protestantismus, 13. 14. Heft, Gießen 1930.

— Art. Aufklärung III. Theologisch-kirchlich, RGG³, Bd. I, 1957, Sp. 723–730.

— Luthers Verständnis des neutestamentlichen Kanons, in: Die Verbindlichkeit des Kanons, Fuldaer Hefte 12, 1960, S. 47–77.

— Altdorfer Theologen, in: Gelehrte der Universität Altdorf, hrsg. von H. C. Recktenwald, Nürnberg 1966, S. 51–59. (= W. Maurer).

— Der junge Melanchthon zwischen Humanismus und Reformation, Bd. 2: Der Theologe, Göttingen 1969.

Meinecke, F., Die Entstehung des Historismus, in: F. M., Werke Bd. III, München 1959.

Meinertz, M., Theologie des Neuen Testamentes, Bd. I. II, Die Heilige Schrift d. NT, Erg. Bd. I, Bonn 1950.

— Randglossen zu meiner Theologie des Neuen Testaments, ThQ 132, 1952, S. 411–432.

— Sinn und Bedeutung der neutestamentlichen Theologie, MThZ 5, 1954, S. 159–170.

Meinhold, P., Geschichte der kirchlichen Historiographie, Bd. I. II, Orbis Academicus III, 5, Freiburg/München 1967.

Melanchthons Werke, I. Band: Reformatorische Schriften, hrsg. von R. Stupperich, Gütersloh 1951; IV. Band: Frühe exegetische Schriften, hrsg. von P. F. Barton, Gütersloh 1963.

Messner, H., Die Lehre der Apostel, Leipzig 1856.

MEYER, G. W., Entwickelung des paulinischen Lehrbegriffs. Ein Beitrag zur Kritik des christlichen Religionssystems, Altona 1801.
— Geschichte der Schriftauslegung, Bd. I–V, Göttingen 1802–1809.
MINEAR, P. S., Bespr. von O. Cullmann, Christ and Time: The Primitive Christian Conception of Time and History, Transl. by F. V. Filson, Philadelphia 1950, JBL 70, 1951, S. 51–53.
MOLDAENKE, G., Schriftverständnis und Schriftdeutung im Zeitalter der Reformation, Teil I: Matthias Flacius Illyricus, Forschungen zur Kirchen- und Geistesgeschichte, Bd. 9, Stuttgart 1936.
MOULE, C. F. D., Bespr. von A. Richardson, An Introduction (s. u.), JThSt, N.S. 10, 1959, S. 373–376.
MOWINCKEL, S., Art. Mythos und Mythologie III. Im AT, RGG³, Bd. IV, 1960, Sp. 1274–1278.
MÜHLENBERG, E., Laurentius Valla als Renaissancetheologe, ZThK 66, 1969, S. 466–480.
MÜLLER, GOTTH., Identität und Immanenz. Zur Genese der Theologie von David Friedrich Strauß. Eine theologie- und philosophiegeschichtliche Studie, Basler Studien zur historischen und systematischen Theologie, Bd. 10, Zürich 1968.
MÜLLER, J. G. H., Schattenrisse der jetztlebenden Altdorfischen Professoren nebst einer kurzen Nachricht von ihrem Leben und Schriften, Altdorf 1790.
MÜNSCHER, W., Handbuch der christlichen Dogmengeschichte I. II, Marburg 1797/98.
— Lehrbuch der christlichen Dogmengeschichte, Bd. I. II, 1 hrsg. von D. G. C. v. Cölln, Cassel 1832. 1834.
MUSSNEE, F., Die Mitte des Evangeliums in neutestamentlicher Sicht, Catholica 15, 1961, S. 271–292.
— „Evangelium" und „Mitte des Evangeliums". Ein Beitrag zur Kontroverstheologie, in: Praesentia salutis. Gesammelte Studien zu Fragen und Themen des Neuen Testamentes, Düsseldorf 1967, S. 159–177.
NEANDER, A., Geschichte der Pflanzung und Leitung der christlichen Kirche durch die Apostel, als selbständiger Nachtrag zu der allgemeinen Geschichte der christlichen Religion und Kirche, Bd. I. II, Hamburg 1832/33.
NEIL, W., The Unity of the Bible, in: The New Testament in Historical and Contemporary Perspective, Essays in Memory of G. H. C. Macgregor, 1965, S. 237–259.
NEILL, ST., The Interpretation of the New Testament 1861–1961, London 1964.
NICOLAI, F. (Hrsg.), Allgemeine deutsche Bibliothek, Berlin/Stettin 1783.
NIEBERGALL, A., Die Geschichte der christlichen Predigt, in: Leiturgia. Handbuch des evangelischen Gottesdienstes, hrsg. von K. F. Müller u. W. Blankenburg, Bd. II, Kassel 1955, S. 181–354.
NIETHAMMER, F. J., Ueber Religion als Wissenschaft, Neu-Strelitz 1795.
Nürnbergische gelehrte Zeitung: 1779. 1780. 1781. 1782. 1783. 1785. 1787. 1790. 1791. 1794. 1796.
OOSTERZEE, J. J. VAN, Die Theologie des Neuen Testaments, Barmen 1869.
PÄLTZ, E. H., Art. Jerusalem, Johann Friedrich Wilhelm, RGG³, Bd. III, 1959, Sp. 599.
PERLITT, L., Vatke und Wellhausen. Geschichtsphilosophische Voraussetzungen und historiographische Motive für die Darstellung der Religion und Geschichte Israels durch Wilhelm Vatke und Julius Wellhausen, BZAW 94, Berlin 1965.
PERRIN, N., The Challenge of New Testament Theology Today, in: New Testament Issues, ed. by R. Batey, 1970, S. 15–34.
PESCH, R., Neuere Exegese. Verlust oder Gewinn ?, Freiburg/Basel/Wien 1968.
PHILIPP, W., Das Werden der Aufklärung in theologiegeschichtlicher Sicht, Forschungen zur Systematischen Theologie und Religionsphilosophie, Bd. 3, Göttingen 1957.
— Art. Ernesti, Johann August, RGG³, Bd. II, 1958, Sp. 600–601.
— (Hrsg.), Das Zeitalter der Aufklärung, Klassiker des Protestantismus Bd. VII, Bremen 1963.
PIPER, O. A., Biblical Theology and Systematic Theology, JBR 25, 1957, S. 106–111.
PLANCK, G. J., Einleitung in die theologischen Wissenschaften, Bd. II, Leipzig 1795.
PÖLITZ, K. H. L., Das Urchristenthum nach dem Geiste der sämtlichen neutestamentlichen Schriften entwickelt, ein Versuch in die Spezialhermeneutik des Neuen Testaments, 1. Theil: Die Evangelien des Matthäus, Marcus, Lucas und die Apostelgeschichte, Danzig 1804.

PURDY, A. C., Das Neue Testament in der amerikanischen Theologie, ThR, N.F. 3, 1931, S. 367–386.

RAD, G. v., Theologie des Alten Testaments, Bd. I. II, Einführung in die evangelische Theologie Bd. 1, München ⁴1962 u. ⁴1965.

RATSCHOW, C. H., Der angefochtene Glaube. Anfangs- und Grundprobleme der Dogmatik, Gütersloh ²1960.

— Lutherische Dogmatik zwischen Reformation und Aufklärung, Teil I, Gütersloh 1964.

REICKE, B., Einheitlichkeit oder verschiedene „Lehrbegriffe" in der neutestamentlichen Theologie ?, ThZ 9, 1953, S. 401–415.

— Erasmus und die neutestamentliche Textgeschichte, ThZ 22, 1966, S. 254–265.

REUSS, E., Histoire de la Théologie Chrétienne au siècle apostolique, Strasbourg/Paris 1852.

RICHARDSON, A., An Introduction to the Theology of the New Testament, London 1958.

RIESENFELD, H., Art. Biblische Theologie und biblische Religionsgeschichte II. Im NT, RGG³, Bd. I, 1957, Sp. 1259–1262.

RITTER, G. S., Entwurf der Grundsätze des theologischen Systems und der Lehrmethode des Apostels Paulus im Zusammenhang und nach ihren Eigenschaften entwickelt, in: Theologische Monatsschrift für das Jahr 1801, 2. Bd., S. 243–277.

ROLOFF, J., Das Kerygma und der irdische Jesus. Historische Motive in den Erzählungen der Evangelien, Göttingen 1970.

ROSENMÜLLER, J. G., Einige Bemerkungen das Studium der Theologie betreffend. Eine Abschiedsvorlesung in Erlangen im Jahre 1783. Zwote vermehrte Ausgabe. Nebst einer Abhandlung über einige Aeusserungen des Herrn Prof. Kant's die Auslegung der Bibel betreffend, Erlangen 1794.

RÜCKERT, L. J., Christliche Philosophie oder: Philosophie, Geschichte und Bibel nach ihren wahren Beziehungen zu einander dargestellt, Bd. I. II, Leipzig 1825.

Sammlung abweichender Vorstellungen der neutestamentlichen Schriftsteller über einen und denselben Gegenstand. Ein freymüthiger exegetischer Beytrag zur näheren Würdigung der christlichen Bibel, Th. I. II, Leipzig 1803.

SAUTER, G., Vor einem neuen Methodenstreit in der Theologie ?, ThExh 164, München 1970.

— Kirche und Öffentlichkeit. Versuch eines „genetischen Kommentars" zu Ferdinand Hahns EKD-Synodalreferat 1970, in Ferd. Hahn-G. Sauter, Verantwortung für das Evangelium in der Welt, ThExh 167, München 1970, S. 46–106.

SCHELKLE, K. H., Theologie des Neuen Testaments, Bd. I: Schöpfung. Welt-Zeit-Mensch, Düsseldorf 1968.

— Theologie des Neuen Testaments, Bd. III: Ethos, Düsseldorf 1970.

— Was bedeutet „Theologie des Neuen Testaments" ?, in: Evangelienforschung. Ausgewählte Aufsätze deutscher Exegeten, hrsg. von J. B. Bauer, 1968, S. 299–312.

SCHELLONG, D., Das evangelische Gesetz in der Auslegung Calvins, ThExh 152, München 1968.

— Calvins Auslegung der synoptischen Evangelien, Forschungen zur Geschichte und Lehre des Protestantismus 10. Reihe, Bd. XXXVIII, München 1969.

SCHEMPP, P., Luthers Stellung zur Heiligen Schrift, Forschungen zur Geschichte und Lehre des Protestantismus 2. Reihe, Bd. III, München 1929.

SCHENKEL, D., Die Aufgabe der biblischen Theologie in dem gegenwärtigen Entwicklungsstadium der theologischen Wissenschaft, ThStKr 25, 1, 1852, S. 40–66.

SCHIRMER, A., Das Paulusverständnis Melanchthons 1518–1522, Veröffentlichungen des Instituts für europäische Geschichte Mainz Bd. 44, Abt. Abendländische Religionsgeschichte, Wiesbaden 1967.

SCHLATTER, A., Der Glaube im Neuen Testament, Darmstadt (1885) ⁵1963.

— Die Theologie des Neuen Testaments, Bd. I. II, Stuttgart 1909/10.

— Die Theologie des Neuen Testaments und die Dogmatik, (urspr. 1909, wiederabgedruckt) in: A. S., Zur Theologie des Neuen Testaments und zur Dogmatik. Kleine Schriften. Mit einer Einführung hrsg. von U. Luck, Theologische Bücherei Bd. 41, München 1969, S. 201–255.

— Die Geschichte des Christus, Stuttgart 1923 (2. Aufl. d. Theol. d. NT).

— Die Theologie der Apostel, Stuttgart 1922 (2. Aufl. d. Theol. d. NT).

SCHLEIERMACHER, F., Ueber den sogenannten ersten Brief des Paulos an den Timotheos. Ein kritisches Sendschreiben an J. C. Gass, 1807, in: F. S., Sämtliche Werke I, 2, Berlin 1836, S. 221–320.

— Hermeneutik und Kritik mit besonderer Beziehung auf das Neue Testament. Aus Schleiermachers handschriftlichem Nachlasse und nachgeschriebenen Vorlesungen, hrsg. von Fr. Lücke, Berlin 1838.

Schleusner, J. F.–C. F. Stäudlin (Hrsg.), Göttingische Bibliothek der theologischen Literatur, Bd. IV, Göttingen 1798.

Schlier, H., Art. Biblische Theologie II. B. Th. des Neuen Testamentes, LThK², Bd. 2, 1958, Sp. 444–449.

— Besinnung auf das Neue Testament. Exegetische Aufs. u. Vorträge, Freiburg/Basel/ Wien 1964,
daraus:
Über Sinn und Aufgabe einer Theologie des Neuen Testaments (S. 1–24);
Biblische und dogmatische Theologie (S. 25–34).

Schlingensiepen, H., Erasmus als Exeget. Auf Grund seiner Schriften zu Matthäus, ZKG XLVIII. Bd./N.F. XI, 1929, S. 16–57.

Schmid, Chr. Fr., Ueber das Interesse und den Stand der biblischen Theologie des Neuen Testaments in unserer Zeit, Tübinger Zeitschrift für Theologie 1838, Heft 4, S. 125–160.

— Biblische Theologie des Neuen Testamentes, hrsg. von C. Weizsäcker, Bd. I. II, Stuttgart 1853.

Schmidt, C.C.E., Dissertatio I. II. de Theologia Biblica, Jena 1788.

Schmidt, J. D., Die theologischen Wandlungen des Christoph Friedrich von Ammon. Ein Beitrag zur Frage des legitimen Gebrauches philosophischer Begriffe in der Christologie, Diss. theol. Erlangen 1953, XXVII +204 gez. S.

Schmidt, M., Art. Bahrdt, Karl Friedrich, RGG³, Bd. I, 1957, Sp. 845.

— Art. Pietismus (1.–5.), RGG³, Bd. V, 1961, Sp. 370–381.

— Philipp Jakob Spener und die Bibel, in: Pietismus und Bibel, hrsg. von K. Aland, Arbeiten zur Geschichte des Pietismus Bd. 9, 1970, S. 9–58.

Schmidt, S., Collegium Biblicum in quo dicta Veteris et Novi Testamenti iuxta seriem locorum communium theologicorum explicantur, Argentorati (1671) ²1676.

Schmithals, W., Die Theologie Rudolf Bultmanns, Tübingen 1966.

— Das Christuszeugnis in der heutigen Gesellschaft. Zur gegenwärtigen Krise von Theologie und Kirche, mit vorangeschickten Thesen von J. Beckmann, Evangelische Zeitstimmen 53, Hamburg 1970.

— Bespr. von W. G. Kümmel, Die Theol. d. NT (s. o.), Reformierte Kirchenzeitung, Nr. 17/18, 111. Jhrg., 1970, S. 2–3.

Schnackenburg, R., Neutestamentliche Theologie. Der Stand der Forschung, Biblische Handbibliothek Bd. I, München ²1965.

— Der Weg der katholischen Exegese, in: Schriften zum Neuen Testament, München 1971, S. 15–33.

Scholder, K., Ferdinand Christian Baur als Historiker, EvTh 21, 1961, S. 435–458.

— Ursprünge und Probleme der Bibelkritik im 17. Jahrhundert. Ein Beitrag zur Entstehung der historisch-kritischen Theologie, Forschungen zur Geschichte und Lehre des Protestantismus, 10. Reihe, Bd. XXXIII, München 1966.

— Grundzüge der theologischen Aufklärung in Deutschland, in: Geist und Geschichte der Reformation, Festgabe H. Rückert, Arbeiten zur Kirchengeschichte 38, 1966, S. 460–486.

Schollmeier, J., Johann Joachim Spalding. Ein Beitrag zur Theologie der Aufklärung, Gütersloh 1967.

Schröter, W., Erinnerungen an D. Johann Philipp Gabler, gewesenen ersten Lehrer der Theologie, Geheimen Consistorialrath und Ritter des Großherzoglich Weimarischen Falkenordens, Jena 1827. (= W. Schröter).

Schröter, W.-D. Klein (Hrsg.), Für Christenthum und Gottesgelahrtheit. Eine Oppositionsschrift zu Anfange des vierten Jahrhunderts der evangelisch-protestantischen Kirche, Bd. 1, Jena 1817/18.

Schütte, H.-W., Die Vorstellung von der Perfektibilität des Christentums im Denken der Aufklärung, in: Beiträge zur Theorie des neuzeitlichen Christentums, Festschrift W. Trillhaas, 1968, S. 113–126.

Schweitzer, A., Geschichte der Leben-Jesu-Forschung Bd. 1.2, mit einer Einführung von J. M. Robinson, Siebenstern-Taschenbuch 77/78, München/Hamburg 1966. (ursprgl. 1906)

— Geschichte der paulinischen Forschung von der Reformation bis auf die Gegenwart, Tübingen 1911.

SCHWEIZER, E., Scripture-Tradition-Modern Interpretation, in: Neotestamentica. Deutsche und englische Aufsätze 1951–1963. German and English Essays 1951–1963, Zürich/Stuttgart 1963, S. 203–235.
— Bespr. von O. Cullmann, Heil als Geschichte (s. o.), ThLZ 92, 1967, Sp. 904–909.
SCOTT, E. F., The Varieties of New Testament Religon, New York 1947.
SEBER, W., Hortulus biblicus oder biblisches Lustgärtlein, anzeigend die Hauptartikel der göttlichen Lehre mit den führnemsten Grundsprüchen und Zeugnissen der heiligen Schrift, vermehrt von A. Fusius, Leipzig 1698.
SEHMSDORF, E., Die Prophetenauslegung bei J. G. Eichhorn, Göttingen 1971.
SEMLER, J. S., Historische Einleitung in die Dogmatische Gottesgelersamkeit von ihrem Ursprung und ihrer Beschaffenheit bis auf unsere Zeiten (innerhalb des Werkes: Siegmund Jacob Baumgartens Evangelische Glaubenslehre, Erster Band. Mit einigen Anmerkungen, Vorrede und historischer Einleitung hrsg. von J. S. Semler), Halle 1759.
— Historischtheologische Abhandlungen. Zweite Samlung, Halle 1762.
— Historische und kritische Sammlungen über die sogenannten Beweisstellen der Dogmatik. Erstes Stück über I Joh 5, 7., Halle und Helmstädt 1764; Zweites Stück. Nebst einem Anhang wider Herrn Senior Göze, Halle und Helmstädt 1768.
— Abhandlung von freier Untersuchung des Canon, I–IV, Halle 1771–1775.
SENFT, CHR., Wahrhaftigkeit und Wahrheit. Die Theologie des 19. Jahrhunderts zwischen Orthodoxie und Aufklärung, BhTh 22, Tübingen 1956.
SMART, J. D., Hermeneutische Probleme der Schriftauslegung, Beiträge zur praktischen Theologie Bd. 2, Heidelberg 1965.
SMEND, R. (sen.), Lehrbuch der Alttestamentlichen Religionsgeschichte, Freiburg/Leipzig/Tübingen ²1899.
SMEND, R. (jun.), Wilhelm Martin Leberecht de Wettes Arbeit am Alten und am Neuen Testament, Basel 1958.
— De Wette und das Verhältnis zwischen historischer Bibelkritik und philosophischem System im 19. Jahrhundert, ThZ 14, 1958, S. 107–119.
— Universalismus und Partikularismus in der Alttestamentlichen Theologie des 19. Jahrhunderts, EvTh 22, 1962, S. 169–179. (= Universalismus).
— Johann Philipp Gablers Begründung der biblischen Theologie, EvTh 22, 1962, S. 345–357. (= Gabler)
— Die Mitte des Alten Testaments, Theologische Studien 101, Zürich 1970. (= Mitte).
SPENER, PH. J., Pia Desideria, hrsg. von K. Aland, Kleine Texte für Vorlesungen u. Übungen, Nr. 170. hrsg. von H. Lietzmann, Berlin 1940.
— Theologische Bedencken IV, Halle 1715.
SPICQ, C., Nouvelles réflexions sur la théologie biblique, RScPhTh 42, 1958, S. 209–219.
STADE, B., Ueber die Aufgaben der biblischen Theologie des Alten Testamentes, ZThK 3, 1893, S. 31–51.
STÄUDLIN, C. F. (Hrsg.), Beiträge zur Philosophie und Geschichte der Religion und Sittenlehre überhaupt und der verschiedenen Glaubensarten und Kirchen insbesondere. Hrsg. von C. F. St., Bd. IV. V, Lübeck 1798.
— De Interpretatione librorum Noui Testamenti historica non vnice vera, Göttinger Pfingstprogramm, Gottingae 1807.
— Ueber die blos historische Auslegung der Bücher des Neuen Testaments, in: Kritisches Journal der neuesten theologischen Literatur, hrsg. von C. F. Ammon u. L. Bertholdt, Bd. I, 1813, S. 321–348; II, 1814, S. 1–39, 111–148.
STAGG, F., New Testament Theology, Nashville/Tenn. 1962.
STAUFFER, E., Die Theologie des Neuen Testaments, Genf 1945.
STEIN, K. W., Über den Begriff und die Behandlungsart der biblischen Theologie des N.T., in: Analekten für das Studium der exegetischen und systematischen Theologie, hrsg. von C. A. G. Keil u. H. G. Tzschirner, Bd. III, 1816, S. 151–204.
STEITZ, G. E., Art. Johann Philipp Gabler, ADB 8, 1878, S. 294–296.
STENDAHL, K., Method in the Study of Biblical Theology, in: The Bible in Modern Scholarship, ed. by J. Ph. Hyatt, 1965, S. 196–209.
STEPHAN, H. – M. SCHMIDT, Geschichte der deutschen evangelischen Theologie seit dem deutschen Idealismus, Berlin ²1960.
STEVENS, G. B., The Theology of the New Testament, New York 1899 (repr. New York 1927).

STORR, G. CHR., Doctrinae Christianae pars theoretica e sacris literis repetita, Stuttgart 1793.
— Doctrinae christianae pars theoretica…, deutsch v. K. Chr. Flatt, Stuttgart ²1803.
STRATHMANN, H., Art. Georg Lorenz Bauer, NDB 1, 1953, S. 637–638.
STRAUSS, D. F., Das Leben Jesu, kritisch bearbeitet, Bd. I, Tübingen 1835 u. ⁴1840.
STRECKER, G., William Wrede. Zur hundertsten Wiederkehr seines Geburtstages, ZThK 57, 1960, S. 67–91.
STUHLMACHER, P., Neues vom Neuen Testament (Buchbericht), Pastoraltheologie 58, 1969, S. 405–427.
— Zum gegenwärtigen Stand der Frage nach Jesus, in: Fides et Communicatio, Festschrift M. Doerne, Göttingen 1970, S. 341–361.
— Neues Testament und Hermeneutik. Versuch einer Bestandsaufnahme, ZThK 68, 1971, S. 123–161.
STUPPERICH, R. (Hrsg.), Briefe Karl Holls an Adolf Schlatter, ZThK 64, 1967, S. 169–240.
SWAIM, J. C., Bespr. von A. Richardson, An Introduction (s. o.), Interpretation 13, 1959, S. 465–468.
TAYLOR, V., Bespr. von A. Richardson (s. o.), ExpT 70, 1958/59, S. 167–168.
TELLER, W. A., Topice sacrae Scripturae, Lipsiae 1761.
— Lehrbuch des christlichen Glaubens, Helmstedt 1764.
Theologische Monatsschrift für das Jahr 1801 u. 1802, hrsg. von J. Chr. Augusti, Jena u. Leipzig 1801/02.
TROELTSCH, E., Das Historische in Kants Religionsphilosophie. Zugleich ein Beitrag zu den Untersuchungen über Kants Philosophie der Geschichte, Berlin 1904 (Sonderdruck aus den Kantstudien, Jahrg. IX, 1904).
Tübingische gelehrte Anzeigen: 1795. 1803. 1805.
VATKE, W., Die Religion des Alten Testamentes nach den kanonischen Büchern entwickelt, Erster Theil (= Die biblische Theologie wissenschaftlich dargestellt), Berlin 1835.
VEILLODTER, V. K., Bemerkungen über die jetzige Bearbeitung der christlichen Sittenlehre, NthJ, Bd. 6, 1795, S. 967–1011, 1081–1107; Bd. 7, 1796, S. 317–349.
VÖGTLE, A., Was heißt „Auslegung der Heiligen Schrift"? Exegetische Aspekte, in: Was heißt Auslegung der Heiligen Schrift?, Regensburg 1966, S. 29–83.
— Biblische Theologie II. Neues Testament, in: Sacramentum Mundi. Theologisches Lexikon für die Praxis, Bd. I, 1967, Sp. 589–598.
WACH, J., Das Verstehen. Grundzüge einer Geschichte der hermeneutischen Theorie im 19. Jahrhundert, Bd. I–III, Tübingen 1926. 1929. 1933.
WALLACE, D. H., Historicism and Biblical Theology, in: Studia Evangelica, Vol. III, Part. II: The New Testament Message, ed. by F. L. Cross, TU 88, Berlin 1964, S. 223–227.
WEBER, O., Grundlagen der Dogmatik, Bd. I, Neukirchen-Vluyn ³1964.
WEIDNER, F., Biblical Theology of the New Testament, Vol. I. II, Chicago/London 1891.
WEIDNER, J. CHR., Deutsche theologia biblica oder einfältige Grundlegung zur erbaulichen theologia thetica, Leipzig 1722.
WEINEL, H., Biblische Theologie des Neuen Testaments, Tübingen ¹1911; ³1921; ⁴1928.
WEISMANN, CHR. E., Institutiones theologiae exegetico-dogmaticae, Tubingae 1739.
WEISS, B., Lehrbuch der Biblischen Theologie des Neuen Testaments, Berlin ¹1868; Stuttgart-Berlin ⁷1903.
WILCKENS, U., Bespr. von H. Braun, Gesammelte Studien zum Neuen Testament und seiner Umwelt, 1962, ThLZ 89, 1964, Sp. 663–670.
— Über die Bedeutung historischer Kritik in der modernen Bibelexegese, in: Was heißt Auslegung der Heiligen Schrift?, Regensburg 1966, S. 85–133.
WILDER, A. N., New Testament Theology in Transition, in: The Study of the Bible Today and Tomorrow, ed. by H. R. Willoughby, Chicago 1947, S. 419–436.
WILL, G. A., Nürnbergisches Gelehrtenlexikon, fortgesetzt von C. K. Nopitsch, Bd. V, Nürnberg 1802.
WOLF, E., Art. Bauer, Georg Lorenz, RGG³, Bd. I, 1957, Sp. 924.
— Art. Gesetz V. Gesetz und Evangelium, dogmengeschichtlich RGG³, Bd. II, 1958, Sp. 1519–1526.
WOOD, H. G., The Present Position of New Testament Theology: Retrospect and Prospect, NTSt 4, 1957/58, S. 169–182.
WREDE, W., Über Aufgabe und Methode der sogenannten Neutestamentlichen Theologie, Göttingen 1897.

ZACHARIÄ, G. T., Biblische Theologie, oder Untersuchung des biblischen Grundes der vornehmsten theologischen Lehren, Bd. I–IV, Göttingen 1771/72 (Bd. I. II); ³1786 (Bd. III. IV); 1786 (Bd. V, hrsg. von J. C. Volborth).

ZAHN, TH., Grundriß der Neutestamentlichen Theologie, Leipzig 1928.

ZEDLER, J. H., (Hrsg.), Großes vollständiges Universallexikon, Bd. 43, (Halle 1745) Nachdruck Graz 1962.

ZELLER, W. (Hrsg.), Der Protestantismus des 17. Jahrhunderts, Klassiker des Protestantismus, Bd. V, Bremen 1962.

— Frömmigkeit in Hessen, hrsg. von B. Jaspert, Marburg 1970.

ZSCHARNACK, L., Lessing und Semler. Ein Beitrag zur Entstehungsgeschichte des Rationalismus und der kritischen Theologie, Gießen 1905.

— Art. Bauer, Georg Lorenz, RGG², Bd. I, 1927, Sp. 798.

ABKÜRZUNGSVERZEICHNIS

Abgekürzte Buch- und Aufsatztitel sind im Lit.-Verz. jeweils bei den einzelnen Autoren in Klammern angeführt.
Verweise auf Anmerkungen ohne Seitenzahlen innerhalb dieser Veröffentlichung beziehen sich auf die Numerierung im jeweiligen Kapitel.

AB	Allgemeine Bibliothek der biblischen Litteratur (Eichhorn)
ADB	Allgemeine Deutsche Biographie
BevTh	Beiträge zur evangelischen Theologie
BhTh	Beiträge zur historischen Theologie
BZ	Biblische Zeitschrift
BZAW	Beihefte zur Zeitschrift für die alttestamentliche Wissenschaft
EvTh	Evangelische Theologie
ExpT	Expository Times
JathL	Journal für auserlesene theologische Literatur (Gabler)
JBL	Journal of Biblical Literature
JBR	The Journal of Bible and Religion
JthL	Journal für theologische Literatur (Gabler)*
JThSt	Journal of Theological Studies
LThK²	Lexikon für Theologie und Kirche, 2. Aufl.
MThZ	Münchener Theologische Zeitschrift
NDB	Neue Deutsche Biographie
NthJ	Neues theologisches Journal (Hänlein-Ammon, von Gabler fortgesetzt)*
NTSt	New Testament Studies
NZSTh	Neue Zeitschrift für systematische Theologie und Religionsphilosophie
PhB	Philosophische Bibliothek
RE³	Realencyklopädie für protestantische Theologie und Kirche, 3. Aufl.
RGG²,³	Religion in Geschichte und Gegenwart, 2. bzw. 3. Aufl.
RScPhTh	Revue des Sciences Philosophiques et Théologiques
ThExh	Theologische Existenz heute
ThLZ	Theologische Literaturzeitung
ThQ	Theologische Quartalschrift
ThR	Theologische Rundschau
ThStKr	Theologische Studien und Kritiken
ThZ	Theologische Zeitschrift Basel
TU	Texte und Untersuchungen
WA	Luthers Werke, Weimarer Ausgabe
ZKG	Zeitschrift für Kirchengeschichte
ZThK	Zeitschrift für Theologie und Kirche

Gängige Abkürzungen wie NT, ntl. usw. wurden in Titeln innerhalb der Anmerkungen stillschweigend verwendet.

* Die jeweils in Klammern zusätzlich angegebene Bandzahl gibt die übersichtliche Bandzählung der Hessischen Landesbibliothek in Darmstadt wieder.

PERSONENVERZEICHNIS